Eberhard Hilscher

GERHART HAUPTMANN

Eberhard Hilscher

GERHART HAUPTMANN

Leben und Werk

*Mit bisher
unpublizierten Materialien
aus dem Manuskriptnachlaß
des Dichters*

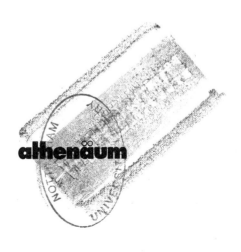

326141

CIP-Kurztitelaufnahme der Deutschen Bibliothek

Hilscher, Eberhard:
Gerhart Hauptmann : Leben u. Werk ; mit bisher
unpubl. Materialien aus d. Ms.-Nachlass d. Dich-
ters / Eberhard Hilscher. - Frankfurt am Main :
Athenäum, 1988.
  ISBN 3-610-08930-X

Athenäum Verlag, Frankfurt am Main 1988
Lizenzausgabe mit freundlicher Genehmigung des Verlags der Nation
© Verlag der Nation 1987, Berlin (DDR)
Gesamtgestaltung: Manfred Damaszynski
Gesamtherstellung: Offizin Andersen Nexö, Graphischer Großbetrieb,
Leipzig III/18/38
Printed in the Germanic Democratic Republik
ISBN 3-610-08930-X

Begegnung
mit einer Persönlichkeit

Alljährlich besuchen mehr als fünfzigtausend Menschen die Gerhart-Hauptmann-Gedächtnisstätte auf der Insel Hiddensee. Sie gehen durch die Räume, in denen der Dichter ungefähr ein dutzendmal zur Sommerzeit heimisch war: durch die Diele, den Kreuzgang, das Abendzimmer und den Arbeitssaal mit der angrenzenden weiträumigen Ziegelterrasse. Dabei denken sie zurück an die Kunsterlebnisse, die ihnen der Genius loci schenkte. Wohl alle kennen den *Biberpelz* und die *Weber*, viele auch den *Bahnwärter Thiel*, *Rose Bernd*, *Fuhrmann Henschel*, den *Ketzer von Soana* oder andere Werke. Und vielleicht sucht sich mancher im stillen die Stunde zu vergegenwärtigen, in der Gerhart Hauptmann im Frühherbst des Jahres 1943 zum letzten Male in diesem Raum umherwandelte und diktierte ...

Durch zahllose Freunde und Bekannte sind uns Begegnungen mit dem Dichter und der Umriß seiner Gestalt überliefert worden. Selten hat ein Künstler jahrzehntelang die Kulturwelt so beschäftigt wie er, und selten ist in kurzer Frist über jemanden eine derart umfangreiche Literatur entstanden.

Immer wieder stoßen wir in den Berichten der Zeitgenossen auf Worte wie «imposant», «majestätisch», «königlich». In der Tat empfängt man auch noch beim Blättern in Sammlungen von Hauptmanns Bildnissen den Eindruck einer urwüchsigen Vitalität und imponierenden Würde. Da ist das weißwehende Haupthaar, die hohe Stirn mit der notenlinienähnlichen, taktstrichdurchsetzten Gravierung, die knorrige Nase, die scharfe, in A-Runenform nach unten gezogene Fältelung der Mundpartie und das massige Kinn. Die beiden stärksten Ausdrucksträger eines Gesichts sind dagegen bei Hauptmann merkwürdig unausgeprägt: die kleinen, blaßgrauen, weit auseinanderliegenden Augen und der Mund, der manchen Beobachtern konturenlos und gleichsam zerrissen erschien.

Unser Porträt ist unvollkommen, denn wie kann man ihn, den Gestenreichen, ohne Bewegung sehen! Er hatte die ausholende Gebärde freilich nötig, da es ihm trotz seines beträchtlichen Mitteilungsdranges nicht gegeben war, sich in flüssiger, wohlgeformter Rede zu äußern. Handzeichen mußten Unausgesprochenes ergänzen. Bei öffentlichen Anlässen pflegte er darum auch die kleinste Ansprache, mitunter nur drei, vier Sätze, vom Konzept abzulesen. In der freien Unterhaltung und im freundschaftlichen Gespräch aber bot er ein wahrhaft faszinierendes Schauspiel.

«Meine Herrschaften – gut. Das Fleisch, meine Herrschaften, es ist nun einmal – Erledigt. Nein – erlauben Sie mir – ‹schwach›, so steht es in der Schrift. ‹Schwach›, das heißt geneigt, sich den Anforderungen – Aber ich appelliere an Ihre – Kurzum und gut, meine Herrschaften, ich ap-pel-liere. Sie werden mir sagen: der Schlaf. Gut, meine Herrschaften, perfekt, vortrefflich. Ich liebe und ehre den Schlaf. Ich veneriere seine tiefe, süße, labende Wollust. Der Schlaf zählt zu den – wie sagten Sie, junger Mann? – zu den klassischen Lebensgaben vom ersten, vom allerersten – ich bitte sehr – vom obersten, meine Herrschaften. Wollen Sie jedoch bemerken und sich erinnern: Gethsemane! ...»[1] Wir zitierten soeben eine Rede des Mynheer Peeperkorn aus Thomas Manns Roman «Der Zauberberg». Unzweifelhaft erkannten die Freunde Hauptmanns darin eine parodistische Darstellung der eigentümlich eruptiven, unvermittelten, vom Hundertsten ins Tausendste abschweifenden Sprechweise des Dichters. Zugleich gewahrten sie, halb amüsiert, halb empört, daß weitere Merkmale seines Äußeren in Peeperkorns Erscheinung abkonterfeit waren, so die oben beschriebene Ausprägung des stets etwas geröteten Gesichts (wobei unterstellt wird, die Stirnfalten kämen von einem kuriosen Bemühen um Großäugigkeit her), ferner die weiße Lohe des Haars, die robuste Gestalt, die breite Kapitänshand. Ja sogar die von ihm bevorzugte etwas altväterische Kleidung mit Gehrock, geschlossener Weste und wollenem Jägerhemd fehlte nicht.

Das Bild entbehrt nicht des karikaturistischen Einschlages. Diesem Mann mit den Dirigentengebärden und mit dem ausdrucksvollen Mienenspiel, das Hochwichtiges anzuzeigen scheint und dann nur bruchstückhafte Kundgaben begleitet, haftet eine gewisse Komik an. Dennoch behauptete Thomas Mann, er empfinde die Peeperkorn-Kapitel keineswegs als «Verrat» an Hauptmann, sondern im Gegenteil als eine Huldigung, die der Nachwelt von der «rührend größten Erfahrung im Menschlich-Persönlichen, die mir je zuteil wurde, ... von dem Erlebnis seines Daseins, von seines Wesens weher Festlichkeit»[2] künden werde.

Wie sollen wir das verstehen? Nun, bei genauerem Hinsehen erweist Mynheer Peeperkorn durchaus sein Format. Ist es nicht verblüffend, wie er die gelehrten Herren Settembrini und Naphta und den ganzen schwatzenden Umkreis gleichsam durch eine hinwischende Handbewegung in die Tasche steckt? Wo gab es einen so ausschließlichen und anerkannten Herrschaftsanspruch wie bei ihm? Und ist es nicht eine ergreifend-eindrucksvolle Szene, wenn wir ihn unter dem Donnern der Elemente prometheische Zwiesprache mit einem Wasserfall halten sehen?

Natürlich kann Peeperkorn nicht mit Hauptmann gleichgesetzt werden. Der malariakranke, javanisch-holländische Kaffeehändler des Romans hat im Grunde nur ganz äußerliche Dinge, Habitus und Sprechmelodie, mit dem berühmten Dichter gemein, der sich in seiner Konversation denn doch auf höherem Niveau bewegte. Auch haftete dem Künstler nichts Komisches an – allenfalls etwas «Rührendes», das mit seiner unablässig «bemühten» Art zusammenhing.

Was Thomas Mann seinerzeit erfuhr, war der etwas verdächtige Zauber einer Persönlichkeit. In Gerhart Hauptmann begegnete ihm ein Mensch, der allein schon durch seine Anwesenheit Wirkungen ausübte, dessen schlichtes, würdevolles Auftreten die Herzen gewann und zugleich Achtung gebot. Da war kaum ein Wort nötig, jeder spürte die gesammelte Kraft und das Gewicht dieses Daseins.

Freilich, infolge des Mangels an Witz, Schlagfertigkeit und prägnanter Ausdrucksgabe hatte sie bisweilen auch «etwas Attrappenhaftes, bedeutsam Nichtiges, diese ‹Persönlichkeit›, hatte in ihrer geistigen Gebundenheit etwas von steckengebliebener, nicht recht fertig gewordener und ausartikulierter, maskenhafter Größe»[3]. Diesen Satz schrieb Thomas Mann 1946 in bitterer Stunde bei der Nachricht von Hauptmanns Tod nieder. Aber die Einschränkung löscht den wesentlichen, bedeutenden Eindruck nicht aus, den der «Zauberberg»-Dichter ebenso wie andere Zeitgenossen immer wieder bestätigten.

So empfand Hugo von Hofmannsthal[4] jede Berührung mit Hauptmann als ein «herrliches, tief bewegendes Phänomen». Rainer Maria Rilke[5] rühmte etwas «Stilles, Einfaches und unendlich Liebes» an ihm. Für Carl Zuckmayer[6] und viele junge Schriftsteller war er ein «Vater», und selbst der kritische Robert Musil[7], der in seinen Tagebuchnotizen nur wenige Geister gelten ließ, kam um das «Phänomen» nicht herum, auch wenn er es mit dem Beiwort «monströs» belegte.

Zweifellos hatte dieser Dichter in seinem Wesen etwas Bestechendes, menschlich Gewinnendes. Einer seiner Freunde schrieb, er habe viele Leute gekannt, die ihn «um seiner Werke willen ablehnten. Doch jeder war noch bezaubert, der mit ihm in persönlichen Umgang kam.»[8]

8

Suchen wir uns einmal vorzustellen, wir wären bei Gerhart Hauptmann zu Gast und hätten Gelegenheit, in seinen Privatkreis und Tageslauf einzudringen.[9]

Er stand früh auf. Um fünf Uhr morgens war er auf den Beinen und stapfte, noch schlaftrunken und im Sommer meist nur mit einem Laken bekleidet, durch den Park. Nach einer reichlichen Stunde ermunterte er sich endgültig beim Bad, und zwar besonders gern in der tosenden Brandung auf Hiddensee. Gegen neun Uhr erschien er zum Frühstück, das er stets gemeinsam mit seiner Frau einnahm. Man sah die Postsendungen durch und besprach laufende Angelegenheiten. Bisweilen überraschte er dann durch überstürzte Einfälle: «In einer halben Stunde brechen wir zur Schneegrubenbaude auf!» Jedenfalls konnten ihn weder Sturm noch Regen davon abhalten, sich auf einen weiten Spaziergang zu begeben, von dem er gewöhnlich erst zum Mittagessen um vierzehn Uhr zurückkehrte.

Der Leser hat Grund zum Kopfschütteln. Neun Stunden ohne eine sichtbare nützliche Tätigkeit! Das Frühaufstehen erscheint in dem Zusammenhang ziemlich sinnwidrig. – Aber nach dem guten und reichlich genossenen Mahle wird sich der Dichter, so vermuten wir, doch gewiß an den Schreibtisch gesetzt und etwas zu Papier gebracht haben? Weit gefehlt! Wandern macht müde, und außerdem sagt eine Volksweisheit: Ein voller Bauch studiert nicht gern. Der Hausherr zog sich ins Schlafzimmer zurück, hielt Siesta …

Nicht vor siebzehn Uhr kam er wieder zum Vorschein. Er nahm am Vespertisch Platz, bereitete sich eigenhändig in einer altmodischen, noch mit Spiritus beheizten Kaffeemaschine (einem Erbstück) zwei Tassen Mokka und trank ihn in raschen Schlucken. Dabei verhielt er sich einsilbig und erhob sich bald.

Und nun kommt endlich der Augenblick, auf den wir gewartet haben: Gerhart Hauptmann ging zum Arbeitszimmer hinüber. Es begann jene erfüllte Stundenfolge, in der er seine Werke schuf, während der Zeiger dreimal seine Runde machte. Doch im Grunde verhielt es sich etwas anders.

Auf den ersten Blick sieht es so aus, als habe die Zwölfstundenspanne von fünf bis fünf nichts mit dem eigentlichen Schaffen zu tun. Aber Hauptmann selbst schien es, als ob im Schlaf die Quelle seiner Poesie entspringe: «Mein Tagewerk besteht eigentlich nur darin, daß ich über das nachdenke und es gestalte, was ich im Traum gesehen und gedacht habe.»[10] Sichtlich brauchte er das viele Alleinsein und Wandern in der Natur, damit die brodelnden Eingebungen und Bilder der Nacht allmählich überschaubare Formen in ihm annähmen. Darum redete er auch von «Produktivspaziergängen», und sein so heiter anzuschauendes «Ferienleben» war eigentlich ein umfassender Vorbereitungs- und Verdichtungsprozeß.

Viele Einfälle hielt er in Tage- und Notizbüchern fest; sie weisen überwiegend kleine, krause Schriftzeichen auf mit merkwürdig geschwänzten Unterlängen (vor allem beim g) und einigen überbetonten Großbuchstaben. Bei der Bemerkung von Frau Margarete[11], wenn ihr Mann einen Federhalter zur Hand nehme, beschmiere er sich unvermeidlich die Finger, handelt es sich nur um eine Anekdote, denn er war des Schreibens keineswegs «entwöhnt», wie es manchmal scheinen mochte. Vielmehr hinterließ er Tausende Manuskriptblätter, obwohl er für die Fixierung seiner Werke meistens einen anderen Arbeitsstil bevorzugte.

In der Tat wissen wir, daß er schon als Zwanzigjähriger sein frühes Drama *Germanen und Römer* einem beschäftigungslosen alten Turnlehrer diktierte. Diese Schaffensmethode behielt er bei, offenbar weil sie es ihm gestattete, seine Bühnenstücke gewissermaßen im Augenblick des Entstehens vor sich selbst aufzuführen. Jedenfalls weisen die meisten seiner Manuskripte fremde Schriftzüge auf. Anfangs half ihm Frau Marie, dann schrieben für ihn Frau

Margarete und Freunde, während ihm später Richard Düsterhöft (1898–1901), Edith Cox (1907–1914), Toni Landmann (1914–1921), Elisabeth Jungmann (1922–1933), Ludwig Jauner (1933–1935), Erhart Kästner (1936–1937), Felix A. Voigt (1937) und Annie Pollak (1938–1946) regelmäßigere Sekretärsdienste leisteten.[12]

Nach einem Wort von Frank Wedekind arbeitete Hauptmann «wie eine Dampfmaschine». Man darf daraus allerdings nicht die Vorstellung ableiten, als sei das Diktat des Dichters pausenlos und im Gleichtakt abgerollt. Es gab immer wieder Stockungen, ein behutsames Herumtragen eines Lieblingsbuches (oft war es Goethes «Divan»), von dem er sich durch Berührung den Zustrom neuer poetischer Kräfte erhoffte. Im übrigen zeigen umfangreiche Entwürfe und Notizen in seinen nachgelassenen Diarien, daß er keineswegs planlos und «genial» improvisierend produzierte; oft diktierte er bereits Vorformuliertes.

Wedekinds obige Bemerkung zielt nur auf die Energie, Wucht und tägliche Periodizität der Hervorbringung, die insgesamt selten mehr als sechzig Zeilen in drei Stunden betrug. Das ist ein relativ karges Pensum, aber da Hauptmann, wie er gelegentlich sagte, «mit absoluter Stetigkeit jeden Tag» arbeitete, so kam dabei eben doch «am Ende des Jahres ein Band von etwa siebenhundert Seiten zustande»[13].

Gegen zwanzig Uhr ging die «stille Zeit» im Hause des Dichters zu Ende. Fast allabendlich versammelte er um sich Gäste und Freunde, die er mit dem Besten aus Küche und Keller festlich bewirtete. Seine «Trinksitzungen», die auch im Roman vom «Zauberberg» spuken, sind berühmt geworden und in Anekdoten eingegangen. Man erzählte etwa[14], er habe oft seine «Mäßigkeit» beteuert und erklärt, wenn er pro Tag zwei Flaschen Wein und manchmal etwas Sekt trinke, so sei das doch wahrlich «nicht viel». Gern kredenzte er der Tafelrunde spanische Originalweine, die er von seinem Neffen Konrad direkt aus Madrid bezog, oder er mixte aus Kognak und Sodawasser zünftige «Pjolter».

Natürlich ging es in dem Kreise heiter und angeregt zu. Dennoch können wir uns heute bei der Lektüre von Augenzeugenberichten nicht des Eindrucks erwehren, daß die geselligen Abende ein wenig einförmig verliefen. Wenn nämlich nicht gerade Schach gespielt oder Musik vorgetragen wurde, «präsidierte» Hauptmann unumschränkt. Eifersüchtig hütete er seine Mittelpunktsrolle, nahm fremde Kunde und vor allem das Lob anderer dichterischer Leistungen (etwa von Shaw oder Rilke) ziemlich reserviert oder gar ablehnend auf und forderte wohl bisweilen: «Jetzt könnten wir doch wieder mal von mir reden.»[15]

Und er redete von sich! Umständlich und gebärdenreich setzte er die Probleme seines Lebens und Schaffens auseinander, brachte seine jüngsten Arbeiten zu Gehör, ließ sich von seinen beflissenen Hausgenossen nur zu gern Fragmente aus seinen unerschöpflichen Manuskriptschränken präsentieren, und er zeigte sich nicht selten «überrascht» von der «strahlenden Schönheit» mancher Szenen, von seinen wirklich «guten Gedichten» und den wiederentdeckten «Meisterwerken». Wir verstehen, warum der tiefspürende Psychologe und Ironiker Thomas Mann die Erscheinung Hauptmanns in ihrer «majestätischen Unzulänglichkeit», Bestätigungssucht und Unbekümmertheit ein wenig «rührend» fand ...[16]

Beim Rückblick auf unsere Porträtstudie wird uns ein merkwürdiger Widerspruch bewußt. Wir haben im wesentlichen das Bild jenes Gerhart Hauptmann gezeichnet, das einem im allgemeinen vor Augen steht und das die Welt von zahllosen Fotografien und Gemälden und aus Erinnerungsbüchern kennt, also das Bild des *alten* Dichters. Leicht vergißt man dabei, daß nicht dieser *die* Werke geschaffen hat, die wir im allgemeinen bei der Nennung seines Namens im Auge haben. Die berühmten Schauspiele vom *Sonnenaufgang* über *Weber* und *Biberpelz* bis zum *Henschel* schrieb der *junge* Dichter, ein Mann der Jahrhundertwende, dessen Physiognomie man sich selten vergegenwärtigt. So stehen heute Persönlichkeits- und Werkerlebnis bei den meisten Lesern in gewisser Weise beziehungslos nebeneinander.

Wir wollen uns im folgenden bemühen, Hauptmanns Gestalt und poetische Gestaltung über zwei Menschenalter hinweg als Ganzheit zu erfassen. In der Tat entsprach seiner äußeren Repräsentanz im Alter eine Werkfülle, wie sie uns nur bei wenigen zeitgenössischen Schriftstellern von Rang begegnet. Fünfundvierzig Dramen, rund zwanzig Prosadichtungen, sechs Versepen, zwei Gedichtsammlungen und eine Anzahl Essays hat er abgeschlossen. Durch die Centenar-Ausgabe wurden darüber hinaus seit 1963 mehr als fünftausend Seiten nachgelassene Schriften zugänglich, Fragmente zumeist, die umfangmäßig dem gesamten belletristischen Schaffen von Gottfried Keller oder E. T. A. Hoffmann entsprechen. Hinzu kamen erste Editionen von Briefen, Tage- und Notizbüchern. Doch die meisten persönlichen Aufzeichnungen sind noch immer ungedruckt und stehen lediglich in Archiven für wissenschaftliche Forschungen zur Verfügung.[17]

Es ist ein Bau von imponierender Architektur, der sich vor uns erhebt. Darstellung krasser Wirklichkeit steht neben Phantastischem und Mythischem, Szenisches und Dramatisches neben behaglich Erzähltem, Volksliedhaftes neben strenger Sonettform, Tiefgedachtes und Vollkommenes neben Naivem und erschreckend Unzulänglichem. Zudem fließen hier Stoffbereiche vieler Völker und Zeiten zusammen, rekapitulieren ein Stück Weltkultur im Rahmen einer Art Enzyklopädie der spätbürgerlichen Epoche.

Das Abenteuer seiner Jugend

1862–1880

Am Beginn unseres Jahrhunderts lebten noch einige betagte Menschen, von denen etwas Ehrwürdiges ausging, weil auf ihnen in ihrer Kindheit ein paar Herzschläge lang Goethes Blick geruht hatte. Handelte es sich dabei nur um eine Gunst des Zufalls, so gab es ein, zwei Generationen vorher Männer, die sich des Vorzugs rühmen konnten, dem Dichter des «Faust» geschätzte Ratgeber und Hausgenossen gewesen zu sein.

Zu ihnen gehörte der Maler und Architekt Karl Josef Raabe. Er kam 1811 als Dreißigjähriger an den Weimarer Hof und porträtierte dort auch Goethe und dessen Sohn August. Drei Jahre später, nach einer Wiederbegegnung in Heidelberg, vertieften sich die Beziehungen. Raabe hatte nun das Glück, über ein Vierteljahr lang am Frauenplan wohnen und ein Ölbildnis malen zu dürfen, das Goethe kurz darauf gegenüber dem Verleger Cotta als «das beste» bezeichnete, das ihm bekannt sei. In Briefen sprach Goethe[1] fortan von seinem «Freund Raabe», der eine Belebung in das Haus gebracht habe, erwähnte den «wackeren Künstler» auch wiederholt lobend in seinen Schriften, Tagebüchern und Korrespondenzen und beriet sich mit ihm in Fragen der bildenden Kunst und der Farbenlehre. Fast bis zu seinem Tode hielt er die Verbindung aufrecht.

Es muß um 1825 gewesen sein, daß Raabe nach einem längeren, von Goethe unterstützten Italienaufenthalt eine neue Wirkungsstätte in Bad Salzbrunn fand, und zwar betraute man ihn dort mit architektonischen Aufgaben. Allmählich entstanden unter seiner Anleitung der Turm auf der Wilhelmshöhe, der Verbindungsteil zwischen Elisenhalle und Brunnen und das Kurtheater. Interessant ist nun, daß sein Auftraggeber niemand anders war als der Brunneninspektor Friedrich Ferdinand Straehler, der Großvater Gerhart Hauptmanns ... Raabe wohnte im Straehlerschen Hause in ähnlichen Verhältnissen wie einstmals am Frauenplan.

Als Gerhart Hauptmann am 15. November 1862 in Obersalzbrunn geboren wurde, lebte Raabe nicht mehr, aber die Erinnerung an ihn war im Verwandtenkreis noch nicht verblaßt. Im Elternhaus hing sein großes biedermeierliches Bild von der Familie der Mutter; später trat der junge Dichter in jenes Breslauer Kunstinstitut ein, in dem der Maler die beiden letzten Jahrzehnte bis zu seinem Tode (1849) gewirkt und gelehrt hatte.[2]

Zeitlebens dachte Hauptmann gern an diesen ganz persönlichen Mittelsmann zu Goethe. Es wurde ihm bewußt, wie dicht seine Lebenszeit an die der Klassiker heranreichte: nur dreißig Jahre lagen zwischen seiner Geburt und dem Dahinscheiden Goethes, den er im Knabenalter unbekümmert für einen noch Lebenden hielt. Später sah er in ihm, neben Shakespeare und Jakob Böhme, seinen wichtigsten geistigen Stammvater.

Gerhart Hauptmann durfte noch in vollen Zügen die Luft des «goetheschen» Säkulums atmen, ehe ihn die Stürme unseres zwanzigsten Jahrhunderts umbrausten. Aus beiden Zeitaltern wuchsen ihm Erfahrungen zu, die sich letztlich zum Kernerlebnis verdichteten, Zeuge zweier Epochen zu sein.

Die «Zwischenstellung» ist hier in einem umfassenden Sinne zu verstehen. Schon ein Blick auf die Ahnenreihe[3] gibt bemerkenswerte Aufschlüsse. Unter den Vorfahren des Dichters finden wir väterlicherseits drei Generationen lang Pflugmacher, denen von der Mitte des 18. Jahrhunderts an drei Weber-Generationen nachfolgten. Auf der mütterlichen Seite begegnen uns zunächst Lohngärtner und Dienstleute, die jedoch bald Vertrauensposten bei den Grafen Hochberg und späteren Fürsten Pleß zu erringen wußten und dann drei Generationen lang als Vögte und herrschaftliche Kutscher tätig waren. Mit Friedrich Ferdinand Straehler schlug erstmals einer die Beamtenlaufbahn ein, stieg schließlich mit hoher Protektion zum Leiter des Bades Salzbrunn auf. Er sah die Verbindung seiner Tochter Marie mit dem einfachen Handwerkergeschlecht der Hauptmanns gar nicht gern.

Gewiß stimmte ihn auch die Vergangenheit des Schwiegersohns bedenklich. Dieser hatte einst bis zur Tertia das Gymnasium in Schweidnitz besucht, darauf in Breslau das Küferhandwerk erlernt, sich auf Wanderschaft begeben, die Revolution von 1848 in Paris erlebt und von dort den Ruf eines «Roten» und die Vorliebe für das provozierende Spielen der Marseillaise mit nach Hause gebracht. Als Besitzer des Hotels «Zur Krone» änderte er seine Ansichten freilich nach und nach. Er beherbergte nun vornehmlich Angehörige privilegierter Kreise, mehrte sein Vermögen, baute dem Ort eine Gasanstalt und hörte es gern, wenn man ihn bei Ausfahrten im prächtigen Wagen mit «Herr Baron» anredete.

Der junge Gerhart (dessen Geburtsurkunde übrigens die Taufnamen Gerhar*d* Johann Robert nennt) wuchs in einer Atmosphäre der Wohlhabenheit und der Kompromisse auf. Er begriff früh, daß er durch seine Verwandtschaft mit dem Brunneninspektor und als Sohn des «Kronen»-Wirts «einigermaßen bevorzugt»[4] war. Man räumte ihm vielfältige Freiheiten ein, und der Umgang mit Dienstpersonal war ihm von frühauf vertraut. Viele Monate im Jahr stand er gemeinsam mit seinem vier Jahre älteren Bruder Carl unter der Obhut eines Kindermädchens, denn seine Eltern mußten sich in der Saison von April bis in den Spätherbst hinein um die Feriengäste und Kurpatienten kümmern. Bad

Salzbrunn erfreute sich damals als Erholungs- und Lungenheilort bei osteuropäischen Adligen und dem begüterten deutschen Bürgertum großer Beliebtheit. Zu den Gästen der «Krone» gehörten gelegentlich die Schriftsteller Iwan Turgenjew und Hoffmann von Fallersleben sowie eine russische Zarin.

Bemerkenswerterweise entwickelte der Knabe eine Neigung, aus dem Kreise seines bürgerlichen Herkommens und den Festsälen des Vaterhauses in den «Bereich des Hofes, der Straße, des Volkslebens»[5] einzutauchen. Er kletterte in den Keller hinunter, um beim Abfüllen der Weinfässer zuzuschauen, beobachtete die Flößer am Fluß, die Heizer am Gasofen, kam durch Alterskameraden in die Hütten der Weber und Bergleute oder verkehrte in den Kutscherstuben. Am engsten schloß er sich an die Familie des Spediteurs Krause an, die ihm später im *Fuhrmann Henschel* als Modell diente. So pendelte er zwischen den gesellschaftlichen Ebenen hin und her, kehrte jedoch immer wieder in die familiäre Geborgenheit zurück.

Es war eine bewegte Zeit, in der Gerhart Hauptmann das Licht der Welt erblickte. Wenige Monate vor seiner Geburt wurden die Leibeigenschaft in Rußland und die Sklaverei in Amerika aufgehoben, während sich in Italien und Polen nationale Befreiungsbewegungen formierten. In Mitteleuropa führte die rasche Entwicklung der kapitalistischen Produktionsweise zu ökonomischen Aufschwüngen, die nur durch die Kleinstaaterei der Fürsten gehemmt wurden. Bald war die «deutsche Einheit ... eine wirtschaftliche Notwendigkeit geworden»[6]. Da das Bürgertum vor einer demokratisch-revolutionären Lösung der nationalen Frage zurückschreckte, blieben ihm nur Klassenkompromiß und Bündnis mit Adel und Königstum[7]. Es billigte 1866 Bismarcks militärisches Vorgehen gegen den österreichischen Rivalen, und 1870/71 begeisterte es sich für die Siege der preußischen Armeen, die Eroberung von Elsaß-Lothringen und für das waffenstarrende Kaiserreich.

Für Gerhart Hauptmann waren die hier dargelegten Vorgänge in zweierlei Hinsicht bedeutsam. Einmal gehörten die Truppendurchmärsche und der Anblick verwundeter Soldaten während des preußisch-österreichischen Krieges zu seinen frühesten Kindheitseindrücken. Zum andern aber wuchs er in einem Elternhause auf, in dem sich die Entwicklung des Bürgertums getreulich widerspiegelte. Als die preußischen Regimenter 1870 über den Rhein zogen, bekundete der einstmals mit Revolutionsideen sympathisierende Vater Hauptmanns offen seine Bismarck-Verehrung, war stolz auf eine gewisse äußere Ähnlichkeit mit dem Kanzler und hielt seinen Sohn zu ähnlichem «Enthusiasmus» und zur «Freude am neuen Deutschen Reich»[8] an. In Gerhart Hauptmanns ersten poetischen Versuchen (besonders im *Hermann*-Lied) wirkte dieser Geist entscheidend nach.

Es ist an der Zeit, daß wir auf das Memoirenwerk *Das Abenteuer meiner Jugend* hinweisen, in dem der Dichter selbst – aus der Perspektive des alten Mannes – die Geschichte seines Lebens bis zum Jahre 1889 erzählt hat. Dieses Buch ist eine wichtige Grundlage für unsere Darstellung. Es ging Gerhart Hauptmann hier darum, den «Rätselquellen» seiner «späteren Fabulierlust» nachzuspüren, die eigene Daseinsproblematik aufzurollen und «aus der Lauge» seines Wesens «eine Art Seelenkristall»[9] auszuscheiden.

Die Zitate geben über den Charakter der Niederschrift einigen Aufschluß. Worte wie «Rätselquellen» und «Seelenkristall» lassen kaum eine stärkere Berücksichtigung gesellschaftlicher und zeitgeschichtlicher Faktoren erwarten, sondern mehr eine intime Selbstverständigung und plauderreiche Jugenderinnerungen. Dazu war es nicht unbedingt notwendig, genaue chronologische Bestimmungen und eine strenge, von kompositorischen Gesichtspunkten geleitete Auswahl der Ereignisse vorzunehmen. Es entstand ein Lebensbericht, der nur sparsam Daten mitteilt, der manche Zusammenziehungen und kleine Irrtümer enthält (besonders bei der Schilderung der beginnenden achtziger Jahre) und oftmals Unwesentliches beschreibt. Diese Biographie wird «umständlich hingebreitet. Das Triviale fällt dort besonders auf, wo es emporstilisiert ist.»[10]

Seiner Jugend steht der Verfasser verhältnismäßig unkritisch gegenüber, selten trägt er spätere Erkenntnisse in die Aufzeichnungen hinein, ja er erzählt gleichsam aus der Perspektive der jeweiligen Lebensalter. Nur ab und an leitet er aus der Biographie, in der keine rechte Entwicklung sichtbar wird, lehrhaft-trockene «Altersweisheiten» ab. Zu den umwälzenden historischen Vorgängen seiner Epoche, zur Verpreußung und Militarisierung Deutschlands, nahm er nur am Rande Stellung. Allenfalls sprach er einmal von der Überheblichkeit deutscher Landsleute im Ausland.[11]

Ursprünglich wollte der Dichter seine Memoiren, unter Anlehnung an ein Laotse-Wort, «Die Bahn des Blutes»[12] nennen, da er sich selbst weitgehend als Ergebnis des Zusammenschießens vieler Erbströme seiner Vorväter begriff – wobei es ihm namentlich die Theaterleidenschaft seiner vermutlich als uneheliche Tochter einer Schauspielerin geborenen Großmutter Straehler angetan hatte. Gewiß spielte die geistige Mitgift der Ahnen bei der Persönlichkeitsformung eine Rolle; wir haben bereits davon gesprochen, doch wesentlicher war der Einfluß der Umweltbedingungen, unter denen er aufwuchs. Im Hinblick auf den im Erscheinungsjahr 1937 grassierenden faschistischen Blut-Mythos nahm Hauptmann von dem zunächst vorgesehenen Titel Abstand und wählte den für sein Empfinden oberflächlicheren *Das Abenteuer meiner Jugend*.

Der Abenteuer-Begriff ist in der deutschen Literatur über Gebühr strapaziert worden. Dennoch bezeichnet er im vorliegenden Falle recht gut und im ursprünglichen Sinne des Wortes («aventiure», d. i. etwas Gefahrvolles, auf einen Zukommendes) die essentielle Stimmungslage des Buches. Es ist eine bunte, bewegte Welt, die da an uns vorüberzieht, eine Gesellschaft, in der Leben zugleich Wagnis und Bedrängnis bedeutet. Der Dichter selbst gewahrte in seinem ersten Vierteljahrhundert «eine ständige Lebens- und Geistesgefahr», ein abenteuerliches Dahinschaukeln «ohne sichtbares Steuer und ohne sichtbaren Kompaß»[13]. Mit Erregung verfolgt man, was dem jungen Menschen, von dem die Aufzeichnungen handeln, alles «zustößt», wie er immer wieder in Sackgassen gerät.

Es gibt wenige derart «katastrophale» Künstlerbiographien. Hier war jemand, der sich zweieinhalb Jahrzehnte lang zu nichts recht tauglich erwies, der als Schüler, Landwirtschaftseleve, Student, Bildhauer, Schauspielschüler «scheiterte» und trotzdem unablässig nach einer «Bestimmung» suchte, ohne sie zu finden. Dafür wurde er mit Schimpf und Schande überschüttet. Eine labile Konstitution und Psyche setzten den Wachstumsprozeß zudem Gefahren aus. Als der Mann endlich als Schriftsteller hervortrat, erregte er wohl ein dutzendmal heftige «Skandale».

Vielleicht wären auch die Memoiren in moralischer Hinsicht zu einem Stein des Anstoßes geworden, wenn Hauptmann die Niederschrift und Endfassung nicht so lange verzögert hätte. Er bedauerte die Aufschiebung später, denn einstmals sei er «in der Selbstdarstellung» viel rücksichtsloser gewesen, «ohne jede Furcht vor Kraßheit, ... noch ganz im Banne Rousseaus und seines hemmungslosen Bekenntnisdranges»[14].

Das Erinnerungsbuch bietet die bedeutsame Chronik einer Dichterwerdung, eine poetische Psychologie der Kindheit und Jugend eines Hochtalents; es enthält manche Hinweise zu seiner Weltanschauung, kulturhistorische Einzelheiten und Bemerkungen zur damaligen Literatur, insbesondere zum Naturalismus. Schließlich dürfen wir in einen Werkstattraum blicken, in dem an vielem die Umwandlung von erlebter Wirklichkeit in Dichtung demonstriert wird. «Ohne Modelle geht es nicht», heißt es anderswo[15], und oftmals wird der Erlebnishintergrund späterer

Dramen und Prosastücke erkennbar. Darin liegt ein Reiz dieses Werkes, das unter dem Goetheschen Sturmlied-Motto steht: «Wen du nicht verlässest, Genius!» Doch nicht selten verließ der «Genius» den Verfasser, dessen kuriose Selbsteinschätzungen und sprachliche Entgleisungen unfreiwillig erheitern. N. Oellers glossierte: «Als er über sich schrieb, spendete er sich viel Applaus – völlig distanzlos, also ohne einen Anflug von Ironie. Er genoß sich als Auserwählten: Bei der Schilderung einer Knaben-Verliebtheit … bemerkte er, daß ‹der Gott in mir sich noch nicht völlig geboren hatte›, wenig später wird ‹das Wunder über mir schwebender Huld› erwähnt; Hauptmann, ein ‹versprengter Grieche›, wird auch einmal durch ‹Gottes unsichtbar bejahendes Kopfnicken› ausgezeichnet.»[16] Durch Nachlaßveröffentlichungen wurden inzwischen frühe Vorstufen der Lebensbeschreibung bekannt. Der Autor dachte ursprünglich an eine belletristische Behandlung seiner Erfahrungen und skizzierte Fragmentarisches über Schul- und Landwirtschaftselevenzeit («Autobiographischer Roman», «Jugendjahre», «Abgekürzte Chronik»). Nach der Niederschrift des Memoirenbuches brachte er 1938 unter dem Titel *Zweites Vierteljahrhundert* acht Kapitel einer Fortsetzung zu Papier, behandelnd die Periode bis 1891 (mit Einblicken in die Szenenfolgen von *Sonnenaufgang* bis zu den *Webern*). Weiterhin bedachte er in stichpunktartigen «Annalen», wie die Biographie bis etwa 1905 fortzuführen sei, aber bald nahmen ihn andere Aufgaben gefangen. Ein Paralipomenon zu diesen Texten besagt: «Will man sich vornehmen, einen einzigen Tag seines Lebens genau zu schildern, würde man schwer fertig werden.»[17] Hätte Hauptmann den Gedanken in die Tat umgesetzt und die Substanz aus seinen vielfältigen, oft weitschweifigen Reminiszenzen gewonnen, wäre er vielleicht zum Begründer jener «modernen» spätbürgerlichen Erzählkunst geworden, die eine minutiöse, synchronisierende, assoziative Erfassung innerer und äußerer Geschehnisse erstrebt, eine hintergründig-humoristische Seelenerforschung und totale Bewußtwerdung. Aber das lag wohl außerhalb seines Gestaltungsvermögens, denn der artistisch-szientifischen Universalität eines James Joyce stand er fremd gegenüber. Vergeblich sann er über das «Geheimnis des ‹Ulysses›» nach und mutmaßte, der Roman sollte offenbar zeigen, «daß eine Stunde Leben so viel bieten kann als ein Tag und ein Tag so viel mehr als ein Jahr»[18].

Infolge seiner Vorliebe für einen «spiritualisierten Naturalismus»[19] interessierte sich der junge Joyce für Ibsen, Tschechow und auch für Hauptmann, dessen *Vor Sonnenaufgang* und *Michael Kramer* er zu Sprachübungen nutzte und 1901 ins Englische übersetzte. Später bemühte er sich ein paarmal um persönliche Kontakte mit dem deutschen Kollegen, obwohl es in künstlerischer Hinsicht zwischen jenem und dem wortspielerischen, parodistisch-satirischen, zuweilen esoterischen Sprachexperimentator kaum Berührungspunkte gab.

Es ist bekannt, wie viele begabte Künstler in ihrer Jugend unter dem unhumanen Schulsystem der deutschen Bourgeoisie gelitten haben. Wir erinnern nur an Heinrich und Thomas Mann, Hermann Hesse, Friedrich Huch und Leonhard Frank, die ihre bitteren Erlebnisse später auch erzählerisch gestalteten. Die Schülertragödie Hauptmanns spiegelt sich nicht so unmittelbar in seinen Schriften. In den Memoiren verweilte er dabei nicht lange, und die Karikatur des Oberlehrers Dr. Ewald Nast ist in die Familienkomödie der *Jungfern vom Bischofsberg* eingebettet und enthält nur andeutungsweise Kennzeichen des Berufes.

Der alte Lehrer Brendel an der Salzbrunner Dorfschule, in die Gerhart Hauptmann 1868 eintrat, muß etwas vom Professor Unrat an sich gehabt haben. Die Schüler waren für ihn nur Bösewichter und Taugenichtse, denen er von vornherein übelgelaunt gegenübertrat. «Zorn war Anfang, Mitte und Ende seines Unterrichts.»[20]

Da mochte der aufgeweckte Knabe insgeheim wohl interessantere Dinge betrieben haben als das Einpauken von

Elementarkenntnissen. Lesen hatte er bereits an Coopers «Lederstrumpf» und Defoes «Robinson» gelernt. Für die Frühreife seines Geistes spricht, daß er schon mit acht Jahren Schillers Ballade vom «Taucher» auswendig vortragen konnte und sich etwa um dieselbe Zeit für Shakespeares «Hamlet»-Drama begeisterte, das ihm seine Geschwister Carl und Charlotte mit Hilfe eines kleinen Pappfigurentheaters am Krankenlager vorspielten. Der Neunjährige lernte im Salzbrunner Kurtheater an der Seite seiner Mutter weitere Bühnenstücke und vor allem Teile aus Goethes «Faust» kennen und faßte ein Jahr später bei der Lektüre der von Gustav Schwab besorgten Nacherzählung der «Ilias» den Plan zu einer Versifizierung, da er von Homers Original noch nichts wußte.

Obwohl die Schularbeiten unter solchen Umständen nicht zum besten gediehen, entschlossen sich Hauptmanns Eltern kurz vor Ostern 1874 dazu, auch den jüngsten Sohn auf die Breslauer Realschule zu schicken, die Carl schon zwei Jahre lang besuchte. Die Entscheidung brachte bald Sorgen. Gerhart dachte nicht daran, seine Neigung zur Poesie und zum Träumen zu unterdrücken, und so peinigte ihn der Schulbetrieb wie «immerwährendes Zahnweh». Verstärkt wurde sein Unbehagen durch eine gewisse Isoliertheit im Kameradenkreise und durch preußische Militärs in Pädagogengestalt, die «Freude am Kommandieren, Kujonieren und Malträtieren»[21] hatten.

Rückblickend hat es der Dichter bedauert, niemals eine «in Betracht kommende höhere Schulstaffel» erreicht zu haben, denn später sei es für ihn mühsam gewesen, die Wissenslücken aufzufüllen. Sein Versagen erklärend, führte er an, er sei «damals ein empfindsamer Junge gewesen, der, von Eltern und Heimat getrennt, furchtbar an Heimweh litt». «Ich entbehrte, sagen wir, jeder Seelsorge und hatte niemand, bei dem ich Rat, Trost oder Hilfe in meinen vielfachen Schülernöten fand. Ich lebte das erste Jahr in einer Pension, in der ich nicht satt zu essen bekam.»[22]

Die letzte Bemerkung zielt auf die Unterkunft beim Oberamtmann Gadewoltz; bald siedelten die Brüder jedoch zu dem Gefängnisgeistlichen Gauda über, der sie ebenfalls in Kost und Logis nahm. In der folgenden Zeit entrann Gerhart bisweilen den quälenden Gedanken an die Schule, indem er den Gauda-Kindern (ebenso wie einstmals den Kindern des Fuhrmanns Krause) selbsterfundene Märchen erzählte, sich in die Werke Herders und in populäre naturwissenschaftliche Schriften vertiefte oder sein Quintanerdiarium mit noch rührend unbeholfenen Versen vollkritzelte.

Seine Einblicke in die Welt der Bühne erweiterte er in den Wintermonaten 1876 und 1877 bei einigen Aufführungen der berühmten Sächsisch-Meiningischen Spieltruppe, die im Breslauer Lobe- und Stadttheater mit Schillers «Wilhelm Tell», Shakespeares «Julius Cäsar» und «Macbeth» und Kleists «Hermannsschlacht» gastierte. Dabei beeindruckte ihn das Bemühen um historisch getreue Kostüme, Kulissen und Requisiten.

Schließlich wurde die letzte Seite der Realschulakte beschrieben. Gestrenge Pädagogen hatten dem jungen Hauptmann wiederholt bescheinigt, er habe das «Ziel der Klasse» leider nicht erreicht und sei noch weit entfernt von der Oberquartareife. Als sie ihm diese zögernd zugestanden, zählte er fast sechzehn Jahre. Da ergriff er im April 1878, nach der Konfirmation, die Gelegenheit, die Anstalt zu verlassen. Die Lehrer attestierten ihm auf dem Abschlußzeugnis[23] in den meisten Fächern (und so auch im Deutschen!) gerade «noch genügende» Leistungen, nannten seine französischen Kenntnisse und musikalischen Fähigkeiten «befriedigend» und erteilten ihm ein einziges «gut» für – Freihandzeichnen. Der Absolvent hatte das Gefühl eines «entlassenen Sträflings»[24].

Die Eltern sahen es um jene Zeit gewiß nicht ungern, daß sie keine Schul- und Pensionsgelder mehr zu bezahlen brauchten und sich eine Regelung fand, durch die der Unterhalt des Jungen vorerst gesichert war. Schon Gerharts Bekenntnis, er habe sich in Breslau nicht immer satt essen können, enthält den Hinweis auf veränderte häusliche Verhältnisse. Der einstige Reichtum des Vaterhauses war in den Gründerjahren allmählich dahingeschwunden.

Nach Bismarcks Parteinahme gegen die polnische Befreiungsbewegung von 1863 und nach der deutschen Reichsgründung von 1871 hatten sich die nationalen Gegensätze verschärft. Die zahlungskräftigen osteuropäischen Badegäste, mit deren Hilfe das Hotel in Salzbrunn lange Zeit florierte, blieben plötzlich aus. Hinzu kamen die Auswirkungen der kapitalistischen Wirtschaftskrisen von 1867 und 1873. Während die Einnahmen des «Kronen»-Wirts ständig zurückgingen, wuchsen die Ausgaben. Er hatte nämlich noch fünf Stiefgeschwister, die bei ihrer Großjährigkeit den Erbanteil von ihm forderten und ihn, infolge des Mangels an Bargeld, dazu zwangen, eine Hypothek nach der anderen auf das Haus aufzunehmen. Die Situation wäre wohl zu meistern gewesen, wenn er sich dazu hätte entschließen können, die Heilquelle auf seinem Grundstück auszunutzen und ein Monopol des Fürsten zu durchbrechen. Aber er war zu «loyal»; spätere Besitzer erzielten damit Millionengewinne.

Im Jahre 1877 mußte Robert Hauptmann die Geschäftsführung des inzwischen in «Preußische Krone» umbenannten Hotels an seinen kaufmännisch geschulten ältesten Sohn Georg abgeben; er pachtete statt dessen die Bahnhofswirtschaft in Sorgau. Zwei Jahre später war auch Georg von Gläubigern umstellt, und das Hotel, dessen Wert man einst auf 250 000 Mark bezifferte[25], kam unter den Hammer.

Gerhart Hauptmann hatte unterdessen nach seiner Schulentlassung ein neues Betätigungsfeld betreten: Auf einem Rittergut wollte er sich zum Landwirt ausbilden lassen. Der Ort war ihm seit Kindertagen wohlvertraut. Hier lebte Tante Julie, die Schwester seiner Mutter, in pietistisch-frommer Ehe mit dem Oberamtmann Gustav Schubert, der im Striegauer Kreis das dem Herrn von Tschammer abgepachtete Gut Lohnig und eine kleinere bäuerliche Besitzung in Lederose bewirtschaftete. Mit dem Cousin Georg Schubert, der als ein Wunderkind galt, hatte Gerhart in den Sommerferien oft herumgetollt und sich (nach kargen Pensionsmahlzeiten) wie im Schlaraffenlande gefühlt.

Unerwartet war der Jugendgespiele 1877 gestorben. Tante Julie, einstmals sangesfreudig und der Liebhaberbühne zugetan, ergab sich gänzlich dem Totenkult und verstärkte ihre Bemühungen um christliche Wohltätigkeit. Als der junge Hauptmann im Mai 1878 als eine Art Ersatzkind in Lohnig eintraf, fand er im Hause den «Kreis von Schmarutzern in Jesu Christo gewaltig»[26]. Um den gastfreien Tisch der Amtmannsfrau versammelten sich alle knausrigen oder in beschränkten Verhältnissen lebenden Pastoren, Vikare und Lehrer der Umgebung.

Für Gerhart Hauptmann brachte die Berührung mit der Brüdergemeinde nachhaltige musikalische Erlebnisse (Bach, Händel, protestantische Choräle), insgesamt jedoch löste sie eine tiefe seelische Krise aus. Der Gedanke der Sündhaftigkeit erzeugte «apokalyptische Ängste»[27], entrückte ihn in mystische Bereiche und ließ ihn über die sogenannte Gnade des Leidens nachsinnen. Johannes' Untergangsvisionen und Höllenbilder aus dem Neuen Testament erregten die Phantasie des jungen Mannes und versetzten ihn in eine bedenkliche Gemütsverfassung.

Rückblickend resümierte der Dichter: «Eine Zeitlang sog ich herrnhuterischen Geist mit der Gier eines geistig Bettelarmen in mich ein, bald jedoch war ich übersatt, und später bekam ich Durst nach neuen Weinen.»[28] Dennoch gingen viele geistige Elemente der Lohniger und Lederoser Zeit in sein künftiges Weltbild ein und schlugen sich besonders im Roman *Der Narr in Christo Emanuel Quint* nieder.

Im Grunde paßte die religiöse Verstörtheit so gar nicht zur nüchtern-praktischen Tätigkeit des Landwirtschaftseleven. Zunächst führte er im wesentlichen die Aufsicht über

die Gutsarbeiter, von denen er zu seinem Erstaunen nicht
selten der Menschenschinderei angeklagt und mit unerbitt-
lichem Klassenhaß bedacht wurde. Vor allem stießen seine
unbeholfenen Vorschläge zur Rationalisierung und Zeiter-
sparnis auf Widerstand. Dann ebnete der Gutsschreiber
Brinke manchen Weg, und ein paar Monate später, als sich
die Verwandten auf das Anwesen in Lederose zurückzo-
gen, lernte Gerhart die Mägde und Knechte besser verstehen, da ihm nun selbst die Hauptlast der Arbeit zufiel.

Im September 1879 mußte Hauptmann abermals eine
Ausbildung ohne sichtbares Ergebnis abbrechen. Er hatte
den Pflug geführt und vielfältige Naturkenntnis erlangt,
war mit der Botanisiertrommel ausgezogen, hatte Vögel gejagt und ausgestopft, dabei aber wohl zuwenig mit den
Kräften hausgehalten. Zur Winterzeit um drei Uhr morgens, wenn er vor der mit Eis bedeckten Waschschüssel
stand, schüttelten ihn häufig Erkältungsfieber, ja schließlich schreckten ihn Anzeichen einer Lungenkrankheit. Der
Landwirtstraum war ausgeträumt.

Wahrscheinlich hätte die ganze Episode später auf
Hauptmann keinen sonderlich produktiven Reiz mehr ausgeübt, wenn ihr nicht ein bedeutsames Nachspiel beschieden gewesen wäre. Das kam so: Als er zum Pfingstfest 1880
nochmals besuchsweise nach Lederose fuhr, begegnete ihm
hier Anna Grundmann, seine Nachfolgerin im Elevenamt,
die Tochter eines Liegnitzer Rechnungsrates. Dem jungen
Mann erschien sie als einer «unwiderstehlich sinnlichen
Schönheit mächtigster Inbegriff»[29]. Erstmals erfaßte ihn
jetzt die Liebe, und mit liebenden Augen sah er in dem
Mädchen eine dienende Königstochter Gudrun, die Inkar-
nation eines höheren Wesens, dessen Herrschaftsanspruch
er sich bedingungslos unterwerfen wollte. Die Memoiren
zitieren in dem Zusammenhang einen Spruch aus Dantes
«Vita nuova»: «Ecce deus fortior me, qui veniens domina-
bitur mihi!» (Siehe, ein Gott, stärker als ich, wird kommen
und mich beherrschen!)

Die Gefahr war groß. Der Jüngling wünschte, sich mit dem schlichten Mädchen auf Lebenszeit zu verbinden, und er stand nicht an, mit ihr notfalls in die elendste Hütte zu ziehen und Kohl anzubauen.

> ... darben mit dir ist Genuß,
> mit dir arm sein: Überfluß.[30]

Angesichts ihrer Gestalt hielt er auch künstlerische Neigungen, die er in sich erwachen fühlte, für belanglos. Kurz entschlossen schrieb er nach seiner Abreise von Lederose einen glühend werbenden Brief an Anna – ohne je eine Antwort zu bekommen. Wahrscheinlich blieben ihm viele Prüfungen dadurch erspart, daß sie die Zeilen nie erhielt; der mit dem Jungen rivalisierende Oheim Karl hatte dem Mädchen den Brief unterschlagen (wie der Autor in den Memoiren berichtete).

Dem achtzehnjährigen Hauptmann war es noch versagt, die Erschütterungen seines Innern in poetisch-produktiver Weise ausschwingen zu lassen. Wir kennen nur ein einziges elegisches *Anna*-Gedicht. Zudem ereignete sich etwas Merkwürdiges: Das eine Gestirn ging ihm unter, ein anderes strahlte auf ... Mary trat in sein Leben. Erst im Jahre 1921 hat er eine zusammenhängende Darstellung der einstigen Erlebnisse in Lederose (das unter dem Namen Dromsdorf erscheint) gegeben. Allerdings existieren bereits aus dem Anfang der neunziger Jahre drei fragmentarische Ansätze zu einem *Anna*-Drama. Im Unterschied zum späteren Epos und der Erzählung im *Abenteuer meiner Jugend* stellte es Hauptmann in den ersten beiden (Bruch-)Stücken der Bühnenbearbeitung so dar, als habe er (in den Skizzen als Georg oder Gotthold porträtiert) einstmals mit Anna (auch Beate oder Eveline genannt) in der Wirtschaft seines Onkels Schubert (als Vockerat bezeichnet) gleichzeitig Landwirtschaftsdienste geleistet. Vielleicht wollte er damit eine seelische Gemeinschaft zwischen den beiden Fremdlingen auf dem Gutshof andeuten. Die Rückdatierung der biographischen Anna-Episode ermöglichte es ihm ferner, in das «Dromsdorf»-Fragment seine vormalige religiöse Konfliktsituation einzubeziehen und gesprächsweise zu behandeln. Er ließ dazu seinen Bruder Carl (unter richtigem Namen) als Besucher auftreten und gegenüber der angsterfüllten Glaubensbereitschaft des jungen Georg eine naturwissenschaftliche Überzeugung demonstrieren. Auswegweisend erhält Georg das Angebot, bald ein Studium in Breslau aufzunehmen.

Zu Beginn einer anderen Szenenfolge bemerkte Hauptmann mottohaft: «Das eigene Leben hinein verquicken.»[31] Das autobiographische Element ist in fast allen Entwürfen stark, ja bisweilen derart durchsichtig, daß sich der Autor ermahnen mußte: «Familiäres ausmerzen!»[32] Die Ansätze zu einem *Anna*-Drama enthalten gewiß manche Unterredungen, die seinerzeit ähnlich in Lederose geführt wurden. Dabei erscheint die humoristische Durchdringung des Stoffes bemerkenswert, eine Bemühung um Distanzierung. Namentlich in den «Jubilate»-Dialogen gibt es ein spaßiges Courschneiden um die kapriziöse Elevin Eveline (Anna), der man waidmännisch «wunderschöne Lichter» (Augen) nachrühmt. Eine eifersüchtige Wirtsfrau sucht zu intrigieren; in den frommen Gesang einer Andachtsstunde dringt «sehr störend» lauter Kuckucksruf, oder es erschallen im stillen Pfarrhaus disharmonische Waldhornklänge.

Auch das Versepos vermittelt eine Vorstellung von dem herzhaft-neckenden Ton, der bei den Verwandten herrschte; es beschwört den Kult für den toten Cousin herauf und umkreist dann das rätselhafte Mädchen. Obwohl der «Held» wiederholt mit ihr spricht, sich über zarte Dinge mit ihr verständigt, einzig und allein für sie im Familienkreis sein *Hermann*-Lied vorliest und ihr näherzukommen glaubt, zeigt sie ihm tags darauf stets die kalte Schulter.

Nun tritt die Dichtung in ihre Rechte und fördert die Herzenssache zwischen Anna und Luz wenigstens bis zu Stirnkuß und flüchtigem Beisammensein in Laube und Garten. (Man beachte: Luz heißt auf spanisch Licht. Hauptmann wurde von seinen Jugendfreunden «Lichtl» genannt.) Im wirklichen Leben aber blieb das schöne Kind unnahbar und ließ sich auch mit keinem struppigen Schwarzviehhändler in Pfaffengestalt verkuppeln, wie es im Gedicht geschieht. Vielmehr ist sie später unverheiratet und in kargen Verhältnissen in Breslau gestorben.

In formaler Hinsicht wirken die vierundzwanzig *Anna*-Gesänge etwas kurios, denn die Form des Hexameters bauscht sich um die schlichte Handlung wie ein zu groß geratenes Kostüm; nur in heiteren Auftritten erreicht das Werkchen eine gewisse Anmut. Immer wieder werden Satzbau und Wortstellung um des Rhythmus willen vergewaltigt, die Verse holpern, und es werden abgenutzte Metaphern verwendet.

Man hat Hauptmanns Versepos bisweilen mit Goethes «Hermann und Dorothea» verglichen[33], doch es gibt keine wirklichen Parallelen. Bei Goethe klingt der Hexameter natürlich, dem gewichtigen Inhalt angemessen. Vor dem Hintergrunde der Französischen Revolution wird eine bürgerliche Liebesgeschichte erzählt, die eng mit den politischen Zeitverhältnissen der beginnenden neunziger Jahre verbunden ist. Hauptmann hingegen beschränkt sich auf eine kleinbürgerliche Idylle, die nur in der satirischen Zeichnung der heuchelnden Pfaffen im neunzehnten Gesang einige gesellschaftskritische Ansätze enthält.

Dennoch ist *Anna* ein wichtiges Dokument über die Beziehungen des Dichters zum Lederoser Kreis, ein Werk, das viele biographische Einzelheiten verarbeitet und gelegentlich auch in schalkhaften Passagen, etwa im ersten und sechsten Gesang, zu entzücken vermag. Schließlich macht uns die kleine Dichtung mit einem Mädchentypus bekannt, der uns von Griselda und Eva Burns bis zur Agata aus dem *Ketzer von Soana* in Hauptmanns Schaffen noch wiederholt begegnen wird.

Mary und die Reise zu Michelangelo

1879–1885

Nach dem Scheitern des Landwirtplanes war die Situation für Gerhart Hauptmann recht schwierig. Er zählte knapp siebzehn Jahre und hatte sich weder in der Schule noch im praktischen Leben bewährt. Was sollte er jetzt anfangen? Sich nach einem anderen Beruf umschauen und nochmals in die «Lehre» gehen? Dieser Gedanke schien ihm unerträglich, denn er meinte, dazu sei es zu spät. «Vorbei! Vorbei! Der Augenblick ist versäumt, dazu bist du inzwischen zu alt geworden.»[1]

Da es ihn aber irgendwie nach «Fortbildung» verlangte und er gleichzeitig die Berechtigung zum verkürzten Militärdienst erwerben wollte (wenn sich der verhaßte preußische Drill schon nicht ganz umgehen ließ), faßte er den Entschluß, sich privat auf das sogenannte Einjährigenexamen vorzubereiten. Anderthalb Jahre nach der Schulentlassung kehrte er im Herbst 1879 nach Breslau zurück. Die Stadt beherbergte damals eine Viertelmillion Einwohner, stand in Deutschland hinter Berlin und Hamburg in der Größenordnung an dritter Stelle und gehörte mit ihren Museen, Hochschulen und den beiden Theatern zu den bedeutenden Kulturzentren des Reiches.

Bei seiner Ankunft wurde Gerhart Hauptmann von seinem Bruder Carl und dem Klassenkameraden Alfred Ploetz bewillkommnet, von dem er einmal bekannte, er sei ihm «für wichtige Jugendjahre» mehr als sein Bruder «ein Halt geworden»[2]. Obwohl die beiden jungen Leute als Primaner eigentlich schon dem vielberufenen Ernst des Lebens ins Auge blicken sollten, führten sie bald gemeinsam mit dem Ankömmling und einigen Mitschülern ein seltsames Notturno auf.

Es war eine gespenstische Szene: Fahler Mondschein, hinhuschende Gestalten auf nebliger Ohlewiese, Versammlung unter einer mächtigen Eiche, Spatengeräusche, als höbe man ein Grab aus, erregtes Flüstern. Schließlich wurde ein größerer Rasenfilz auf Astgabeln gespießt. Die jungen Burschen traten darunter, vermischten ihr Blut miteinander und gelobten mit sieben Siegeln der Verschwiegenheit ewige Männertreue, tapferes Wirken für die Vereinigung aller germanischen Stämme und die einstige Erwählung einer blonden, blauäugigen Germanenfrau. Auf Schleichwegen kehrten die spleenigen Geheimbündler in ihre Quartiere zurück, wobei sie froh sein durften, daß sie in dieser Zeit der beginnenden Sozialistenverfolgung nicht in das Blickfeld eines «gesetzhütenden» Auges gerieten.

Die Verbindung der «Blutsbrüder» zerfiel rasch, belebte sich später allerdings in etwas anderer Zusammensetzung wieder, als utopisch-sozialreformerische Ideen ihnen imponierten. Von diesen Weltverbesserungsplänen wird noch zu berichten sein. Vorerst standen die befreundeten Primaner vor dem Abiturientenexamen. Bald danach begannen sie ihr Hochschulstudium, siedelten teilweise nach Jena über und überließen Gerhart Hauptmann sich selbst.

Seine Energie erlahmte. Durch die Privatstunden bei einem Lehrer namens Dallwitz fühlte er sich wenig gefördert. Nach einem knappen Jahr gab er die Bemühung, das Einjährigenzeugnis zu erwerben, resignierend auf.

Inzwischen hatte sich ihm aber eine neue Zukunftsaussicht eröffnet. Schon lange war den Eltern aufgefallen, wie sehr sich ihr Jüngster für die bildenden Künste interessierte. In der «Krone» zu Salzbrunn hingen Kopien der Kreuzabnahme von Rembrandt, der Raffaelschen Sixtinischen Madonna (in Originalgröße) und viele andere Ge-

Gerhart Hauptmann mit einem Kindermädchen, 1863

Oben: Das Geburtshaus des Dichters
Unten: Hotel Korona Piastowska, das frühere Hotel zur Krone, 1966

Der Zwölfjährige

Gerhart Hauptmann als Kunstschüler in Breslau

Der Jenaer Freundeskreis, 1882
Von links nach rechts: Holthausen, v. Sabler, Carl Hauptmann,
Ferdinand Simon, Professor Boehtlingk, Gerhart Hauptmann,
Max Müller

Der sterbende Sigwin
Gipsstatuette von Gerhart Hauptmann,
1882

Gerhart Hauptmann und Marie Thienemann als Brautpaar, 1884

Die Mutter Gerhart Hauptmanns mit den Enkeln Eckart und Klaus

mälde, die den Knaben sichtlich anzogen. Als er nach der Lederoser Gutsknechtzeit kleine Knetfiguren und ein Skizzenheft zur Schau stellte, wurde der Sorgauer Maler Gitschmann um Rat und Urteil befragt. Dieser glaubte in den Versuchen Talent zu entdecken und empfahl die systematische Ausbildung der Fähigkeiten.

Am 6. Oktober 1880 trat Gerhart Hauptmann in die Bildhauerklasse der Königlichen Kunst- und Gewerbeschule zu Breslau ein. Damit rückte er seiner eigentlichen Bestimmung ein Stück näher, obwohl er sich in vielem noch Illusionen hingab. In seiner schöpferischen Ungeduld wollte er sogleich ein «Monument»[3] seiner Größe meißeln und sich nicht mit elementaren Übungen beschäftigen. Die Lektionen in ornamentalem Zeichnen bei dem Baurat Stieler und dem Architekten Lüdecke sowie den Modellierkursus bei dem Bildhauer Michaelis hielt er für Zeitvergeudung. Es verlangte ihn danach, unverzüglich und praktisch den Vorbildern nachzueifern, die Professor Alwin Schultz seinen Studenten in eindrucksvollen kunstgeschichtlichen Vorlesungen vor Augen führte.

Mit zwei Lehrern kam er in näheren Kontakt. Der Maler James Marshall (1838–1902) forderte ihn eines Tages dazu auf, ihm für eine Szene aus Goethes «Faust» Modell zu stehen, und zwar sollte er den Schüler darstellen, dem Mephistopheles sarkastische Ratschläge gibt. Bei der Gelegenheit konnte Hauptmann einen Blick in das prunkvolle Atelier des Professors tun, den in Kohle ausgeführten Kartonfries seines Bacchantenzuges und Werke wie den Apoll von Belvedere und den Faun von Herculaneum betrachten; außerdem erschloß sich ihm ein Charakter mit Bohemeallüren. An Marshalls Trinksitzungen nahm er fortan häufiger teil, später zeichnete er ihn im *Kollegen Crampton* humoristisch nach, und noch 1935 erwarb er pietätvoll ein Selbstporträt des Malers.[4]

Noch folgenreicher war die Begegnung mit dem Bildhauer Robert Haertel (1831–1894), der damals gerade an

Bronzestatuen der Gestalten Michelangelos und Dürers arbeitete. Von beiden Standbildern gingen ebenso wichtige Impulse auf den Kunsteleven aus wie von Haertels früher geschaffenen Reliefgruppen der Würfelnden Germanen und der Hermannsschlacht. Namentlich die zuletzt genannte Thematik führte Lehrer und Schüler in eigenartiger Weise zusammen.

Nach mehrmonatigem Studium geriet Hauptmann nämlich mit einigen Pädagogen des Instituts aneinander und dadurch in arge Bedrängnis. Man warf ihm «schlechtes Betragen» und «unzureichenden Fleiß»[5] vor und schloß ihn aus der Kunstschule aus. Da erklärte sich Haertel bereit, ihn privat zu unterweisen, ja schließlich bot er dem jungen Mann in einer Arbeitspause vor dem zur Hälfte versammelten Kollegium die Chance, etwas aus der literarischen Werkstatt zu Gehör zu bringen. Es erklang nun das mit den Germanenfriesen des Professors so stimmungsverwandte Liedfragment *Hermann*, jenes im Jahre 1880 entstandene Poem, mit dem der Autor schon Anna Grundmann und die Lederoser Verwandten beeindruckt hatte. Die Vorlesung fand auch diesmal Beifall und bewirkte unter etwas kuriosen Umständen Hauptmanns Wiederaufnahme in die Bildhauerklasse, die er noch bis Ostern 1882 besuchte.

Erstmals in seinem Leben brauchte er einen Konflikt nicht allein durchzustehen, denn in den Kommilitonen Hugo Ernst Schmidt (Schmeo genannt) und Max Fleischer fand er zuverlässige Kameraden. Da er mit Geld sehr rechnen mußte und sich das Mittagessen schon «total abgewöhnt»[6] hatte, bewog ihn Fleischer dazu, in die elterliche Mietwohnung gegenüber dem Lobetheater einzuziehen und sich bei der Hausfrau in Kost und Pflege zu begeben.

Gemeinsam mit den Freunden begeisterte sich Hauptmann für die italienische Renaissance und für Dickens, zugleich für die Epigonen Dahn und Ebers. Rückblickend erklärte er: «Wir lebten glücklich mit dreißig Mark und einigen Hungerkuren monatlich. Unsere Kleider und

Uhren waren meistens beim Pfandleiher ... Dafür standen wir aber auf du und du mit den Fürsten der Kunst, mit Raffael und Michelangelo.»[7]

Ob sich die jungen Leute wirklich so «glücklich» fühlten, wie es dem Dichter später in der Erinnerung erschien? Jedenfalls sympathisierte er in jener Zeit mit der studentischen «Freien wissenschaftlichen Vereinigung» und gehörte zu den Mitbegründern der «Gesellschaft Pacific». Offensichtlich konnte sich der hungernde und frierende Kunstschüler von 1880/81 doch nicht ganz mit der ungerechten Güterverteilung und den gesellschaftlichen Mißständen in der Welt abfinden ...

Wir deuteten schon an, daß er durch die ehemaligen «Blutsbrüder» und einige neue Kameraden in Berührung mit sozialreformerischen Ideen kam. Die Auseinandersetzung damit begann in Breslau und wurde während des Studiums an der Universität Jena fortgesetzt, an der Hauptmann 1882/83 als «stud. hist.» einige Vorlesungen belegte. Seine Immatrikulation erfolgte übrigens auf Grund des sogenannten Künstlerparagraphen, der ihm das Einjährige zugestand. An der thüringischen Alma mater studierten schon Carl Hauptmann und Ferdinand Simon (der spätere Schwiegersohn August Bebels), zu denen sich nach und nach der Nationalökonom und wohlhabende Privatgelehrte Otto Pringsheim (Kauz genannt), der Musiker Max Müller (Meo genannt) und viele andere gesellten.

Man beschäftigte sich in diesem Kreise mit Lassalle und Kautsky, oberflächlich auch mit Marx und Engels[8], ohne in die realen Entwicklungsgesetze der Gesellschaft einzudringen. Das Unbehagen an der Atmosphäre des preußisch-militaristischen Deutschlands und ein unklares Streben nach größerer Geistesfreiheit und sozialen Reformen führte sie allmählich zu den Staatsutopien von Platon, Thomas Morus und Campanella. Auf der Grundlage dieser Werke und unter dem Einfluß des englischen utopischen Sozialisten Robert Owen hatte Étienne Cabet einst seinen Roman

«Voyage en Icarie» (Reise nach Ikarien) ausgearbeitet und die darin beschriebenen Mustersiedlungen seit 1848 in den amerikanischen Staaten Texas und Illinois zusammen mit vierundvierzig Genossen zu verwirklichen getrachtet.

Marx und Engels bezeichneten die Bemühungen der französisch-englischen Kolonisten im «Kommunistischen Manifest» eindeutig als reaktionäre Sektiererei. Ursprünglich hätten die utopisch-sozialistischen Lehren zwar einen revolutionären Kern enthalten, doch jetzt müsse man der «geschichtlichen Fortentwicklung des Proletariats» Rechnung tragen, der Arbeiterbewegung zum Sieg verhelfen und dann die gesellschaftlichen Verhältnisse grundsätzlich ändern. Durch Experimente im Stile Cabets werde der Klassenkampf nur abgeschwächt.

Den Breslauer und Jenaer Studenten um die Brüder Hauptmann fehlten solche Einsichten. Sie gründeten die «Gesellschaft Pacific» und glaubten im Ernst, die Welt in der Nachfolge Cabets erst einmal in kleinem Kreise verbessern zu können. Es schwebte ihnen ein Gemeinwesen vor, in dem sie durch Disziplin und eine weise Arbeitsteilung zwischen den Genossenschaftsmitgliedern einen hohen Grad von Unabhängigkeit vom kapitalistischen System zu erreichen hofften. Carl und Gerhart Hauptmann waren als Minister für Wissenschaft und Kunst vorgesehen, Ploetz sollte Präsident sein, zugleich die Cabetschen Restsiedlungen in Amerika an Ort und Stelle studieren und den harrenden Pionieren in der Heimat das Zeichen zum Aufbruch nach «Ikarien» geben.[9] Die Erkundungsreise kam erst 1884 zustande. Sie brachte eine große Enttäuschung. Ploetz fand die Gemeinden der französischen Kolonisten im Zustand eines hoffnungslosen Verfalls (tatsächlich lösten sie sich 1889 beziehungsweise 1895 auf); er sah den kümmerlichen Lebensstandard der Bewohner, kehrte nach Europa zurück und erläuterte den Geheimbündlern die Unausführbarkeit der geplanten «Liliputreform».

Damit durfte die Sache für abgeschlossen gelten. Drei

Jahre später gab es jedoch ein unerwartetes Nachspiel. In Breslau mußten sich achtunddreißig ehemalige Ikarier vor dem Untersuchungsrichter verantworten, der sie anklagte, im Auftrage der verbotenen Sozialdemokratischen Partei einen Umsturzversuch vorbereitet zu haben. Auch Gerhart Hauptmann wurde 1887 in diesem Sozialistenprozeß vernommen und dabei wie ein «Schächer behandelt, dem im Grunde ein Platz auf der Anklagebank gebührte»[10]. Obwohl er (mit Recht) eine Umsturzabsicht der Freunde bestritt, stand in seinen Polizeiakten fortan gewissermaßen ein «rotes Kreuz». Zu einer eindeutigen Stellungnahme oder einer Solidarisierung mit der Sache der Arbeiter rang er sich jedoch nicht durch. Er blieb zeitlebens kleinbürgerlichem Denken verhaftet.

Gemäß einer späten Aufzeichnung will Hauptmann seinerzeit vor Gericht erklärt haben: «Ich habe immer nur meine eigenen Ansichten und teile daher niemals die von irgendeinem anderen.»[11] Das klingt herausfordernd und in der Absolutheit ein wenig erheiternd, beinhaltet aber eine für diese Jahre recht glaubhafte Distanzierung von seinen früheren Weltverbesserungsträumen. Sein aus bitterer Not geborenes Interesse an gesellschaftlichen Umschichtungen ließ nämlich schon in den letzten Breslauer Studienmonaten rasch nach, als sich seine wirtschaftliche Lage plötzlich besserte. Er verband sich mit Marie Thienemann (1860–1914), der Tochter eines reichen Wollgroßhändlers, Bankkommissärs und Weinbergbesitzers aus Kötzschenbroda bei Dresden.

Damit beginnt eine Geschichte, die von den Biographen gewöhnlich als sehr romantisch und märchenhaft empfunden wird.[12] In der Tat: Drei Brüder liebten und heirateten drei Schwestern. Etwa zwei Jahrzehnte später waren alle drei Ehen in ein Krisenstadium eingetreten …

Zunächst lernte der älteste der Brüder, Georg, die dritte Tochter des Hauses Thienemann, Adele, kennen, die 1880 zur Kur in Bad Salzbrunn weilte. Als der Vater, Berthold

Thienemann, für ein paar Tage besuchsweise nach Salzbrunn herüberkam, begegnete er dem jungen Mann freundlich-zurückhaltend, ohne sich festzulegen. Im Hotel «Kurländischer Hof» unterhielt er sich damals auch mit Gerhart.[13] Er interessierte sich für dessen poetische Versuche und Bildhauerpläne und stellte ihm mögliche Empfehlungen an einflußreiche Berliner Künstler in Aussicht.

Bereits im Frühherbst 1880 erlitt der alte Thienemann auf Sylt einen Schlaganfall, machte auf der Rückreise bei Georg in Hamburg Station und stimmte der (wohl heimlich stattgefundenen) Verlobung des Paares zu. Kurz darauf starb er und hinterließ fünf Töchter: Frida, Olga, Adele, Marie, Martha, und einen Sohn, Gottlob. Georg pries daheim vor den Brüdern das «Nest von Paradiesvögeln»[14] auf dem verwaisten Herrensitz Hohenhaus, und bei solcher Gelegenheit soll der Vater Hauptmann ausgerufen haben: «Die Goldfüchse müßt ihr holen!»[15]

Carl traf in Jena nicht ganz zufällig mit Marie zusammen, die in der dortigen Klinik wegen ihrer Blutarmut behandelt wurde, wandte sich dann aber deren jüngerer Schwester Martha zu und verlobte sich mit ihr im Frühjahr 1881. Für Marie bedeutete das zweifellos eine Enttäuschung. Als jedoch Gerhart Hauptmann im Zuge der Hochzeitsvorbereitungen für Georg nach Hohenhaus kam, entspann sich zwischen beiden ein zartes Verhältnis.

Es begann damit, daß er die Geschwister Thienemann bat, gemeinsam das von ihm verfaßte Festspiel *Liebesfrühling* einzustudieren. (Am Hochzeitstag lag es dann in einem Privatdruck vor.) Man zog in den Park hinaus, probte wiederholt mit «heiterem Eifer»[16] die kleinen Auftritte und fand Gefallen an den dekorativen Szenen des jungen Autors und Regisseurs. Die Hauptrolle des «Genius der Liebe» (nach anderer Überlieferung die Rolle des «Traumgottes») fiel Marie zu, und schon ergab sich die Gelegenheit zu heimlichen Absprachen und Proben zu zweit, die dem Dichter unvergeßlich blieben:

Griechisch über dem Scheitel geknotet das herrliche
    Haupthaar,
frei die Schultern und frei der Hals, so steht Mary
    nun vor mir.
Dünn umgibt sie und florhafter Weiße die kurze
    Gewandung,
die, von goldenem Gürtel gerafft, an die Hüften sich
    anschließt.
Frei beinahe das Knie, die atlassenen Schuhe mit
    Bändern
aus dem nämlichen Stoff und weiß, bis zum Kniee
    gebunden.
Also steht sie vor mir, die Geliebte, halb Knabe, halb
    Mädchen,
        … Oh, wie warst du berückend,
Mary, und wie so schwül und gefährlich ward plötzlich
    die Grotte,
Muschelgrotte genannt …[17]

Wir zitierten soeben aus dem 1936 abgeschlossenen Versepos *Mary*, in dem Gerhart Hauptmann noch einmal die
ersten Stunden der Liebe heraufbeschworen hat. Die biographischen Details scheinen allerdings freier ausgewertet
zu sein als in dem vergleichbaren *Anna*-Epos. Man darf bezweifeln, daß sich Marie (poetisch Mary genannt) für die
germanische Festspielallegorie von der Verwandlung des
Winters in den Frühling, in der auch der schlesische Berg-
geist Rübezahl und ein sprechender Eichbaum auftreten,
griechisch kostümiert haben soll.

Es liegt nahe, an eine nachträgliche Verklärung zu denken, zumal Marie auch sonst weitgehend «mythologisiert»
und unter dem Blickwinkel späterer Eheerfahrungen dargestellt wird. So heißt sie in dem Gedicht etwa «Persepho-
neia», die aus dem «Reiche der Nacht» nur beurlaubt worden und den «unteren Mächten» doch stets verhaftet
geblieben sei. Diese aufgetragene antike Metaphorik und

die etwas spröden, füllselreichen, zum Hexameter hinstrebenden trochäisch-daktylischen Verse schränken die Freude an dem kleinen Werk ein. Als Kuriosum sei vermerkt, daß ein psychoanalytisch geschulter Interpret[17] noch 1972 behauptete, daß der Dichter «sowohl in *Mary* als auch in *Der große Traum* nie an seine erste Frau gedacht hat», sondern an seine gleichnamige Mutter.

Nach der Hochzeitsfeier des Bruders vertieften sich Gerhart Hauptmanns Beziehungen zu Marie sehr rasch. Man unternahm gemeinsame Ausflüge nach Dresden, besuchte die Oper und die Gemäldegalerie, wobei der Kunstschüler sein Licht gewiß nicht unter den Scheffel stellte, streifte auch im Geschäftsviertel und im Großen Garten umher. Alle Geldausgaben bestritt Marie, ohne freilich eine Vorstellung von der Bedürftigkeit ihres Freundes zu haben.

Als Hauptmann zum Studium nach Breslau zurückkehren mußte, begann eine rege Korrespondenz, und im Herbst 1881, nach der Verlobung, stellte er für die Braut in einer Art Poesiealbum die meisten seiner frühen Dichtungen zusammen.[19] – Schließlich sahen sich die jungen Liebesleute im Januar 1882 in Breslau wieder. Marie besichtigte die Sehenswürdigkeiten der Stadt, den Arbeitsplatz des angehenden Bildhauers in der Kunstschule, und sie erregte infolge ihrer eigenartigen Schönheit viel Aufsehen.

Diese Breslauer Tage brachten einen Wendepunkt: Von Stund an kannte Gerhart Hauptmann keine materielle Not mehr. Wie er in den Memoiren berichtet, griff die Freundin eines Tages auf der Straße plötzlich nach seiner Hand. «Und ehe ich noch verstand, was Mary wollte, umschloß ich bereits eine Faust voll Gold. Ja, es war Gold, es war pures Gold. Sie war eine Fee, die es einer armen Rechten, der eines Bettlers, zuerst vereint hatte … Daß zwischen ihr und mir fortan Gütergemeinschaft bestehen sollte, hatte Mary deutlich genug durch das goldene Geschenk erklärt.»[20]

Es ist schwer zu sagen, wie Hauptmanns Leben ohne diesen frühen Glücksumstand verlaufen wäre. Man bedenke

die weitreichenden Folgen der überraschenden wirtschaftlichen Sicherung. Mit Maries Hilfe konnte er sich künftig
unbekümmert seinen persönlichen Neigungen hingeben,
Bücher lesen und kaufen, studieren und experimentieren,
durch Großzügigkeit Freunde gewinnen. Marie finanzierte
ihm 1883/84 eine erste große Bildungsreise durch das Mittelmeer, einen rund halbjährigen Aufenthalt in Rom und
praktische Versuche an Monumentalplastiken. Durch sie
wurde er schließlich vor der Notwendigkeit des Geldver-
dienens bewahrt. Er war nicht auf unmittelbaren Erfolg an-
gewiesen, sondern konnte Jahr für Jahr neue Theaterstücke
schreiben, auf seinen Überzeugungen beharren und ruhig
abwarten, bis er sich durchgesetzt hatte. Freilich, die Verbindung mit Marie und der Übergang ins besitzende Bürgertum erschwerten künftig seine Solidarisierung mit der
Arbeiterbewegung. Er vermochte zwar weiterhin gefühlsmäßig mitzuleiden, doch nicht zielbewußt mitzukämpfen.

Zunächst erhielt er also von seiner Braut ein Freibillett
für eine Fahrt zu – Michelangelo. Darauf lief es am Ende
hinaus, auch wenn er über ein Jahr lang ganz anderen Idealen nachjagte. Als er nämlich auf Fürsprache von Professor
Haertel (der als alter Weimarer beim dortigen Großherzog
in Gunst stand) ohne Abitur zum Wintersemester 1882/83 an
der Universität Jena zugelassen wurde, belegte er Vorlesungen der verschiedensten Art.[21]

Angeregt durch seinen Bruder Carl, zogen ihn Ernst
Haeckels Interpretationen der Darwinschen Entwicklungs-
lehre und die materialistische Auflösung der wichtigsten
«Welträtsel» in den Bann. Fortan fragte er nach den natur-
gesetzlichen Wahrheiten, setzte sich mit der Vererbungstheorie auseinander und betonte zeitlebens die Verbundenheit mit den «mechanischen Naturwissenschaften»[22].
Die weltanschauliche Schulung in Jena und die gleichzei-
tige Beschäftigung mit den Dichtungen Christian Dietrich
Grabbes bereiteten gewiß in manchem seine spätere Hinwendung zum Naturalismus vor.

Andererseits begeisterte er sich für die Vorträge des idealistischen Philosophen Rudolf Eucken über die Lebensanschauungen großer Denker, wobei ihm erstmals der Name Platon begegnete. Hinzu kamen bedeutsame Kurse von Artur Boehtlingk über Goethe und das französische Revolutionszeitalter.

Die Beschwörung der Platonischen Welt kann als Leitbild für Hauptmanns damaligen Studienplan gelten. Wir finden ihn nun in Kollegs über die Geschichte der Antike und besonders im Zeitalter des Perikles, in Seminaren über die Akropolis, Pompeji und Herculaneum, sehen ihn über griechische Geschichtsbücher, Götterlehren, Kunstmappen und die Werke von Hesiod, Homer, Plutarch und Herodot gebeugt und ahnen, was sich hier anspann. Bald nahm er Anregungen von Professor Gaedechens auf, griechische Sprachübungen zu pflegen, die eigenen poetischen Versuche stärker auf Hellas zu orientieren und dem Lande Homers, wenn möglich, einen Besuch abzustatten.

Die Möglichkeit dazu erschloß ihm Marie. Nach einigen Ferienwochen mit der Geliebten und den Eltern in Hamburg begab sich Gerhart Hauptmann am 7. April 1883 an Bord des Frachtdampfers «Livorno» und lief erlebnisdurstig zu großer Fahrt ins Mittelmeer aus.

Er führte ein Reisetagebuch[23], das die Grundlage bildete für einige der farbigsten und schönsten Kapitel des *Abenteuers meiner Jugend*. Wir müssen uns hier mit einer Aufzählung der wichtigsten Stationen begnügen. Das Schiff fuhr mit einer Ladung Stockfische durch den Kanal, den Golf von Biskaya und die Meerenge von Gibraltar nach der durch ihren Weinexport berühmten südspanischen Stadt Malaga. Dort sah sich Hauptmann bei einem nächtlichen Ausflug in Begleitung der Seeleute in die Atmosphäre von «Tausendundeiner Nacht» versetzt. Andererseits fand er ein düsteres Hafenkneipenmilieu, in dem arme Kreaturen bei Schnaps und Prostitution ihr Elend zu vergessen suchten. Der Anblick verursachte ihm «allerbittersten Gram»[24].

Von Malaga ging es weiter nach Marseille und Genua, wo er zu seiner Überraschung mit Carl zusammentraf. Man beschloß in der Wiedersehensfreude, die Reise gemeinsam fortzusetzen, und besuchte Neapel, Capri und Sorrent.

Auf der Weiterreise kam es dann zwischen den Brüdern zu Streitigkeiten, die erst endeten, als Carl zu einer militärischen Übung nach Deutschland zurückkehren mußte. Gerhart besichtigte nun allein die Ausgrabungsfelder von Pompeji und Paestum und gelangte endlich nach Rom. Der Plan einer Fahrt nach Griechenland rückte in die Ferne.

Gerhart Hauptmann in Rom! Damit stellen sich Reminiszenzen an die Italienaufenthalte anderer deutscher Dichter ein. Wir erinnern uns daran, wie Goethe, Moritz, Seume und Heine jenes Land beschrieben, in dem «die Zitronen blühn». Doch mit all diesen Reisenotizen sind Hauptmanns Aufzeichnungen nicht recht vergleichbar. Er sah die Welt weder mit den Augen eines sozialkritischen Berichterstatters wie Seume und Moritz an, noch war ihm Heines witzig-brillantes Plaudergenie gegeben. Am meisten berührt er sich wohl mit Goethe, dem er fast genau hundert Jahre später in dem Bemühen folgt, aus den Werken der italienischen Meister neue Kraft für die eigene Lebensarbeit zu schöpfen.

Ähnlich wie Goethe, der angesichts der Deckengemälde in der Sixtina erklärte, erst jetzt habe er einen Begriff von «Großheit» und davon, «was ein Mensch vermag»[25], empfing auch Hauptmann einen überwältigenden Eindruck von Michelangelo. Er sah den Moses, die Pietà, die «Bildhauermalereien»[26] in der Sixtinischen Kapelle, ferner die Plastiken am Mediceer-Grabmal zu Florenz, und ein für allemal stand es für ihn fest: «Ein Michelangelo wiegt für mich die ganze italienische Malerei auf.»[27] Mit diesem Vorbild vor Augen wollte er sich selbst endgültig der bildenden Kunst weihen.

Anfang Juli kehrte er vorübergehend nach Deutschland zurück, um Plan und Vorsatz mit Marie zu bereden, doch schon im Oktober war er mit ihrer Zustimmung wieder in Rom. Er mietete sich in der Via degli Incurabili (Straße der Unheilbaren) ein Atelier, ließ sich als «Gherardo Hauptmann, Scultore» in das Berufsadreßbuch eintragen, kaufte einige notwendige Gerätschaften und Materialien und begann mit der Arbeit.

Die ganze Atmosphäre hat er 1909 in fragmentarischen Komödienentwürfen unter dem Titel *Rom* zu gestalten gesucht, die in Band IX der Centenar-Ausgabe enthalten sind. Darin geht der Autor in manchem über den authentischen Bericht im *Abenteuer meiner Jugend* hinaus. Mit Hilfe der Memoiren lassen sich die literarischen Gestalten sämtlich «identifizieren»: der angehende Schriftsteller und Bildhauer Hauptmann tritt als Donatus Rabe oder Herbert Markus auf, der in Rom mit dem armen Maler Karl (tatsächlich Klein), dem Geologen Bachmann (Johannes Walther), dem Bakteriologen Dietrich von Vogelsang (Dietrich von Sehlen) und dem Ateliernachbarn Hans Klevesahl (Weizenberg) verkehrt. Während Professor Kalvey (König) ihn ermutigt und auf sein Talent vertraut, findet er in der deutschen Künstlerkolonie (etwa bei dem Kollegen Brestler = Istler) nur Hohn und Spott. Seine Kritik an den Kunstgenossen, deren Intrigen und Klatschereien an die «allerphilisterhafteste deutsche Kleinstadt» gemahnen, sind ebenso bemerkenswert wie die Charakterisierung des lettischen Skulpteurs Klevesahl-Weizenberg, dessen Götterstatuen etwas rührend Naives, ja Lächerliches anhaftet. Donatus, der an einem Riesenbildwerk arbeitet, empfängt in Rom den Besuch seiner Braut Emma Zittelmann (Marie Thienemann), die zusammen mit ihren Schwestern, trotz allen Abratens der Verwandten, diese Fahrt unternahm. Es heißt, sie stamme aus einer Patrizierfamilie «mit streng bürgerlichen Anschauungen», von denen sich das Mädchen zu befreien suche, wobei sie es aber doch nicht über sich bringe, beispielsweise ihrem Verlobten Akt zu stehen.[28]

Nach Motiven für sein bildkünstlerisches Schaffen

brauchte Hauptmann nicht lange zu forschen. Der Titel seines 1882 entstandenen Schauspiels *Germanen und Römer* enthielt gewissermaßen eine Welt in der Nußschale, und so hatte er denn aus diesem Drama erst kurz vor der Italienreise die Gestalt des alten Sängers Sigwin modelliert. Während der Breslauer Kunstschulzeit war er außerdem unter Anleitung von Professor Haertel mit einer Büste des römischen Kaisers Vitellius, einem Totenkopf und reliefartigen Bildungen mit jagendem Pferd und stürmender Gottheit beschäftigt gewesen.

In Rom spornte ihn Michelangelos Moses dazu an, endlich größere Aufgaben anzupacken. «Groß» bedeutete ihm in dem Zusammenhang soviel wie «überdimensional»; gigantische Ausmaße sollten jedem Betrachter von vornherein ein Staunen abnötigen. Zunächst arbeitete er an einer Plastik von Shakespeares König Lear, dann an einem Relief mit kugelspielenden Jünglingen. Schließlich ließ er sich vom Schmied ein mehrere Meter hohes Eisengerüst bauen, das er mit Röhren und Drähten zu einem Skelett vervollständigte und mit Tonmassen ausfüllte.

Der Koloß wuchs allmählich in die Höhe, in die Breite und erhielt ein menschenähnliches Aussehen. Hauptmann dachte daran, hier einen speerschwingenden Germanenkrieger der Hermannsschlacht, vielleicht den Cheruskerfürsten selbst, in ein Monument zu bannen. Da ihm kein Berater zur Seite stand und seine handwerklichen Kenntnisse und Erfahrungen gering waren, mußte er seine ganze physische Kraft aufbieten, um das träge Material zu zwingen. Tag und Nacht bedrängte ihn das Ungetüm, aber nach zehnwöchiger Fron schien es Endgestalt annehmen zu wollen.

Es wurde auch Zeit! Marie hatte sich in Begleitung ihrer Schwestern zu einem Besuch in Rom angesagt. Im Tempel des Giganten gedachte er sie hoheitsvoll zu begrüßen ... Wenige Tage vor ihrer Ankunft ereignete sich etwas Unerwartetes: Der graue Krieger wankte und stürzte ein.[29]

War der Bildhauertraum damit ausgeträumt? Zunächst glaubte Hauptmann noch (bestärkt durch Marie), er brauche sich nur stärker der Ausbildung technischer Fertigkeiten zu widmen, um den fatalen Mißerfolg wettmachen zu können. So trieb er elementare Malstudien, übte sich in der Dresdener Königlichen Akademie im Aktzeichnen, schuf auch gelegentlich eine kleine Niobe-Plastik – bis er schließlich seinen Dichterberuf erkannte.

Dennoch blieb er zeitlebens in vielfältiger Weise mit der bildenden Kunst verbunden. Zu seiner persönlichen Freude richtete er sich später in Schreiberhau und auf dem Wiesenstein Ateliers ein, in denen er bisweilen an Ton und Stein herumbosselte. Nur wenige Arbeiten kamen über das Versuchsstadium hinaus. Beispielsweise formte er 1913 eine Bronzebüste des Schriftstellers Wilm-Saalberg und den ebenmäßigen Kopf des Bildhauers Klein, 1914 eine Wachsbüste seines Sohnes Benvenuto und 1941 den Kopf seines Enkels Arne. Dabei waren für Hauptmann vorbildhaft die Denkmäler Adolf von Hildebrandts (den er 1883 und 1897 verehrungsvoll besuchte[30]) und von dessen Schüler Karl Ebbinghaus. Anfang 1902 gewahrte er «etwas Rodin-Einfluß»[31] an seinen plastischen Versuchen. Als ihm Rilke 1906 zweimal Grüße des französischen Meisters übermittelte und die Möglichkeit einer Bildgestaltung andeutete, antwortete er: «Die Aussicht, von Rodin porträtiert zu werden, ist eine freudige Überraschung für mich … Die Verantwortung auf Ihr Haupt, wenn mein irdisches Teil vor dem Auge des großen Meisters bei einer Begegnung nicht bestehen sollte.»[32] Doch das Projekt zerschlug sich. Den erwünschten Kontakt zu einem berühmten Skulpteur fand er erst bei Max Klinger; die Visite vom März 1905 zählte er zu den «Höhepunkten» seines Lebens.[33] Wie sehr Hauptmann noch im Alter seinen bildenden Händen vertraute, belegen Hans von Hülsen[34] und mehrere Briefe, denen zufolge er um 1932 erwog, an die Stätten der Jugend zurückzukehren und in Rom nochmals Michelangelo nachzueifern.

Es ist bekannt, daß viele Dichter und Maler zeitweilig in den Schwesterkünsten Erfüllung suchten. Wir erinnern an Goethe, Maler Müller, C. D. Friedrich, E. T. A. Hoffmann, Mörike, Stifter, Keller, Raabe, Heinrich Mann und Hesse. Hauptmann hebt sich von der Reihe insofern ab, als er weniger die Malerei als vielmehr die Bildhauerei pflegte. «Ich bin kein Zeichner, nur ein Plastiker»[35], resümierte er 1934 (freilich mit Fragezeichenzusatz). Er berührt sich darin mit Ernst Barlach, zu dem er aber merkwürdigerweise «kein inneres Verhältnis»[36] fand, obwohl ihm Barlach durchaus freundwillig entgegenkam und das *Hannele*-Drama «wunderbarste, innigste deutsche Poesie»[37] nannte.

Die Nachwirkungen der plastisch-bildnerischen Bemühungen Hauptmanns auf sein literarisches Schaffen sind – ähnlich wie bei Rilke – beträchtlich. In der Kunstschulzeit in Breslau und während der römischen Episode hatte er sich zum exakten Studium einer jeden Erscheinung erzogen. Es schien ihm nun erstrebenswert, auch in der Dichtung gewissermaßen mit Worten zu malen. Gegen eine solche Verwischung der Grenzen zwischen Poesie und Malerei war freilich Lessing einst zu Felde gezogen, worauf Wieland künftig reine «Bildbeschreibungen» zu meiden suchte, da er sich vom Verfasser des «Laokoon» unsanft «am Ohr gezupft» fühlte.

Als Hauptmann das Tabu übersprang und mit dem Blick des bildenden Künstlers in der ihn umgebenden Wirklichkeit und am «Modell» jede Einzelheit zu registrieren begann, übersah er natürlich noch nicht die Tragweite des Experiments. Tatsächlich führte ihn die Methode der peinlich genauen Wiedergabe und Aufzählung des Sichtbaren, real Vorhandenen allmählich zum Naturalismus.

Weiterhin ist bemerkenswert, wie viele Maler und Bildhauer in Hauptmanns Werken auftreten. Er schöpfte dabei meist aus dem unmittelbaren Erlebnis. Von der weitgehenden Übereinstimmung seines Lehrers James Marshall mit Professor Crampton sprachen wir schon. Einen anderen

Lehrer der Kunstschule, Professor Albrecht Bräuer, porträtierte er in *Michael Kramer* und gesellte ihm den Jugendfreund Hugo Ernst Schmidt als Lachmann bei. Schmidt tritt abermals auf als Gabriel Schilling, wobei ihm der Bildhauer Max Klinger als Mäurer zur Seite steht. Den Maler Gitschmann erkennen wir in Peter Brauer wieder. Ferner sei hingewiesen auf den Bildhauer Ritter in *Atlantis*, die Malerin Prächtel aus der *Insel der Großen Mutter*, den Maler Jan Gossaert in *Magnus Garbe*, den Bildhauer Haake aus *Wanda*, den Maler Holbein im *Wiedertäufer*-Roman und den als Wikkinghoff im *Winckelmann* nachgezeichneten Bildhauer Ebbinghaus.

Damit ist die Reihe der Freundesgestalten, die bildende Künstler waren, keineswegs erschöpft. Hauptmann hat noch mit zahlreichen Meistern des Pinsels und des Modellierholzes in Verbindung gestanden, so mit Max Liebermann, Lovis Corinth, Ludwig von Hofmann, Käthe Kollwitz, Fritz Klimsch, Clara Westhoff-Rilke, Johannes Avenarius und anderen, die ihre Kunst auch gelegentlich in seinen Dienst stellten oder seine Erscheinung festhielten.[38] Höchste Verehrung brachte er dem Maler der «Anatomie» und «Nachtwache» entgegen. Er bezeichnete sich ausdrücklich als «Rembrandt-Schüler» und erklärte: «Rembrandtisch begann ich.»[39] Damit deutete er auf die ihm gemäße Hell-Dunkel-Symbolik, auf Humor, Natürlichkeit und «treuherzig-ehrliche Wahrheit» hin und die «Dramatik» der Handzeichnungen. Im Sommer 1901 plante er eine Novelle über Hendrickje Stoffels.[40] Zweimal weilte er im Rijksmuseum, und ihm schien: «Rembrandt mein Vorahn mehr als Goethe»[41], ja noch 1942 notierte er: «Diesem Meister fühle ich mich wohl am nächsten.»[42] Darüber hinaus blieb der Dichter zeitlebens ein Bewunderer altdeutscher Gemälde und Plastiken (Riemenschneider, Peter Vischer) und legte bisweilen essayistisch seine Gedanken dar über das «Michelangeleske»[43] bei Tintoretto oder das seiner Ansicht nach kunstwidrige «Bemalen der Statuen»[44], wobei wir einschrän-

Aus Notizen zum Lustspiel
«Die Jungfern vom Bischofsberg»,
1906

kend an die meisterhaften farbigen Plastiken der alten
Ägypter und Griechen erinnern möchten.

Wir müssen noch einige biographische Daten nachtra-
gen. Nach dem Einsturz des «Giganten» und dem Eintreffen der Schwestern Thienemann in Rom erkrankte Gerhart
Hauptmann plötzlich an Typhus. Im Grunde bestand nach
der klärenden, ermutigenden Aussprache mit Marie keine
Notwendigkeit mehr zu einer «Flucht in die Krankheit»,
zumal ein bevorstehender Künstlerball viel Vergnügen verhieß. Dennoch konnte sie vom Dichter als eine naturge-
wollte Zäsur betrachtet werden, wenn sie auch im Umgang
mit dem befreundeten Bakteriologen von Sehlen ihre realen Ursachen hatte.

Nach der Entlassung aus dem römischen Krankenhaus
fuhr Hauptmann Ende März 1884 mit Marie nach Deutschland zurück. Er erholte sich zunächst ein paar Wochen bei
den Eltern in Hamburg und verlebte dann einen herrlichen
Sommer und Herbst bei der Geliebten in Hohenhaus.
Noch ein letztes Mal genoß er die heitere Romantik des
ehemaligen Bischofssitzes mit den meterdicken Mauern,
den hohen Räumlichkeiten, engen Stiegen und dämmrigen
Gewölben und den Reiz des großen Parkes. In der Komödie der *Jungfern vom Bischofsberg* hat er später etwas von dieser beschwingten Atmosphäre eingefangen, aber auch etwas von der wehmütigen Abschiedsstimmung: im Winter
desselben Jahres mußte das Besitztum verkauft werden.

Im September 1884 wurde hier noch Carls Hochzeit mit
Martha gefeiert, zu welchem Anlaß Gerhart wiederum ein
Festspiel, diesmal mit dem Titel *Der Hochzeitszug*, dichtete.
Nach zwei Studiensemestern an der Berliner Universität
stand Gerhart Hauptmann schließlich selbst am 5. Mai 1885
mit Marie vor dem Traualtar der Johanniskirche in Dresden.

In traditionellen Bahnen

Frühe Dichtung
und lyrisches Gesamtwerk

Lichtenberg behauptet in seinen «Aphorismen», die deutschen Künstler hätten das merkwürdige Talent, «durch Nachahmen original zu werden»[1]. Wenn Gerhart Hauptmann sich einmal zu seinem Vorbild Goethe bekannte und in diesem Zusammenhang vom Nachahmen sprach[2]:

> Großer Lehrer an meiner Seite,
> großer Freund, mit dem ich schreite:
> angeschlossen in Gottes Namen,
> stets bereit, dich nachzuahmen –

so war das keineswegs in einem epigonalen Sinne gemeint, sondern in der Bedeutung des Lichtenberg-Zitates. Tatsächlich ist Hauptmann zeitlebens ein großer schöpferischer Nachahmer gewesen. Die Kritiker haben für zahlreiche seiner Werke Vorbilder und «Muster» ermitteln können, doch sie mußten ihm gleichzeitig bescheinigen, daß er im allgemeinen aus den vielfältigen Anregungen durch «Vordermänner» wie Tolstoi, Zola, Ibsen, Kleist, Grillparzer, Shakespeare, Goethe, Aischylos etwas Neuartiges, ja Originelles schuf.

Der Grad der Originalität ist freilich von Fall zu Fall verschieden. Die frühesten poetischen Versuche erwuchsen aus Schulwissen und Jugendlektüre; dennoch ist die Beschäftigung mit den dichterischen Anfängen reizvoll, weil wir hier Keimzellen entdecken und den Weg ausmessen können, den der Künstler später zurückgelegt hat.

Die ersten literarischen Arbeiten von Hauptmann stehen in seinem *Quintaner-Diarium*[3] aus den Jahren 1877 bis 1878. Durch Coopers «Lederstrumpf» angeregt, zeichnete er auf diesen Seiten unter anderem die Anklage eines Indianers gegen die weißen Eroberer auf. (Dem indianischen Krieger läuft dabei übrigens die schlesische Dialektform «ticksch», d. h. tückisch, mit unter.) Zwei weitere Gedichte behandeln in der Nachfolge von Freiligrath und Dahn den stürmischen Wüstenritt einer «Karawane» und «Odins Klage zur Römerzeit». Schließlich finden wir zwischen Stundenplänen, lateinischen und französischen Vokabeln noch einige dramatische Szenen um einen mädchenlüsternen, heuchlerischen Klosterprior und einen humorvolllukianischen Götterzank zwischen «Durchlaucht» Amor nebst «Heiratsbüro» und Hermes *(Amor und Hermes)*[4].

In das Poesiealbum für Marie, das 1962 unter dem Titel *Früheste Dichtungen* publiziert wurde, hat Hauptmann seine Schülerverse nicht aufgenommen. Der Band enthält sichtlich nur eine Auswahl, denn auf die beiden von Chamissos «Salas y Gomez» und Kellers «An das Vaterland» beeinflußten Gedichte *Der Sturm* und *Heimweh*, denen die Jahreszahl 1875 vorangesetzt ist, folgen sogleich lyrische Versuche aus der Lederoser Landwirtszeit.

Insgesamt fällt der fragmentarische Charakter der Sammlung auf. Die neunzehn Gedichte wirken zwar noch überwiegend abgerundet, doch vier dramatische Proben und ein Epos werden ausdrücklich als Bruchstücke gekennzeichnet. Der junge Dichter begeisterte sich offenkundig für viele Stoffbereiche zugleich und verlor dann bei der Gestaltung die Lust zum Vollenden. Formale Probleme scheint es für ihn nicht gegeben zu haben. Er reimte noch ganz unbekümmert, stellte Strahl und Schwall, dahin und glühn zusammen, bediente sich herkömmlicher Bilder und Attribute und wußte dem Text nur durch die Aussparung des Dehnungs-h («zerende Sensucht») und eigenartige Trennmethoden eine «besondere» Note zu geben.

Wenn diese Arbeiten auch nicht entfernt den Vergleich mit genialen Frühwerken wie denen des vierzehnjährigen Hölderlin oder des sechzehnjährigen Hofmannsthal aushalten, haben sie dennoch in ihrer Art etwas Liebens- und Schätzenswertes. Sie gestatten uns einen unmittelbaren Einblick in die Welt des jungen Gerhart Hauptmann. So bemerken wir etwa im *Sturm* das später von ihm wiederholt variierte Motiv einer Schiffskatastrophe. In anderen Versen wie *Morgengruß, Elfenreigen* oder *Hüte dich, schön's Blümelein* ließ er romantische und volksliedhafte Töne aufklingen, und schließlich wandte er sich seinem damaligen Hauptthema zu, dem Schicksal der Germanen und Römer. Sozialkritische und humoristische Züge fehlen in den frühen Versuchen fast gänzlich.

Interessant ist, daß namentlich in die dramatischen Fragmente Züge eines spätbürgerlichen Lebensgefühls eingingen. Hauptmann wurde, ähnlich wie Thomas Mann, immer wieder von Gestalten angezogen, die nicht mehr lebenstüchtig sind und einen historischen Endpunkt fixieren. Auf der Grundlage der ersten Kapitel von Felix Dahns «Kampf um Rom» skizzierte er beispielsweise die Tragödie des halbwüchsigen Theoderich-Enkels Athalarich. Ebenfalls ein kraftloser Spätling begegnet uns in dem letzten Staufen Konradin, der auf der Flucht unerkannt dem Disput zweier Schiffer über Gerechtigkeit und Gottes Nichtexistenz lauscht und bald unter einem sizilianischen Henkerbeil sterben muß. – Niedergangsstimmung atmet auch ein 1884 geschriebenes Drama um den Nachfolgestreit beim Tode des römischen Kaisers Tiberius.[5]

Neben solche Endzeitvisionen stellte Hauptmann zwei dichterische Entwürfe, die in historischem Rahmen von einer Auflehnung gegen die überlebten Zustände berichten. Der dramatischen Szene *Frithiofs Brautwerbung*[6] könnte als Motto der Satz des Hölderlinschen Empedokles vorangesetzt sein: «Dies ist die Zeit der Könige nicht mehr.» Der freie Bauer Frithiof wirbt hier selbstbewußt um die Königstochter Ingeborg. Als er höhnisch abgewiesen wird, begehrt er auf, verweigert künftige Gefolgschaft, und wie wir aus der «Frithjofsaga» des schwedischen Dichters Esaias Tegnér wissen, trug er letztlich den Sieg über den hochmütigen, adelsstolzen König Helge davon und gewann die Braut.

Über die biographischen Voraussetzungen von Hauptmanns *Hermann*-Epos[7], das eine weitere Befreiungstat besingt, haben wir schon kurz gesprochen. Nach der Reichsgründung von 1871 erinnerte man sich gern an die große germanische Einigungsbewegung im ersten nachchristlichen Jahrzehnt, wobei dem Cheruskerfürsten Hermann bei den «Nationalgesinnten» die Rolle eines «germanischen Bismarck» zufiel. 1875 wurde im Teutoburger Wald das Hermannsdenkmal von Bandel enthüllt, und im selben Jahr erschienen nicht weniger als sieben Dichtungen über den populären Helden und Überwinder der Zwietracht.

Auf Hauptmann wirkten entscheidend eine Aufführung von Kleists «Hermannsschlacht», der Beitritt zur Blutsbrüdergemeinde mit pangermanischen Idealen in Breslau und die Bekanntschaft mit Felix Dahns «Arminius»-Oper. Hinzu kamen seine im Elternhaus geweckte Bismarckverehrung und die «Freude am neuen Deutschen Reich», der er poetisch Ausdruck verleihen wollte.

Das *Hermann*-Lied, mit dem der Jüngling mehrmals als Vorleser brillierte, schließt sich inhaltlich eng an Dahn und in der rhapsodischen, stabreimenden Form an Wilhelm Jordan an (der den Naturalisten übrigens später «Deutsche Hiebe» versetzte). Die ausgeführten anderthalb Gesänge spielen unter den Hirten des Teutoburger Waldes und zeigen die Kampfentschlossenheit und Sehnsucht des Volkes nach Freiheit. Es ist nicht ersichtlich, ob der römisch gekleidete Krieger, den am Anfang ein Hornruf der Hirtin Osmundis herbeilockt, mit Hermann identisch ist. Auf jeden Fall steht er ihm nahe, da er das Mädchen auf die Probe stellt, zu einem nationalen Bekenntnis provoziert und sie dann darum bittet, ihm für die bevorstehende

Schlacht Ortskenntnis zu geben. Die Nachtwanderung der beiden zum Altar des Wodan, wo sie einen Freiheitsschwur leisten, wird sehr romantisch beschrieben und beschwört Naturbilder herauf, die entfernt an Coopers «Lederstrumpf» erinnern.

Knapp drei Jahre nach diesem epischen Entwurf behandelte Hauptmann dasselbe Thema noch einmal dramatisch. Es entstand sein erstes abgeschlossenes Schauspiel: *Germanen und Römer* (1882). Obwohl er selbst später bekannte, er habe damit «Kleist übertreffen»[8] wollen, und obwohl mehrere Forscher entsprechende «Parallelen»[9] zu entdecken glaubten, gibt es allenfalls in der äußeren Form ein paar Anklänge: Auch Hauptmann hatte sein Stück (wie die meisten klassischen Dramen) im wesentlichen in fünffüßigen Jamben geschrieben, in fünf Akte eingeteilt und zudem sprachlich hie und da dem Vorbild angenähert. Mit dem Geist jedoch, der aus Kleists Dichtung spricht, hat Hauptmanns Versuch nichts gemein.

Kleist erklärte 1806 in einem Brief: «Wir sind die unterjochten Völker der Römer»[10] und stellte dmit einen aktuellen Bezug zur napoleonischen Bedrückung her. Seine «Hermannsschlacht» war in diesem Sinne als eine Art Schlüsseldrama gedacht, in dem Napoleon als Feldherr Varus erscheint, die verräterischen Rheinbundfürsten sich in den Verbündeten der Römer spiegeln und der Kreis um Hermann für die Habsburger steht, auf die viele Patrioten damals ihre Hoffnung setzten. Kleist rief in dieser Dichtung, die zu seinen Lebzeiten nicht gedruckt und gespielt werden durfte, unversöhnlich und haßerfüllt zum nationalen Befreiungskampf auf.

Hauptmann hingegen folgte weitgehend einer literarischen Mode und konzipierte seine Szenenfolge *Germanen und Römer* von einem ganz anderen zeitgeschichtlichen Berührungspunkt aus, nämlich von dem zwiespältigen junkerlich-großbürgerlichen Einigungswerk Bismarcks. Damit vertrug sich allerdings schlecht seine ihm noch kaum bewußte Neigung, seelisch empfindsame, leidende Naturen und keine kämpferischen Tatmenschen in den Mittelpunkt der Handlung zu rücken. Dies bedingte wiederum eine von Kleist stark abweichende Charakterzeichnung der Hauptpersonen.

Bei Hauptmann ist Varus keineswegs hassenswert gezeichnet, sondern als ein sehr sympathischer, feinsinniger, gerechtigkeitsliebender Römer, der an seiner Sendung leidet und das «arme, arme Volk»[11] der Germanen nur widerstrebend unterdrückt. Gegenüber Hermann, dem er unbegrenztes Vertrauen schenkt, verhält er sich väterlich und bringt diesen dadurch in arge Gewissenskonflikte, denn um seines Volkes willen muß jener ja den Freund hintergehen. In Hermanns Wesen kommt somit (besonders im 5. Aufzug) etwas Unentschlossenes hinein, ein hamletischer Zug, der sein Tun dennoch nicht hinreichend motiviert. Es entfaltet sich die Tragödie des mißbrauchten Vertrauens.

Noch ein weiterer Römer, der Dichter Severus, offenbart einen edlen Charakter. Er liebt die blinde Tochter des germanischen Sängers Sigwin und faßt, auf Anstiften der Hirtin Osmundis, nach schwerem innerem Kampf sogar den Vorsatz, aus Liebe den Varus zu töten und so der Freiheitsbewegung einen Dienst zu erweisen. Im Monolog ringt er sich zu dem Bekenntnis durch: «Sind wir nicht Menschen alle …? Wer gibt uns Recht, die Deutschen zu verdrängen …? Ich schlage mich zu dem, der Unrecht leidet, und kämpfe gegen den, der Unrecht tut!»[12] – Diese Gestalt – und die des Barden Sigwin – ist insofern bemerkenswert, als Hauptmann hier zwei Künstler eng mit politischen Vorgängen verknüpfte, ihre Parteinahme für die Sache einer geknechteten Nation darstellte und am Ende ein Streben zur Völkerverbrüderung andeutete.

In Hauptmanns Drama überwuchern private menschliche Konflikte zeitweise die Weltbegebenheiten. Vor allem bringt er Familienzwist und Eifersucht zwischen Hermann, seinem römertreuen Bruder Flavus und seinem Schwieger-

PROMETHIDENLOOS.

EINE DICHTUNG

GERHART HAUPTMANN.

VERLAG VON WILHELM ISSLEIB
(GUSTAV SCHUHR).

vater Segest in die Handlung hinein und läßt sowohl Flavus wie Segest am Ende sterben, obwohl sie historisch später noch eine Rolle spielten. Hermanns Gattin Thusnelda, die bei Kleist als furchtbare Rächerin waltet, tritt hingegen bei Hauptmann nicht auf. Die persönlichen Rivalitäten erscheinen bei ihm stärker ausgeprägt als die kriegerischen Fronten, da die Römer nirgends «genügend unsympathisch»[13] gezeichnet werden – wodurch sich auch die dramatische Spannung abschwächt.

Über die übrigen Frühwerke Hauptmanns können wir uns kurz fassen. Die beiden kleinen Festspiele *Liebesfrühling* (1881) und *Der Hochzeitszug* (1884), die er für die Hochzeiten seiner Brüder Georg und Carl schrieb, sollten nur zur privaten Erbauung dienen und «den Polterabend beleben»[14]. Sie versinnbildlichen die Verwandlung des Winters in den Frühling durch die Macht des «Genius der Liebe» und im anderen Falle die Fernhaltung der Sorge von einem fröhlichen Hochzeitszug durch den personifizierten Leichtsinn. Dabei kommt es übrigens nirgends zu Anzüglichkeiten oder derben Späßen in der Art von Christian Günthers «Hochzeitsscherz».

Das Stanzenepos *Promethidenlos* (1885) spiegelt im wesentlichen die Erlebnisse von Hauptmanns erster Mittelmeerreise. Der Dichter übertrug sowohl sein damaliges Schwanken zwischen Bildhauerei und Poesie wie einzelne Reiseeindrücke aus Malaga, Neapel und Capri auf einen Künstler namens Selin. Dieser Name, den im Drama *Germanen und Römer* bereits ein kunstbegabter Sklave des Varus führt, könnte aus Ewald von Kleists «Freundschaft»-Gedicht übernommen sein[15], möglicherweise auch aus Byrons «Braut von Abydos», weil Byron (neben Siegfried Lipiner) in formaler Hinsicht auf die Gestaltung des Epos einwirkte. Neu ist bei Hauptmann die soziale Anklage, so bei der Schilderung der Begegnung Selins mit einer Dirne in Malaga. Der Held möchte nun seinen Platz «für immer bei den Unterdrückten»[16] einnehmen, aber er ist nur ein Promethide, ein Nachfahre der Titanen, und so erschöpft sich sein Reformwille in pathetischen, geschwätzigen Verzweiflungsausbrüchen und Kämpfen mit imaginären Gegnern.

In manchen Biographien ist zu lesen, *Promethidenlos* sei vom Dichter bald nach dem Erscheinen wieder «aus dem Handel gezogen» worden. Hauptmann selbst bestritt das jedoch und äußerte später[17], er könne sich noch gut daran erinnern, wie er die Exemplare der kleinen Auflage wohlverpackt in einem Schubkarren zur Post gefahren und an Freunde, Kritiker und Zeitschriften versandt habe.

Um diese Zeit, vor allem während einer sommerlichen Ostseereise mit Marie, arbeitete er bereits an neuen Versdichtungen, wobei er hochgemut die Überzeugung verkündete: «Ich glaube, ich bin ein Genie.»[18]

Das bunte Buch (1888 abgeschlossen) bietet im wesentlichen eine Sammlung von Gedichten und Balladen. Da sich Hauptmann als Lyriker zeitlebens in «traditionellen Bahnen» bewegte, können wir uns damit begnügen, bereits an dieser Stelle einen Gesamtüberblick über sein lyrisches Schaffen zu geben, und uns dabei vorgreifend auch mit der *Ährenlese* (1939) und den *Neuen Gedichten* (1946) beschäftigen.

Historische Ereignisse spielen unmittelbar in diesen Versen nur eine geringe Rolle. Aus den welterschütternden Kriegsjahren wurde in *Ährenlese* lediglich eine einzige Vaterlandshymne von 1914 aufgenommen. Anfang der zwanziger Jahre entstand in Sonettform ein Aufruf zur deutschen Einheit: *Ritter, Tod und Teufel*, und das faschistische Jahrzwölft spiegelt sich andeutungsweise in *Die Hand*, *Positano*, in der gespenstischen Vision *Stirbt eine Zeit* mit der Schilderung eines Zuges rückschauender, weinender Toten und in der vierteiligen Strophe vom *Spielzeug* eines Imperators. Erst in den Nachlaßveröffentlichungen reflektieren Gedichte häufiger Geschichte der «fremdmächtigen Zeit».

Das *Bunte Buch* ist mit direkten zeitgeschichtlichen Bezügen sparsam, enthält dafür aber einige sozialkritische

Verse, in denen sich bisweilen schon die Thematik der späteren naturalistischen Dramen ankündigt. Am bekanntesten ist das Gedicht *Im Nachtzug* geworden: Ein Reisender glaubt in der vorüberfliegenden, lichtblinkenden Nachtlandschaft tanzende Elfen zu erblicken. Dazwischen tauchen jedoch realistische Bilder auf mit dampfenden Fabrikschloten und Arbeiterheeren, die «zum Leben, zum Streben ein Recht» fordern und sich drohend aufrichten. Und aus dem mit metrischen Mitteln untermalten Stampfen der Maschinen erdröhnt «das Lied, so finster und doch so schön, / das Lied von unserm Jahrhundert»[19], der Gesang vom technischen Zeitalter und der Überwindung der Not. Am Ende bricht freilich wieder ein «Zaubergetön» durch, unter dessen Klängen sich der Dichter ratlos, «mitleidig und mild» zum «Herzen der Armen» niederbeugt.

Das bedeutendste Poem der Sammlung stellt die Ballade *Der Tod des Gracchus* dar. Zugrunde liegt die historische Überlieferung, der zufolge sich die Brüder Gracchus im Rom des zweiten vorchristlichen Jahrhunderts darum bemühten, der vom Ruin bedrohten Bauernschaft durch wirtschaftliche Entlastungen und eine Aufteilung des Großgrundbesitzes zu helfen. Die geplante «Bodenreform» scheiterte am erbitterten Widerstand der römischen Aristokratie, doch das Beispiel der Gracchen beflügelte später immer wieder revolutionäre Bewegungen. Nach dem Zeugnis von Lafargue dachte sogar Karl Marx[20] gelegentlich an die Niederschrift eines Dramas über die beiden Volkstribunen.

Hauptmanns Ballade bewahrt den dramatischen Kern der Episode aus den antiken Klassenkämpfen. Tiberius Gracchus läßt sich hier weder durch einen warnenden Freund noch durch seine Frau davor zurückhalten, dem Volk in dem gerechten Kampf Mut zuzusprechen. Als seine Aufgabe betrachtet er es, den «armen Leuten» Brot zu geben, ja er faßt eine grundlegende Umwälzung ins Auge: «Zusammenstürzt das faule Haus; / ich will es euch zerhauen / und auch ein neues bauen!»[21] Vor der bewaffneten Macht der

Senatspartei muß er allerdings bald zurückweichen, die brutale Niederknüppelung des Volksauflaufes erleben und für seine Ideale in den Tod gehen.

Das hier zutage tretende balladeske Element ist für Gerhart Hauptmanns Dichten zeitlebens bezeichnend geblieben. Goethe verglich die Ballade gelegentlich mit einem «lebendigen Ur-Ei»[22], in dem die poetischen Gattungen noch vereint seien. In diesem Sinne durchsetzte Hauptmann seine lyrischen Gebilde gern mit Dialogpartien und erzählenden Darlegungen, während er andererseits in den Schauspielen die dramatische Wechselrede häufig in gesanghafte Strophen überführte. So stoßen wir in seinen Schauspielen mitunter auf Gedichte von eigenartigem Reiz. Erinnert sei nur an die berühmten Engelgesänge in *Hanneles Himmelfahrt*, an Rautendeleins volksliedhafte Blankverse in der *Versunkenen Glocke*, Sidselills Harfenlied in *Schluck und Jau* und die trunkene Todeslyrik Michael Kramers.

Insgesamt finden wir im *Bunten Buch* kaum eine Erfüllung des Titelversprechens. Es sieht vielmehr so aus, als ob der Dichter jede Kolorierung bewußt vermied und sich darauf beschränkte, das Schwarz der Nacht und das Weiß des Winters festzuhalten oder daraus das Grau eines trüben Alltags zu mischen. Der Band enthält nur ein einziges Gedicht, das einen lebensfreudigeren Ton anschlägt und vom «fröhlichen Kreisen» beim «Eislauf» berichtet, aber selbst über dieser Szene steht ein mondbeglänzter, frostiger Nachthimmel. Im übrigen breitet sich überall eine düstere Atmosphäre aus. Die Menschen glauben nicht mehr daran, daß es einmal «tagen» wird, oftmals wählen sie verzweifelt den Freitod, weil es ihnen nicht gelang, «die alte Nacht» zu «besiegen». Die Welt scheint verrottet zu sein, «Verwesung birgt ein jeder Hauch ...»[23]

Auch in den zahlreichen Naturbildern, die Hauptmann entwirft, fehlen bunte Farben. Schon die Überschriften deuten Herbst- und Sterbestimmung an, künden von *Blätterfall* und *Grauen Nebeln*, von einer *Nacht im Forst*, einem

61

Selbstmörder und einer untergangggeweihten *Mondbraut*. Und der *Falter im Schnee* entweicht einer schützenden Hülle nur, um seinen letzten Flug anzutreten. Bisweilen erinnert das Dämmerlicht, das über den Versen liegt, an die «schwermütigen Meditationen» der Droste-Hülshoff, die den Zeitgenossen wie ein «weiblicher Byron»[24] erschien.

Unsere Beobachtungen überraschen, denn diese düsteren Gedichte entstanden sämtlich in Hauptmanns Verlobungs- und ersten Ehejahren mit Marie. Da sollte man eigentlich optimistische, lebensfrohe Klänge erwarten. Aber merkwürdigerweise hinterließ die Verbindung kaum eine Spur im *Bunten Buch*. Abgesehen von der kurzen Strophe um das *Kapellenglöcklein auf Hohenhaus* und den Reimpaaren um *Anna* bietet unsere Sammlung keine Liebeslieder, und der Dichter hält sich auch sonst mit unmittelbaren Bekenntnissen zurück, gestaltet aus dem Themenkatalog der spätbürgerlichen Lyrik weder das Einsamkeitsmotiv und heimatsuchende Harmonieverlangen noch eine tiefere Wechselwirkung zwischen Mensch und Natur, sondern nur eine wenig tröstlich empfundene Majestät des Todes.

Diese Haltung ist nur zum Teil aus privaten Kümmernissen zu erklären, aus Existenzangst infolge «Bluthusten» und episodischer tuberkulöser Symptome. Im wesentlichen sehen wir darin den Ausdruck einer Zeitstimmung. Hauptmann konnte um 1885 in den Literaturjournalen die frühnaturalistischen Bestrebungen um eine Entpersönlichung der Kunst verfolgen und den Gedanken an eine neue, von subjektiver Färbung freie Darstellungsweise aufgreifen. Die junge Generation wollte damit dem saturierten Bürgertum einen Schock versetzen, aus dem verlogenen Epigonentum herauskommen und den Blick auf eine ungeschminkte, widerspruchsvolle Wirklichkeit lenken.

Im *Bunten Buch* spiegelt sich (wenn auch erst andeutungsweise) Hauptmanns Unbehagen an den gesellschaftlichen Zuständen im Bismarck-Reich. Er hatte erlebt, wie der Kapitalismus geschundene, verelendete oder arbeitslose Menschen in den Tod trieb und wie der preußische Polizeistaat zahllose Kämpfer für ein menschenwürdiges Dasein durch das Sozialistengesetz verfolgen ließ. Das Leben bot sich dem Dichter grau wie ein Novemberabend und ohne Perspektive dar.

Die Veröffentlichung des *Bunten Buches* wurde 1888 durch den Bankrott des Verlegers verhindert. Als es endlich 1924 erschien, stellte Hauptmann dem Werk ein auffällig reserviertes Vorwort voran. Er meinte: Ob die Verse dichterischen Wert hätten oder nicht – sie seien nun einmal da, und er werde sie «nicht ableugnen»[25]. Doch vermutlich war er schon damals der anfechtbaren Überzeugung, die er später äußerte: daß nämlich der «wirklich große lyrische Augenblick» sehr selten sei und man auf dieser Grundlage «kein Lebenswerk schaffen» könne; er mißbilligte «pausbäkkige Lyrik».[26] Für ihn bedeuteten Gedichte stets nur schöne Nebensachen.

Wiederholt sind die künstlerischen Qualitäten von Hauptmanns Lyrik von Kritikern in Zweifel gezogen worden. Und in der Tat gewahren wir hier immer wieder echtes Pathos neben Plattheiten, das Abschnurren einer abgenutzten poetischen Apparatur, Klischees, bloße Nachahmungen, Bildungsprotzerei, Füllsel und Phrasen. Auch darf man den Versen nicht so genau auf die Füße sehen, sie tanzen oft ungeschickt und springen aus dem Takt. Gegen solche Verstöße und Mißklänge sind subtile Gebilde wie Gedichte natürlich sehr empfindlich. Aber schon Engels spottete über die weitverbreitete Methode, einfach nur zu prüfen, «ob die Reime rein, die Verse fließend sind, ob der Inhalt leicht zu verstehen und an schlagenden, wenigstens blendenden Bildern reich ist»[27]. Wenn man Hauptmanns Gedichte mehrmals liest, enthüllen viele von ihnen durchaus einen herben Reiz und gewähren Einblick in die thematischen Vorratskammern eines Künstlerlebens.

Die Sammlung *Ährenlese*, die das lyrische Schaffen von den neunziger Jahren bis zum zweiten Weltkrieg enthält (das Gedicht *Wintersleid* stammt allerdings schon aus den achtziger Jahren[28]), entstand in einer völlig anderen Atmosphäre als das *Bunte Buch*. Für über dreißig Gedichte werden ausdrücklich italienische Entstehungsorte angegeben, und deutlich zeichnet sich die biographisch noch zu erläuternde Wendung zu einem erlebnisstarken Lichtkult und Mythos ab. Hauptmann gestaltet nun gelegentlich den antiken Sonnenmythos nach, wobei er kleine, bezeichnende Veränderungen wagte und dem jungen Phaeton, der einmal an Stelle seines Vaters Helios die Feuerrosse durch die Lüfte jagen wollte, prometheische und ikarische Züge verlieh. «Euch entgegen, Götter! Nicht mit euch»[29] lautet die Losung.

Auch sonst bricht in dem Buch immer wieder ein mythisches Element durch. Die Dame Berenike trifft während eines Ausfluges mit ihren Töchtern zur Akropolis am hellen Tage den «Knaben Herakles». Andernorts bewegt sich ein mit Helena vermählter «Heros» Achill traumwandlerisch über die Insel Leuke, oder ein vogelstellendes Ritterfräulein wird geheimnisvoll entrückt. Schließlich erleben wir in dem zarten lyrischen Spiel von den «drei Palmyren» (das er zu den «freundlichsten Fügungen» in seinem «Dichterleben» zählte[30]) die im Mythos verankerte Situation einer Immer-Wiederkehr und All-Gegenwart. Ein Wanderer findet hier als Greis nach langer Irrfahrt die einstige Geliebte, die Tochter und Enkelin und bringt seiner eigenen Vergangenheit ein Flammenopfer dar mit den beziehungsreichen Worten: «Was war – das ist!»[31]

Man muß diese überwiegend in der Zeit des Faschismus entstandenen Mythendichtungen als einen Versuch werten, inmitten des Chaos kulturelle Schätze und eine große Tradition zu pflegen und tiefe menschliche Empfindungen auszusagen, was vor allem in den *Palmyren* gelang. Im ganzen «birgt» die *Ährenlese* jedoch nicht viele Gedichte, die den heutigen Leser wirklich anrühren. Nur selten erkennen wir in diesen Versen die «fortgehende Metapher eines Gefühls» (Hölderlin) oder die «Stimme vieler Stummen» (Becher).

Zu den bemerkenswerten Poemen der Sammlung wären etwa zu zählen die in jambischen Ottaven geschriebene, an Goethes «Faust»-Vorspruch anklingende *Zueignung*, das volksliedhafte *Requiem*, die versifizierte Böcklin-Szenerie der *Barken* und das ganz auf bildstarke, paradoxe Wendungen gegründete Gedicht *Weißt du, was du bist?* auf ein verführerisches Mädchen (möglicherweise die Schauspielerin Ida Orloff). In zwei größeren lyrischen Betrachtungen variierte Hauptmann Themen, die er zuvor gelegentlich in seinem dramatischen und epischen Werk hatte anklingen lassen. Vom Glashüttenmärchen *Und Pippa tanzt* zu den in Rätselform gekleideten Umschreibungen für das «Gleichnis vom Geist» in dem Gedicht *Glas* führt ebenso eine Linie wie vom Kultus der «denkenden Hand» im Roman *Die Insel der Großen Mutter* zu den Rhythmen *Die Hand*.

Essayistisch betonte der Dichter mehrmals, welche «gigantische Rolle der Hand am Werden des Menschen, am Aufbau seiner gesamten Kultur, zugesprochen werden muß», und so sei der Begriff der Hand «nahezu gleichbedeutend mit dem Begriff Arbeit»[32], die alle Zivilisation geschaffen habe. Im Gedicht gibt er eine Illustration dieser Vorstellungen, läßt tausend werktätige Hände in Aktion treten und das Leben bewältigen, warnt aber (im Jahre 1937!) zugleich vor einem Mißbrauch der Hand in einem drohenden Krieg.

Übrigens beschäftigte sich ungefähr zur selben Zeit der damals im Exil lebende Dichter Johannes R. Becher[33] mit dem Bild von der schöpferischen Hand. Während Hauptmann die Hand noch bisweilen mit einem Mythos umkleidet, gibt Becher eine klare poetische Paraphrase der berühmten Schrift von Engels über den «Anteil der Arbeit an der Menschwerdung des Affen» und verkündet bereits in der ersten Zeile: «Im Anfang war die Arbeit.»

Die äußere Gestaltung der Gedichte in der *Ährenlese* ist

mannigfaltiger und geschlossener als im *Bunten Buch*. Wir finden strenge Formen wie Sonette, Stanzen, Terzinen, doch selten vermochte der Dichter diese klassischen, anspruchsvollen Reimstrophen mit bedeutendem Inhalt zu erfüllen. Meistens liegen die Höhepunkte der Gedichte in ein, zwei verblüffenden Anfangszeilen (etwa: «Ruhlose Pilgrin Seele, flügelmächtig» oder: «Hier sah ich neunzig Sonnen sich erheben»), denen dann keine nennenswerte Aussage mehr folgt. So strebt der Vers schließlich zu (Goethe nachgebildeten) «Kleinen Reimen» hin, in denen teilweise ganz anschauliche, bündige Prägungen gelungen sind.

Noch ein Blick auf die Lyrik der letzten Jahre. Erst aus nachgelassenen Texten der Centenar-Ausgabe ist ersichtlich, daß Hauptmann viel mehr Verse schrieb, als man bisher ahnte. In archivierten Tage- und Notizbüchern finden sich weitere, bisher unpublizierte Strophen. All diese «Poeme» sind «weniger formal als inhaltlich» bemerkenswert[34]; oftmals bieten sie biographisch Aufschlußreiches, zum Beispiel Geburtstagssprüche oder spöttische Reimereien auf Zeitgenossen wie Stefan George, Carl Sternheim, Arno Holz, Alfred Kerr. Bisweilen stehen in den Sammlungen frühe und späte Aufzeichnungen nebeneinander. So sind auch die *Neuen Gedichte* keineswegs immer neu, einige lassen sich um die Jahrhundertwende herum datieren. Immerhin bleibt auffällig, wie der Autor in zahlreichen Altersstrophen gleichsam in den düsteren Stimmungsbereich des *Bunten Buches* zurückkehrte, diesmal allerdings von betont subjektiver Position aus. Der Dichter hatte mit ansehen müssen, wie er – einer der gefeiertsten Künstler seiner Epoche – in der faschistischen Machtsphäre immer mehr in die Isolierung gedrängt ward, wie sich der Kreis der alten Kampf- und Weggefährten lichtete und seine Welt, die bürgerliche Welt, der Auflösung zustrebte. All seine geistigen Bemühungen und der Wert seines riesigen Lebenswerkes schienen in Frage gestellt zu sein. Der Gedanke an die Sinnlosigkeit der Existenz drängte sich ihm auf.

Da wandelte sich Hauptmanns Gedicht in ein formal kaum noch durchgestaltetes, hoffnungsloses Monologisieren über Tote und Traumgesichte. Nacht und Finsternis herrschen, eine «Schattenwiese» tut sich auf, die unterweltliche Hekate spukt umher, und der Autor kommt sich im Diesseits «ausgestoßen» und «fremd» vor. Zuflucht sucht er bei orientalischen Phantasien, entrückt jeder Zeit und Zeitlichkeit. Noch ein einziges Mal gelingt ihm ein beschwingtes Poem um die gefallenen, weinberauschten Engel *Harut und Marut*[35] (aus der zweiten Sure des Koran), deren Tanz selbst Gott rhythmisch in die Glieder fährt. Dann wird es still, und die Forderung ergeht, die Welt zu vergessen.

Zwischen zwei ergreifenden Gedichten vollzieht sich die Tragödie dieses Künstlerlebens der Übergangszeit. Das *Bunte Buch* beginnt in der Gesamtausgabe mit den zuversichtlichen Versen des jungen Lyrikers:

> Ich kam vom Pflug der Erde
> zum Flug ins weite All
> und vom Gebrüll der Herde
> zum Sang der Nachtigall.
>
> Die Welt hat manche Straße,
> und jede gilt mir gleich,
> ob ich ins Erdreich fasse,
> ob ins Gedankenreich.
>
> Es wiegt mit gleicher Schwere
> auf Erden jedes Glied.
> Ihr gebt mir eure Ähre,
> ich gebe euch mein Lied.[36]

Dies schrieb der Greis:

> Wer hört dich?
> Niemand!
> Du bist und bleibst unerkannt –
> wie Wasser und Sand ...[37]

Kurs auf den Naturalismus

1885–1889

Bürgerliche Wissenschaftler haben gern «große Männer», die angeblich Geschichte machen, zu Musageten der klassischen Literaturen ernannt. Nach dieser Deutung schuf das «Hochgefühl» in den Zeitaltern des Kaisers Barbarossa und des Preußenkönigs Friedrich II. die Voraussetzungen für das Aufblühen der Dichtung im 13. und 18. Jahrhundert. Zur Verwunderung der nationalistischen Theoretiker brachte jedoch das Zeitalter Bismarcks auf künstlerischem Gebiet «nichts von Belang» hervor.

Bedauernd mußten sie eingestehen, daß der Eroberungskrieg von 1870/71, der doch, wie sie meinten, «das Menschenherz in seinen Höhen und Tiefen aufwühlte, kein Werk erzeugte, das den ‹Persern› des Äschylus oder der ‹Hermannsschlacht› von Kleist an die Seite gestellt werden konnte»[1].

In der Tat hat die Bismarcksche Reichsgründung auf die meisten schöpferischen Geister nur lähmend und nicht beflügelnd gewirkt. Die siebziger und achtziger Jahre führten zu einem erschreckenden Absinken des literarischen Pegelstandes. Adel und Bürgertum wollten in der Kunst ihre Salonkultur verherrlicht sehen, und die Verfertiger seichter Unterhaltungslektüre sahen ihre Stunde gekommen. Zu den erfolgreichsten Autoren gehörten damals Eugenie Marlitt mit ihren «Gartenlaube»-Romanen, Friedrich Wilhelm Weber und Victor Scheffel mit ihren Versepen, die Prosaschriftsteller Felix Dahn und Georg Hesekiel und – auf höherer Ebene – der lyrische Reichsherold Emanuel Geibel und die Erzähler Friedrich Spielhagen und Paul Heyse.

Am trostlosesten war die Situation an den Theatern. Viele Unternehmer sahen in den Schauspielhäusern willkommene, gewinnversprechende Kapitalanlagen, und natürlich durften auf ihren Bühnen nur Stücke aufgeführt werden, die dem herrschenden «Geschmack» entsprachen. Das Bürgertum wollte sich amüsieren oder im sentimentalen Sinne bewegen lassen. Folglich spielte man Operetten und wie eh und je die rührselig-pomphaften Dramen von Kotzebue und Iffland, Halm und Raupach, oder man wählte aus der zeitgenössischen Produktion Werke aus wie die dekorativen historischen Szenenfolgen von Wilbrandt und Wildenbruch. Großer Beliebtheit erfreuten sich französische Sittenstücke von Scribe und Sardou und die serienmäßig verfertigten trivialen Humoritaten von Lindau, Moser und Blumenthal.

Diesen Hintergrund müssen wir uns vergegenwärtigen, wenn wir die literaturgeschichtliche Bedeutung von Gerhart Hauptmann würdigen wollen. Mit ihm meldete sich endlich ein Dichter zu Wort, der das deutsche Theater aus der seit Hebbels Tod bestehenden Stagnation herausführte und zu einem Disputierplatz der jungen Generation machte. Das bedeutet natürlich nicht, daß er die «Moderne», wie sie sich gern nannte, allein durchsetzte; vielmehr standen ihm ausländische Anreger und viele Mitstrebende zur Seite. Er wuchs mit der Bewegung des Naturalismus. Diese literarische Strömung, der Hauptmann viel verdankt, müssen wir wohl etwas näher charakterisieren, bevor wir den Lebens- und Schaffensgang des Dichters weiterverfolgen.

Leo Berg, einer der frühen Theoretiker des Naturalismus, bezeichnete die neue Richtung gelegentlich als «Rückkehr zur Natur, als Annäherung an die Natur und als ... Ausdruck der modernen Weltanschauung, insbesondere der sozialen Bewegung»[2]. Aus dem Satz läßt sich ein ganzes

Bündel von Merkmalen herauslösen. Wenn wir zunächst nach dem Wesen der «modernen Weltanschauung» fragen, so ergibt sich eine ausgesprochen naturwissenschaftliche Orientierung der jungen Künstler. In ihren Schriften berufen sie sich immer wieder auf Darwin, Haeckel, Feuerbach, Taine, Bernard, Ludwig Büchner[3], David Friedrich Strauß, und deutlich wird ihr Bemühen, die Welt materialistisch zu erklären und Gesetzmäßigkeiten zu erkennen. Praktisch führt das zu einer Abkehr von jeder Transzendenz und Metaphysik, zur Desillusionierung und nüchternen Betrachtung des Seins.

Der Kunst fällt nach Anschauung der Naturalisten die Aufgabe zu, eine Wiederholung der Wirklichkeit zu sein. Unter dem obenerwähnten «Natur»-Begriff haben wir den Umkreis des Beobachtbaren, will sagen: eine naturwissenschaftlich angeschaute Wirklichkeit zu verstehen. Vom literarischen Werk wird nun weiter nichts erwartet als die Registrierung des Realen. Erdichtungen des Autors gelten als unerwünscht, ja kunstwidrig. Somit bemerken wir in konsequent naturalistischen Aufzeichnungen zahlreiche Belanglosigkeiten, steckbriefhafte Menschencharakteristiken, gestotterte Gespräche, Mundartliches, das Fehlen von Monolog, Reim und Vers, ein eigentümlich statisches Element, eine Handlung ohne eigentliche Begrenzung und echten Abschluß. Ein Stück alltägliches Leben zieht an uns vorbei, detailliert, vorgeblich tendenzlos, kaum gestaltet. Theoretisch strebte man danach, «im Zeitalter der Technik die Kunst selbst zur Technik»[4] zu erklären.

Zweifellos entstand der moderne Naturalismus, ebenso wie seine Vorläufer, wesentlich aus einer Protesthaltung heraus. Er wollte bewußt «Gegensatz zum Formalismus»[5] sein. Seine Elemente begegnen uns ansatzweise auch in anderen Übergangszeiten, etwa in den derben, volkssprachigen antiken Mimiamben des Sophron und Herondas, in den Tageliedern Neidharts von Reuenthal, bei Grimmelshausen oder den Vertretern des Sturm und Drang. So hatte man auch diesmal wieder die Leier der Epigonen satt, schüttelte den Kopf über ihre formale Tändelei und empörte sich über ihre Verlogenheit und die Vorspiegelung eines allgemeinen bürgerlichen Lebensbehagens. Die jungen Leute von 1885 wollten Wahrheit, die nackte Wahrheit, ohne gefällige Verpackung. Sie wollten nicht mehr die Augen verschließen vor den negativen Auswirkungen der wirtschaftlichen Hochkonjunktur auf Kultur und Moral und vor den unbefriedigenden sozialen Verhältnissen.

Franz Mehring bezeichnete den Naturalismus einmal als «Widerschein ..., den die immer mächtiger auflodernde Arbeiterbewegung in die Kunst wirft»[6]. Die Bemerkung weist auf wichtige Zusammenhänge hin, die wir kurz umreißen wollen. Nach Formierung der sozialdemokratischen Arbeiterpartei auf dem Eisenacher Kongreß von 1869, der sich eng an die von Marx und Engels mitbegründete I. Internationale anschloß, beobachteten die Beherrscher Großpreußens das Anwachsen der proletarischen Bewegung mit Besorgnis. Sie wurden alarmiert durch die ständige Zunahme der sozialdemokratischen Wählerschaft; aus den 124 000 Stimmen von 1871 waren 1874 bereits 352 000 und vier Jahre später 437 000 Stimmen geworden![7] Da entschloß sich Bismarck zum radikalen Vorgehen. Er benutzte zwei Attentatsversuche auf den alten Kaiser Wilhelm als Vorwand, um den Kommunistenschreck an die Wand zu malen und im Oktober 1878 sein «Gesetz gegen die gemeingefährlichen Bestrebungen der Sozialdemokratie» zu erlassen.

Dieses Ausnahmegesetz[8] verbot alle Arbeiterorganisationen sowie deren Druckschriften und Versammlungen und ermöglichte es darüber hinaus jedem subalternen Staatsdiener, «amtsrechtlich» gegen mißliebige Personen vorzugehen. Die Parteileitung kapitulierte zunächst vor der Gewalt, doch bald erzwangen die Mitglieder ein geheimes politisches Leben größten Ausmaßes. Es begann eine unterirdische Energiespeicherung, wie sie der Eiserne Kanzler niemals erwartet hatte. Ohnmächtig mußte er mit ansehen, wie der findige rote Feldpostmeister Julius Motteler allwöchentlich von der Schweiz aus zu Tausenden die illegale Zeitung «Der Sozialdemokrat» ins Land schleuste, wie Flugblätter kursierten, Hilfe für die Verfolgten bereitstand, im Ausland Kongresse stattfanden und wie die oppositionelle Wählerschaft 1884 sprunghaft die Halbmillionengrenze überschritt. Die Sozialdemokratie, die so erfolgreich einem riesigen Machtapparat trotzte, errang in jenen Jahren eine unglaubliche Popularität. Selbst viele Bürger interessierten sich mit einem Male für den vierten Stand.

Von hier aus werden Mehrings oben zitierte Worte und die thematische Orientierung des Naturalismus verständlich. Unter dem Eindruck der proletarischen Bewegung wandten sich immer mehr Schriftsteller von dem Historizismus und Ästhetizismus der Gründerjahre ab und richteten ihr Augenmerk auf die unmittelbare Gegenwart und ihre sozialen Probleme. Sie gingen dazu über, das elende Leben der unteren Volksschichten als kunstwürdig zu behandeln.

Da die federführenden Autoren allerdings – trotz aller Aufgeschlossenheit – selten über ihren bürgerlichen Klassenhorizont hinauskamen, erfaßten sie die Arbeiterschaft im allgemeinen nicht in ihrer revolutionären Dynamik, sondern nur als leidende Masse. Sie gestalteten arme Menschen, die unheroisch, unglücklich und willenlos als Gefangene im schicksalhaft ausgespannten Netz des Milieus, der Vererbung und der triebhaften Leidenschaften zappeln.

Die dargestellte erbärmliche Lage der Erniedrigten und Beleidigten soll uns erschüttern und unseren Blick weiten für den von Thomas Mann gelegentlich gerühmten «altruistischen Grundzug des Naturalismus, sein Mitleidsethos, welches, Verklärung und seelisches Komplement seines Wahrheitsfanatismus, gern sozialistische Formen annimmt oder doch, hier allgemeinmenschlich, als karitatives Sichneigen zu allem Schwachen, Ratlosen, Häßlichen, Verworrenen und selbst Verworfenen erscheint»[9].

Diese Kunst ist Ausdruck einer tief humanen Haltung.

Sie sucht zu verstehen, wo Unverständnis rasch verurteilt, erbittet Nachsicht für die schon Gerichteten. Unerschrocken visiert sie die großen Laster der Welt an, Trunksucht, sexuelle Ausschweifungen, kriminelle Abenteuer – und sie plädiert für Freispruch, da für die Ursachen der Verfehlungen nicht der einzelne verantwortlich sei. In diesem Sinne forderte zum Beispiel der italienische Psychiater Lombroso eine Umwandlung der Gefängnisse in Krankenhäuser.

Hier werden die Grenzen der naturalistischen Schule sichtbar. Obwohl die jungen Künstler in ihren Werken immer wieder Bilder des Elends und der kapitalistischen Ausbeutung heraufbeschworen, zogen sie aus den Verhältnissen keine Schlußfolgerungen. Sie gaben nur Eindrücke wieder, brachten Klage vor, doch keine Anklage, schufen Spiegelbilder, aber keine Vorbilder. Ihr Appell galt dem menschlichen Mitleid und Gewissen. Von der Wohltätigkeit der Besitzenden erhofften sie eine Linderung der Not; an grundlegende gesellschaftliche Umwälzungen wagten sie nicht zu denken. Bei ihren Zentralgestalten handelt es sich meistens um verelendete Kleinbürger und Handwerker (und nicht um klassenbewußte Arbeiter), ja, viele Autoren sangen als Bohemiens «Lieder aus dem Rinnstein» und glitten in Hurenromantik und sentimentale Armeleutepoesie ab. Darum charakterisierten sozialistische Theoretiker den Naturalismus bald als «Produkt der Dekadence»[10] und «Reflex eines unaufhaltsamen Verfalls»[11].

Die thematische Unentschiedenheit und Problematik erweist sich zugleich als eine formale. Wenn man, wie beispielsweise Arno Holz, im «Sekundenstil» und geringfügig retuschierten Stenogramm das höchste Ziel eines Wortkunstwerkes sah, konnte man kaum zu wesentlichen Aussagen gelangen, sondern nur zu einer Summierung von Fakten, Einzelzügen und Alltäglichkeiten. Man blieb somit an der Oberfläche der Erscheinungen haften und war von der erstrebten Wahrheit weit entfernt. Bedeutende Künstler wie Zola, Ibsen, Clara Viebig, Theodore Dreiser, der frühe Thomas Mann (und in der Malerei Uhde und Liebermann) bedienten sich der naturalistischen Gestaltungsmittel darum stets in enger Verquickung mit realistischen, die es ihnen gestatteten, von einem überlegenen Standort aus mit der bürgerlichen Gesellschaft abzurechnen und typische Charaktere in typischen Situationen vorzuführen. Das gleiche gilt für Gerhart Hauptmann.

Beispiele für einen konsequenten Naturalismus haben hauptsächlich Arno Holz und Johannes Schlaf in der gemeinsam verfaßten Prosasammlung «Papa Hamlet» und dem Schauspiel «Die Familie Selicke» gegeben. Daneben entstand eine Fülle weiterer Werke, die entweder für uns heute völlig belanglos sind oder von der «Norm» erheblich abweichen. Die naturalistische Schule brachte nur wenige exemplarische «Dichtungen» hervor.[12] Das steht in einem seltsamen Widerspruch zu der Tatsache, daß gleichzeitig eine wahre Sturmflut von Schriften losbrach, in denen die Gesetze der neuen Kunst leidenschaftlich dargelegt oder umstritten wurden. Nicht zu Unrecht hat man die achtziger Jahre ein «Jahrzehnt der Zeitschriften- und Gesellschaftsgründungen ..., der Pamphlete und Abhandlungen, der Programme und Manifeste»[13] genannt. Bei der Lektüre der alten Diskussionsbeiträge zeigt es sich, daß der Naturalismus keineswegs eine einheitliche Bewegung war.

Die Auseinandersetzung konzentrierte sich auf die Großstädte Berlin und München. In Berlin eröffneten die Brüder Heinrich und Julius Hart das Gefecht mit der Herausgabe ihrer «Kritischen Waffengänge» (1882/84) und der «Berliner Monatshefte» (1885). Sie bemühten sich darin vor allem um eine Erneuerung der Lyrik und Dramatik und empfahlen Ibsen und Tolstoi als Vorbilder.

Die jungen Münchener Schriftsteller hingegen erhoben Émile Zola zu ihrem Schutzpatron und sammelten sich seit 1885 um Michael Georg Conrads Zeitschrift «Die Gesellschaft», die in der Nachfolge des großen Franzosen zunächst vordringlich Prosaliteratur pflegte. Er erwies sich als hervorragender Anreger, da in Deutschland die «literarische Behandlung der sozialen Probleme des Industriezeitalters»[14] vorerst fehlte. Zwischen den Lagern stand der Vielschreiber Karl Bleibtreu.

Keines dieser beiden Zentren, die sich später heftig befehdeten, entwickelte ein klares Programm, sondern in ihren Publikationsorganen kamen die widersprüchlichsten Ansichten zu Wort. Man nannte sich bald Naturalist, bald Realist, forderte hier die Entfesselung der Subjektivität und Geniekult, dort die Unterdrückung von künstlerischem Temperament und die Beschränkung auf bloßes Faktensammeln, wünschte einerseits materielle Unterstützung durch den Bismarckstaat, andererseits die Erhaltung der Unabhängigkeit, verurteilte Historizismus und Romantik – und suchte sie dennoch zu retten, ernannte bald Grabbe und Büchner, bald Burns und Wagner zu Ahnherren oder sagte der Tradition grundsätzlich den Kampf an. In einer Monographie hat Jost Hermand[15] wesentliche Merkmale des Naturalismus beschrieben. Er erspürte ein überraschendes sarkastisch-karikaturistisches Element, die Entidealisierung der «Gründerzeit», frühen «Proletkult» und soziales Engagement. Zugleich erfaßte er Schwächen dieser Literaturbewegung: «Breitschweifigkeit», «Verabsolutierung des Nebensächlichen» und die Darstellung «banaler Alltäglichkeit». R. Bernhardt wies ergänzend hin auf beispielhafte Themen von Ibsen-Dramen: «Zerfall der Familie», «Helden und Verbrecher aus Opposition», «Wahnsinnige aus Prinzip» und «Negierung der bürgerlichen Staatsform».[16]

Wie wir uns erinnern, traten schon in den frühen Bemühungen Gerhart Hauptmanns gelegentlich «naturalistische» Elemente zutage. Er beschäftigte sich mit Haeckels Ideen, mit der Vererbungstheorie und dem Materialismus, mit Büchners «Kraft und Stoff» und Grabbes urwüchsigen Dramen, betrieb ein exaktes bildhauerisches Modellstudium und griff schließlich eine soziale Thematik auf. Anzeichen einer gewissen Entpersönlichung der Kunst sind im *Prome-thidenlos* und *Bunten Buch* zu bemerken.

Die beiden Versdichtungen entstanden bereits in Berlin. Hatte Hauptmann einst von Breslau als seiner «geistigen Geburtsstadt»[17] gesprochen, so erschien ihm Berlin stets als Ort der Bewährung: «Ich habe dort meine Kraft gewonnen und erprobt! dort! nirgendwo anders.»[18] Zunächst war er 1884/85 zwei Semester lang Student der Kunstgeschichte an der Berliner Universität, ließ allerdings nur zwei Vorlesungen über italienische Malerei und die «bildenden Künste bei den Griechen und Römern» testieren.[19] Er wohnte mit den alten Breslauer Freunden Ferdinand Simon und Hugo Ernst Schmidt im Rosenthaler Viertel, besuchte fast all-abendlich Konzerte und Theater und fühlte sich durch das Vorbild von Josef Kainz dazu angeregt, bei dem ehemaligen Bühnendirektor Heßler Schauspielunterricht zu nehmen. Die stärksten Erlebnisse jener Monate waren für ihn eine Aufführung von Beethovens Neunter Symphonie und vor allem die Lektüre von Ibsens «Nora», die ihn wie eine «helle Fanfare»[20] aufrief.

Nach der Hochzeit siedelte er zusammen mit Marie für rund sechs entscheidende Jahre nach Berlin und in dessen unmittelbare Umgebung über, und zwar zunächst in eine Moabiter Mansardenwohnung, im September 1885 nach dem Vorort Erkner: «Ich war meiner Gesundheit wegen gezwungen, hauptsächlich auf dem Lande zu leben.»[21] Im Herbst 1889 zog er für anderthalb Jahre nach Charlottenburg. (Von 1894 bis 1902 und während des ersten Weltkrieges lebte er, mit vielen Unterbrechungen, abermals in Berlin, nahe dem Grunewald.) In der Erkner-Zeit legte er die «Ecksteine»[22] für sein Lebenswerk. Das Ehepaar quartierte sich im Parterre der geräumigen Villa des Rentiers Lassen ein, wobei sich Gerhart Hauptmann übrigens noch immer als Bildhauer bezeichnete. Da das Haus etwas abseits am Waldrand lag, wo die Holzdiebe einander um Mitternacht zupfiffen, und da in den Stuben nur Petroleumleuchten ein

Genoſſe Gerhart Hauptmann
als „Poeta laureatus" des Zukunftsſtaates.

Karikatur von Arpád Schmidhammer,
1904

mattes Licht warfen, wurden zur Sicherheit zwei riesige Lapplandhunde angeschafft.

Mit ihnen unternahm der Dichter tagsüber weite Spaziergänge. Dabei schloß er Bekanntschaft mit den «kleinen Leuten»[23], unterhielt sich mit den Arbeitern einer nahen Teerproduktefabrik über ihre Daseinsbedingungen, gewann Einblicke in das armselige Leben der Fischer, Holzfäller, Gärtner, Kätner, Dienstboten und Bahnwärter.

In Erkner lernte Hauptmann Menschen kennen, von denen ihm viele als Modell für seine dichterischen Gestalten dienten: für den Segelmacher Kielblock, den Bahnwärter

Thiel, den Arzt Rasmussen (im *Atlantis*-Roman) und den Personenkreis der späteren Dramen *Der Biberpelz* und *Der rote Hahn*. Die Zeitgenossen erkannten den Erknerschen «König» Oscar von Busse im Amtsvorsteher Wehrhahn wieder, den Hauswirt Lassen im Rentier Krüger und die Waschfrau und Erntearbeiterin Marie Heinze in der resoluten Mutter Wolffen. Die Tochter Ida Heinze war übrigens jahrelang bei dem Ehepaar Hauptmann in Stellung und dürfte jenes Mädchen gewesen sein, dem der Arbeitgeber eines Tages antrug, am Tische der Herrschaft zu speisen – was sie verwirrt ablehnte.

Die zwanglosen Kontakte mit dem Volke wurden vom Dichter in mannigfacher Weise theoretisch vertieft. So las er teilweise den ersten Band von Karl Marx' «Das Kapital» (in der Ausgabe 1883), hob viele Stellen durch Bleistiftstriche hervor und machte sich auf zwei Notizblättern Stichpunkte zur Vorrede des Werkes.[24] Seit 1885 abonnierte er die von Kautsky redigierte sozialistische Wochenschrift «Die Zeit» (in der 1886 gerade Engels' berühmte «Feuerbach»-Abhandlung erschien). Darüber hinaus beschäftigte er sich mit zahlreichen anderen Publikationsorganen, wie aus seinem *Notizkalender 1889 bis 1891* hervorgeht; er enthält Ausschnitte aus der sozialdemokratisch orientierten «Berliner Volkstribüne» und dem «Berliner Volksblatt», der liberalen, antipreußischen «Frankfurter Zeitung», der großbürgerlichen «Vossischen Zeitung» (für die Fontane zwanzig Jahre lang Theaterkritiken schrieb), der kompromißlerischen «Volkszeitung» und der regierungstreuen «Norddeutschen Zeitung». Die verschiedenartigen Informationsquellen deuten auf eine gewisse weltanschauliche Unschlüssigkeit des Dichters hin, aber sie offenbaren zugleich eine außerordentliche Aufgeschlossenheit für das politische und soziale Geschehen der Epoche.

Überraschend schenkte ihm ein literarisches Ereignis das Empfinden enger geistiger Verbundenheit mit seiner Generation. In der von Wilhelm Arent 1885 herausgegebenen

Lyrikanthologie «Moderne Dichtercharaktere», die dreiundzwanzig junge Autoren vorstellte, fand er seine eigene «chaotisch gärende Seelenverfassung», sein Kredo wieder. Überall stieß er hier auf Verse, die mit denen im *Promethidenlos* oder im *Bunten Buch* korrespondierten. Der Schrei nach «großen Seelen und tiefen Gefühlen»[25] kam ihm aus dem Herzen. Als er fünfundvierzig Jahre später seine Memoiren niederschrieb, zitierte er noch immer begeistert und ausführlich aus der Sammlung[26], die ihm einst als Fleisch von seinem Fleische, Geist von seinem Geiste erschienen war.

Obwohl der Herausgeber und die jungen Dichter mit ihrer Anthologie eine neue Epoche lyrischer Poesie datierten, ritt man im Grunde noch im «bravsten Geibeltrab»[27]. Pathos, Ratlosigkeit und Weltüberdruß machen sich breit, und nur in den pointierten Versen von Arno Holz oder in Henckells «Lied vom Arbeiter» sind bisweilen echte Experimentierfreudigkeit und Versuche einer thematischen Neuorientierung zu entdecken. Die hochgespannten Erwartungen, die Conradi und Henckell in programmatischen Vorworten weckten, wurden jedoch insgesamt nicht erfüllt.

Erkner zählte damals nicht viel mehr als tausend Einwohner. Dennoch lebte Gerhart Hauptmann hier keineswegs abgeschieden und isoliert, vielmehr empfing er Besucher und fuhr häufig mit der Vorortbahn nach Berlin hinein. Nun lernte er einige der «modernen Dichtercharaktere» und hauptstädtischen Theoretiker des Naturalismus persönlich kennen. Namentlich schloß er sich an die Mitglieder und Freunde des Vereins «Durch» an.

Diese Literaturvereinigung war im Mai 1886 von dem Schriftsteller Leo Berg, dem Germanisten Eugen Wolff und dem Arzt Dr. Conrad Küster gegründet worden und tagte allwöchentlich im Hinterzimmer einer verrauchten Kneipe in der Berliner Alten Poststraße. Es existiert ein Protokollheft, das in bisher ungedruckten Teilen[28] eine Mitgliederliste enthält und neben dem Gründertriumvirat die «kritischen Waffengänger» Heinrich und Julius Hart, den angehenden Autor Paul Ernst, den ehemaligen Schauspieler Julius Türk, den Philosophen und späteren Mitorganisator der Freien Volksbühne Bruno Wille, den jungen Gelehrten Rudolf Lenz und die Herren Adolf Waldauer und Oscar Münzer nennt. Die meisten Eintragungen bieten zunächst nur Sinnsprüche wie in Gästebüchern, Reime und Klassikerzitate, kurze Bemerkungen über Trinksitten und Vergnügungen der «freien literarischen Vereinigung», zu der sich bisweilen die Schriftsteller Johannes Schlaf, Conrad Alberti, John Henry Mackay und der Verleger Paul Ackermann gesellten. Unterm 21.1.1887 findet sich erstmals ein eigenhändiges Diktum von Gerhart Hauptmann: «Worte sind Fehlschüsse, leider aber unsre besten Treffer!»[29] Die gedruckten Sitzungsberichte vom Februar bis August 1887 sind teilweise substantieller. Nun begrüßte man häufig den Literaten Adalbert von Hanstein und den Naturwissenschaftler Wilhelm Bölsche, der den Kameraden gelegentlich Auszüge aus seinem didaktischen, Zola und Darwin verpflichteten Werk «Die naturwissenschaftlichen Grundlagen der Poesie» zur Kenntnis brachte und erläuterte. Weiterhin lesen wir von Diskussionen über Ibsens «Gespenster», über Naturalismus und Idealismus, das moderne Geistesleben und eine Literatur, die jene «Gesellschaftsklasse behandelt, welche durch ihre erdrückende Majorität den größten Anspruch darauf habe, durch die Poesie der menschlichen Teilnahme nahegebracht zu werden»[30]. Die Wogen der Erregung gingen dabei manchmal so hoch, daß man Mitgliedern androhte, sie würden wegen ihrer Ketzereien «öffentlich verhauen werden»!

Hauptmanns Name taucht wiederum in einem Protokoll vom 8. Mai auf. Die Eintragung berichtet von einer «Herrenpartie» nach Rüdersdorf und Erkner, bei der man im Heim des Dichters durch ein «lukullisches Mahl und eine hochfeine Bowle» das Stiftungsfest gefeiert und «bacchantische Freuden» genossen habe. Die anderwärts[31] gerühmte

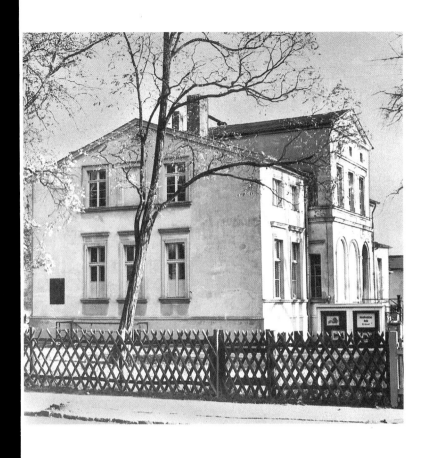

Die Villa Lassen in Erkner, 1967

Marie Hauptmann, 1885

Gerhart Hauptmann an der Woltersdorfer Schleuse, 1893

*Das Haus von Gerhart und Carl Hauptmann
in Mittelschreiberhau, um 1942*

Gerhart Hauptmann, 31 Jahre alt

Margarete Marschalk im Jahre 1896

Gerhart Hauptmann im Jahre 1896

Heinrich Vogeler, Titelblatt einer Bilderfolge
zu Hauptmanns «Versunkener Glocke»

Verkonsumierung einer ganzen Tonne Bier und vor allem die Vorlesung des *Bahnwärter Thiel* wird in den Akten nicht erwähnt. Ende Mai findet sich die Notiz, Hauptmann sei dem Verein als Mitglied beigetreten, und bereits am 17. Juni verdiente sich der sonst so still und zurückhaltend geschilderte junge Mann die Sporen des «Durch».

Nach der Begrüßung durch den Vorsitzenden Leo Berg, so heißt es, ergriff «Genosse Gerhart Hauptmann das Wort zu seinem Vortrag über Georg Büchner. Nach kurzer Angabe der wichtigsten Lebensdaten des Dichters (derselbe ist in Darmstadt im Jahre 1813 geboren und 1837 in Zürich als Privatdozent der Naturwissenschaft gestorben) und einem kurzen Zitat aus Gutzkows Besprechung von Büchners ‹Dantons Tod› in der Zeitschrift ‹Phönix› trägt uns G. Hauptmann einige Stellen aus Büchners Dichtungen vor. Zunächst aus dem Novellenfragment ‹Lenz›, alsdann einige Szenen aus ‹Dantons Tod›. Die kräftige Sprache, die anschauliche Schilderung, die naturalistische Charakteristik des Dichters erregen allgemeine Bewunderung. Der Vortrag(ende) erntet für seine ausgezeichnete Deklamation und in Anerkennung dafür, daß er uns mit dem Kraftgenie Büchner bekannt gemacht, den Dank der Durcher.»

Das Referatsthema lenkt uns auf eine Fährte, die wir später noch verfolgen wollen. – Vorerst sind für uns die beiden Aktennotizen vom 8. und 15. Juli interessant, die Hauptmanns Nichterscheinen zu einer von ihm angekündigten Novellenlesung vermerken und als Gründe Krankheit und überraschende Reise angeben. Ob der Dichter danach weiter im Verein (der etwa bis 1889 bestand) verkehrte, ist dokumentarisch nicht feststellbar.

Vermutlich lernte er in dem Umkreis Ende 1886 Arno Holz kennen[32], der laut Protokoll allerdings schon am 25. 6. anwesend war; eine engere Beziehung ergab sich jedoch erst zwei Jahre später. Unterm 24. 1. 89 heißt es: «Mit Holz, Schlaf und Schmeo jeden Tag zusammengewesen.»[33] Bei einem Besuch fand er die Verfasser des «Papa Hamlet» in ihrem «Vogelbauerstübchen» zu Berlin-Niederschönhausen «bis an die Nasen eingemummelt in große rote Wolldecken» und damit beschäftigt, das «letzte Stück einer alten Girlande»[34] in Tabak zu verwandeln. Er wurde gefragt, ob er Billard spielen könne, und da er bejahte, spielte man eben Billard. Danach lasen die Gastgeber wohl auch jene dialogreiche, parodistische Prosaskizze aus dem Leben des renommistischen Hamlet-Exschauspielers Niels Thienwiebel vor, die sie kurz darauf unter dem Pseudonym Bjarne P. Holmsen veröffentlichten.

Dieser Name steht ebenfalls auf dem Widmungsblatt[35] von *Vor Sonnenaufgang*, das den beiden Freunden eine «entscheidende Anregung» testiert. Dennoch hat Hauptmann die konsequent-naturalistischen Ansichten von Holz und Schlaf nie recht geteilt. Ihre späteren «Prioritätsansprüche» wies er zurück, ja er behauptete, daß er es gewesen sei, der die beiden auf die neue lyrische Aussageform in Walt Whitmans «Grashalmen» hingewiesen und sie außerdem zur Niederschrift des Schauspiels «Familie Selicke» angespornt habe.[36] Die Zueignung schränkte er später ein[37], ja er nahm sie zurück. Auch von Holzens naturalistischer Ästhetik «Die Kunst. Ihr Wesen und ihre Gesetze» (1891) distanzierte er sich, versah sie mit kritischen Randglossen und betrachtete sie als Kuriosität: «Es ennuyierte mich, ärgerte mich, belehrte mich aber nicht.»[38]

Wir haben schon gelegentlich von «Kurzschlüssen» in Hauptmanns Lebensgeschichte berichtet. Neben diese Katastrophenerlebnisse treten nun, ebenfalls sehr entscheidend, ausgeprägte Kollektiverlebnisse. Außer mit den Freunden des Vereins «Durch» kam er bald mit anderen Berliner Künstlern und mit Dichtern der Friedrichshagener Künstlerkolonie in Verbindung, so mit Otto Erich Hartleben, dem Lyriker Richard Dehmel und dem Romancier Max Kretzer, der damals gerade im «Meister Timpe» den vergeblichen Kampf eines Drechslermeisters gegen die übermächtige kapitalistische Konkurrenz beschrieb.

Noch nachhaltiger wirkten auf ihn Bekanntschaften, die ihm sein Bruder Carl vom Januar bis Herbst 1888 in Zürich vermittelte. Der Aufenthalt war «politisch motiviert»[39], wie M. Machatzke nachwies. Im Sommer 1887 wurde Hauptmann nämlich daheim über seine Beziehungen zu den ehemaligen «Ikariern» und angeblichen Geheimbündlern Ploetz und Lux verhört, worauf er in Angst und «panikartigem Zustand» einige belastende Papiere verbrannte. Als er gar im November beim Breslauer Sozialistenprozeß aussagen mußte und «eindrucksvolle» Auftritte führender Sozialdemokraten wie W. Liebknecht und P. Singer beobachten konnte, hielt er es für geraten, sich und seine Familie in Sicherheit zu bringen und außerhalb der deutschen Grenzen ein dreiviertel Jahr abzuwarten. – Später hat er von einer «epochemachenden Reise»[40] gesprochen, und in der Tat gewahrte er hier in der Schweiz ein ungewöhnlich helles Phosphoreszieren des Geistes. In Zürich lag nicht nur der von ihm hochverehrte Georg Büchner begraben, vielmehr lebten am Ort noch immer Gottfried Keller, Conrad Ferdinand Meyer und Arnold Böcklin. Hauptmann erzählt sogar, er habe eines Tages das berühmte Trio Hand in Hand auf der Bahnhofstraße gesehen.[41]

Die Stadt am Zürichsee brach in jenen Jahren wirklich der Freiheit eine Gasse. Wie schon so oft, öffnete sich das klassische Land der Emigration auch diesmal den politisch Verfolgten, bot ihnen sichere Zuflucht vor der Willkür des Sozialistengesetzes. Von hier aus schickte der rote Feldpostmeister Julius Motteler allwöchentlich den kämpferischen «Sozialdemokraten» ins Bismarck-Reich hinüber, und die Kantons-Universität gestattete als eine der ersten den Frauen das Studium. Kein Wunder, daß sich in Zürich rasch eine bildungs- und freiheitsdurstige Gesellschaft versammelte.

Das damalige Haus seines Bruders Carl hat Hauptmann gelegentlich mit einer Platonischen Akademie[42] verglichen. Hier gingen Wissenschaftler, Künstler, Studenten und Studentinnen aus und ein, und namentlich am Freitagabend traf man sich regelmäßig zu Aussprachen über aktuelle Probleme. Die Gesprächsthemen waren infolge der bunten Zusammensetzung des Kreises außerordentlich mannigfaltig. Außer den alten Studienfreunden und Medizinern Alfred Ploetz und Ferdinand Simon beteiligten sich an den Disputen nicht selten der Psychiater Auguste Forel, der Empiriokritizist Richard Avenarius, der Physiker und Elektroingenieur Karl Steinmetz (späterer Mitarbeiter Edisons) und die Schriftsteller Frank Wedekind, Karl Henckell, John Henry Mackay und Peter Hille.

Für Gerhart Hauptmann brachte der Umgang mit diesen Männern vielfache Anregung und die Bestärkung seines Kunstwollens in der Richtung, die Bölsche bereits in dem Buche «Die naturwissenschaftlichen Grundlagen der Poesie» angedeutet hatte. Vor allem gewann Hauptmann bei Besuchen in der von Professor Forel geleiteten Irrenanstalt Burghölzli und in den Vorlesungen des Gelehrten manche Einsichten in die Psychologie, Psychiatrie und Pathologie. Aufmerksam beobachtete er euphorische und hypnotische Zustände und beschäftigte sich mit den Folgen des Alkoholismus. Dabei kam ihm die Idee zu jenem Bauerndrama, das ein Jahr später unter dem Titel *Vor Sonnenaufgang* mit großem Tumult über die Bühne des Berliner Lessing-Theaters ging.

Noch für drei weitere Werke empfing Hauptmann in Zürich bedeutsame Anregungen. Die Berührung mit Schweizer Seidenwebern weckte in ihm erstmals den Gedanken, ein Weber-Drama zu schreiben. Begegnungen mit religiösen Reformern und Anhängern der Heilsarmee legten in ihm den Grund für die kleine Erzählung *Der Apostel* (und gewannen ihn übrigens zugleich für die Jägersche «Gesundheitskleidung» mit hochgeschlossenem Wollhemd). Schließlich wuchs aus seinen Unterhaltungen mit Frank Wedekind das Schauspiel vom *Friedensfest* hervor.

Die Beziehungen zwischen Hauptmann und Wedekind

waren zunächst freundschaftlich. Beide Dichter begeisterten sich damals für Büchner und Hutten und wallfahrteten zu deren Grabmalen, und beide gaben voreinander ihrem persönlichen Bekenntnisdrang freien Lauf. So las Hauptmann in Wedekinds Quartier das Fragment eines autobiographischen Romans vor, während der Gastgeber ebenfalls Episoden aus seiner Jugendzeit zum besten gab und zur Laute witzige, bänkelsängerische Lieder sang. Noch im Frühsommer 1889 feierte man in Berlin ein ungetrübtes Wiedersehen.[43]

Als Wedekind jedoch ein Jahr später im *Friedensfest* manche Einzelheiten seiner eigenen Lebensgeschichte wiedererkannte, faßte er das als arge Indiskretion auf und setzte nun seinerseits, und zwar bewußt parodistisch, Eigentümlichkeiten des Kollegen «in Szene». In der Komödie «Die junge Welt» läßt er einen Herrn Franz Ludwig Meier in «Jägerscher Normalkleidung» auftreten, einen Schriftsteller, der für eine naturalistische Zeitschrift «Die Sonne» wirbt und sich recht seltsamer Schaffensmethoden bedient. Meiers Braut Alma berichtet darüber: «Wenn er mir einen Kuß gab, hatte er immer das Notizbuch in der einen Hand, und mit der andern schrieb er hinein, was ich für ein Gesicht dazu machte ... Wenn ich fragte: Wie hast du geschlafen?, dann schrieb er es in sein Notizbuch. Wenn ich erzählte, es sei ein Kind überfahren worden, dann schrieb er es in sein Notizbuch. Wenn ich ihn beschwor, er möchte doch das gottverdammte Aufschreiben lassen, dann schrieb er es in sein Notizbuch.»[44]

Natürlich handelt es sich hier um eine Karikatur (zu der auch der «langweilige» Karl Henckell einige Züge lieh), aber in der Tat konnte man Hauptmann damals stets mit einem Notizbuch in der Hand antreffen, in das er gewissenhaft Beobachtungen, Gesprächsfetzen und mundartliche Ausdrücke eintrug.[45] Außerdem mußte ihm Bruder Carl als Materiallieferant dienen und während einer militärischen Übung Landserunterhaltungen aufzeichnen.

Das sieht nach Vorbereitungen zu konsequent-naturalistischen Werken aus, nach einer praktischen Erprobung des später von Arno Holz[46] formulierten Gesetzes: Kunst = Natur − x (wobei unter x gestalterische Unzulänglichkeiten verstanden werden sollten). Hauptmann hat jedoch die gesammelten Materialien bedachtsam ausgewählt und überwiegend schöpferisch verarbeitet. Schon 1887 schrieb er in einem Artikel: «Zweck aller Kunst ist nicht die absolute Nachahmung der Natur ... Zweck der Kunst ist vielmehr der Ausdruck der innersten, zum Typus erhobenen Wesenheit des dargestellten Gegenstandes.»[47] Das war ein realistisches und kein naturalistisches Programm.

Mit Recht hat sich der Dichter zeitlebens dagegen verwahrt, daß ein Teil seines Werkes dem orthodoxen Naturalismus zugeordnet wurde. Es sei ihm damals um eine «Rückkehr zum Natürlichen, Volksmäßigen» gegangen, wobei er niemals «bloß photographische Gelüste»[48] verspürt habe, und so könne man seine Bestrebungen auch kaum mit Begriffen wie Naturalismus oder Realismus erfassen, die ihm ohnehin nur wie «Schilder in einem Magazin»[49] vorkämen. Dennoch gibt es in Hauptmanns Schaffen – auch abgesehen von seinen frühen Werken – immer wieder mehr oder weniger starke naturalistische Gestaltungselemente, deterministisch-pessimistische Betrachtungsweisen und minutiös wiedergegebene, mimisch verstärkte Alltagssprache. R. C. Cowen bemerkte: «Im selben Sinne wie Goethe Stürmer und Dränger, aber noch viel mehr war und wurde, war Hauptmann ‹Naturalist› und noch viel mehr.»[50]

Schon in der Novelle *Fasching* (1887) formte Hauptmann ein lokales Ereignis künstlerisch um. Er knüpfte unmittelbar an eine Meldung[51] an, der zufolge der Schiffbaumeister Zieb aus Erkner nebst Frau und Kind am 13. Februar 1887 beim nächtlichen Überqueren des vereisten Flakensees eingebrochen und ertrunken war. Während die Familie Zieb jedoch weder am Vortage des Unglücks einen Faschingsball

Illustration von Alfred Kubin zur Novelle «Fasching»,
1924

besucht noch sonst zu unmäßiger Vergnügungssucht geneigt hat, tritt uns in der Novelle in dem Segelmacher Kielblock und seiner Frau Mariechen ein tanztolles Paar entgegen, das die geistige Leere seines Lebens zu überspielen sucht. Die beiden bewegen sich längst auf einer dünnen Decke, bevor sie buchstäblich über den schmalgeschmolzenen Spiegel des Eises dahingleiten, denn sie spielen mit dem Glück, mit ihrem Leben, dem Leben des Kindes, der Großmutter und mit dem Tod; eine Totenfratze dient Kielblock auf dem Fest als spaßige Maske. Dennoch ist die Geschichte wohl nicht moralisch gemeint, sondern als zeitgemäße Wiedergabe eines tragischen Kleine-Leute-Schicksals, als bewußte künstlerische Hinwendung zu einer ungeschminkten Wirklichkeit.

Trotz aller minutiösen Ausmalung des Faschingsvergnügens und der Katastrophe, trotz vieler mundartlicher Anklänge finden wir in der Novelle doch keine Kopie des Lebens im Sinne der naturalistischen Schule. Hauptmann hat die Fäden der Fabel vielmehr sehr fest und straff geknüpft, wie es der Novellenform gemäß ist. Man kann geradezu von einem dramatischen Aufbau sprechen, einem vordeutungsreichen Szenenablauf in fünf Abschnitten, in denen die Handlung der Katastrophe entgegenrast. Dabei arbeitet der Dichter mit starken Kontrasten, er stellt Lebenslust und furchtbaren Tod, ein fröhlich-unbekümmertes Paar und eine knausrige Großmutter, einen sonnigen Wintertag und drohende nächtliche Elementarmächte einander gegenüber. Auch die Sprache geht über ein nüchternes Protokollieren hinaus und erfaßt das Sein häufig in Bildern und Gleichnissen. Unvergeßlich bleiben die dumpfen Tubarufe des unter dem Eis eingesperrten Wassers und die Vorstellung des Segelmachers, in der Stunde der Gefahr auf einem ungeheuren Raubtierkäfig zu stehen. Darin drückt sich freilich zugleich, wenn auch poetisch erhöht, eine dem Naturalismus sehr geläufige Dämonisierung der Natur aus. Im einzelnen ist die Handlung nicht frei von Widersprüchlichkeiten und Inkonsequenzen, so etwa beim Gebrauch der märkischen Mundart (übrigens noch vor schlesischen Dialogpartien) oder bei der Schilderung vom Aufziehen einer die Sicht nehmenden Wolkenwand im Augenblick der Not, wodurch ein fernes Leitlicht in Kielblocks Haus doch nicht verdeckt wird; erst die Großmutter nimmt die Kerze fort.

Auffälligerweise blieb Hauptmann zunächst dem Prosaschaffen verhaftet. W. Requardt hat mehrere erzählerische Skizzen und Fragmente ermittelt, die eindeutig noch vor dem *Sonnenaufgang*-Drama entstanden. Darunter finden sich zwei Kapitel aus dem schon erwähnten Entwurf eines autobiographischen Romans, die ein vom Autor belauschtes mundartliches Gespräch zwischen zwei Bediensteten des Hohenhauses und dann die Atmosphäre in der Moabiter Mansardenwohnung während der ersten Ehewochen wiedergeben. Ferner sei auf die Schilderung eines Geldbittganges des Dorfpastors beim Dichter und auf eine epische Vorform des *Ratten*-Dramas unter dem Titel *Der Buchstabe tötet* hingewiesen.

Wie aus einer Themenliste[52] auf einem losen Tagebuchblatt hervorgeht, plante Hauptmann damals noch zahlreiche weitere Prosawerke, unter anderem über die Lederoser Zeit und Georgs Tod, über die römische Episode und den Bildhauerkollegen Weizenberg, über ein «bleiches Kind» und auch über ein Bahnwärterschicksal. Manches wurde später unter veränderten Bedingungen ausgeführt. Als Grund für die frühe Neigung zum Erzählerischen notierte der Dichter: «Der Ekel vor dem Theater und seine scheinbar hoffnungslose Barbarei trieb mich zu Roman und Novelle, um so mehr, da Turgenjew, Tolstoi, Zola und Daudet mir tiefen Eindruck machten.»[53] Noch fühlte er sich nicht dazu in der Lage, den reichsdeutschen Bühnenpopanz hinter die Kulissen zu scheuchen, dem er selbst u.a. in *Germanen und Römer* noch gehuldigt hatte.

Wie schon erwähnt, las Gerhart Hauptmann im Verein «Durch» aus der fragmentarischen «Lenz»-Novelle und aus

«Dantons Tod» vor, die er besonders schätzte. Hier fand er bereits Präfigurationen eines unheroischen, leidgezeichneten «naturalistischen» Menschenbildes, eine volkstümliche Dialogführung, die dem Wesen und dem niederen Stande der Gestalten entsprach, plastische Naturbilder und eine faszinierende «Einheit von Realismus und Symbolik»[54]. Überhaupt gestand er Büchners Werken in seinem Leben «die Bedeutung von großen Entdeckungen»[55] zu.

Die Einwirkung dieses Dichters auf Hauptmann wird besonders deutlich in der 1887 geschriebenen novellistischen Studie *Bahnwärter Thiel*. Die Biographen haben lange nach einem Urbild Thiels gefahndet. Der Dichter gab auf Befragen lediglich die Auskunft, daß er «viel mit einem Bahnwärter in seinem Wärterhäuschen gesprochen habe, das mitten im Walde zwischen Fangschleuse und einem anderen märkischen Dorfe lag»[56]. Alle Nachforschungen nach Vorfällen, die denen der Erzählung entsprechen, blieben jedoch ergebnislos, und so deutete man den tragischen Ausgang schließlich als Erfindung des Autors.

Könnten die fraglichen Motive am Ende aber nicht auf literarische Vorbilder zurückgehen? Arnold Zweig faßte den Inhalt der «Lenz»-Novelle von Georg Büchner einmal in dem lakonischen Satz zusammen: «Ein Mensch wird wahnsinnig»[57], und zugleich äußerte er die feinen Spürsinn verratende Vermutung, in der Fortsetzung hätte sich der Umnachtete wohl des «Mordes» an der Geliebten angeklagt. Erinnern wir uns weiterhin an den gedemütigten, verlassenen, halluzinationsgeplagten Woyzeck, der im bittersten Schmerz zum Verbrecher wird und jene Frau ermordet, die ihn im Tiefsten verwundete. Das alles kommt dem Schicksal des Bahnwärters Thiel recht nahe. Wenn auch der Dichter Lenz, der Füsilier Woyzeck und der kleinbürgerliche Beamte Thiel in sehr unterschiedlichen Verhältnissen leben, so ist doch die literarische Herkunft des Wahn- und Totschlagmotivs wahrscheinlich. Auch die Verbindung von Realismus und Symbolik, die Art der Naturbetrachtung und die sachlich berichtende Sprache erinnern stark an Büchner.

Wenn wir in der Geschichte vom Bahnwärter Thiel die künstlerische Dominante freizulegen suchen, stoßen wir (stärker als im *Fasching*) immer wieder auf Elemente und Motive, die man gemeinhin als «naturalistisch» bezeichnet. Zu den hervorstechenden Merkmalen der Novelle gehört in dem Sinne die Passivität der Titelgestalt. Dieser herkulische Mann ist gottesfürchtig und innerlich schwächlich wie seine erste Frau. Der Sohn beider bewahrt treulich das Erbteil der Eltern: Klein Tobias pflückt Blumen und vermutet in einem Eichkätzchen den lieben Gott.

Als sich der Bahnwärter nach dem Tode der Frau erneut verheiratet, erliegt er der «Macht roher Triebe». Hauptmann behandelt das Verhältnis der Eheleute zueinander sehr diskret und läßt doch keinen Zweifel daran, daß Thiel ins Joch sexueller Hörigkeit gerät. «Sekundenlang spielte sein Blick über die starken Gliedmaßen seines Weibes»[58], heißt es einmal an entscheidender Stelle; und der erwartete Protest zugunsten des von der Stiefmutter zerprügelten Kindes bleibt aus.

Bei alledem peinigt den Bahnwärter das Wissen um das Entwürdigende seiner Situation, sowenig er auch sonst über sein beschränktes Dasein nachgrübelt. Zehn Jahre lang lief sein Leben wie ein Uhrwerk ab, jeder Weg, jeder Handgriff, jede Verpflichtung waren genau geregelt. Nun erwachsen dem Ordnungsgefüge plötzlich durch die zweite Frau ungeahnte Gefahren, denen er sich seiner phlegmatischen Veranlagung gemäß nicht gewachsen zeigt. Er flieht in sein Wärterhäuschen, das ihm zu einer Kapelle für die verstorbene Gattin wird, hält in seinen Träumen und Halluzinationen mystische Zwiesprache mit ihr, bis er endlich im Wahn von ihrem Dämon den Verzicht auf das Kindesopfer erfleht …

Thiel lebt hier draußen an dem entlegenen Bahnübergang in völliger Einsamkeit. Wohl sieht er Züge kommen und gehen, wohl sieht er die belebte Natur im Wandel der Jahreszeiten, doch die Immerwiederkehr streift bereits ans Mythische und entrückt ihn dem Menschlichen. Gesellschaftliche Beziehungen sind ihm fremd; allenfalls findet er Kontakt zu Kindern, die auf ähnlich primitiver Geistesstufe stehen wie er. In der Welt außerhalb seines engen beruflichen Horizontes weiß er sich nicht zu behelfen. Als seine zweite Frau schließlich in den gehüteten Umkreis des Wärterhäuschens einbricht, kommt es zur Katastrophe, die letztlich in Thiels gesellschaftlicher Isoliertheit begründet liegt.

In der Novelle kann man viele Merkmale des naturalistischen Themenkatalogs wiedererkennen: die schicksalhafte Passivität einer plebejischen Zentralgestalt, Vererbungsprobleme, Triebhaftigkeit, Milieugebundenheit, eine naturwissenschaftlich exakte Krankheitsanalyse und eine sehr detailliert beschreibende Erzählweise, die kaum über den Standort der Beteiligten hinausgeht. Und neben die drohende Macht der Natur schiebt sich die nicht minder gefährliche Macht der modernen Technik.

Aber wie schon im *Fasching* wird auch im *Bahnwärter Thiel* überall die realistisch formende Hand des schöpferischen Künstlers erkennbar. Bisweilen setzt sich Hauptmann recht unbekümmert über die selbstgezogenen Grenzen hinweg; zum Beispiel läßt er trotz aller psychologischen Akribie Naturempfindungen und Gedanken in die Erzählung einfließen, die dem sonst so pedantischen Bahnwärter schwerlich zuzutrauen sind. Eine ungewöhnliche Bilderfülle steht ihm dann zu Gebote. Auch im übrigen weicht die Geschichte von einer naturalistischen Formgebung ab. Sie enthält nur wenige Dialoge und verzichtet (selbst bei den Schimpfkanonaden der Frau Lene) auf mundartliche Färbung; sie bietet dramatisch zugespitzte Konflikte, ernste Lebensprobleme eines einfachen, kontaktscheuen Menschen und kein weitschweifiges Zustandsprotokoll.

Abschließend wollen wir noch einen Blick auf die 1890 geschriebene Skizze *Der Apostel* werfen, mit der Gerhart Hauptmann für annähernd zwei Jahrzehnte Abschied vom Prosaschaffen nahm. Die Anregung zu dem Werkchen, das im Grunde nur aus einem einzigen Gedankenmonolog der Titelgestalt besteht, empfing er in Zürich, wo er zu Pfingsten mitten auf der Straße die Antizivilisations- und Vegetarierpredigt des Naturapostels Johannes Guttzeit erlebte. Die Gestalt faszinierte ihn als Ausdruck der «Verbindung zwischen religiösem und sozialem Fanatismus»[59].

In der erzählerischen Gestaltung erscheint der Apostel als ein Schauspieler der Heiligkeit, dem es im wesentlichen auf Wirkung und persönliches Eindruckmachen ankommt und der durch seinen Wunsch, angesichts der erwartungsvollen Menge irgendeine Wundergaukelei vollbringen zu können, das Hochstaplerische in solchen Prophetenexistenzen transparent werden läßt. Dabei sieht er in den Menschen das «allergefährlichste Ungeziefer», um nicht mit Schopenhauer zu sagen: die Hautkrankheit des Erdballs.

Und dennoch fühlt er sich bisweilen mit diesen verachteten Menschen verbunden, wenn er an ihr mögliches Los denkt. 1890, in jenem Jahre, in dem das Sozialistengesetz zu Fall gebracht wurde, Bismarck gehen mußte und sich die weltpolitischen Kräfte neu formierten, gab Hauptmann seinem Apostel eine furchtbare Kriegsvision ein: «Blutgeruch lag über der Welt. Das fließende Blut war das Zeichen des Kampfes. Diesen Kampf hörte er toben, unaufhörlich, im Wachen und Schlafen. Es waren Brüder und Brüder, Schwestern und Schwestern, die sich erschlugen. Er liebte sie alle, er sah ihr Wüten und rang die Hände in Schmerz und Verzweiflung.»[60]

Dagegen stellt er, besessen von den Bildern kommender Katastrophen, einen etwas verworrenen Pazifismus und das schlichte «Wortjuwel»: Weltfriede!

Drei Familientragödien

Im August 1889 erschien in der C. F. Conradschen Verlagsbuchhandlung zu Berlin das soziale Drama *Vor Sonnenaufgang* des damals siebenundzwanzigjährigen Gerhart Hauptmann. Sogleich bemühte sich der gewitzte Verfasser selbst um Publicity. Wie aus einer Adressenliste hervorgeht[1], versandte er mindestens achtzig Freiexemplare an Kritiker, Schauspieler und prominente Persönlichkeiten. Während er von G. Keller, Ibsen, Böcklin, Spielhagen, Heyse, Liliencron, Wildenbruch, Bebel und Liebknecht vermutlich keine Antworten erhielt, vermerkte er im Notizkalender gewissenhaft, wer sich über das Stück «anerkennend ausgesprochen» hatte, und positive Zuschriften von J. Schlaf, K. Henckell, J. Hart, J. H. Mackay und anderen hielt er für aufhebenswert. – Als der alte Theodor Fontane das Textbuch vom Verleger Ackermann zugeschickt erhielt, geriet er «aus dem Häuschen» und setzte sich sofort mit dem ganzen Gewicht seiner Persönlichkeit für den unbekannten Autor und sein Werk ein.

Hier sei «ein wirklicher Hauptmann der schwarzen Realistenbande», schrieb er an seine Tochter Mete, «ein völlig entphraster Ibsen», der das biete, «was Ibsen bloß sein will, aber nicht kann».[2] Man könne in diesem «fabelhaften Stück» wahrlich in alldem, «was dem Laien einfach als abgeschriebenes Leben erscheint, ein Maß von Kunst» erspüren, wie es «nicht größer» zu denken sei. Um die preußische Zensurbehörde auszuschalten, schlug er dem Kritiker und Vereinsvorsitzenden Otto Brahm eine geschlossene Aufführung für Mitglieder und Anhänger der gerade gegründeten Freien Bühne vor.

Brahm entschloß sich zur Annahme des Dramas und popularisierte es zugleich in der Zeitschrift «Nation». Desgleichen ließ Wilhelm Bölsche in der «Gegenwart» eine leidenschaftlich werbende Rezension drucken. Arno Holz sprach ekstatisch von dem besten Stück, «das jemals in deutscher Sprache geschrieben worden»[3]. Dennoch war das «öffentliche Interesse» an dem Schauspiel «bei weitem geringer, als die Literaturgeschichtsschreibung annimmt»[4]; vor der Uraufführung wurden allenfalls 1000, in den folgenden zehn Jahren nur 9000 Exemplare verkauft.

Als die Nachricht vom Vorhaben der Freien Bühne an die Öffentlichkeit drang, spitzten die Konservativen, insbesondere die wilhelminischen Kulturritter, ihre Pfeile. Durch anonyme Drohbriefe suchten sie die für die Hauptrolle engagierte Schauspielerin Else Lehmann einzuschüchtern. Der Hoftheaterdirektor Devrient verbot den Künstlern seines Ensembles nachdrücklich den Besuch der Vorstellung. Krawallmacher rüsteten sich für eine ihrer «Kundgebungen». Brahm und Hauptmann waren sich des «Wagnisses» durchaus bewußt und sprachen sich in «Kampfesstunden» Mut zu. Aber «der Skandal war geplant»[5].

So kam der 20. Oktober heran. Vormittags um elf Uhr hob sich im Berliner Lessing-Theater der Vorhang zur Premiere des ersten Hauptmann-Stückes. Die meisten Besucher kannten das Werk bereits aus der Buchausgabe und hatten sich entsprechend vorbereitet. Schon nach dem ersten Akt begann ein Spektakel, wie man ihn in dem Hause wohl noch nie erlebt hatte. Augenzeugenberichten[6] zufolge verlangte das Publikum nach dem Autor. Als er auf der Bühne erschien, brach ein ohrenbetäubendes Pfeifkonzert los. Man gab sich allgemein dem «jungenhaften Vergnügen» hin, den neuen Mann mit «Radauflöten und Stiefelabsätzen» zu empfangen. Langsam ebbte der Lärm ab.

Zweiter Akt: Der trunkene Bauer Krause vergreift sich auf offener Szene unzüchtig an seiner eigenen Tochter. Da rief der Arzt und Journalist Dr. Isidor Kastan, der die Opposition anführte: «Sind wir hier in einem Bordell oder im Theater?» Erneut setzten heftiges Klopfen und Pfeifen ein, und fortan «lachte und jubelte, höhnte und trampelte man mitten in die Unterhaltung der Schauspieler hinein».

Nach vorübergehender Stille während der Liebesszene erreichte die Theaterschlacht ihren Höhepunkt im fünften Akt. An der Stelle, wo im Stück nach einem Geburtshelfer gerufen wurde, sprang Dr. Kastan auf, schwang eine Geburtszange und suchte sie auf die Bühne zu werfen. Der Skandal war da. Es kam zu einem unbeschreiblichen Tumult. Die einen forderten den Arzt zum Verlassen des Zuschauerraums auf, andere ergriffen seine Partei. Der Dialog auf der Bühne wurde minutenlang durch Wortgefechte im Parkett abgelöst ... Mit bewundernswürdiger Gelassenheit spielten die Schauspieler die Tragödie zu Ende.

In den nächsten Tagen waren konservative Zeitungen und Radaublätter Berlins voll von Beschimpfungen. Die Freie Bühne nannte man eine «zotende Herrengesellschaft» und «Theaterdestille», in der sich der göttliche Apoll mit der Leier in der Gosse siele. Der Dichter Hauptmann aber wurde verschrien als «poetischer Anarchist» mit «Verbrecherphysiognomie», als «Schnapsbudensänger», ja als der «unsittlichste Bühnenschriftsteller des Jahrhunderts». Dr. Fritz Friedmann schleuderte seine Verrißbroschüre «Verbrechen und Krankheit» heraus; die Wogen des Gelächters schlugen hoch um Albertis Parodie «Im Suff».

Warum der Lärm? Weil es hier ein junger Künstler gewagt hatte, die Verlogenheit und moralische Verkommenheit von Vertretern der bürgerlichen Gesellschaft «naturalistisch» abzubilden. Im Sinne des Untertitels stehen hier «soziale» Mißstände und eine sehr gegenwärtige kapitalistische Wirklichkeit am Pranger: Ausbeutung, Spekulation, Trunksucht, doppelte Moral und Verantwortungslosigkeit

GERHART HAUPTMANN.

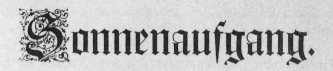

Vor

Sonnenaufgang.

Soziales Drama.

Berlin 1889.

C. F. Conrad's Buchhandlung.

gegenüber dem keimenden Leben. Zudem führte die Zentralgestalt des Stückes höchst verdächtige, sichtlich sozialdemokratisch infizierte Reden. Das genügte. Noch war das Sozialistengesetz in Kraft!

Vor Sonnenaufgang zeigt den Verfall einer Familie beim Übergang von der Agrarwirtschaft zur Industrialisierung. Hauptmann hatte in seiner Jugend im schlesischen Bergbaudistrikt Waldenburg selbst erlebt, wie kleine Landwirte durch Kohlefunde auf ihren Grundstücken über Nacht reich wurden. Ebenso gründet sich auch im Drama der Reichtum des Bauern Krause auf schwarzes Gold. Dessen Besitz erweist sich jedoch bald als Fluch.

Krause wird ein notorischer Trinker und verläßt das Wirtshaus selten vor Sonnenaufgang. Seine Tochter Martha ergibt sich gleichfalls dem Alkohol und bringt nur lebensunfähige Kinder zur Welt. Sie ist mit dem Ingenieur Hoffmann verheiratet, der sie mit ihrer Schwester Helene zu betrügen sucht und als kapitalistischer Unternehmer rücksichtslos die Kohleprofite des Ortes an sich reißt. Die zweite Frau des Großbauern Krause unterhält ehebrecherische Beziehungen zu ihrem Neffen Wilhelm Kahl, den sie zugleich mit Helene verkuppeln möchte, doch das in Herrnhut erzogene Mädchen hat sich aus dem Sumpf herauszuhalten gewußt.

In dieses moderne Sodom und Gomorrha tritt nun (ähnlich wie sein biblischer Namensvetter) der Nationalökonom und Schriftsteller Alfred Loth und bringt in den stehenden Pfuhl des Krause-Hauses Bewegung. Kaum hat er seinem Jugendfreund Hoffmann eröffnet, daß er im Dorf die Lage der Bergarbeiter zu studieren gedenke, um ihnen durch eine Publikation möglicherweise bessere Lebensbedingungen zu erstreiten, ruft er damit die beiden handlungtragenden, einander widersprechenden Reaktionen hervor. Während Hoffmann den gefährlichen Besucher umstimmen und so schnell wie möglich wieder loswerden will, setzt Helene alle Kräfte daran, den von ihr bewunderten

Karikatur auf die «Freie Bühne»
von Ernst Retemeyer, 1890

und geliebten Mann zu halten und sich mit ihm zu verbinden. Sie sieht darin auch den Weg zu ihrer persönlichen Errettung – ständig in der Angst, daß sich Loth, ein Anhänger rassiger «Marstallgesetze» in der Ehe, von ihr abwenden werde, wenn er von ihrer Zugehörigkeit zu einer Trinkerfamilie erführe.

Mit Recht sprach der alte Fontane davon, welch starker Kunstwille in dem scheinbar «abgeschriebenen Leben» des Stückes herrsche; denn in der Tat enthalten die oben angedeuteten Motivverknüpfungen eine wohldurchdachte dramatische Exposition. So bergen auch die breiten naturalistischen Milieuschilderungen von Anfang an Spannungsmomente.

Hauptmann selbst hat auf die realistische Tradition seines Dramas hingewiesen, «dessen großer Pate Leo Tolstoi war»[7]. Andernorts sprach er von Ibsen als einem «Erlöser» der Kunst, betonte seine Kenntnis von Zolas Werk und zählte das Dreigestirn zu den entscheidenden Anregern seiner «ganzen ersten sozialen Periode»[8]. Damit bekannte er sich zu der Bewegung, die aus der deutschen Kulturkrise herauszufinden und durch Orientierung auf Tolstoi, Ibsen und Zola Anschluß an die Weltliteratur zu gewinnen suchte.

Abgesehen von einigen äußeren Motiven (unglückselige Folgen des Reichtums, Ehebruch, Trunksucht), berühren sich *Vor Sonnenaufgang* und Lew Tolstois «Macht der Finsternis» vor allem in dem Wahrheitsfanatismus und dem Mut zur rückhaltlosen Aufdeckung gesellschaftlicher Mißstände. In beiden Werken geht es um die Zersetzung und Auflösung großbäuerlicher Familienbeziehungen, hier wie dort häufen sich abstoßende Details und krasse Szenen. Auch im einzelnen gibt es auffällige Ähnlichkeiten bei den Figurenbeziehungen, wie G. Kersten[9] nachwies: Die Bauerntöchter Helene und Akulina stehen im Gegensatz zu ihren Stiefmüttern, die in ehebrecherischen Verhältnissen leben, und die Liebesszene zwischen Helene und Loth erinnert an die Beziehungen zwischen Kitty und Levin in Tolstois «Anna Karenina». – Darüber hinaus spuken Ibsens «Gespenster» der Vererbung in Hauptmanns dramatischem Erstlingswerk. Sprachlich ist es dagegen zum Teil dem «Papa Hamlet» von Holz und Schlaf verpflichtet, wie der Dichter selbst darlegte[10]. Dialektpassagen, gestammelte Reden und das zusammenhängende, nur im Liebesdialog stokkende Hochdeutsch Loths hat er sorgsam differenziert.[11] «Diskrete Wirkungen» wollten ihm hingegen nicht glücken, vielmehr sah er sich dazu «gezwungen», sich «gewissenhaft, ja vielleicht sklavisch an die Natur zu halten»[12].

Die Zentralfigur Alfred Loth war von Hauptmann zweifellos als positiver Gegenspieler zum Krause-Milieu gedacht. Er stattete ihn mit einigen Zügen seines Freundes Alfred Ploetz aus, erwähnte die Breslauer Studienzeit, die Reise zu den amerikanischen Ikariern und die Abstinenzpredigten; andere biographische Einzelheiten wie der Konflikt mit dem Sozialistengesetz, Inhaftierung und politische Aktivitäten deuten auf Heinrich Lux hin. Bemerkenswert sind seine Bekundungen der Friedensliebe.[13] Trotz seiner positiven Züge ist Loth eine zwiespältige Gestalt, ein kleinbürgerlicher Utopist und engherziger Prinzipienreiter. Er faselt vom Glück aller und begräbt zugleich alle Menschlichkeit unter den Felsklötzen seiner Dogmen. Als er erfährt, daß Helene von einem Trinker abstammt, beruft er sich stur auf die Unabänderlichkeit der Vererbungsgesetze und läßt das Mädchen, das nun in die Heldenrolle hineinwächst, ohne Gewissensskrupel im Stich.

Romain Rollands Jean Christophe wendet sich mit heftigen Worten gegen Loth, «der die Wesen, welche ihm am teuersten waren, wie Pestkranke verläßt, als er sie leiden sieht und sie im Verdacht hat, von erblicher Krankheit befallen zu sein ... Man wußte nicht, was widerlicher war, seine Feigheit oder sein ungebändigter Egoismus.»[14] Dieser «traurige Held» und vorgebliche Menschheitsbeglücker treibt Helene in den Tod, gibt seine Mission auf und verschwindet vom Schauplatz, ohne auch nur einen einzigen Grubenarbeiter gesehen zu haben.

Trotz aller Proteste und Tumulte bei der Uraufführung ging Gerhart Hauptmann mit *Vor Sonnenaufgang* in die Literaturgeschichte ein, und fortan gedachte er im Diarium regelmäßig der Wiederkehr des Jahrestages: «Damit trat ich zum ersten Mal in die breite Öffentlichkeit.»[15] Heinrich Mann konnte später in einem Geburtstagsgruß feststellen: «Er siegte sofort. In dem kleinen alten Theater, wo er zuerst herauskam, wurde gekämpft, protestiert, gejubelt, aber die Erregung war zuversichtlich, und niemand, weder Gegner noch Freunde, sahen das Ereignis als etwas schnell Abgetanes an.»[16]

Die eindeutige Parteinahme Theodor Fontanes für den jungen Dichter in Briefen und Theaterkritiken in der «Vossischen Zeitung» gab bei dem Sieg des Dramas wohl den Ausschlag. Fontane bekannte sich bald darauf auch zum *Friedensfest* und zu den *Webern* und billigte es, als ihm sein Schützling das *Friedensfest* widmete, denn es war ihm recht, der Welt seine «Zusammengehörigkeit»[17] zu bekunden. Zwar bestritt Hauptmann später, im eigentlichen Sinne «Fontanist»[18] gewesen zu sein, doch erinnerte er sich gern an die «warme, geradezu väterliche Teilnahme» des alten Meisters, der sich ihm gegenüber als «höchster Protektor» erwiesen habe, und er bewahrte ihm stets «ehrfürchtige Liebe und Dankbarkeit»[19].

Weiterhin bewährten sich die gesellschaftlichen Verbindungen, die der Dichter geknüpft hatte. Die Berliner Naturalisten und Freunde aus dem Verein «Durch» empfanden Hauptmanns Werk als Paradigma der neuen Kunst und schlugen sich bei der großen Theaterschlacht sehr wacker für ihn. Zudem wußte er sich die beiden einflußreichen Kritiker und späteren Theaterdirektoren Otto Brahm und Paul Schlenther durch eine öffentliche Zueignung der zweiten Auflage von *Vor Sonnenaufgang* freundschaftlich zu verpflichten.

Brahm und Schlenther nahmen sich auch seiner folgenden Dramen tatkräftig an. Die beiden gehörten zu den maßgeblichen Direktoriumsmitgliedern des Vereins Freie Bühne, der sich nach dem Vorbilde des Pariser Théâtre libre an einem Märzsonntag 1889 im Berliner Weinrestaurant Kempinski konstituiert hatte. Zum Vorstand zählten außerdem die Brüder Heinrich und Julius Hart, der Verlagsbuchhändler Samuel Fischer, die Literaten Theodor Wolff, Maximilian Harden und Ludwig Fulda, der Rechtsanwalt Jonas und (nach dem Ausscheiden von Wolff und Harden) die Schriftsteller Julius Stettenheim und Fritz Mauthner. Die Vereinigung, für die sich bald rund neunhundert Abonnenten eintragen ließen, betrachtete es als Aufgabe, in geschlossenen, daher nicht zensurpflichtigen Vorführungen eine progressive Bühnenkunst zu pflegen.

Hauptmann hat später einmal gesagt: «Das Geheimnis jedes Erfolges heißt Organisation.»[20] In diesem Sinne war es ein großes Glück für ihn, daß er sich bereits am Beginn seiner Laufbahn mit Schlenther, der bald die erste größere Biographie über ihn schrieb, mit Brahm und dem Verleger S. Fischer verbünden konnte. Ihnen allen blieb er in lebenslänglicher Freundschaft verbunden. Fischer nahm seit 1890 das Gesamtwerk in Obhut, verbreitete Hauptmanns Bücher in hohen Auflagen und gewann ihm unzählige Freunde. Er schuf die Basis für seinen Weltruhm.

In der Freien Bühne wurden 1890/91 die nächsten beiden Familiendramen Hauptmanns uraufgeführt. Über *Das Friedensfest*, das viele Züge aus der Jugendgeschichte Frank Wedekinds enthält, wollen wir uns kurz fassen; die Thematik kann heute nur noch historisches Interesse beanspruchen. Der Titel ist ironisch gemeint, denn bei der geschilderten Familie Scholz geht es zum Weihnachtsfest alles andere als friedlich zu. Der alte Dr. Scholz, seine Frau und die beiden Söhne Wilhelm und Robert sind unfähig, ihre pathologische Gereiztheit zu bezwingen und die schwelenden Gegensätze zu überbrücken. Sie haben keine Ideale und keine

Beziehungen zur Wirklichkeit mehr. Ein gegenüber dem ersten Drama neuer Ton läßt jedoch aufhorchen: Die junge Ida Buchner wagt das, wovor Alfred Loth zurückschreckt: Sie will sich mit dem ruhelosen, krankhaft veranlagten Wilhelm für immer verbinden. Ob freilich die Macht ihrer Liebe und Güte endgültig über die Gespenster der Vergangenheit siegen wird, bleibt in dem Stück offen.

Der Autor selbst bemängelte selbstkritisch die fehlende «Vertiefung» in dem Stück, da nicht erkennbar werde, «wie groß die Liebe ist, die der Haß trennt»[21].

Unter seinen Frühwerken am meisten geschätzt hat Hauptmann *Einsame Menschen*. 1895 erklärte er gesprächsweise: «Meinen Erstling *Vor Sonnenaufgang* ... möchte ich am liebsten verleugnen. An allen anderen Stücken halte ich dagegen fest, und nach wie vor sind mir die *Einsamen Menschen* das liebste.»[22] Die Vorliebe für dieses Drama hängt sicher damit zusammen, daß es tief in seinem Leben verwurzelt war.

In einem nachgelassenen Fragment[23] bestätigte er die Vermutungen einiger Biographen, die in der Zentralgestalt Johannes Vockerat Züge von Carl Hauptmann erkennen wollten; weiterhin ähneln Vockerats Vater dem Oberamtmann Schubert aus Lohnig, die Mutter und Frau Käthe der Mutter und der Gattin des Dichters und die Freundin Anna Mahr einer Freundin Carls mit Namen Josepha Krzyżanowska. Dennoch gibt es hier keine absolute Deckungsgleichheit zwischen Realität und Poesie, und der Liebeskonflikt des Dramas wird, nach Hauptmanns Worten[24], im Grunde von niemand anders als ihm in allen seinen Gestalten durchlebt. Die Ehe mit Marie hatte dem Dichter Probleme aufgegeben, auf die wir im nächsten Kapitel noch näher eingehen werden.

Zu den persönlichen Erfahrungen gesellten sich literarische Anregungen. Johannes Vockerat ist wegen seiner freisinnigen Anschauungen ähnlich einsam wie Johannes Rosmer in Henrik Ibsens Schauspiel «Rosmersholm», und

Verein Freie Bühne.

✥✥✥

Sonntag, den 20. October 1889.

Vor Sonnenaufgang.

Soziales Drama in fünf Aufzügen von Gerhart Hauptmann.

Krause, Bauerngutsbesitzer	Hans Pagay.
Frau Krause, seine zweite Frau	Louise von Pöllnitz.
Helene, Krause's Tochter erster Ehe	Elsa Lehmann.
Hoffmann, Ingenieur, verheirathet mit Krause's anderer Tochter erster Ehe	Gustav Kadelburg.
Wilhelm Kahl, Neffe der Frau Krause	Carl Stallmann.
Frau Spiller, Gesellschafterin bei Frau Krause .	Ida Stägemann.
Alfred Loth	Theodor Brandt.
Dr. Schimmelpfennig	Franz Guthery.
Beibst, Arbeitsmann auf Krause's Gut	Paul Pauly.
Guste,	Sophie Berg.
Liese, ⎬ Mägde auf Krause's Gut . . .	Clara Hayn.
Marie,	Antonie Ziegler.
Baer, genannt Hopslabaer	Ferdinand Meyer.
Eduard, Hoffmann's Diener . . .	Edmund Schmasow
Miele, Hausmädchen bei Frau Krause	Helene Schüle.
Die Kutschenfrau	Marie Gundra.
Golisch, genannt Gosch, Kuhjunge	Georg Baselt.

Ort der Handlung: ein Dorf in Schlesien.

Regie: Hans Meery.

Nach dem ersten Akt findet eine Pause statt.

Dritte Aufführung der Freien Bühne:

Sonntag, den 17. November, 11½ Uhr pünktlich:

Henriette Maréchal.

Drama in drei Akten von Edmond und Jules de Goncourt.
Deutsch von Fritz Mauthner.

beide Helden streben aus der Ehe mit einer hausbackenen, kränklichen Frau zur Verbindung mit einer geistvollen, vorurteilsfreien Partnerin. Anna Mahr erscheint somit wie eine Schwester der Rebekka West und auch von Nora.

Man darf den Einfluß Ibsens auf Hauptmann allerdings nicht überschätzen. Gewiß begeisterte sich der junge Dichter für «Nora» und sah mit «ungeheurem Staunen»[25] die «Gespenster». Gewiß lernte er hier die Technik des analytischen Dramas und verwendete einzelne Motive und Charaktere des Norwegers für seine Familientragödien. So stellte er dem Wahrheitsfanatiker Gregers Werle seinen Loth, dem pathologischen Oswald Alving seinen Wilhelm Scholz, den Leuten von Rosmersholm seine einsamen Menschen und der Solveig die Magda aus der *Versunkenen Glocke* zur Seite. Aber es geht zu weit, das *Friedensfest* als «völlig unter der Suggestion der ‹Gespenster›» stehend aufzufassen und in den *Einsamen Menschen* ebenfalls nur eine Ibsen-Nachahmung zu sehen, «fast ohne eigene Leistung»[26].

Das Motivgeflecht dieser Stücke entstand doch auf wesentlich komplizierterte Art und verarbeitet nicht zuletzt viele autobiographische Materialien. Später schätzte Hauptmann den «Baumeister Solness» (dem er in der *Versunkenen Glocke* einen Baumeister und Glockengießer Heinrich zur Seite stellte), und noch 1938 begeisterte er sich für «Wenn wir Toten erwachen»: «Irgendwie bin ich erfüllt davon, innerlich keineswegs fertig damit: vielleicht ist es der Gipfel des Individualismus, also seiner Menschlichkeit.»[27] – Übrigens nahm Hauptmann auch Briefverbindung mit dem Meister auf; er lernte ihn im Februar 1891 in Berlin persönlich kennen, führte ihn durch die Stadt und durfte erfahren, daß der verehrte Gast *Vor Sonnenaufgang* als «tapfer und mutig»[28] empfand. Da schenkte er ihm beim Diner das Weinglas doppelt voll! Der Anekdote zufolge rief Ibsen protestierend: Nein, nein, nein! – und trank es aus. Im Tagebuch von 1898 resümierte Hauptmann: «Ich habe von dem großen Alten viel gelernt.»[29]

Trotz einiger Anklänge an «Rosmersholm» enthalten die *Einsamen Menschen* durchaus eine eigene Melodie, die träumerische Weise von einer neuen Humanität. Johannes Vockerat lernt in Anna Mahr eine Frau kennen, die ihn etwas von dem freien, geistfreundlichen Menschendasein der Zukunft ahnen läßt. Sie schärft seinen Blick für die «große Zeit»[30], in der sie leben, für die Übergangszeit, in die schon bisweilen ein «frischer Luftzug» hineinschlägt und in der erste Keime für eine glücklichere Nachwelt hervorsprießen. Und sie will mit ihm unter ein gemeinsames Gesetz des Geistesadels und der schönen Seelen treten.

Im einzelnen bleiben die perspektivischen Andeutungen unkonkret. Doch erhält Johannes durch Anna neues Zutrauen zu sich selbst und zu seinem wissenschaftlichen Werk, mit dem er einmal eine nützliche Aufgabe zu erfüllen hofft. Es wohnt in ihm der Glaube an eine mögliche gesellschaftsverändernde Kraft der Kunst. Bei einem Streitgespräch über W. M. Garschins Novelle «Die Künstler» im zweiten Akt äußert er sich in diesem Sinne befremdet über den Entschluß eines Malers, ein Lehrer zu werden, um dem Elend besser steuern zu können. Er, Vockerat, denke jedenfalls für seinen Teil «gar nicht gering» von seiner literarischen Arbeit. Hier scheint sich ein Weg zu öffnen.

Aber Johannes, in dessen Namen etwas von biblischer Zukunftserwartung mitschwingt, ist ein Kompromißler. In seinem Arbeitszimmer hängt bezeichnenderweise das Bild eines Pastors im Ornat neben Fotografien von Darwin und Haeckel. Er gehört zu den Peer-Gynt-Naturen, die alles nur halb tun und für die Pfanne des symbolischen Knopfgießers reif sind. Obwohl Johannes unter seiner beschränkten Umwelt leidet und die Fesseln der bürgerlichen Konvention zerbrechen möchte, schreckt er am Ende vor dem Neuen zurück und offenbart seine ganze Lebensproblematik.

Warum ist er denn ein «einsamer Mensch»? Vor allem deshalb, weil er sich nie entscheiden konnte, weil er die

Ideale der Jugend verriet und gegenüber den vorwärtsstürmenden Kameraden von einst das Alte, Überlebte zu verteidigen suchte. Bei aller naturwissenschaftlichen Bildung und Haeckel-Jüngerschaft, durch die er sich wiederum im Familienkreis isoliert, hat er sich doch niemals ganz vom Einfluß seiner frömmelnden Eltern befreien können. Als Johannes schließlich nach dem Anna-Erlebnis der von seinem (satirisch gezeichneten) Papa ausgegebenen Direktive von der Gottesfreude über einen «Sünder, der Buße tut» nicht zu folgen vermag, bleibt ihm nur noch der Freitod.

Merkwürdigerweise wirkt das Schicksal dieses «einsamen Menschen» nicht sonderlich erschütternd. Das hängt wohl damit zusammen, daß es Hauptmann nicht gelang, die überragende geistige Potenz seines Johannes Vockerat glaubhaft zu machen. Er läßt ihn zwar mit dem Anspruch eines Genies auftreten, bringt dann aber weder echte weltanschauliche Probleme zur Sprache, noch vermittelt er uns eine Vorstellung von Inhalt und Bedeutung des wissenschaftlichen Werkes. Der Genieposeur erweist sich letztlich als ein ganz durchschnittlicher Privatgelehrter und Möchtegern, der durch ständige Unentschiedenheit sein eigenes Glück und das seiner Familie zerstört. Die menschliche, tragische Größe liegt somit nicht auf seiner Seite, sondern auf der seiner Frau Käthe. Gewiß war Johannes von Gerhart Hauptmann weitgehend als übertriebenes Selbstporträt gedacht. Auch bei ihm lassen sich eklektische Züge und ein unkritisches Nebeneinander widersprüchlicher Bildungseinflüsse bemerken. Dabei drückt seine Unschlüssigkeit aber keinen ironischen Vorbehalt aus (wie meistens bei Thomas Mann), sondern echte Ratlosigkeit.

Es ergibt sich die Frage, woraus die vom Dichter immer wieder geschilderten Auflösungserscheinungen in bürgerlichen Familien resultieren. Hängen sie nur mit der krankhaften Veranlagung all dieser Menschen zusammen, oder spiegeln sich darin vielleicht größere gesellschaftliche Umschichtungen?

Gerhart Hauptmann.

Einsame Menschen.

Drama.

Berlin 1891.

S. Fischer, Verlag.

Königl. schwed. Hofbuchhändler.

Als das revolutionäre Bürgertum im 18. Jahrhundert eine neue menschliche Wertskala verkündete und der «edlen» Abstammung der Junker selbstbewußt Bildung, Vernunft und den Gedanken der freien Persönlichkeit gegenüberstellte, wurden damit auch Voraussetzungen für die Möglichkeit achtbarer, charaktervoller Beziehungen zwischen den Geschlechtern und Generationen geschaffen. In dem proklamierten Recht der freien Entscheidung (auch in der Liebe) und dem Vorsatz zum treuen Beieinanderstehen in der Ehe lag ursprünglich ein antifeudales Kampfprogramm. Der Klassenkompromiß des Bürgertums mit dem Adel führte jedoch bald zu einer Verwässerung und weitgehenden Abkehr von den revolutionären Ideen. Ökonomische Interessen und philiströse Moralgesetze hemmten immer stärker die individuelle Entfaltung und Liebeswahl und drängten vor allem die Frau weitgehend in patriarchalische Verhältnisse zurück – falls sie sich nicht wie Anna Mahr auf eigene Füße stellte.

Indem Hauptmann in mehreren Dramen den Verfall bürgerlicher Familienbeziehungen behandelte, gestaltete er in kleinem Maßstab einen gleichnishaften und typischen Vorgang: die Krise des Humanismus in der kapitalistischen Welt. Diese «große Welt» selbst mit ihren komplizierten Zusammenhängen vermochte er nur in Kulissenform anzudeuten. Er beschränkte sich auf die Darstellung halbwegs überschaubarer Familienkreise, zeigte an einem kleinen Zellengewebe die Krankheitssymptome des gesamten Organismus. Darin besteht sein Realismus.

Als Gerhart Hauptmann *Vor Sonnenaufgang* veröffentlichte, mochte man bei dem von Arno Holz angeregten Titel im wesentlichen an den in der Morgenfrühe heimkehrenden trunkenen Bauern Krause denken. Aber vielleicht sollte die Überschrift auch ein wenig dem stillen Glauben des Dichters an einen kommenden, hellen Tag Ausdruck verleihen, an einen Tag, dessen erstes Leuchten einen Augenblick lang auf Johannes und Anna fällt.

Gerhart Hauptmann und die Seinen

Biographisches bis 1893

Als Gerhart Hauptmann Anno fünfundachtzig die dunkle, exotisch aussehende Marie heiratete, nannten ihn seine pangermanischen Blutsbrüder einen Abtrünnigen, denn hatte man nicht einst mit hohen Eiden gelobt, rassige blauäugige Blondinen zu freien? Aber Freund Ploetz erbot sich, gelegentlich die Schädelform der jungen Frau zu messen, um womöglich doch noch einen Funken Germanentum in ihr zu entdecken.

Merkwürdigerweise hielt Hauptmann zeitlebens an dem Bild von der fremdländischen, ja luziferischen Mary fest. Das Mädchen war in dem Herrnhutischen Pensionat zu Neuendietendorf erzogen worden, ohne sich für den pietistischen Geist erwärmen zu können, hatte dann viel gekränkelt, über Anämie und Herzbeschwerden geklagt und sich infolge des frühen Todes der Mutter, Rosa Thienemann, stets recht einsam gefühlt. Die Verbindung mit Gerhart Hauptmann brachte für sie zweifellos eine Erlösung und die Befriedigung, einem begabten Künstler die Wege ebnen zu helfen.

In vielem sah der Ehealltag allerdings wesentlich anders aus als in ihren Träumen. Zunächst übersiedelte man aus dem imposanten Hohenhaus in eine armselige Berliner Mansardenwohnung nahe dem Lehrter Güterbahnhof, von dem Tag und Nacht Rangiergeräusche, Packhoflärm und das Tuten der Spreedampfer heraufdrangen. Da zeigte sich der junge Ehemann oft gereizt, bedauerte seine verlorene

Junggesellenfreiheit und erschreckte sogar mit Bluthusten. Er bot wenig Halt. In solchen Stunden mochten sich dann erregte Szenen ereignen, wie sie in dem schon erwähnten autobiographischen Fragment *Im vierten Stock einer Berliner Wohnung* geschildert werden, das hauptsächlich aus einer Gedankenspule Annas (das heißt: Maries) besteht und von Kindheits- und Hochzeitserinnerungen zu der Vorstellung hindrängt: «Aus dem Paradies waren sie vertrieben.»[1]

Maries Nervosität nahm zu, als Gerhart monate- und jahrelang kein Geld verdiente, obwohl die Lebenshaltungskosten stiegen. Nach der Übersiedlung nach Erkner vergrößerte sich die Familie: 1886 wurde der erste Sohn, Ivo, geboren, ein Jahr später Eckart und 1889 Klaus. Die junge Frau fürchtete ständig, daß ihr Kapital zerrinnen und die Familie in Elend geraten könne. Sie dürfte mit ihrem Manne, der seinen Freunden sogar noch unbekümmert als «Leihanstalt» diente, oft ähnlich über finanzielle Sorgen gesprochen haben wie Käthe Vockerat mit Johannes. Und natürlich empfand Gerhart Hauptmann das in seinem Dichterhimmel als sehr störend und ernüchternd. Durch die Nachricht vom Bankrott des Hohenhauser Vermögensverwalters braute sich im Spätherbst 1887 tatsächlich eine Katastrophe zusammen. Sie wurde nur dadurch verhindert, daß kurz darauf Maries Großmutter starb, wodurch den Schwestern eine stattliche Erbschaft zufiel.

Man konnte es sich dadurch weiterhin leisten, vom Kapital zu leben, Geselligkeit und Dichtung zu pflegen und ab und an der Verwandtschaft Besuche abzustatten. Von der Fahrt zu Carl Hauptmann nach Zürich war schon die Rede. Weiterhin waren Gerhart, Marie und die Kinder des öfteren in Hamburg zu Gast, wo die Eltern (nachdem sie die unrentable Bahnhofswirtschaft in Sorgau aufgegeben hatten) seit 1882 wohnten und wo der Vater seinem ältesten Sohn Georg (1853–1899) nach Kräften im Kaffeegeschäft half. Leider ging die Sache nicht gut. Bereits 1892 mußte die «en gros»-Firma für «Kolonialwaren, Kaffee und Tee» wegen Zahlungsschwierigkeiten aufgelöst werden; die Partner gerieten aneinander, und die Eltern verzogen nach Görlitz, später nach Warmbrunn.

Diesem Georg stellte seine Schwester Johanna Charlotte (1856–1943) einmal das Zeugnis aus, er sei von allen ihren Brüdern «vielleicht der Allerbegabteste»[2] gewesen. Nun, auf jeden Fall fehlte es ihm nie an Pfiffigkeit, «Rabelaisschen Humoren»[3] und praktischen, bisweilen grotesken Einfällen. So setzte er sich beispielsweise mit Bismarcks Barbier zu dem Zwecke ins Benehmen, «Reliquien» zu erhalten und zu verhökern. In Gerhart Hauptmanns Komödien-Entwurf *Bismarckhaar* entwickelt (der nach des Bruders Vorbild gezeichnete) Thomas Brunck lachend den Plan, unter Spekulation auf den Hurrapatriotismus und die Sentimentalität «teutscher» Spießer einen Andenkenverkauf mit dem «eisgrauen Haar» des verstorbenen Kanzlers zu organisieren.[4] Auch trat Georg (seit 1874 in der Hansestadt) als Erfinder auf, verkündete unmittelbar bevorstehende Automobil- und Flugexperimente und gewann seine Brüder für den Kauf von Aktien der Wagenfederfabrik Schomäcker & Co., die natürlich bald unter pari standen und schließlich bei Konkurs des Unternehmens wertlos wurden. Während seiner letzten Lebensjahre betätigte sich Georg als Hausmakler. Er hinterließ sechs Kinder.

An zweiter Stelle stand nach der Einschätzung der Schwester ihr Bruder Carl (1858–1921), während sie auf Gerhart nie sonderlich gut zu sprechen war. Mit ihm pflegte sie sich vielmehr bei jeder Begegnung heftig zu «zanken», so daß sich die «Gu-Zi's», die befreundeten Kunsthistoriker Guthmann und Zimmermann, versöhnend ins Mittel legen mußten. Sie blieb bis ins hohe Alter auf ihrem Altjungfernsitz in Schreiberhau, rühmte gegenüber ihren Besuchern gern ihre einstige Schönheit und ihre Virtuosität im Klavierspiel und erzählte von ihrem «neuesten Verehrer, der meist der jeweils jüngste Arzt am Platze war»[5].

Um 1890/91 bietet die Familienchronik noch ein Bild

schönster Harmonie. Gerhart und Carl mit ihren Frauen unternahmen damals gemeinsam mit dem Vater von Bad Flinsberg aus eine zünftige Landpartie in Richtung Schreiberhau. Die Gegend mit dem Ausblick auf die ferne Schneekoppe gefiel ihnen, und da gerade ein Haus zum Verkauf stand, griffen sie «ein wenig Hals über Kopf»[6] zu. Es erwies sich als notwendig, das geplante Dichterheim durch einen Ausbau zu erweitern. Man gab also den Auftrag, dem Haus noch ein Stockwerk aufzusetzen.

Da an Um- und Einzug vorläufig noch nicht zu denken war, begab sich Gerhart Hauptmann im Februar/März mit Max Baginski und im April zusammen mit seiner Frau auf Studienreise in einige schlesische Weberdörfer. Unter Führung von Baginski, einem Redakteur der sozialdemokratischen Zeitung «Proletarier aus dem Eulengebirge», gelangte er nach Langenbielau und Kaschbach, später nach Peterswaldau und Charlottenbrunn. Man schritt von Hütte zu Hütte, sprach mit Augenzeugen des Aufstandes von 1844, fand Weberfamilien in größter Dürftigkeit, ohne Brot und Feuerung, krankheitsgezeichnet und wortkarg. «Der Menschheit ganzer Jammer» und «das Elend in seiner klassischen Form»[7] breiteten sich vor dem Dichter aus. Tief erschüttert nahm er Abschied. Die frischen Erlebnisse prägten die Endgestalt seines *Weber*-Dramas.

Im Spätsommer 1891 konnte man endlich das neue Haus in Schreiberhau beziehen. Gerhart belegte mit seiner Familie das untere Stockwerk, und Carl und Martha richteten sich im Obergeschoß ein. Insgesamt standen zehn Zimmer und zwei Küchen zur Verfügung. Es begann eine herrliche Zeit. Im Sommer lustwandelte man im eigenen mehr als dreißig Morgen umfassenden Park, im Winter versuchte sich Gerhart Hauptmann als einer der ersten Schiläufer im Riesengebirge. Das Besitztum gehörte beiden Brüdern gemeinsam, obwohl Gerharts finanzieller Anteil weitaus größer war, da sich Carl durch Zahlungen an den unterstützungsbedürftigen Georg verausgabt hatte.

Das Verhältnis der Brüder hatte sich anfangs durchaus herzlich gestaltet. Ein Exemplar *Vor Sonnenaufgang* sandte Gerhart mit vielen Grüßen an seinen «alten, lieben, treuen Bruder, Freund, Berater und Förderer Zarle»[8], und der Bruder telegraphierte begeistert seinen Glückwunsch zur «ersten Tat für die Unsterblichkeit»[9]. Die Brüder hatten um diese Zeit noch sehr verschiedene Ziele. Carl lebte nach seiner Jenenser Doktorpromotion (1883) ganz der Wissenschaft, trug sich um 1890 mit dem Plan einer Forschungsreise nach Zentralbrasilien (evtl. gemeinsam mit Gerhart) und seiner Habilitation an der Seite des verehrten Avenarius in Zürich. Jahrelang arbeitete er an einem auf vier Bände berechneten Werk über die «dynamische Theorie der Lebewesen», in dem er den mechanischen Aufbau und Ablauf alles organischen Lebens nachweisen wollte. Den ersten Teil schloß er tatsächlich ab und veröffentlichte ihn 1893 unter dem Titel «Die Metaphysik in der modernen Physiologie».

Hin und wieder gab es freilich auch Reibereien zwischen den Brüdern. Zu einem Konflikt kam es, als Carl einige Zeit vor der Auflösung des Züricher Haushaltes bei einem Abendkolleg die «überaus geistvolle Polin»[10] Josepha Krzyżanowska kennenlernte und mit ihr zusammen eine Rundreise durch die Schweiz unternahm. Da fand es Gerhart geboten, ein ernstes Wort mit dem Bruder zu reden und dabei die Partei der Schwägerin Martha zu ergreifen – kurioserweise, möchte man sagen, denn ein paar Jahre später vertauschten sich die Rollen. Diesmal wurden die Differenzen beigelegt. Josepha erwies sich als eine wunderbare Kameradin. Sie blieb mit allen gut Freund, wechselte mit Martha Briefe, traf nur noch ab und an mit Carl zusammen und schickte sogar an Gerhart von Petersburg aus russische Volkslieder; eines von ihnen scheint im vierten Akt der *Einsamen Menschen* anzuklingen. Josepha promovierte zum Dr. phil., heiratete den Arzt Theodor Kodis, mit dem sie zeitweilig in Amerika lebte, und trat mit mehreren philosophischen Arbeiten im Sinne der empiriokritizistischen Schule hervor.

Die ganze Episode spiegelt sich in den *Einsamen Menschen*, und auch Carl fühlte sich dazu angeregt, die Tage mit Josepha literarisch festzuhalten. Er schrieb die kleine Erzählung «Die Sonnenwanderer» (1890). Damit begann die Tragödie seines Lebens. Bisher hatte er immer mit einer gewissen Berechtigung den Glauben nähren können, im geschwisterlichen Konzert die erste Geige zu spielen. Immerhin konnte er auf den exzellentesten Bildungsgang hinweisen: Abitur, Doktorpromotion, Anerkennung durch namhafte Wissenschaftler wie Haeckel, Forel und Avenarius, Anwartschaft auf eine Professur; außerdem empfing er die militärische Ehrung seiner Ernennung zum Oberleutnant der Reserve.[11]

Warum sollte er nicht auf dem Gebiet der Literatur ähnlich erfolgreich sein, zumal er dem jüngeren Bruder für dessen künstlerische Laufbahn entscheidende Ratschläge erteilt hatte? Überall war er ihm eine Fanfare des Ruhmes gewesen. Später nahm Carl Hauptmann für sich in Anspruch, den Bruder aus einem «verblasenen Spätromantiker voll subjektiver Nichtigkeiten»[12] zum Realisten erzogen zu haben. Aber Carls eigene Bemühungen um die Dichtung blieben zunächst weitgehend unbeachtet. Er mußte die Enttäuschung erleben, daß ihn die literarische Welt bei der Entscheidung des brüderlichen Wettstreits unbarmherzig vom ersten auf den zweiten Platz verwies.

Zum Teil trug er selbst Schuld daran, denn es gelang ihm nicht (wie wir es etwa im Verhältnis der Brüder Humboldt, Grimm oder Mann bemerken), von Anfang an eine unverwechselbare Eigenart zu entwickeln. Vielleicht konnte es ihm auch gar nicht glücken, da er ja Gerharts Kunstgeschmack hatte bilden helfen und sie nun literaturtheoretisch auf derselben Plattform standen. Jedenfalls debütierte auch Carl mit naturalistischen Schauspielen und Erzählungen, formte mit Vorliebe passive Helden, die im schlesischen Dialekt reden, und analysierte häufig menschliche Dreiecksverhältnisse. Bei gemeinsamen Freunden erwärmte er sich für malerische und musikalische Formen des Ausdrucks, sympathisierte später mit der Mystik, gestaltete Erlösungssehnsucht und die Hingabe an unfaßbare Mächte und behandelte immer wieder ähnliche Probleme wie Gerhart.

Dagegen behauptete Anna Stroka, daß die Brüder «als Künstler niemals einander nahegestanden haben». Angeblich seien bei Carl Hauptmann aktivere Gestalten (Ephraims Breite) und eindeutigere Vorbehalte gegenüber dem Naturalismus zu finden. Aber auch Gerhart distanzierte sich früh von naturalistischen Überspitzungen und strebte schon in den *Webern* und im *Biberpelz* zum Realismus. Übrigens gewahrte die Kritikerin, die insgesamt eine durchaus verdienstvolle Monographie schrieb, noch in poetischen Versuchen Carl Hauptmanns aus der Jahrhundertwende eine «Wirklichkeitskunst, die sich teilweise mit dem Naturalismus begegnet», oder sie vermißte andernorts ein «Erwachen aus dem Rausch des Triebes»[13]. Gewisse Beziehungen lassen sich nun einmal nicht bestreiten.

Ganz offensichtlich bestehen thematische und formale Berührungspunkte zwischen *Einsame Menschen* und dem «Marianne»-Drama[14], zwischen *Die versunkene Glocke* und «Die Bergschmiede», *Fuhrmann Henschel* und «Die Austreibung», *Und Pippa tanzt* und «Die armseligen Besenbinder», *Die Jungfern vom Bischofsberg* und «Die Rebhühner». Stets stand Carl in Gerharts Schatten, wobei es ihn besonders erbitterte, wenn die Kritiker ihn leichtfertig mit dem berühmteren Bruder verwechselten oder bei ihm vieles negativ werteten, was sie bei Gerhart als «Steigerung des künstlerischen Könnens»[15] priesen.

Es handelt sich hier um eine echte Tragik, denn tatsächlich ist Carl Hauptmann ein schöpferischer und seinem Bruder in vielem ebenbürtiger Schriftsteller gewesen. Mögen von seinen zwanzig Schauspielen auch nur «Die lange

Jule», «Die armseligen Besenbinder», das von Bertha von Suttner als Friedensstück begrüßte Tedeum «Krieg» und «Der abtrünnige Zar» den Vergleich allenfalls aushalten, so beschritt er doch als Erzähler mehrere Jahre vor seinem Bruder völlig eigene Wege.

In dem Roman «Mathilde» (1902) gestaltete er den schweren Lebensgang einer Arbeiterin, die sich in einer Textilfabrik recht und schlecht durchschlägt, von einem Großbauernsohn im Stich gelassen wird und am Ende den Arbeiter Simoneit heiratet, und zwar in dem Augenblick, da er wegen seiner Führerrolle in einem Streik seine Stellung verliert. Gewiß schuf Carl Hauptmann damit noch keine proletarisch-revolutionäre Dichtung, denn sorgsam vermied er (wie auch in den folgenden Werken) eine eindeutige Parteinahme und eine Abrechnung mit der Ausbeuterklasse. (Möglicherweise spielte hier schon seine Freundschaft mit Werner Sombart[16] eine Rolle, von dessen antimarxistischer Wendung er sich später beeinflussen ließ.) Aber die Themenwahl und das Eintreten für die Armen und Entrechteten sind doch sehr bemerkenswert; gern hörte der Dichter den Vergleich mit Meuniers Arbeiterbildern und Plastiken.[17] Bisweilen erinnert Mathilde an einen Menschentypus, den Halldór Laxness in «Salka Valka» meisterhaft zu gestalten verstand.

Weiterhin sei der Roman «Einhart der Lächler» (1907) hervorgehoben, in dem Carl Hauptmann – mit Anklängen an seinen eigenen und Gerharts Lebenslauf sowie an jenen des befreundeten Malers Otto Mueller – ein Künstlerschicksal gestaltete. Echte Volkstümlichkeit erreichte er noch einmal mit dem «Rübezahlbuch» (1915). Der Erzähler Carl Hauptmann, von dem in der DDR ein Band, «Heimstätten und Schicksale», vorliegt, hat unserer Zeit manches zu sagen und verdient eine literaturgeschichtliche Aufwertung.

Unter dem späteren gespannten Verhältnis haben beide Brüder sehr gelitten. 1906 konstatierte Gerhart im Diarium:

«Mein Lebensroman kann nur: der Bruder heißen.»[18] Obwohl er sich selbstbewußt und äußerlich gelassen gab, unternahm er immer wieder Ansätze, um den «tragikomischen Bruderzwist»[19] zu gestalten, beispielsweise in den Prosafragmenten *Landhaus zur Michelsmühle*, *Die Gebrüder Büchsel* und Kapiteln des *Zweiten Jahrhunderts* oder in dramatischen Entwürfen wie *Kain und Abel*, *Im Landhaus der Brüder Carstens* und *Familientag*. Carl hingegen reflektierte über den Widerstreit vor allem in Tagebüchern und Briefen, in denen er gelegentlich feststellte: «So leben wir nebeneinander, wissen, daß wir uns in tiefster Seele verwandt und in innersten Lebensgefühlen verbunden sind, und können nicht zueinander. Die Händler stehen dazwischen.»[20] Dennoch sprach er sich wiederholt, beispielsweise anläßlich des Festspielkrachs von 1913, für den Bruder aus.

Die Verbindung mit Frau Martha war kinderlos geblieben, worunter das Paar sehr litt. Als Carl im Herbst 1906 im Kreise von Heinrich Vogeler und Otto Modersohn zu Worpswede die junge Malerin Maria Rohne kennenlernte, geriet er in schwere Gewissenskonflikte: Er mochte Martha nicht verlieren und von Maria nicht lassen. Nach längerer Prüfung willigte Martha in die Scheidung; Carl konnte im Oktober 1908 Maria heiraten, die ihm zwei Jahre später eine Tochter schenkte. Die freundschaftlichen Beziehungen zu Martha hielt er mit Zustimmung der jungen Frau aufrecht.

Die Schreiberhauer Adelsgesellschaft um Frau von Köckeritz mißbilligte diese vorurteilsfreie Entscheidung des Dichters aufs äußerste und brach alle Brücken ab. Dennoch blieben ihm viele Freunde, wie der Schriftsteller Hermann Stehr, die Komponistin Anna Teichmüller, die Wissenschaftler Wilhelm Bölsche und Werner Sombart, die Kunsthistoriker Guthmann und Zimmermann, die Worpsweder Maler Vogeler und Modersohn – Freunde, die ihn letztlich auch wieder mit dem Bruder verbanden.

Die Weber

Als Thomas Mann 1901 seine «Buddenbrooks» veröffentlichte, wurde er bald mit Staunen gewahr, daß in den Gestalten und Stimmungen dieser lübeckischen Familiengeschichte «das europäische Bürgertum überhaupt sich wiedererkannte»[1]. Unter ähnlichen Vorzeichen hatten ein paar Jahre früher *Die Weber* (1892) ihren Siegeszug angetreten, und Gerhart Hauptmann bemerkte dazu gesprächsweise: «Wieso ist so ein kleines lokales Ereignis durch mein Drama über die Welt gegangen? Weil irgend etwas in vielen Ländern Gemeinsames damals darin mitschwang.»[2]

Beide Jugendwerke gehören heute zur Weltliteratur, ja trotz aller späteren gigantischen Lebensarbeit ist Thomas Mann für weite Kreise immer und ebenso der Dichter der «Buddenbrooks» geblieben, wie Gerhart Hauptmann der Dichter der *Weber*. Doch es bestehen wesentliche Unterschiede. Während Hauptmann in den *Webern* das familiäre Element zurückdrängte, dafür eine vorwärtastende proletarische Bewegung sichtbar machte und damit seinen künstlerischen Höhepunkt erreichte, schilderte Thomas Mann (zunächst in familiärem Rahmen) einen bürgerlichen Verfallsprozeß und schlug ein Thema an, das er in seinen Altersromanen mit erweiterter Erkenntnisfähigkeit entschieden vertiefte.

Hauptmann gestaltete in den *Webern* einen packenden Stoff aus der Geschichte der deutschen Arbeiterbewegung. Gewiß handelt es sich bei dem Stück über den Weberaufstand in Langenbielau und Peterswaldau von 1844 nicht um organisierte Aktionen klassenbewußter Arbeiter, sondern (im Sinne der historischen Überlieferung) um ein spontanes Aufbegehren hungriger und verzweifelter Menschen. Doch im Wilhelminischen Zeitalter wirkte das Stück explosiv. Heute sehen wir darin ein kritisch-realistisches Schauspiel von Rang und das erste revolutionäre Massendrama unserer Literatur.[3]

In einer Buchwidmung dankte Gerhart Hauptmann seinem Vater mit den Worten: «Deine Erzählung vom Großvater, der in jungen Jahren, ein armer Weber, wie die Geschilderten hinterm Webstuhl gesessen, ist der Keim meiner Dichtung geworden.»[4] Als der junge Schriftsteller 1888 in Zürich häufig an der Hütte eines Seidenwebers vorbeikam und das dumpfe Wuchten des Webstuhls hörte, mag das Kindheitserlebnis in ihm wieder lebendig geworden sein. Erst aktuelle Zeitereignisse scheinen dann die künstlerische Phantasie in Bewegung gesetzt zu haben.

Wir erwähnten bereits Hauptmanns Vernehmung im Breslauer Sozialistenprozeß, seine Marx-Lektüre und das Abonnement der sozialistischen Wochenschrift «Die Neue Zeit». Obwohl er damit natürlich noch kein Sozialist war, stand er damals in seinen Anschauungen der Sozialdemokratie nahe, deren heroischer Kampf gegen die Ausnahmegesetze des Fürsten Bismarck in jenen Jahren erfolgreich zu Ende ging. Im Jahre 1890 erhielt die illegale SPD von rund sieben Millionen Wählerstimmen etwa ein Fünftel, nämlich 1427000 Stimmen (gegenüber 763000 bei der Wahl von 1887) und stellte nunmehr einen unübersehbaren Machtfaktor dar. Der Kaiser entschloß sich aus persönlichen Autoritätsgründen und unter dem Eindruck von Streikbewegungen zur Entlassung Bismarcks. Kurz darauf fiel das Sozialistengesetz. Damit hatte die deutsche Arbeiterbewegung einen glänzenden Sieg errungen.

Das Selbstbewußtsein der Werktätigen erhielt durch diese Erfolge einen ungeheuren Auftrieb. Auf der Grundlage der Beschlüsse der II. Internationale rüstete sich die Partei zu neuen Aktionen, feierte 1890 erstmals den 1. Mai und gab sich ein Jahr darauf in Erfurt, unter Berücksichtigung wertvoller Hinweise von Friedrich Engels, ein vom Lassalleanismus weitgehend gereinigtes Kampfprogramm. Die sozialen Fragen lagen in der Luft, ihre baldige Lösung schien möglich, Künstler und Intellektuelle engagierten sich dafür.

Bezeichnenderweise mußte sich Hauptmann später gegen den Vorwurf verteidigen, mit den *Webern* eine «sozialdemokratische Parteischrift»[5] verfaßt zu haben. Das Schauspiel wurde also in diesem Sinne verstanden, obwohl der Dichter eine derartige Absicht bestritt und betonte, es sei ihm lediglich um einen Mitleidsappell an die Besitzenden zu tun gewesen. Die Feststellung entsprach sicherlich seiner damaligen Überzeugung (wobei allerdings zu bedenken ist, daß er die Erklärung abgab, um die Aufhebung des Spielverbots zu erwirken). Doch ohne Zweifel stand Hauptmann zur Zeit der Niederschrift der *Weber* unter dem unmittelbaren Eindruck der proletarischen Erfolge, er entschloß sich zu «Zivilcourage und Bekennermut»[6], wenngleich einer Bemerkung von Ursula Münchow zuzustimmen ist, daß seine Stücke «niemals aus einer vorgefaßten politischen oder pädagogischen Absicht entstanden»[7].

Interessant ist in dem Zusammenhang ein Blick auf seine Quellen, denn unter den Anregern finden wir auch den Namen eines Kampfgefährten von Marx und Engels. Der erste Band des «Kapital» trägt bekanntlich die Widmung: «Meinem unvergeßlichen Freunde, dem kühnen, treuen, edlen Vorkämpfer des Proletariats, Wilhelm Wolff». Dieser Mitorganisator des Bundes der Kommunisten hatte 1845 in Püttmanns «Deutschem Bürgerbuch» einen Aufsatz «Das Elend und der Aufruhr in Schlesien» veröffentlicht, der nun in vielem auf Hauptmanns poetische Konzeption einwirkte und der Dichtung revolutionären Atem einhauchte. Zur «Dämpfung» trug allerdings das Buch des königstreuen preußischen Legationsrates Alfred Zimmermann über «Blüte und Verfall des Leinengewerbes in Schlesien» (1885) bei, das dem Dichter als Hauptquelle diente. Es spielte darum eine gewisse Rolle im *Weber*-Prozeß (von dem wir noch sprechen werden), da der Verteidiger behauptete, das Stück seines Mandanten gehe in keiner Weise über die Angaben und Mitteilungen der von der Zensur nicht beanstandeten historischen Dokumentation des loyalen Beamten hinaus.[8] Man könne doch Melpomene nicht verbieten, was man Klio erlaube! Wohlweislich unterblieb die Nennung des Wolff-Artikels. Weitere Anregungen empfing Hauptmann durch eine Broschüre des Assessors Alexander Schneer, «Über die Not der Leinenarbeiter in Schlesien» (1844).

Aus all diesen Abhandlungen sind wir über Ursachen und Verlauf des schlesischen Weberaufstandes von 1844 gut unterrichtet. Die kämpferische Selbsthilfe hatte hierzulande übrigens eine Tradition: Bereits im Frühjahr 1793 war es unter Einfluß der Französischen Revolution, ausgelöst durch eine Absatzkrise in den Riesengebirgsdörfern, zu Unruhen gekommen, von denen der 1965 (aus dem Nachlaß) veröffentlichte Roman «Der Strom fließt nicht bergauf» des sozialistischen Schriftstellers Johannes Wüsten (1896–1943) erzählt. Das Buch enthält gewissermaßen eine weitgespannte Vorgeschichte des Hauptmann-Dramas.

Die schlesische Heimindustrie wurde etwa seit den Befreiungskriegen durch die 1786 von Cartwright erfundenen mechanischen Webstühle langsam zugrunde gerichtet. Mit deren Hilfe und dem gleichzeitigen Einsatz von Spinnmaschinen (1768 erfunden) konnten mit weniger Arbeitskräften erheblich mehr Stoffe erzeugt werden. Allein in der ersten Hälfte des 19. Jahrhunderts verzehnfachte sich die Produktion von Textilwaren. Das Angebot stieg, Preise und Löhne sanken, billige Kattungewebe überschwemmten die Märkte, die Arbeitslosenzahl nahm zu. Für die armen Handweber blieb nur die Möglichkeit, sich den Preisen der englischen Fabrikkonkurrenz anzupassen und für einen Hungerlohn zu schuften, wobei sich ihnen nur bei ausgezeichneten Websorten eine reale Absatzchance bot.

Die Not wuchs ins Ungemessene. Zum Beispiel verdiente ein Weber namens Keul, der mit seiner Frau und sieben Kindern im Jahre 1844 in Maiwaldau lebte, zusammen mit der ganzen Familie etwa 15 Silbergroschen, das heißt einen halben Taler pro Woche. Nach Abzug von Grundzinsen, Steuern, Fron- und Gemeindeabgaben verblieb ihm davon jedoch höchstens die Hälfte, so daß die neun Personen am Ende mit einem einzigen Silbergroschen (das waren 12 Pfennige) täglich auskommen mußten. Davon konnten sie sich anderthalb Pfund Brot oder ein Pfund Mehl kaufen. Fleisch, Butter oder Zucker bekamen sie monatelang nicht zu Gesicht, denn für ein Pfund dieser begehrten Artikel hätten sie fünf bis acht Silbergroschen aufbringen müssen.[9]

Der Weber Keul steht für zahllose Leidensgenossen, ja, die Chronisten wollen von Familien wissen, denen es noch schlechter ging. So habe das Handlungshaus E. F. Zwanziger & Söhne zu Peterswaldau beispielsweise für eine Neuntagearbeit nur 15 Silbergroschen gezahlt und sich erboten, noch dreihundert weitere Weber zu beschäftigen, falls sie sich mit 10 Silbergroschen pro Dekade zufriedengäben. Der Unternehmer selbst hingegen baute sich prunkvolle Villen.

Plötzlich war ein Lied da, ein Stück «Gebrauchslyrik», in fünfundzwanzig Vierzeilern, das die Ausbeuter Zwanziger und seine Kumpane Fellmann, Hoferichter und Dierig (auch Diener geschrieben) anklagte und einen drastischen Anschauungsunterricht über die Aneignung des Mehrwerts durch die Kapitalisten erteilte.

> Von euch wird für ein Lumpengeld
> Die Ware hingeschmissen,
> Was euch dann zum Gewinne fehlt,
> Wird Armen abgerissen,

hieß es[10], und die Unternehmer wurden mit Ausdrücken wie «Schurken», «Henker» und «Kannibalen» belegt. Ein Zeitgenosse und Augenzeuge gab später zu Protokoll, durch diese fluchgeladenen Strophen, die unter dem Titel «Das Blutgericht von Peterswaldau» die Runde machten, seien die Weber eigentlich erst zum «Bewußtsein ihrer Lage»[11] gelangt. Auf die mobilisierende Kraft dieses Liedes hat auch Karl Marx hingewiesen, indem er es eine «kühne Parole des Kampfes» nannte und betonte: «Der schlesische Aufstand *beginnt* gerade damit, womit die französischen und englischen Arbeiteraufstände *enden*, mit dem Bewußtsein über das Wesen des Proletariats.»[12] Das spätere Gerichtsverfahren, bei dem die Angeklagten Solidarität und «Parteigeist» bewiesen, bestätigte die Feststellung. Eine wirkliche Organisation fehlte der Bewegung allerdings.

Zu ersten Tumulten kam es am 3. Juni 1844 vor Zwanzigers Villa in Peterswaldau. Etwa zwei Dutzend Weber brachten dem Lohnherrn das «Blutgericht» als Ständchen dar, mußten sich aber vor einer Knüppelgarde zurückziehen und den Kameraden Wilhelm Mäder in der Gewalt der Polizei lassen. – Der nächste Tag begann mit einer entschlossenen, erfolgreichen Aktion zur Befreiung des Gefangenen und steigerte sich rasch zu einem Sturm auf Zwanzigers Wohnhäuser, die gründlich demoliert und geplündert wurden. Der Hausherr hatte mit seiner Familie fluchtartig das Weite gesucht. Als Landrat Prittwitz zur Vermittlung herbeieilte, konnte er sich bei den Aufsässigen kein Gehör verschaffen. Das Rache- und Zerstörungswerk nahm seinen Fortgang.

Am 5. Juni erreichte die Weberrebellion Höhepunkt und Ende. Das Heer der Aufständischen erhielt nun auch von umliegenden Ortschaften Zulauf, umfaßte bald über tausend Mann und brach von Peterswaldau zu einem Zug nach Langenbielau auf, wo die verhaßten Brüder Dierig und die Kaufleute Hilbert und Andretzky den Volkszorn zu spüren bekamen. Dabei mußte sich Dierigs Schwiegersohn, der

Pastor Seiffert, einer grotesken «Wiedertaufe» im Dorfteich unterziehen.

In den Mittagsstunden spitzte sich die Situation zu, als unter Führung eines Majors zwei Infanterie-Kompanien am Schauplatz eintrafen. Da der Befehl zum Auseinandergehen nicht befolgt wurde, krachte eine Salve und forderte elf Tote und etwa dreißig Verwundete. Nach kurzem Aufschrecken geschah das Unfaßbare: Die Weber leisteten Widerstand gegen die geheiligte Staatsgewalt. Mit Knütteln und Steinwürfen setzten sie sich heftig zur Wehr und vertrieben die Truppen.

Am nächsten Morgen gelang jedoch kein Zusammenschluß mehr. Das Militär hatte über Nacht erhebliche Verstärkungen und Artillerieunterstützung erhalten und ging rücksichtslos gegen jede Menschenansammlung vor. Über hundert Personen wurden verhaftet und einige von ihnen, wie die Weber Burghardt, Umlauf und Rauer, als besondere «Rädelsführer» bezeichnet. Trotz allem kriselte es noch mehrere Wochen diesseits und jenseits des Riesengebirges. Es gab Unruhen in Breslau und fast den ganzen Sommer hindurch lokale Aufstände im Böhmischen.

Es ist offensichtlich, daß Gerhart Hauptmann in seinem Schauspiel *Die Weber* die historischen Quellen sorgsam verarbeitete. Seine Milieuschilderungen enthalten sehr exakte Angaben. So erfahren wir etwa von den mittelalterlich anmutenden Fronverpflichtungen der Weber beim Gutsherrn, von ihrer Bedrückung durch den Staat, die Kirche, die Unternehmer und Großbauern und von ihren kargen Lebensverhältnissen. Im zweiten Akt beispielsweise errechnet der Weber Ansorge sieben Taler, das heißt zweihundertzehn Silbergroschen pro Jahr, mit denen er sich «bekochen, beheizen, bekleiden, beschuhn» müsse.

Darüber hinaus folgt Hauptmann der geschichtlichen Überlieferung auch in der dramatischen Handlung von der Festnahme und Befreiung eines Rebellen, der Flucht des Fabrikanten und der Erstürmung und Plünderung seiner

Villa bis zu den Aktionen in Langenbielau und dem zeitweiligen Sieg über das Militär. Die Namen der Akteure hat Hauptmann allerdings meistens geändert oder aus anderem Zusammenhang genommen (möglicherweise begegnete er ihnen bei seinen Studienreisen). So heißen die Fabrikanten Zwanziger und Dierig bei ihm Dreißiger und Dittrich, Ehrwürden Knittel wurde zu Pastor Kittelhaus. Authentisch ist eigentlich nur der Name Moritz Jäger[13], doch dieser junge Mann scheint in der historischen Bewegung nur eine untergeordnete Rolle gespielt zu haben. Während der «Rädelsführer» Burghardt neun Jahre Festung zudiktiert bekam, wurde der Kattundrucker Jäger aus Ernsdorf zu einem Jahr Festung verurteilt und am Ende vorfristig begnadigt.

Hauptmanns Schauspiel entfaltet sich also auf der Grundlage dokumentarischer Zeugnisse vor einem historisch getreuen Zeithintergrund. Dennoch finden sich in dem Stück auch Anspielungen auf Vorkommnisse aus der damaligen Gegenwart um 1890. Wenn gelegentlich von einem «hergelaufenen Skribenten» die Rede ist, der in den Zeitungen «Schauergeschichten» über das Webereelend auftische, so zielt das auf den demokratischen Publizisten Eduard Pelz, und der Hinweis auf ergebnislose «Nachforschungen» der Regierung in den Notstandsgebieten bezieht sich auf einen Blitzbesuch des Oberpräsidenten von Merckel.[14] Im übrigen ließ sich der Dichter offenbar inspirieren durch aktuelle Berichte über «Webernot» und Streikbewegungen, die er in sein Notizbuch einklebte.[15] Er schrieb ein «Zeitstück par excellence»[16]. – Dabei ging er über die literarische Tradition hinaus, deren wesentliche Ausprägungen er sicher kannte, und schuf etwas Neues. Aus Heines berühmtem Gedicht «Die schlesischen Weber» zitierte er noch mitten im faschistischen Jahrzwölft unerschrocken in seinen Memoiren. Den Rübezahl-Versen «Aus dem schlesischen Gebirge» von Freiligrath (und möglicherweise auch dessen dramatischem Versuch «Das Stück Leinewand») dürfte er bei seiner Jugendlektüre begegnet

sein. Episodische Notizen über das schweizerische Spinn-
und Webgewerbe fand er in Goethes «Wilhelm Meisters
Wanderjahre» (Lenardos Tagebuch), und vielleicht wußte
er auch von Ludwig Pfaus «Leineweber»-Gedicht und Georg Weerths «Liedern aus Lancashire», in denen die Kunde
von der «schlesischen Weberschlacht» aufhorchen läßt.

Auf der Bühne hatte man bis dahin noch keine Proleta-
rierzüge gesehen. Es gab zwar schon vereinzelt Schauspiele[17] mit Gestalten aus dem vierten Stand und periphe-
ren Umsturzszenen, doch gewöhnlich stand dabei die
schöne, traurige Liebe einer Fabrikantentochter zu einem
kleinbürgerlichen Rebellen im Mittelpunkt. Hauptmann
verzichtete zwar nicht auf Frauenrollen, doch auf jede ero-
tische Aufgipfelung – ja auf jede herkömmliche Aufgipfelung überhaupt.

Wir müssen die schon oft getroffene Feststellung wiederholen, daß er mit seinen *Webern* das erste revolutionäre
Massendrama der deutschen Literatur schuf. Etwa ein Dutzend Personen (von über vierzig) stehen im Handlungsge-
füge ziemlich gleichrangig nebeneinander; keine von ihnen
(außer dem alten Baumert) ist in jedem Akt präsent. Einen
Helden im Sinne des klassischen Dramas gibt es hier nicht,
vielmehr hat ein Kollektiv[18] die Rolle des «Hauptdarstel-
lers» übernommen. Dieses Kollektiv erleidet ein gemeinsames Schicksal und durchlebt dieselben Sehnsüchte und
Empfindungen. Die vier grauen Weiber aus den letzten
«Faust»-Szenen sind ständig bei ihnen; darum konnte Friedrich Spielhagen[19] schreiben:

Heldlos erscheint euch das Stück? Wie denn? Durch
    sämtliche Akte
Wachsend in riesiges Maß, schreitet als Heldin die Not.

Aber die Gemeinschaft, durch die Not zusammengegür-
tet, erduldet nicht nur gemeinsam, sondern tritt uns auch
im Kampfe geschlossen entgegen. Wiederum fällt der Unterschied zu früheren Dramen auf, in denen eine Freiheits-

GERHART HAUPTMANN.

(Die Weber.)

Schauspiel aus den vierziger Jahren.

Dialekt-Ausgabe.

Berlin.
S. Fischer, Verlag.
1892.

bewegung oder Rebellion immer von einer einzelnen Gestalt wie Egmont, Wilhelm Tell oder dem Cheruskerfürsten Hermann getragen wurde, während sich die Weber als Masse gegen ihre Unterdrücker zur Wehr setzen. Sie haben in der zeitgenössischen Literatur eigentlich nur ein Gegenstück in den Bergarbeitern von Émile Zolas «Germinal», einem Roman, der für Hauptmann zweifellos Vorbild war (bei Freunden trug er episodisch den Spitznamen «Germinal»[20]).

Trotz aller grauen Massierung wirken die Webergruppen nicht homogen. Einzelne Gestalten sind vom Dichter durchaus individuell charakterisiert worden. Dabei stattete er vor allem Moritz Jäger mit Zügen eines dramatischen «Bewegers» aus, bediente sich seiner wie schon in den Fällen Loth, Ida Buchner und Anna Mahr als des «Fremden», der die Brüchigkeit der Verhältnisse bloßlegt und Entscheidungen herausfordert. Jäger hat gerade seinen Militärdienst abgeleistet, kehrt in das Heimatdorf zurück und bringt den Webern Kunde von der Welt.

Dabei fällt auf ihn zunächst ein Schatten. Bei der Schilderung seiner Soldatenzeit tut er nämlich recht «großpratschig», verherrlicht das Lakaientum und gibt die Devise aus: «Willig muß man sein.» Dazu steht aber sein späteres Verhalten im Widerspruch. Durch Jägers «weltkundige» Reden und die Versicherung, in den Städten ginge es selbst den Hunden besser als hierorts den Menschen, erkennen die Weber erst die ganze Erbärmlichkeit ihrer Situation. Und schließlich liest der Reservist das Lied vom «Blutgericht» vor und facht damit das Feuer an. Seine Verhaftung gibt dann (genau wie jene des historischen Wilhelm Mäder) das Signal zum Aufruhr, in dem er eine nicht unwesentliche Rolle spielt.

Es war ein großartiger Gedanke von Gerhart Hauptmann, das Peterswaldauer Weberlied, das übrigens in mehreren Fassungen[21] überliefert ist, in seinem Schauspiel buchstäblich melodieführend werden zu lassen. Schon im ersten Akt klingt es an, wenn der Fabrikant Dreißiger mit bebender Stimme das Absingen dieses «niederträchtigen Liedes» vor seinem Hause erwähnt und heftig verurteilt. Im zweiten Akt trägt Moritz Jäger die aggressivsten Strophen im Kreise der Familie Baumert vor, wobei wir die Wirkung echter Volkslyrik studieren können. Die Weber lesen dem Vortragenden die kühnen Worte gleichsam von den Lippen ab, unterbrechen ihn fragend und mitsprechend, wiederholen einzelne Sätze, identifizieren sich mit den Aussagen und stellen fest, jedes Wort sei «aso richtig wie in d'r Bibel».

Im dritten Akt intoniert bereits eine größere Webergruppe beim Einzug in ein Gasthaus das «Blutgericht» und stimmt es trotzig nach dem ausdrücklichen Verbot durch einen Gendarmen beim Abmarsch abermals an. In den letzten beiden Akten wird es zum Massengesang und ertönt vor Dreißigers Villa und auf dem kämpferischen Tribunal zu Langenbielau «vielhundertstimmig». Durch diese Steigerung unterstrich Hauptmann die eminente Bedeutung des Liedes für das Entfachen der revolutionären Stimmung unter den schlesischen Webern, erfaßte er die verbindende und aufrüttelnde Kraft der «Marseillaise der Armen».

Im Grunde sind seine Textilarbeiter demütig, unterwürfig, gottesfürchtig und loyale Untertanen; namentlich der erste Akt zeigt ihre Misere und Leidergebenheit in vollem Ausmaß. Sie glauben, wenn ihre Not vor den König in Berlin käme, würde Abhilfe geschaffen. Der alte Baumert betont noch im dritten Akt in der erregten Wirtshausatmosphäre, wenn es «im guten» abginge, wäre es besser. Aber es geht eben nicht im guten, und durch Moritz Jäger und die von ihm überbrachten Strophen fliegt Zündstoff in die Köpfe der Menschen. Die Idee der sozialen Gerechtigkeit faßt Fuß.

Bemerkenswerterweise hat Hauptmann in dem Zusammenhang die Erinnerung an eine revolutionäre Tradition eingefügt. Es ist der Schmied Wittig, der jedem Gerede von einer möglichen Verständigung mit den Ausbeutern entgegentritt und erklärt: «Is etwa ei Frankreich im guden gangen? Hat etwa d'r Robspier a Reichen de Patschel gestreechelt? Da hieß bloß: Allee, schaff fort! Immer nuf uf de Giljotine! Das muß gehn, allong sangfang.»[22] Wittig sucht seine Kameraden mit diesen Worten zu provozieren und dazu anzustacheln, eine Weberrebellion mit ähnlichem Radikalismus durchzufechten wie die Kämpfer der bürgerlichen französischen Revolution, deren Lehren er beherzigt wissen will. Beim Aufstand finden wir ihn dann in der vordersten Reihe. Er zertrümmert Dreißigers Tor und gibt in Langenbielau die Parole zum Angriff auf das Militär.

Noch manche andere Gestalt des Schauspiels zieht die Aufmerksamkeit auf sich. Wir erinnern an den Weber Bäcker, der bereits im ersten Akt heftig mit dem Fabrikanten aneinandergerät, oder an den mit den Aufständischen sympathisierenden Hauslehrer Weinhold. Ein unvergeßliches Trio bilden die drei alten Weber Baumert, Ansorge und Hilse, zu denen sich noch der Lumpensammler Hornig gesellt mit dem seither vielzitierten Wort: «A jeder Mensch hat halt 'ne Sehnsucht.» Es gelang Hauptmann, in die Mentalität dieser armen Leute einzudringen, ihren Traum vom Anderswerden lebendig zu machen und auch ihrer ständigen Sterbebereitschaft Ausdruck zu verleihen. Das ist keine dekadente Todeswollust, kein Gefühl von liebvertrauter Gevatternschaft, sondern ein verzweifeltes Verlangen, die Not irgendwie zu enden und die Elendsbürde des Daseins abzuschütteln. Dieser prosaische Tod eignet sich nicht dafür, ein «Musaget der Philosophie» zu sein …

Der Unternehmer Dreißiger erscheint in dem Rahmen fast unbeseelt und wie eine personifizierte Mammutziffer. Brutal schindet er aus seinen Arbeitern die Profite heraus, empört sich über die «Humanitätsdusler» und motiviert eine verstärkte Ausbeutung mit den Erfordernissen der Wirtschaftslage. Hier bleibt das Drama allerdings in der Andeutung stecken. Es heißt zwar einmal im vierten Akt:

«Das ganze Elend kommt von a Fabriken», doch im allgemeinen entsteht der Eindruck, als sei die Not im wesentlichen eine Folge von Dreißigers Unmenschlichkeit und von Willkürmaßnahmen seiner Domestiken.

In der Schilderung des Weberaufstandes fallen am Ende gewisse Reminiszenzen an Büchners Drama «Dantons Tod» auf. Mit Recht hat man darauf hingewiesen[23], daß bei den Webern ebenso die Rachegelüste allmählich die revolutionäre Idee überwuchern wie bei dem Volk von Paris. Daraus ergibt sich eine Problematik, die der alte Fontane erstmals analysierte. Er war der Meinung, es sei für Hauptmann künstlerisch nicht vertretbar gewesen, sein Schauspiel mit «Spiegelzertrümmerung» und der «reinen Negation» abzuschließen. Darum habe er noch einen fünften Akt geschaffen, der nun aber ein «Widerspruchsobjekt» und als solches «revolutionär und antirevolutionär zugleich»[24] sei.

Das ist eine feine Beobachtung, die uns auf den Priester der Passivität, den alten Vater Hilse, hinlenkt. Der Weber Hilse mißbilligt den Aufstand der Zunftgenossen, sieht darin «Satansarbeit» und das Ergebnis verderblicher Religionslosigkeit. Für ihn gibt es nur das Vertrauen auf die unverrückbare göttliche Ordnung aller Dinge und die Pflicht zum Ausharren auf dem Platze, an den einen der «himmlische Vater» gestellt habe. Die Rache gebühre Gott allein.

Solange der unfreiwillig komisch wirkende Hilse nur seiner Familie predigt, richtet er damit keinen großen Schaden an. Als jedoch die aufständischen Weber zu ihm ins Haus kommen, um ihn für die gemeinsame Aktion zu gewinnen, haben seine Reden teilweise eine entmutigende Wirkung. Nicht nur der alte Baumert verfällt in «stumpfsinniges Grübeln», sondern auch der rote Bäcker denkt nun schon galgenhumoristisch an das Zuchthaus, in dem man «wenigstens satt Brot» bekäme. Hier bricht ein antirevolutionäres Element durch. In gewisser Weise ist das historisch begründet, weil ja um die Mitte des 19. Jahrhunderts noch keine realen Voraussetzungen für eine siegreiche proletarische Revolution bestanden. Aber dieser resignierende Zug wird doch der Tatsache nicht gerecht, daß der Widerstand der schlesischen Weber keineswegs sinnlos war, sondern ein Fanal für die Klasse, deren «aktive Bewegung» hier ihren Anfang nahm.

Doch behält der alte Hilse nicht das letzte Wort. Das Stück schließt vielmehr mit einem gedämpften Optimismus. Hilse muß erleben, wie seine Schwiegertochter und (nach längerem Gewissensstreit) auch sein Sohn Gottlieb zu den kämpfenden Webern eilen – und den Alten selbst trifft eine verirrte Kugel. Dieser Tod darf freilich kaum als «historische Notwendigkeit» gedeutet werden, sondern eher als Hauptmanns Ausdruck des «Zufälligen, Fatalistischen»[25] und der Fragwürdigkeit des «Religiösen».

Die Weber stürmen unterdessen mit donnernden Hurrarufen das Haus des Fabrikanten Dittrich zu Langenbielau und treiben das Militär zum Dorf hinaus. Damit bricht Hauptmann die Handlung in dem Augenblick ab, in dem ein zeitweiliger Sieg errungen ist und sich über die folgende Niederlage hinweg eine Perspektive eröffnet.

Wir wollen den letzten Akt noch unter einem anderen Gesichtspunkt betrachten. Es fällt auf, wie wenig sichtbares Bühnengeschehen er bietet und wie locker er mit den vorhergehenden Szenen verknüpft ist. Sämtliche Vorgänge spielen sich in der Arbeitsstube des alten Hilse ab, einer Gestalt, die hier erstmals auftaucht. Indem Hauptmann noch in den letzten Auftritten neue Personen einführte, wandte er ein ungewöhnliches, doch für sein Drama bezeichnendes Verfahren an. Wir begreifen die absichtsvolle Zufälligkeit bei der Wahl und Zeichnung der Charaktere, ihre Stellvertreterschaft für zahllose Schicksalsgefährten.

Die Ereignisse der Außenwelt stellt der Dichter nicht mehr direkt dar, sondern er spiegelt sie in mehreren Berichten und dialogisierten Erzählungen. Durch den Lumpensammler Hornig erfahren wir etwa von Dreißigers Flucht und den vergeblichen Beschwörungen des Landrats am Ort des Aufruhrs. Der Chirurgus Schmidt (wiederum eine neue Gestalt) kündigt die nach Langenbielau ziehenden Weber und das zu erwartende Militär an, und schließlich dringen die Nachrichten von den Aktionen der Aufständischen ganz aus der Nähe, durch den Sohn Gottlieb, die Enkelin Mielchen und die Hausbewohner, in Vater Hilses Stübchen hinein.

Offensichtlich bewegen sich *Die Weber* hier auf der «Grenze zwischen dramatischem und epischem Theater», wie Geerdts[26] feststellte. Dabei drückt sich die Episierung einerseits in Botenreden und zeitraffenden Exkursen aus, andererseits jedoch in breiten Milieuschilderungen. Immer wieder arrangiert Hauptmann Gespräche zu dem Zwecke, uns ein möglichst detailliertes Bild von der Webernot zu vermitteln. Dem Bild haftet freilich etwas Statisches an, und wegen der Fülle beiläufiger Personenauftritte nannte Oscar Wilde das ganze Schauspiel ein wenig boshaft den «Sieg der Statisten»[27]. Reiht sich hier aber wirklich nur Bild an Bild?

Der Bauplan des Stückes ist auf den ersten Blick schwer durchschaubar. Es sieht in der Tat so aus, als habe der Dichter fast zusammenhanglos Akt neben Akt gestellt und sich auf die Wiedergabe naturalistischer Wirklichkeitsausschnitte beschränkt. Alle Versuche, eine Mittelachse freizulegen, klare Motivverkettungen oder eine Entwicklung im Sinne des klassischen Dramas aufzuspüren, stoßen auf Schwierigkeiten.

Dennoch vermag uns dieses eigenartige Kunstgebilde zu packen und mitzureißen. Es muß also ein Dynamo wirksam sein, der von den bisherigen dramaturgischen Konstruktionen abweicht, ohne deshalb geringere Spannungen zu erzeugen. Das Experiment, das (in überspitzter Form) Rabl zuerst durchgeführt hat, nämlich durch Ortung der jeweiligen Stimmungslage der einzelnen Szenen eine Handlungskurve zu ermitteln, bringt überraschende Klärung. Tatsächlich ist in dem Schauspiel ein ständiges Ansteigen der

Stimmungstemperatur festzustellen, wobei der Nullpunkt bei jedem Aktbeginn ein wenig höher liegt als bei dem vorhergehenden. Es ist die «revolutionäre Stimmung»[28], deren Intensität sich verstärkt und die von Akt zu Akt auch in die Breite wächst und immer größere Volksmassen ergreift. Dabei bewährt sich das Weberlied als Revolutionsetüde.

Gerhart Hauptmann ist später über die von ihm beschworenen Gewalten erschrocken. Bereits 1894 suchte er den revolutionären Gehalt seiner Dichtung zu bagatellisieren, indem er einem Reporter erklärte, er habe immer nur gehofft, «die Wohlhabenderen», die seine *Weber* sehen würden, «möchten durch das sich in diesem Werk widerspiegelnde entsetzliche Elend gerührt werden»[29]. Am Schluß seines Memoirenfragments *Zweites Vierteljahrhundert* ließ er sich sogar dazu verleiten, das Weberelend zu verklären. Er schrieb, selbst die Göttin Kirke habe es nicht verschmäht, am Webstuhl zu sitzen, und so habe er während seiner einstigen Studienreise in das Eulengebirge oft «Elend und Würde vereint» und die Armenhütten «beim ersten Blick anziehend» gefunden. Ja, er machte aus den Webern «Leidphilosophen», die ihre Martern begrüßten und als Mittel zur sittlichen «Läuterung» betrachteten![30]

Die Wirkung des Stückes zeugt wider den Dichter, denn von Anfang an wurden *Die Weber* überwiegend als revolutionäre Kundgebung empfunden – nicht zuletzt bei den preußischen Ordnungshütern. Als Direktor L'Arronge vom Deutschen Theater in Berlin das Werk im Frühjahr 1892 bei der Zensur einreichte, verbot der Berliner Polizeipräsident von Richthofen die Aufführung, und zwar hauptsächlich wegen der zum «Klassenhaß aufreizenden Schilderung des Charakters des Fabrikanten» und der verschleierten Werbung für eine «gewaffnete Erhebung», und weil die «gewaltsame Auflehnung der Unterdrückten als eine gerechtfertigte» dargestellt werde.[31]

Hauptmanns Rechtsanwalt Dr. Richard Grelling appellierte nun an den Bezirksausschuß, indem er auf den angeb-

Verein Freie Bühne.

Sonntag, den 26. Februar 1893
Mittags 12 Uhr
im
Neuen Theater.

Die Weber.

Schauspiel aus den vierziger Jahren in fünf Aufzügen von
Gerhart Hauptmann.

Dreißiger, Parchend-Fabrikant	Hr. Niffen.
Frau Dreißiger	Frl. Röttschau.
Weinhold, Hauslehrer	Hr. Eisfeld.
Pfeifer, Expedient	Hr. Fischer.
Neumann, Cassirer	Hr. Helgen.
Der Lehrling ⎫ bei Dreißiger	Hr. Haller.
Der Kutscher ⎬	Hr. Liebnitz.
Ein Mädchen ⎭	Frl. Wertheim.
Pastor Kittelhaus	Hr. Pagay.
Frau Pastor Kittelhaus	Fr. Beeg.
Heide, Polizeiverwalter	Hr. Beaurepaire.
Kutsche, Gensdarm	Hr. Hagemann.
Welzel, Gastwirth	Hr. Hummel.
Frau Welzel	Frau Berg.
Anna Welzel	Frau Hachmann-Zipser.
Wiegand, Tischler	Hr. Waldemar.
Ein Reisender	Hr. Worlitzsch.
Ein Bauer	Hr. C. Pauli.
Ein Förster	Hr. Burgard.
Schmidt, Chirurgus	Hr. Tielscher.
Hornig, Lumpensammler	Hr. Theodor Müller.
Der alte Wittig, Schmiedemeister	Hr. Pauly.
Bäcker	Hr. Vorwerk.
Moritz Jäger	Hr. Rittner.
Der alte Baumert	Hr. P. Pauli.
Mutter Baumert	Fr. Brehm.
Bertha Baumert	Frl. Pauli I.
Emma Baumert	Frl. Pauli II.
Fritz, Emma's Sohn, (4 Jahre alt)	Gretchen Müller.
August Baumert	Hr. Hermes.
Der alte Ansorge	Hr. Löwenfeld.
Frau Heinrich	Frl. Reichenbach.
Der alte Hilse	Hr. Hock.
Frau Hilse	Fr. Becker-Neildoff.
Gottlieb Hilse	Hr. Hellmuth-Braem.
Luise, Gottlieb's Frau	Frl. Bertens.
Mielchen, Tochter, (6 Jahre alt)	Trudchen Müller.
Reimann, Weber	Hr. Ludwig.
Heiber, Weber	Hr. Stollberg.
Eine Weberfrau	Fr. Werner.
Weber	Hr. Gaspart.
	Hr. Paulmüller.
	Hr. Seldenek.
	Hr. Reichenbach.
	Hr. Nauendorf.
	Hr. Haid.
Ein Knabe	Al. Pauli.
Junge Weberfrauen	Frl. Delbrück.
	Frl. Reiner.
	Frl. Zimmermann.

Weber und Weberfrauen.

Die Vorgänge dieser Dichtung geschehen in den vierziger Jahren in Kaschbach im Eulengebirge, sowie in Peterswaldau und Langenbielau am Fuße des Eulengebirges.

Regie: Lord Hachmann.

Pausen finden nach dem 2. und 4. Akt statt.

137

lich rein historischen Gehalt der Dichtung verwies. Aber so geschickt er bei der Verhandlung zu argumentieren verstand: er wurde abgewiesen. Es hieß, angesichts der zunehmenden «Zahl der Arbeitslosen» dürfte man eine Ermunterung «unzufriedener Elemente» nicht dulden.[32]

Um weitere Verzögerungen zu vermeiden, entschloß sich die Freie Bühne zu einer geschlossenen Vorstellung, die am 26. Februar 1893 im Neuen Theater stattfand. Danach nannte Franz Mehring *Die Weber* begeistert ein «sozialistisches Tendenzstück», das «revolutionär und höchst ‹aktuell›»[33] sei. Die Sätze trafen ins Schwarze, denn mochte das Werk noch so exakt historisch gearbeitet sein und in einer Vorbemerkung ausdrücklich die «vierziger Jahre» als Geschehenszeit fixieren, so wirkte es doch unheimlich zeitnah! Die Lage der schlesischen Weber hatte sich im vergangenen Halbjahrhundert so wenig geändert, daß Hauptmann in Peterswaldau und Langenbielau unmittelbare Milieustudien treiben und im historischen Kostüm zugleich ein Stück Gegenwart abbilden konnte.

Obwohl die Zustimmung der Linkspresse den reaktionären Zensoren weiteres «Belastungsmaterial» bot, versuchte Hauptmanns Anwalt, durch Klage gegen drei Entscheide beim Oberverwaltungsgericht das Drama doch noch für das Deutsche Theater freizubekommen. Zu Beginn dieses Prozesses vor dem höchsten preußischen Gerichtshof ergriff ein Abgesandter des Polizeipräsidenten das Wort. Er erklärte, jeder «anständige Mensch» könne dem zur Diskussion stehenden Werk nur mit einem «Gefühl der Empörung» begegnen. Darum sei kürzlich zu Recht ein Redakteur wegen des Abdrucks des umstürzlerischen Weberliedes zu zwei Monaten Gefängnis verurteilt worden. Das war ein plumper Versuch der Amtsanmaßung und Erpressung. Die Richter behielten jedoch einen kühlen Kopf: Sie gaben das Stück für die Aufführung frei, denn – die Preise seien im Deutschen Theater für die «eigentlich aufreizbaren Volksmassen» unerschwinglich!

Polizeibericht über die Uraufführung der «Weber»

Da die Genehmigung vorerst nur für das Ensemble in der Schumannstraße galt, fanden Ende 1893 weitere geschlossene Vorstellungen in der Freien bzw. Neuen Freien Volksbühne statt, wobei das Arbeiterpublikum keineswegs «enttäuscht»[34] war, sondern «tobenden Beifall»[35] spendete. All diese Darbietungen, die Buchausgaben und ein beachtliches, vielseitiges Presse-Echo[36] sorgten für eine weite Verbreitung von Hauptmanns *Weber*-Drama, bis es endlich am 25. September 1894 mit Josef Kainz als Bäcker und Rudolf Rittner als Jäger über die öffentliche Bühne des Deutschen Theaters gehen konnte.

Etwas von der grotesken Atmosphäre jener Premiere hat Heinrich Mann später in seinem Roman vom «Schlaraffenland» eingefangen. Er beschreibt dort in einem Kapitel die Vorführung eines «sozialen Dramas» mit dem Titel «Rache», und zwar just im Jahre vierundneunzig in Berlin. Auch ohne diese genauen Daten wären monströs übersteigerte Anklänge an die *Weber* klar erkennbar, aber die Satire richtet sich weniger gegen das Stück als gegen das Publikum. Als die rebellischen Arbeiter auf der Szene eine Fabrikantenvilla plündern, eine Bankiersgattin verprügeln und das Militär verjagen, da rufen die Millionäre in weißen Handschuhen da capo, und die Damen in den «rotsamtenen Logen» klatschen Beifall, wobei die «Brillanten klirren». Die hauptstädtische Bourgeoisie findet «Rache» einfach «pikant»![37]

Bei der historischen *Weber*-Premiere spielte man ebenfalls den Hunger vor den Satten, aber es ging dabei wesentlich stürmischer zu als in der karikierenden Romanschilderung. Unter den Gästen befanden sich u. a. Fontane, Sudermann, Spielhagen und der alte Wilhelm Liebknecht mit vielen SPD-Genossen. Ähnlich wie bei der Uraufführung des *Sonnenaufgang*-Dramas wurde auch das *Weber*-Spiel immer wieder unterbrochen durch demonstrative Beifallsbezeigungen, «frenetischen Jubel»[38], lärmende Zwischenrufe, Zischen und Getrampel.

Am nächsten Tag zeterte die Rechtspresse über «sozialistische Tendenzen verwerflichster Art». Kaiser Wilhelm II. bekundete Unmut, nannte den freisinnigen Rechtsspruch «gedanklichen Quatsch»[39] und ließ ein halbes Jahr später sein Logenabonnement kündigen, woraus Intendant Otto Brahm am Ende Kapital zu schlagen verstand.[40] Schließlich beschäftigte sich das Preußische Abgeordnetenhaus im Februar 1895 mit dem «Fall», verurteilte das «Umsturzdrama» und wünschte den Dichter «hinter Schloß und Riegel». Noch bis zur Jahrhundertwende gab es lokale Verbote dieses Stückes. In ausgesonderten Abschnitten des *Buches der Leidenschaft*[41] glossierte Hauptmann später das «Verdammungsurteil» von «Krautjunkern» und Militärkreisen, das absolutistische Regime des Monarchen und zählte sich zu «jener nicht kleinen Menge von Gelehrten, Künstlern, Architekten, die der Kaiser nicht mag».

Der Erfolg des Dramas war nicht mehr aufzuhalten. Im Deutschen Theater zu Berlin erlebten *Die Weber* innerhalb von zwei Jahren rund zweihundert Aufführungen, und sie fanden auch rasch ein internationales Echo. In Paris wurden sie schon im Mai 1893 unter tätiger Anteilnahme von Émile Zola im Théâtre Libre gespielt, und dann liefen sie um den Erdball.

Besonderes Interesse verdient die erste russische *Weber*-Übersetzung, die Lenins Schwester Anna Iljinitschna Uljanowa besorgte. Die Ausgabe erschien 1895 hektographiert in Moskau, eine andere in Petersburg; sie wurde zusammen mit illegaler Propagandaliteratur verbreitet. Für die Behauptung einer Schlußredaktion durch Lenin liegen «keinerlei Fakten»[42] vor. In der Genfer Emigration diskutierte er gelegentlich mit Arbeitern eine *Weber*-Aufführung und erklärte: «Das nenne ich ein Werk, gut geschrieben für die breite Masse, ein Thema, das dem Arbeiter sehr nahe ist.»[43] Nach der Oktoberrevolution gab er wiederum den Anstoß zur Popularisierung des Stückes. Mit Sicherheit kannte Lenin auch den *Fuhrmann Henschel*.

Durch Bontsch-Brujewitsch gelangte übrigens ein Exemplar der Petersburger Ausgabe in die Hände des alten Lew Tolstoi, der das Drama «eine vortreffliche Sache»[44] genannt haben soll, obwohl er Gerhart Hauptmann sonst für «kein starkes selbständiges Talent» hielt.

Ein bildkünstlerisches Gegenstück zur Dichtung schuf Käthe Kollwitz. In autobiographischen Aufzeichnungen berichtete sie von ihrer Teilnahme an der *Weber*-Premiere in der Freien Bühne, wobei ihre Erinnerung an Auftritte von Else Lehmann im letzten Akt trügt, denn die Luise spielte R. Bertens.[45] Immerhin: «Die Aufführung bedeutete einen Markstein in meiner Arbeit.»[46] Am 16. 4. 1894 bedauerte sie brieflich, einen Besuchstermin beim Dichter wegen einer Reise nicht wahrnehmen zu können, doch werde ihr Mann ihm erste Skizzen zur geplanten «Illustrierung der Weber»[47] zeigen. In den Jahren 1895/97 vollendete sie drei Radierungen und drei Lithographien zu dem Stück. Übrigens erzählte die Graphikerin, sie habe schon als 17jährige (also 1883) den Verfasser von *Promethidenlos* im Beisein von A. Holz, H. E. Schmidt u. a. in Erkner besucht, eine Angabe, die manche Biographen übernahmen.[48] Da Hauptmann nicht vor Sommer 1885 *Promethidenlos* veröffentlichte, im September nach Erkner übersiedelte und erst ein Jahr später mit Holz bekannt wurde, wäre die Visite kaum vor Frühherbst 1886 denkbar. – Im Januar 1913 bedankte sich Käthe Kollwitz brieflich für die Übersendung der sechsbändigen Werkausgabe, zählte aber nun die *Weber* nicht mehr zu den «ersten Arbeiten», sondern *Michael Kramer*. Anläßlich der Heimkehr von Kriegsteilnehmern gewann sie den Schriftsteller im November 1918 für einen Aufruf zum «Wohlfahrtsdienst für den Frieden»[49], und 1921 bat sie ihn um Hilfe für die notleidende Sowjetunion. Später schrieb sie ihm noch ein dutzendmal. Der Dichter seinerseits bekräftigte wiederholt seine Wertschätzung. Im Tagebuch von 1920 notierte er (etwas peeperkornisch): «Die Collwitz ist groß – groß-artig – mir sehr verwandt; eigentlich ist sie meine moralische Frau – und sie, als Frau, wird nie zur Befreiung kommen von sich, denn sie, tiefer als ich, als Weib, ist Liebe. – Der Mann wird Erkenntnis.»[50] 1923 schrieb er ein Geleitwort zu Handzeichnungen, 1927 einen öffentlichen Geburtstagsglückwunsch für Käthe Kollwitz[51], die er 1942/43 als «Genossin vom schönen alten Pour le mérite» und «liebwerte Freundin» bezeichnete. «Würdigungen und Briefe» der beiden Künstler aus fünf Jahrzehnten wurden 1987 publiziert.[52]

Zwischen Humor und Satire

Drei Tragikomödien
und «Der Biberpelz»

Es mag überraschen, daß die erschütternde dramatische Epopöe von den schlesischen Webern von zwei Lustspielen flankiert wird. Im Winter 1891 schrieb Hauptmann *Kollege Crampton* und im Sommer und Herbst des folgenden Jahres den *Biberpelz*. Liegt hier ein plötzlicher Stimmungsumschwung vor?

Komische Ansätze begegnen uns auch schon in den früheren Werken des Dichters. Wir erinnern etwa an den rüpelhaften Wilhelm Kahl und die Schnapsreden des alten Krause aus *Vor Sonnenaufgang* oder an den in seiner naiven Frömmigkeit etwas vertrottelt wirkenden Vater Vockerat aus den *Einsamen Menschen*. Ja, sogar in *Die Weber* ging bisweilen durch Moritz Jägers respektloses Verhalten gegenüber dem Fabrikanten und derb-drollige Zitate aus schlesischen Volksliedern[1] ein heiteres Element ein. Hauptmann wurde sichtlich durch den Naturalismus der Szenen und übertrieben ausführliche Detailschilderungen zu solchen possenhaften Auflockerungen hingeführt.

Er war der Ansicht, es gäbe eigentlich «keine Komödie, die keine Tragikomödie»[2] wäre. Dementsprechend faßte er seinen Kollegen Crampton als tragikomische Gestalt auf: «Das Komische liegt zumeist auf der Oberfläche, aber auch das Tragische bricht hervor. Meist ist die Mischung unauflöslich, so daß, wenn die Wirkung voll ist, Weinen und Lachen eins sein muß.»[3] Später wies er der Tragödie und Komödie «das gleiche Stoffgebiet»[4] zu.

Die Bemerkungen haben in einem umfassenden Sinne ihre Berechtigung, denn in der Tat gibt es eine historisch bedingte Nachbarschaft zwischen Lustspiel und Trauerspiel. Wie Marx gelegentlich feststellte, scheidet die Menschheit im allgemeinen «heiter von ihrer Vergangenheit»[5], will sagen, die künstlerischen Träger einer neuen Geisteskultur rechneten häufig humoristisch oder satirisch mit dem historisch Überlebten ab. So verspottete Lukian die antike Götterwelt; Walther von der Vogelweide und die Goliarden machten sich über Pfaffen und Papst lustig; Cervantes gab im «Don Quijote» das Rittertum dem Gelächter preis; Voltaire glossierte die feudale Welt; Gogol zog mit grimmigem Hohn gegen die zaristische Autokratie zu Felde; Heinrich Mann und Sternheim nahmen den bürgerlichen Untertan satirisch aufs Korn.

Die Literaturgeschichte kennt freilich auch Beispiele für eine Erheiterung auf Kosten des zukunfttragenden Volkselementes. Heroische Taten und große Gefühle blieben den Repräsentanten der herrschenden Schichten vorbehalten, während das Volk sich oft mit der Rolle des Tölpels begnügen mußte: Ritter Neidhart wußte seine Standesgenossen mit Bauernschwänken zu amüsieren, das Drama des 16. Jahrhunderts schuf den plebejischen Hanswurst. Aber das unterstreicht nur die Klassenbedingtheit des Komischen. Was einem aristokratischen Publikum als belustigend erschien (etwa die sadistischen Junkerscherze im Dreißigjährigen Krieg), erweist sich vom Standort des Volkes als tragisch.

Hauptmanns *Kollege Crampton*, sein erstes «materielles Erfolgsstück»[6], enthält eine vergleichsweise harmlose und kaum aggressive Komik. Der Dichter stellte einfach aus seinen Jugenderinnerungen einen sonderbaren Kauz zur Schau und machte ihn zum Mittelpunkt einer Trinkerpläsanterie. Wir erwähnten schon Hauptmanns Umgang mit dem Maler James Marshall, seinem zeitweiligen Lehrer an der Breslauer Kunstschule, von dem überliefert wurde, daß er die Gewohnheit hatte, sich aus kleinen Ampullen «von Zeit zu Zeit, als ob er Medizin einnähme, kräftig mit Schnaps»[7] zu stärken. Obwohl Hauptmann dieses Motiv viel zu grell fand und nur andeutungsweise benutzte, übertrug er doch viele Eigentümlichkeiten und Lebensumstände des Professors Marshall auf Harry Crampton und verlieh dem Schüler Max Straehler zudem einige autobiographische Züge.

Worauf beruht nun Cramptons komische Wirkung? Belustigt er uns durch kreuzfidele, nicht mehr ganz sprachklare Säufertiraden? Auf ein so billiges Erheiterungsmittel verzichtete der Dichter. Sein Crampton redet vielmehr ohne Zweideutigkeit «flüssig» und natürlich und behält die Balance, sooft er auch zur Flasche greift. Dennoch liegt in seiner wesentlich mimisch ausgedrückten Vorliebe für den Alkohol ein komisches Element. Es gehört schließlich zum Wesen der Komik, daß sie menschliche Schwächen und Unzulänglichkeiten hervorhebt und ihre Wirkung hauptsächlich aus dem Kontrast zum Normalen, Vernünftigen, als gültig Empfundenen, Zeitgemäßen herleitet.

Cramptons «Verkehrtheit» besteht nicht nur in seiner Bindung an die Bruderschaft des heiligen Bacchus, sondern auch in seinen Bohemeallüren und Phantastereien. Er lebt in ständigen Illusionen über sich selbst und seine Lage. Trotz aller Schulden, Berufsunsicherheit und äußeren Verkommenheit behauptet er, die «Kaiserin von Rußland» protegiere ihn, der Herzog von Weimar sei sein «Gönner», verehre ihn und wolle ihm in der Akademie einen Besuch abstatten. Ja, noch nach seiner Entlassung aus der Kunstschule und dem Stranden im Hinterzimmer einer Kneipe rühmt er naiv seine «besten Verbindungen». Sein und Schein stehen hier in groteskem Gegensatz.

Hauptmann hat gelegentlich eine Aufführung von Molières «Der Geizige» als Inspirator seines Stückes bezeichnet[8], doch zwischen dem unbekümmerten Crampton, der die Verbindung seiner Tochter Gertrud mit Max Straehler anbahnen hilft, und dem geizigen Harpagon, der die Liebeswahl seiner Kinder aus finanziellen Erwägungen mißbilligt, gibt es nur die Ähnlichkeit, die in dem Verfallensein an ein «Laster» besteht. Stärker erinnert das Lustspiel an den kauzigen englischen Humor, auf dessen bedeutende Vertreter Crampton selbst im vierten Akt hinweist: Er nennt Swift, Smollett, Thackeray und Dickens und hätte vielleicht auch noch Shakespeare mit Sir John Falstaff aus den «Lustigen Weibern von Windsor» in den Kreis einbeziehen können. Natürlich handelt es sich hier nur um eine gewisse Annäherung der humoristischen Stimmungen. Ansonsten hat die «geniale Ruine»[9] Crampton kaum etwas mit dem deklassierten Ritter Falstaff gemein.

Allerdings sieht es auf den ersten Blick so aus, als ob der Professor gar nicht übel mit der Aristokratie auskommt. Wiederholt prahlt er mit seinen Beziehungen zu Monarchen und Fürsten, und wir erfahren auch von seiner Ehe mit einer blaublütigen Dame. Aber diese Frau läßt ihn am Ende ebenso im Stich wie der angeblich gönnerhafte Herzog Fritz August, weil sie seine künstlerische und menschliche Problematik nicht verstehen.

Im *Kollegen Crampton* hat Hauptmann erstmals ein Künstlerdrama geschaffen und darin Fragen aufgeworfen, die er später vor allem in *Michael Kramer*, *Gabriel Schillings Flucht* und *Peter Brauer* weitererörtert. Es geht dabei immer um die zweifelhafte Stellung eines bürgerlichen Künstlers in der Klassengesellschaft. Diese Stellung ist zweifelhaft, weil die Exponenten der kapitalistischen Welt das Kunstwerk lediglich als Ware, Sinnenreiz und Genußobjekt taxieren und einer kritischen, humanistischen Kunst im allgemeinen mißtrauisch begegnen. Dem Künstler bleibt in dieser Situation, sofern er sich nicht zu einem Bündnis mit dem revolutionären Proletariat entschließen kann, nichts weiter übrig, als im Sinne der herrschenden Ideologie verkaufsfähige Erzeugnisse zu produzieren und die Wirklichkeit zu ignorieren – oder aber ein tristes Schattendasein zu wählen.

Harry Crampton verhält sich inmitten des kapitalistischen Kunstbetriebes widersprüchlich. Einerseits schwärmt er von der «Hofluft» und seiner einstigen Tätigkeit als «herzoglicher Hofmaler», andererseits jedoch betont er, ein «anständiger Mensch» begebe sich nur «mit Zögern» in die Welt der Reichen und verabscheue die ganze Schmarotzerbande. Die «spanischen Stiefel» der preußisch-akademischen «Drillschule», in der er als Lehrer wirkt, bedrücken ihn heftig, aber noch mehr widert es ihn an, daß er sich in der Not dazu hergeben muß, Gasthausschilder zu pinseln. Als der Restaurateur an dem Entwurf herummäkelt, stellt Crampton wütend fest: «Ich bin ein Künstler! Ich bin kein Anstreicher!»[10]

Mit diesem stolzen Protest ändert er freilich in keiner Weise seine Misere. Er müßte sich doch immer wieder als «Anstreicher» verdingen, wie uns der vierte Akt vor Augen führt – wenn ihn nicht ein unglaublicher Glücksfall errettete. Hauptmann dichtete ein Happy-End, in dem Max Straehler sich mit Cramptons Töchterchen verbindet und den Professor aus der Kneipe in ein neues Atelier versetzt und aller Sorgen entkebt. Das ist natürlich der «reine Märchensang»![11] Und wenn Crampton vorsätzlich den «Semmelwochen» ade sagt, so klingt das wenig überzeugend, denn er steckt viel zu tief im Schlendrian und hat auch keinerlei innere Wandlung durchgemacht.

Darin liegt die Achillesferse des Stückes, das im Grunde nur eine einzige «Cramptoniade» bildet. Crampton beherrscht das Geschehen völlig. Sein Charakter präsentiert sich in vielseitiger Beleuchtung und in verschiedenen Situationen, doch es ergeben sich dabei weder echte Konflikte noch eine Entwicklung. Da zudem für die Entfaltung anderer Gestalten neben ihm nur ungenügend Raum bleibt, fehlen auch alle Voraussetzungen für den Aufbau einer dramatischen Handlung. *Kollege Crampton* ist buchstäblich ein sprechendes Porträt.

Knapp zwanzig Jahre nach Abschluß der Komödie hat

Gerhart Hauptmann das Thema noch einmal aufgegriffen und in *Peter Brauer* ins Hochstaplerische abgewandelt. Crampton trägt den Titel eines Akademie-Professors zu Recht und beschäftigt sich (wie der historische James Marshall) mit durchaus bedeutsamen Sujets wie einem Mänadenzug oder einer Darstellung der Schülerszene aus Goethes «Faust». Brauer hingegen legt sich den Professorentitel selbst zu, flunkert von einem Studienaufenthalt in Rom, renommiert mit seiner «Begabung», die sich «durchgesetzt» habe, und produziert doch weiter nichts als kitschige Hohenzollernbilder und Gnomen. Seine Frau erklärt eindeutig: «Peter kann doch nichts.»[12] Trotz allem nimmt er den Auftrag an, im Schloßpark des Freiherrn von Behaimb einen kleinen klassizistischen Tempel auszumalen.

Die Sache könnte spaßig werden, wenn Brauer nun in Eulenspiegels Fußstapfen träte und die blasierten Herrschaften und ihren «Kunstgeschmack» bewußt narrte. Hauptmann legte sein Stück jedoch «tragikomisch» an, verzichtete auf jede Pointe und zeigte am Schluß das Gelächter der Junker über den Stümper, der die Blamage noch nicht einmal zu begreifen scheint. In einer Spätfassung[13] gibt es zwar ein Happy-End, doch die Frontenstellung wird ungeschickt verwischt. Brauer weiß immerhin, was Kunst ist, wenn er auch selbst keine hervorzubringen vermag. Er schätzt Velázquez und Schinkel und weist der Kunst die Aufgabe zu, der bettelhaften Welt, die «in ihrem Elend eingeschlafen ist, Brot in die leeren Taschen»[14] zu tun. Die Aristokraten aber, die Adolph Menzel und Friedrich Geselschap banausisch als «Kleckser» bezeichnen und die Malerei ihrer Lustbarkeit dienstbar machen wollen, stehen als die lachenden Richter da. Das ist um so verwunderlicher, als Brauers Versagen vom Dichter beiläufig auch aus der Ungunst der früheren, gesellschaftsbedingten Verhältnisse erklärt wird.

Gerhart Hauptmann mag die beiden Schauspiele um Harry Crampton und Peter Brauer einfach als Humoresken betrachtet haben, als amüsante Dialogfolgen über menschliche Schwächen und Unvollkommenheiten. Er wollte keine Gegensätze aufreißen, sondern einen heiter-überlegenen Standort beziehen und Synthesen andeuten.

Das ist schade, denn beide Gestalten verkörpern in ihrem Verhalten – wenn auch in grotesker Überzeichnung – typische Charakterzüge großer sozialer Schichten, die sich in Deutschland nach den Gründerjahren zwischen Bourgeoisie und Proletariat zu behaupten suchten. In diesem Existenzkampf, der durchaus auch tragische Züge besaß, bildeten sich solche kleinbürgerlichen Eigenschaften wie das Streben, nach «oben» zu kommen, Phantasterei und Renommiersucht heraus. In der sozialen Unschärfe, in dem Verzicht auf einen tragfähigen dramatischen Konflikt liegt doch wohl die Ursache dafür, daß uns beide Stücke auch künstlerisch unbefriedigt lassen. Ein Drama lebt nun einmal von Kontrast, Konflikt und Kampf. Darum manifestiert sich der «reine» Humor literaturgeschichtlich noch am ehesten in Romanen und Erzählungen und nicht im Schauspiel. Die wenigen wirklich bühnenwirksamen Komödien der deutschen Literatur, unter denen vor Hauptmanns *Biberpelz* eigentlich nur Lessings «Minna von Barnhelm» und Kleists «Der zerbrochne Krug» herausragen, verdanken ihre Durchschlagskraft echten gesellschaftlichen Auseinandersetzungen und keiner traulichen Humor-Illumination.

Im Jahre 1915, mitten im ersten Weltkrieg, schrieb Hauptmann einige Leitsätze über den Humor nieder, in denen es heißt: «Humor ist das Wappen des Weltüberwinders: in hoc signo vinces! – Humor ist kein Lachreiz für Toren, sondern allein für Weise … Humor ist gelebte und gelachte Erkenntnis. – Humor ist Erkenntnis der Grenze, verbunden mit grenzenloser Erkenntnis … Der letzte Widerstand, den der Mensch leisten kann, ist der des Humors. – Humor läßt nie fallen, er trägt immer, er befreit immer, schlägt nie in Fesseln.»[15] Andernorts bezeichnete er Humor als «Ausdruck des Fatalismus»[16].

Das entspricht ziemlich genau den Definitionen der bürgerlichen Kunsttheoretiker, die im Humor seit je ein Mittel sahen, mit den Unerfreulichkeiten des Lebens fertig zu werden. Mit Hilfe der humoristischen Weltanschauung suchten viele Autoren die gesellschaftlichen Widersprüche und Klüfte zuzuschütten, sich über die häßliche Realität zu erheben, Nachsicht zu üben, alles zu verstehen, alles zu verzeihen.

Bei Hauptmann finden sich jedoch auch Ansätze zu einer anderen Betrachtungsweise. 1943 notierte er in seinem Tagebuch, der Verfall des Humors müsse unweigerlich zu einem «Verfall der Lebensfreude und damit der Lebenskraft»[17] führen. Das bedeutet: Humor hat etwas mit Kraft zu tun und gehört zu wahrhafter Humanität.

Ein praktisches Beispiel für einen kraftvollen Humor bot der Dichter 1892 in seiner Komödie *Der Biberpelz.* Hier ist nichts mehr von der unverbindlichen, leicht sentimentalen Heiterkeit des *Kollegen Crampton* zu spüren, vielmehr füllte Hauptmann das Stück prall mit einem echten, parteilichen Volkshumor an und durchsetzte ihn mit satirischen Elementen. Die Vertreter des Volkes werden sich im *Biberpelz* ihrer Überlegenheit über die Vertreter des Junkerstaates bewußt, und wie schon im «Eulenspiegel», «Simplicissimus» und anderen Schelmendichtungen fällt aller Flitter von den Gewalthabern ab, so daß deren Borniertheit und Dummheit hervortreten.

Die Handlung ist zeitlich genau fixiert: «Septennatskampf gegen Ende der achtziger Jahre.»[18] Das Wort «Septennat» deutet auf die Siebenjahrsfrist hin, die Bismarck dem bürgerlichen Parlament für die Geltung des Militärhaushaltes abgetrotzt hatte. Ursprünglich sollte der Etat jährlich beraten werden, worin der Kanzler freilich eine arge Belastung sah, doch die langfristige Abmachung paßte ihm schließlich auch nicht mehr, als er 1886, zwei Jahre vor dem Stichtag, die Heeresstärke heraufsetzen wollte. Der Reichstag lehnte eine vorfristige Bewilligung ab, flog auf, konstituierte sich neu – und beugte sich nun ebenso dem Diktat Bismarcks wie bei den Vorlagen zur Verlängerung des Sozialistengesetzes.

Der Allerhöchste Machtgebrauch ermutigte die preußische Beamtenschaft allerorts zu ähnlich drakonischen Maßnahmen en miniature. Über die Unbeliebtheit des herrschenden Systems konnte man sich schwerlich einer Täuschung hingeben; also mußte man jeden Bürger der «Aufsässigkeit» für fähig halten, Spitzel postieren und bei kleinstem Verdacht entschieden «durchgreifen».

In dem Amtsvorsteher Oscar von Busse hatte Hauptmann in Erkner einen typischen Präfekten der wilhelminischen Obrigkeit kennengelernt, einen «politischen Heißsporn, der überall staatsgefährliche Elemente roch»[19]. Dem Dichter begegnete er mit besonderem Argwohn. Busse fand es höchst alarmierend, daß da in seinem Distrikt ein Mann war, der Bücher schrieb, die sozialistische «Neue Zeit» las, auffällig oft mit einfachen Leuten und auswärtigen Besuchern zusammentraf (nach amtlicher Lesart «geheimbündelte») und sich sogar unterfing, behördlichen Ermittlungen durch Hinweise auf ein vermutliches Diebesnest vorzugreifen. Zudem ertappte man diesen Herrn auf dem Standesamt bei einer merkwürdigen «Verwechslung» der Namen von Mutter und Frau (die beide Marie hießen) und konnte ihn gelegentlich beim Jonglieren mit Orangen beobachten, was doch sicherlich der «Übung zum Bombenwerfen»[20] diente.

Als Gerhart Hauptmann seinen *Biberpelz* schrieb, konnte er weitgehend ein Stück gelebtes Leben dichten. Er selbst porträtierte sich andeutungsweise im Dr. Fleischer. Aus dem Herrn von Busse machte er den Amtsvorsteher von Wehrhahn; einen müßiggängerischen Forstmann und Schnüffler Haché verwandelte er in den Spitzel Motes, den Hauswirt Lassen in den Rentier Krüger und die Familie der Waschfrau Heinze in die Familie der Mutter Wolff, die sich in der Wirklichkeit natürlich niemals auf dem Diebspfad antreffen ließ. Bei den kriminellen Delikten handelt es sich klar um dichterische «Zutaten», über die Frau Heinze bei der Entdeckung ihrer indirekten Patenschaft allerdings nicht sehr erbaut war. «Jehn Se ma weg mit Hauptmann», donnerte sie später einen Reporter an. «Ick will von dem Mann nischt wissen! Übahaupt von der janzen Sache nischt!»[21]

Die literaturgeschichtliche Biographik weiß von einem beträchtlichen Aufgebot gekränkter «Urbilder», die ihre Funktion bei der Poesiewerdung des Lebens nicht begriffen und empört von Kompromittierung redeten. Aber bei der Schaffung eines Menschentypus kommt der Schriftsteller selten mit einem einzigen «Original» aus, vielmehr mischt er habituelle und sprachliche Eigentümlichkeiten, innere Wesenszüge und äußere Erlebnisvorgänge, wie es das Kunstwerk erfordert, durchtränkt sie mit eigenster Empfindung und schafft eine Identifikationsgestalt, in der sich das «Vorbild» dann oft karikiert, demoralisiert und wie in einem Hohlspiegel wiedererkennt.

Im Falle der Mutter Wolff brachte es die Kunst Hauptmanns zuwege, die bedenklichen Diebespraktiken ganz einer heiteren Idee unterzuordnen und die Strafwürdigkeit der Delikte in Anführungsstriche zu setzen. Diese Waschfrau ist keine Verbrechernatur, sondern eine tüchtige Arbeiterin, eine gutmütige, kinderliebe Frau und außerdem eben eine spitzbübische Schelmin. Die «ehrliche Arbeit» ihres Mannes als Schiffszimmermann und ihre eigene Plakkerei als Wäscherin bringen halt gar zu wenig ein. Man hat ein Häuschen gepachtet und möchte es bald schuldenfrei sehen. Man möchte die Töchter Bildung «lernen» lassen und ihnen zu einem «Awasemang» verhelfen. Doch wie soll man das ermöglichen? Ja, wenn man so «sechzig Taler uff eenmal» hätte …

Und da Gelegenheit oft Diebe macht, nimmt die Wolffen einfach gewisse «Möglichkeiten» wahr. Sie wildert und erbeutet einen Rehbock, transportiert eine Holzfuhre für den

Rentier Krüger in der Nacht nur mal ein Stückchen weiter zu sich herüber und stibitzt schließlich Krügers neuen Biberpelz. Dem Stehler fehlt kein Hehler: Schiffer Wulkow steht bereit zur Abnahme.

Während das bürgerliche Theaterpublikum bisweilen die «Verklärung der Diebin und Verhöhnung der Justiz»[22] mißbilligte, sprachen marxistische Kritiker kühn von einer «bewundernswerten Lebenskünstlerin» und «bejahenswerten Gestalt»[23], die vergleichbar sei mit Volksfiguren wie Schwejk, Matti und Mutter Courage. – In der Tat bleibt die Wolffen trotz ihrer fragwürdigen Praktiken sympathisch, ja ihr Tun erscheint wie ein übermütiges Spiel und fordert zur lachenden Kumpanei auf. Das ist nur möglich, weil die Herren, denen die Possen gespielt werden, keinesfalls bemitleidenswert sind und im Grunde gar nichts anderes verdienen, als vom Volke geschröpft zu werden.

Die Aktionen der Spitzbübin fallen in die Kompetenz (Frau Wolff würde sagen «Konferenz») des monokelblitzenden Landjunkers von Wehrhahn, doch dieser glaubt, für Kaiser und Reich viel wichtigere Aufgaben erfüllen zu müssen. Er betrachtet es als den Sinn seiner Mission, staatsgefährliche Subjekte aufzuspüren, allenthalben kräftig «durch und durch zu drücken» und für die geheiligten «höchsten Güter der Nation»[24] einzutreten. Die politische Musterung der Untertanen beschäftigt ihn vollauf und läßt ihm für nichts anderes Zeit; sie bringt ihn rasch auf die Fährte jenes Dr. Fleischer, der nun, wie seinerzeit Hauptmann beim Herrn von Busse, starken Verdacht erregt. Wie denn, der Mann liest demokratische Zeitungen und hält in seiner Wohnung Zusammenkünfte ab, bei denen vermutlich Lästerreden auf eine «uns allen ehrfurchtgebietend» hohe Person geführt werden? Und am Ende erkühnt er sich gar, der Behörde bei der Aufdeckung von Diebstählen vorgreifen zu wollen! Als ob man nicht selber wüßte – auf Grund «langer Erfahrungen», versteht sich –, welche Ermittlungen notwendig seien!

Ähnlich wie Crampton und Brauer lebt Wehrhahn in Illusionen über sich selbst, wenn auch die Art seiner Einbildung von ganz anderer komödiantischer Färbung ist. Dieser Amtsvorsteher hält sich für außerordentlich klug, scharfsinnig und überlegen, doch tatsächlich trifft auf ihn das Sprichwort zu: Dummheit und Stolz wachsen auf einem Holz. Selbstverständlich kann ein monarchistischer Kommissar mit Feldherrnblick wie er nicht in gewöhnlicher Weise an eine ordinäre Diebesaffäre herangehen. Eindeutig steht fest, daß der bestohlene Rentier Krüger Umgang mit dem «staatsgefährlichen» Dr. Fleischer pflegt und jenem eine Wohnung vermietet hat. Die Untersuchung des eigentlichen Kriminalfalls braucht demzufolge nicht sehr ernsthaft betrieben zu werden (ein Umstand, den die Wolffen pfiffig einkalkuliert), vielmehr geht es hauptsächlich darum, im Rahmen der Polizeiaktion den Ring um den «reichs- und königsfeindlichen» Privatgelehrten enger zu ziehen.

Und so sieht denn Herr von Wehrhahn den Wald vor Bäumen nicht. Es ist köstlich, wie er mit Allwissenheitsmiene die konkreten Hinweise von Fleischer und Krüger zur Ergreifung des Täters in den Wind schlägt, weil er darüber seine «eigenen Gedanken» hat; wie er auf den zufällig anwesenden Hehler weist und es für eine Absurdität erklärt, einen x-beliebigen Schiffer nur wegen des Besitzes eines Biberpelzes für einen Stehler zu halten. Schließlich bezeichnet er die spitzbübische Waschfrau mit weisem Lächeln als eine «ehrliche Haut» und entläßt sie gönnerhaft aus der Amtsstube – dieselbe Wolffen, die kurz zuvor gesagt hat, sie sehe durch ihr Hühnerauge mehr als dieser Dummkopf durch sein Glasauge und sie würde ihm notfalls einen Stuhl unterm Hintern wegstehlen. Wir erleben einen «fintenreichen Jux äsopischen Einschlags, der Kleine, Machtlose vermag durch Witz und Tücke den Großen, trotz aller Macht … übers Ohr zu hauen»[25].

Wehrhahns Bezirk bildet ein ideales Dorado für Schelme

und Gauner, und Mutter Wolff macht sich das zunutze. Sie kennt keine Skrupel bei ihren Taten, denn es trifft ja keinen Armen, sondern den Rentier Krüger, dem die Einkünfte mühelos in den Schoß fallen und der zudem beträchtlich am Lohn für ihre Tochter Leontine knausert. «Ja, wenn ma's von armen Leiten nähme ...», aber sie will nur die Verkehrtheiten der Welt ein wenig korrigieren und Mittel und Wege suchen, um selbst ins Kleinbürgertum aufsteigen und in einer «Eklipage» sitzen zu können.

Genaugenommen ist die Mutter Wolff deshalb keine echte Gegenspielerin des Amtsvorstehers Wehrhahn. Wie Brechts Mutter Courage, mit der sie Vitalität, Energie und Findigkeit für ihre Kinder teilt[26], gehört sie unmittelbar zu dem verderbten System, dessen Praktiken sie kennt und zu ihrem Vorteil gebrauchen möchte. Klug vergleicht Frau Wolff beispielsweise den Kaufwert ihres Häuschens mit dem gegenwärtigen Realwert und knüpft daran zwiefache Spekulationen: einmal die Möglichkeit eines gewinnbringenden Verkaufs, zum andern den Plan, mit Hilfe einer Geldanleihe auszubauen und dann an Sommergäste zu vermieten. Bei der Beschaffung des «Grundkapitals» kommen ihr die Verhältnisse im preußischen Polizeistaat entgegen. Es gilt nur, im Rahmen eines großen gesellschaftlichen Unrechts ein kleines kriminelles Unrecht zu begehen.

Wie sie das tut, ist höchst amüsant und am Ende doch wieder voll frontenschaffender Komik. Stets beherrscht Mutter Wolff die Situation, erweist ihren «Berliner Witz», ihre Schlagfertigkeit und Kaltblütigkeit. Man denke nur daran, wie sie den Amtsdiener Mitteldorf dazu anstellt, die Vorbereitungen zum nächtlichen Diebeszug zu «beleuchten», oder wie sie den Rentier Krüger angesichts des gestohlenen Holzes zur Bitte um Entschuldigung anhält. Hinzu kommen zahlreiche spaßige Einzelzüge: die Erziehung der Töchter zur Heuchelei; die Berufung auf ihren trottligen Mann, der «sich's halt in a Kopp gesetzt» habe; die Verballhornung von Fremdwörtern.

Wehrhahn hingegen ist rein satirisch gezeichnet. Während bei ihm aus der Allwissenheitspose immer wieder die Naivität herausschaut, führt die Wolffen unter der Maske der Naivität die geriebensten Schelmenstücke aus, die hier und da an mittelalterliche oder frühneuhochdeutsche Bestiarien erinnern: «Neben dem ehr- und wehrbewußten Hahn auf dem Hühnerhof der Untertanengesellschaft» steht die «instinkt- und fährtensichere Wölfin des Dschungels der Großstadtperipherie»[27]. Ihr Widerspruch zwischen Sein und Schein ist ein gespielter[28], der des Amtsvorstehers ein realer. Auf dieser Ebene wird eine echte Parteinahme möglich, eine Bloßstellung und Autoritätsentziehung durch satirisches Gelächter. Dabei gilt das Lachen über den dummstolzen Junker Wehrhahn zugleich der Gesellschaft, die ihn zu einem ihrer Repräsentanten erkor.

Wie schon im Falle der *Weber* hat Gerhart Hauptmann später den «politischen Charakter» des *Biberpelz* bestritten, er gab lediglich zu, daß der Komödie «auf harmlose Art einige Satire, den Amtsvorsteher von Wehrhahn betreffend»[29], anhafte. Satire kann aber niemals «harmlos» sein, vielmehr eignet ihr ein «drohendes Lachen», ja, sie gleicht einer Peitsche, die mit jedem Schlage brennt.[30] Wenn das im *Biberpelz* nicht so scharf hervortritt, so deshalb, weil Humor und Satire hier in Symbiose leben und Wehrhahns bodenlose Beschränktheit die Bösartigkeit des von ihm vertretenen Systems zeitweilig vergessen läßt.

Belustigenderweise tat die preußische Zensur den *Biberpelz* als ein «ödes Machwerk ... ohne alle Handlung von Belang»[31] ab und gestattete die Aufführung im Berliner Deutschen Theater. Der Gutachter muß entweder politische Scheuklappen getragen oder es hinter den Ohren gehabt haben. Jedenfalls enthält sein Rapport keinerlei Beanstandungen der Gegenwartsbezogenheit des Schauspiels, der Satire auf einen forschen Kaiser-Getreuen und der realistischen Zeichnung eines Vertreters des liberalen Bürgertums.

Dr. Fleischer, in dem sich der Dichter selbst spiegelt, war natürlich im wesentlichen positiv gemeint, als ein Mann der Bildung und der Vernunft, der mit der Wehrhahnschen Dummheit und Geistfeindlichkeit aneinandergerät. Im Typoskript standen noch konkrete Angaben über seine «unpatriotische» Lektüre; außer dem «Berliner Arbeiter-Volksblatt» werden Bücher von Lassalle, Renan, Brandes und Gaborg genannt. Gelegentlich erwog der Autor: «Soll der Literat Züge von Liebknecht haben?»[32] Andererseits spielte bei der Charakterzeichnung Molières «Eingebildeter Kranker» eine Rolle. Bemerkenswert, daß sich die Mutter Wolff vor dem Amtsvorsteher unerschrocken und gespielt naiv für den Intellektuellen ausspricht. Aber wir sehen heute zugleich die Begrenztheit dieser Gestalt, die im Individualismus befangen ist, auf eine illusionäre Freiheit der Persönlichkeit pocht und jede organisierte Aktion ablehnt. Der Gelehrte erhofft sich «Recht» vom Staatsanwalt, von der junkerlichen Klassenjustiz. Es ergibt sich hier der in der spätbürgerlichen Literatur immer wieder variierte Konflikt zwischen Geist und Macht, bei dem die historischen Verhältnisse den Geist gewöhnlich in die Resignation oder auf den Weg nach innen drängen.

Es zeugt von Hauptmanns intuitiver Einsicht, daß er dem zweiten liberalen Bürger des Stückes karikaturistische Züge verlieh und damit, wohl ungewollt, auch Fleischers weltanschauliche Position unterminierte. Die Rolle des Rentiers Krüger hat der Schauspieler Max Pallenberg einmal (unter dem Beifallslachen des Dichters) komödiantisch ausgedeutet. «Zwei Paar Handschuhe, eines an den Händen, eines in den Taschen, ein Paar Galoschen und eine hohe Pelzmütze, zwei übereinandergezogene Wintermäntel dienten Pallenberg zu einer Pantomime, die er mit dem Garderobenständer aufführte. Sich in seinem Dialog mit dem Amtsvorsteher, in seinem Bericht über das gestohlene Holz fortwährend unterbrechend, zog er eine Galosche aus, stellte sie an den Garderobenständer, lief zum Schreibtisch des Amtsvorstehers, sich wieder unterbrechend, hing er zwei Schals an den Garderobenständer, zog die Galosche wieder an und hängte einen Wintermantel an den Haken. Nach weiteren drei Worten ... wechselte er die Handschuhe ..., zog sich einige Male an und aus, ohne mit dem Garderobenständer oder seinen Sachen fertig zu werden.»[33]

In dem possenhaften Gebaren drückt sich eine tiefe Wesensumschreibung aus, denn Krüger wird überhaupt mit nichts «fertig». Er kann nur herumpoltern, mit einem Knüppel des gestohlenen Holzes in der Hand den grotesken Schwur ablegen, er werde die Diebe ins Zuchthaus bringen, kann sich Wehrhahns «Unteroffizierston» verbitten und sich (wie Fleischer) auf staatsbürgerliche «Rechte» berufen. Damit erreicht er aber gar nichts, denn er ist «viel zu kemäßigt», wie er selbst weiß, und so bleibt ihm letztlich doch nur, über die Sittenlosigkeit der Welt den Kopf zu schütteln und ständig auf dem Amt nachzufragen, ob Holz und Pelz sich vielleicht wieder angefunden haben.

Bezeichnend ist der offene Schluß des Stückes. Während die klassische Schaubühne die dramatischen Konflikte und Verwirrungen gewöhnlich im Sinne einer «moralischen Anstalt» löste und beispielsweise auch in Kleists «Zerbrochnem Krug» zur Entlarvung des Täters führt, läßt Hauptmann die ganze Affäre im Sande verlaufen. Der Geschädigte hat das Nachsehen, die Diebin wird für «ehrlich» erklärt, und der unfähige Richter amtiert fort. Es bleibt ein Achselzucken: Seht, so ist das Leben eben in dieser Gesellschaft!

Noch in anderer Hinsicht zeigt sich der Naturalismus vieler Szenen, wobei zugleich der Weg sichtbar wird, den der Dichter zurückgelegt hat. Das Vererbungsmotiv taugt ihm jetzt nur noch als humoristisches Mittel. Die beiden Kinder der Wolffen sind durchaus «Mutters Töchter», aber ihre Erbschaft erscheint nicht verhängnisvoll, vielmehr bringt zumindest Adelheid die besten Voraussetzungen dafür mit, einmal zum «Empfang bei der Welt» zugelassen zu werden. Sie begegnet der Mutter mit gleicher Zungenfertigkeit und Schalkhaftigkeit, versteht sich aufs Blenden und Heucheln und gilt darum bei ihrer Lehrmeisterin als «Schenie» und Theatertalent.

Heiter nimmt sich in dem Zusammenhang auch die naturalistische Sprachgebung aus. Die beiden Gören berlinern perfekt und mokieren sich dennoch über ihren Papa, der immer so «unjebildet» rede. Bei der Wolffen ist der Berliner Jargon mit schlesischen Ausdrücken durchsetzt, ihr Mann Julius und der Schiffer Wulkow mischen ihm plattdeutsche Elemente bei, und der Rentier Krüger nimmt auf sächsische Weise weitgehend eine «Lautverschiebung» der Medien zu Tenues vor. Es ergibt sich ein wirres Sprachdurcheinander.

Trotz aller Vorliebe für naturalistische Formung, Milieuschilderung und epische Ausmalung der Charaktere fällt in Hauptmanns Stück im Technischen ein Kunstgriff auf, an dem sich die Kritik entzündete. Offenkundig basiert die Handlung auf einem dualistischen Bauprinzip: Witz und Beschränktheit, Volk und Junkertum, zwei Hauptspieler, zwei Schauplätze stehen einander gegenüber. Das Prinzip der Duplizität herrscht auch bei der parallelen Anlage der Diebstähle und Gerichtsverhandlungen. Die beiden letzten Beobachtungen erfuhren nun eine unterschiedliche Bewertung. Während Lotte Langer die Schlußakte als eine «ganz analoge Variation des 1. und 2. Aktes, ohne Steigerung, ohne dramatische Zuspitzung oder Pointe»[34] auffaßte, hielt Mehring die Wiederholungen für berechtigt, denn sie trügen dazu bei, die «unergründliche Borniertheit des loyalen Patriotismus zu erschöpfen»[35]. Heise ging über diese Auffassung noch hinaus und sah in dem Parallelismus eine deutliche «Steigerung»[36].

Wahrscheinlich erlagen Mehring und Heise hier einer gewissen «naturalistischen» Faszination. Im einzelnen mag die Häufung der Wehrhahn-Komik satirisch verstärkend wirken, zumal im Detail die Versionen wechseln, doch insgesamt erweisen sich die Wiederholungen als dramaturgische Schwächen und wirken ermüdend. Auch Hoefert bemerkte die ungenügende Motivation: «Es wird nur immer die Unfähigkeit eines auf den ersten Blick als unfähig erkannten Amtsvorstehers unterstrichen.»[37] Fabulierkunst und Spannungselemente fallen in den letzten beiden Akten ab. Aus diesem Grunde – und wegen einiger Unglaubwürdigkeiten wie etwa Fleischers winterlicher Kahnpartie – schlug Bert Brecht erhebliche Streichungen vor, wie wir weiter unten noch zeigen werden.

Knapp zehn Jahre nach der Vollendung des *Biberpelz* gab Hauptmann dem Stück eine Fortsetzung in der Tragikomödie *Der rote Hahn* (1901). Die dichterischen Gestalten haben den «Zeitsprung» mitgemacht, ja sie sind sogar ein wenig schneller gealtert, denn unter dem Personenverzeichnis steht der chronologische Hinweis: «Kampf um die Lex Heinze; Jahrhundertwende». Mit der Lex Heinze unternahm die kaiserliche Regierung im Frühjahr 1900 den Versuch, die Empörung der Öffentlichkeit über die schon ein rundes Dutzend Jahre zurückliegende Ermordung eines Nachtwächters (die dem Zuhälter Heinze zur Last gelegt wurde) auszunutzen, um ein Gesetz gegen «Schund und Schmutz» durchzudrücken. Unter dem Begriffspaar wollte man in Preußen im wesentlichen kritische und freiheitliche Äußerungen verstanden wissen, und da die Intellektuellen und Künstler das durchschauten, setzten sie sich erfolgreich dagegen zur Wehr. Diese Kämpfe spiegeln sich allerdings nur mittelbar im *Roten Hahn*.

In einem frühen Entwurf hingegen optiert der Schuster Fielitz ausdrücklich «für de Lex»[38] und widerspricht dem freisinnigen Schriftsteller (nicht mehr Privatgelehrten) Dr. Fleischer, der sich in den Fragmenten übrigens widersprüchlich verhält; er befürwortet Flotten- und Kirchenbau und belastet am Ende gar ein verblödetes Kind. In der Schlußfassung treten die beiden liberalen Bürger Fleischer und Krüger aus dem *Biberpelz* nicht mehr auf. Dafür wurde (nach den Vorbildern von Moritz Heimann und Georg As-helm[39]) die Gestalt des jüdischen Arztes Dr. Boxer einge-führt, der jedoch keine vergleichbaren Wortgefechte mit dem Amtsvorsteher Wehrhahn herausfordert; die beiden Herren sprechen nur beiläufig und in «zahmen Xenien» miteinander. Die geistigen und politischen Auseinanderset-zungen verlagern sich somit im *Roten Hahn* an die Periphe-rie und auf eine untere Ebene, deren Bewegung nun wie-derum die Mutter Wolff bewirkt.

Was einst Traum war, scheint ihr inzwischen geglückt zu sein: Nach dem Tode ihres Julius hat sie sich mit dem Schuster Fielitz verbunden, den Hausstand vergrößert und die Tochter Adelheid mit dem Bauunternehmer Schma-rowski verheiratet. Ähnlich wie Sternheims Paul Schippel könnte sie mit Reverenz vor sich selbst sagen: Du bist Bür-gerin! Doch sie möchte noch höher hinauf, in der «Ekli-page» sitzen, und so verfällt sie auf den Gedanken, das eigene Haus dem «roten Hahn» auszuliefern, nach dem Brand die Versicherungssumme von rund siebentausend Mark einzustreichen und sich damit an der Bauspekulation ihres Schwiegersohnes zu beteiligen.

Ausführung, Gelingen und Folgen des Planes stehen im Mittelpunkt des Stückes, das den Prozeß der Verbürgerli-chung einer proletarischen Existenz als Prozeß der Demo-ralisierung begreift. Während Mutter Wolff im *Biberpelz* einen monarchistischen Narren narrt und nur ein Quent-chen von Krügers Besitz in bewegliche Diebeshabe verwan-delt, begeht sie als Frau Fielitz ein ausgesprochenes Ver-brechen, lenkt den Verdacht auf ein schwachsinniges Kind und gibt Wehrhahn das Stichwort zu der Vermutung, daß es sich bei dem Brand vielleicht um einen «politischen Racheakt» an dem Polizeispion Fielitz handeln könnte. (Das Motiv bleibt in der Andeutung stecken.) Damit hört der spitzbübische Spaß auf, die sympathische Waschfrau von einst nimmt bösartige Züge an.

Obwohl Hauptmann im *Roten Hahn* der gesellschaftlichen Entwicklung zwischen Septennatskampf und Lex Heinze Rechnung trug und eine durchaus glaubhafte Fortsetzung der Diebskomödie schuf, sind sich Biographen und Literaturwissenschaftler im allgemeinen darin einig, daß die tragikomische Geschichte von Frau Fielitzens Entartung und Ende in künstlerischer Hinsicht das frühere Schelmenschauspiel nicht erreicht. Trotz K. L. Tanks Versuch, den *Roten Hahn* als «eigenständiges Werk von hohem Rang» aufzuwerten, eine hintergründig-dämonische, «verborgene Prophetie» zu entdecken und auf aktuelle Nachwirkungen bei Max Frisch («Biedermann und die Brandstifter») und Friedrich Dürrenmatt («Frank V., Oper einer Privatbank») hinzuweisen[40], setzte sich das Stück nicht durch. Der Dichter verwendete weitgehend alte Motive und Belustigungsmittel (Fremdwortverdrehung, Berliner Sprachwitz, Überredung eines trottligen Mannes, Karikierung von Amtshandlungen). Da er Wehrhahn mit einem Schuß Jovialität, Frau Fielitz mit einem Schuß Sentimentalität ausstattete, verlangsamt sich das satirische Feuerwerk erheblich und zündet schließlich gar nicht mehr. Es bleiben ein paar witzige Stellen und Einzelszenen.

Zum Schluß wollen wir noch ein interessantes Experiment betrachten. Im Jahre 1950/51 hat Bertolt Brecht mit Unterstützung einiger Mitglieder seines Ensembles den gewagten, doch aufschlußreichen Versuch unternommen, die beiden Stücke Hauptmanns zusammenzuziehen, zu bearbeiten und in Form eines Sechsakters unter dem Titel «Biberpelz und roter Hahn» aufzuführen. Den Gedanken hatte auch Gerhart Hauptmann gelegentlich erwogen; im Arbeitsexemplar seiner Bibliothek notierte er: «Natürlich gehören *Der rote Hahn* und *Biberpelz* zusammen», und er wollte die Komödie fünfaktig aufgefaßt wissen. Brecht erläuterte seinen Bearbeitungsversuch brieflich und erklärte, man habe sich entschlossen, «Hauptmann voll zu vertrauen, was seine Kunst der Beobachtung anbelangt (das heißt, wir erforschten den Sinn jedes kleinsten Details und bewahrten es„ wenn irgend möglich), weniger zu vertrauen aber seiner Kenntnis des historisch Wesentlichen. Wir mußten also die Arbeiterbewegung (Sozialdemokratie) in Sicht bringen …»[41]

Zu diesem Zweck erfand Brecht im ersten Akt das Motiv des Umgangs von Leontine mit einem sozialdemokratischen Setzer. Mutter Wolff schreitet autoritativ dagegen ein, denn ein Sozi sei kein «anständjer Mensch». – Im zweiten Akt der Bearbeitung bezichtigt Wehrhahn den Dr. Fleischer, ein sozialdemokratisches Flugblatt gegen die Bismarcksche Militärvorlage verfaßt zu haben, und provoziert den Gelehrten dadurch zu einem nationalliberalen politischen Bekenntnis. Die Kriminalszenen erfahren eine starke Kürzung. Während Krüger den Holzdiebstahl meldet, läßt die Wolffen im Vorzimmer seinen Biberpelz «mitgehen», und die Verhandlungen vor dem Amtsvorsteher können somit in einem einzigen Auftritt dargestellt werden.

Die wichtigste Veränderung im *Roten Hahn*-Teil betrifft den Vater des beschuldigten schwachsinnigen Kindes. Brecht verwandelte den pensionierten preußischen Wachtmeister Rauchhaupt in den arbeitslosen sozialdemokratischen Eisendreher Rauert, dem er am Schluß im Gespräch mit Frau Fielitz eine politische Deutung des Geschehens und die Prophezeiung eines künftigen Weltenbrands in den Mund legte.

Durch die Überarbeitungen, Einschübe und die neuen Proportionen wurde der Charakter von Hauptmanns Dichtungen wesentlich verändert. Bemerkenswerterweise beseitigt die Umgestaltung viele dramaturgische Unzulänglichkeiten und die historische Begrenztheit der Originale. Es entfielen die ermüdenden Wiederholungen der Diebsgeschichte (durch Zusammenziehung des zweiten und vierten Aktes), Fleischers Kahnpartie, der gesamte zweite Akt des *Roten Hahns* und die Figur des Dr. Boxer (die auch im Grundtext ein «Spätprodukt» darstellt; in manchem näherte sich Brecht also der Urfassung an).

Hingegen erfuhren die gesellschaftskritischen Akzente eine bedeutende Verstärkung, und zwar nicht nur durch die Anspielungen auf die Rolle der Sozialdemokratie, sondern auch durch eine schärfere Zeichnung Wehrhahns und der Mutter Wolff. Bei Brecht verleugnet der beschränkte Amtsvorsteher trotz aller Lächerlichkeit niemals seine Gefährlichkeit. Dabei findet er einen echten Gegner in dem Arbeiter Rauert, den er der geistigen Urheberschaft an dem Brand und einer politischen Rachetat an dem Spitzel Fielitz beschuldigt. Der volkstümlichen Mutter Wolff aus dem *Biberpelz* gab Brecht Charaktereigenschaften der Fielitzen, er vereinheitlichte die Wesenszüge in rückläufiger Weise und ließ schon in die ersten Szenen kleinbürgerliche und bösartige Elemente einfließen.

Das Ergebnis überrascht. Vor uns steht nun eine Gestalt des Brecht-Theaters, die beim Zuschauer «widersprechende Gefühle» erregt: «Sie verzichtet für ihre Waschfrau auf die bedenkenlose schmunzelnde Anerkennung, die ihr das erste Stück, und auf das Mitleid, das das zweite ihr verschaffen könnte.»[42] Wir sollen ihr, nach dem Willen des Dichters, kritisch begegnen, stutzen, die Zusammenhänge überschauen und politische Schlußfolgerungen ziehen, während uns Hauptmann einfach dazu aufforderte, mit der Wolffen zu lachen, ihr Sympathie entgegenzubringen und dem Illusionstheater heiter Beifall zu spenden, es mitzuerleben.

An dem Punkte offenbart sich ein Pferdefuß der Brechtschen Bearbeitung.[43] Da wir für die Mutter Wolff jetzt nicht mehr unbekümmert Partei nehmen können, vermindert sich unerwartet der Abstand zwischen ihr und Wehrhahn, was in letzter Konsequenz eine Entschärfung der Satire auf den Amtsvorsteher und sein System bewirkt. Die verschiedenen Kürzungen und Straffungen der Auftritte tragen ein übriges dazu bei, die Komik des *Biberpelzes* zu reduzieren, ja den Lustspielcharakter des Stückes überhaupt in Frage zu stellen, denn Hauptmanns Humor ergibt sich oft erst aus der naturalistischen Weitschweifigkeit und Umständlichkeit der Szenen.

Die Einbuße an «vergnüglichen» Elementen könnte möglicherweise aufgewogen werden, wenn die neue Gestalt des Eisendrehers Rauert über etwas mehr Witz verfügte. Aber Rauert ist eine typische Gestalt des «Lehrtheaters», sie macht den Unterschied zwischen Hauptmanns Illusionsdrama und Brechts intellektuellem Schauspiel der Einsicht, des Kampfes und der Hoffnung besonders deutlich.

Die Ansichten der beiden großen Dramatiker über die Bühnenkunst scheinen sich somit schroff gegenüberzustehen. Dennoch gibt es eine verblüffende grundsätzliche Gemeinsamkeit zwischen ihnen, auf die Brecht selbst hinwies und die ihn wohl zu dem skizzierten Bearbeitungsexperiment ermutigte. Ende der zwanziger Jahre erklärte er gesprächsweise: «Die Anfänge des Naturalismus waren die Anfänge des epischen Dramas in Europa ... Das naturalistische Drama entstand aus dem bürgerlichen Roman der Zola und Dostojewski, der seinerseits wieder das Eindringen der Wissenschaft in Kunstbezirke anzeigte. Die Naturalisten (Ibsen, Hauptmann) suchten die neuen Stoffe der neuen Romane auf die Bühne zu bringen und fanden keine andere Form dafür als eben die dieser Romane: eine epische.»[44]

Unter dem Gesichtswinkel erweisen sich also die naturwissenschaftlich orientierten epischen Schauspiele des frühen Hauptmann in gewisser Weise als Vorläufer von Brechts erkenntnisvermittelndem epischem Lehrtheater. Die Hexalogie «Biberpelz und roter Hahn» wurde 1951 vierzehnmal aufgeführt, wobei Therese Giehse und Erwin Geschonneck die Hauptrollen spielten; dann erhob die Witwe des Originalautors Einspruch gegen den «verballhornten» Text.

Abschließend noch ein paar Worte über die persönlichen Beziehungen zwischen den beiden Dichtern. Bereits als Zweiundzwanzigjähriger empfahl Brecht in zwei Rezensionen die *Rose Bernd* des «repräsentativen deutschen Dramatikers Gerhart Hauptmann». Später schränkte er das positive Urteil ein[45] und äußerte sich nun (von gefestigtem politischem und künstlerischem Standort aus) mehrmals kritisch über den älteren Kollegen. So mokierte er sich über die «etwas dumme Genauigkeit in der Zeichnung der Menschen»[46], und 1927 ulkte der «Hauspostillon» brieflich: «Mir können *Die Weber* gestohlen werden, und auch der Henschel, dessen Jeschäft ooch zurücke jeht.»[47] In den Notizen über realistische Schreibweise galten ihm die *Weber* jedoch wieder als «Standardwerk des Realismus».

Von Hauptmann kennen wir keine entsprechenden öffentlichen Aussagen über Brecht, obwohl er dessen Frühwerke zum Teil kannte. Das bezeugen in seiner Bibliothek[48] sechs Brecht-Publikationen, von denen er «Trommeln in der Nacht» (Ausgabe 1922), «Mann ist Mann» (1926), «Im Dickicht der Städte» (1927) und «Die drei Soldaten» (1932) nachweislich las und mit Strichen, Fragezeichen und Randglossen versah. Im «Dickicht» stimmte er beispielsweise der Feststellung: «Wie niedrig sie machen, die Liebe und der Haß» mit einem «Ja» zu, und an den Rand der Zeile: «Viele Dinge werde ich aus meinem Hirn kämmen am Morgen» schrieb er: «gut». Die Ableitung der Kriegsursachen aus kapitalistischen Profitinteressen in «Die drei Soldaten» erregte hingegen seinen Widerspruch. So stellte er die Auffassung, der Krieg sei ein Mittel, «die Reichen noch reicher zu machen», mit Rotstift in Frage, und die Bemerkung, Gott könne «das Elend nicht aufheben / Da müßten wir ja unser Geld hergeben», provozierte die Eintragung: «Das ist wider besseres Wissen, Herr Brecht.» Etwa gleichzeitig (1928/29) äußerte sich der Tagebuchschreiber Hauptmann abschätzig über das «Zeugs», die «gepfefferte Konditorware» und primanerhafte «verkappte K(arl) M(ay)-Romantik» des jüngeren Kollegen, den er (zusammen mit Bronnen) «Philister durch und durch» nannte.[49] Und unwirsch erklärte er: «Was geht uns an das Marktschreierpodium. Der beste Zahnbrecher ist Herr Brecht.»[50] Nach Brechts Emigrierung lösten sich alle Verbindungen zwischen den beiden Dichtern, die ohnehin ein Altersunterschied von fünfunddreißig Jahren trennte.

Eine einzige Begegnung ist brieflich bezeugt.

«Baden-Baden, den 27. Juli 1929

Sehr geehrter Herr Doktor Hauptmann,

ich bin Ihnen sehr verpflichtet für Ihre liebenswürdige unterzeichnung meines aufrufes für Henry Guilbeaux und würde mich ganz außerordentlich freuen, wenn Sie morgen, sonntag, sich einen versuch von Paul Hindemith und mir ansehen würden, ein lehrstück, das in der stadthalle um 20 uhr aufgeführt wird.

Ihr Ihnen sehr ergebener   bertolt brecht

In anbetracht dessen, daß es schon sehr spät ist, bat ich Herrn André Germain, Ihnen diesen brief zu übergeben.»[51]

Nach Auskunft von Helene Weigel folgte Gerhart Hauptmann (der sich damals gerade zur Kur in Baden-Baden aufhielt) dieser Einladung und saß an jenem Abend tatsächlich im Zuschauerraum. Man spielte das «Badener Lehrstück vom Einverständnis». Wie es heißt, habe sich der prominente Gast «durchaus zustimmend über Stück und Musik ausgesprochen» und nur die Clown-Szenen «unverständlich» gefunden; anderen Berichten zufolge war er «entsetzt», ja «wie versteinert», und er verließ «entrüstet das Auditorium.»[52]

Traum und Verklärung
der Hannele Mattern
Probleme des Realismus

Das Jahr 1893 brachte für Gerhart Hauptmann eine ungewöhnlich dichte Folge von Uraufführungen und rückte ihn dreimal in das helle Licht der Öffentlichkeit. Im Februar spielte die Freie Bühne *Die Weber*, im September sah man den *Biberpelz*, und im November gab das Deutsche Schauspielhaus erstmals *Hanneles Himmelfahrt*.

Die Freunde des Realismus sahen sich enttäuscht. *Hanneles Himmelfahrt* enthüllte die Tragödie eines unglücklichen Mädchens, das aus Furcht vor dem brutalen, ständig betrunkenen Stiefvater den Freitod im winterlichen Dorfteich sucht, vorerst gerettet und in ein Armenhaus eingeliefert wird. Auf dem Sterbelager hat sie Fieberträume, die auf der Bühne sichtbare Umrisse gewinnen. Märchenreminiszenzen und Bilder aus der christlichen Mythologie gehen dabei eine wunderliche Mischung mit romantischen und realistischen Elementen ein.

Der Dichter schien aus der Gegenwart in ein fernes Legendenreich ausgewichen zu sein. Franz Mehring beklagte heftig den «großen Mißbrauch eines so großen Talents» und nannte das Stück einen «Quark».[1] Der alte Fontane mochte ähnlich denken, wenngleich er die Sache heiter nahm und brieflich erklärte: «Über diese Engelmacherei könnte ich zwei Tage lang ulken»[2] (öffentlich sprach er sich nach den *Webern* über kein Stück Hauptmanns mehr aus, und beim letzten Besuch im November 1897 notierte jener etwas von «verschmähter Liebe»[3]).

169

Aber bedeutete das Werk tatsächlich einen «Verrat» an der Wirklichkeitskunst? Entbehrten die religiösen Vorstellungen denn völlig der realen Grundlage, existierten sie losgelöst vom Leben? Es sollte immerhin zu denken geben, daß der Fürst zu Hohenlohe (von 1894 bis 1900 Reichskanzler) in *Hannele* ein «gräßliches Machwerk, sozialdemokratisch-realistisch»[4] sah und nach der Aufführung eine Champagnersitzung brauchte, um über seinen Ärger hinwegzukommen.

Namentlich zu Beginn des Stückes treten uns in den Armenhausszenen ungeschminkt derbe, ja naturalistische Züge entgegen. Hauptmann zeigt hier an einigen Gestalten die Verelendungs- und Demoralisierungserscheinungen in der kapitalistischen Gesellschaft. Sie leben von Bettelei und Diebstahl und begaunern sich gegenseitig. Auch junge, arbeitsscheue Elemente wie Hete und Hanke finden sich darunter, denen niemand die Möglichkeit weist, aus dem «Nachtasyl» zum «Weg ins Leben» aufzubrechen. Sämtliche Heiminsassen reden im schlesischen Dialekt, wobei Hete bisweilen die kurzatmige, anaphorische Sprechweise des schwachsinnigen alten Pleschke parodiert.

Als der Lehrer Gottwald das frierende Hannele in dieses Milieu bringt, regt sich ein Funken Gutartigkeit in den Armenhäuslern, so daß sie Schnaps und Zucker für einen Grog hervorkramen. Während der folgenden Auftritte mit dem forschen Amtsvorsteher Berger (von dem das Gerücht geht, Hannele sei seine uneheliche Tochter), mit dem Arzt und dem Lehrer erfahren wir dann nach und nach die Ursachen der Katastrophe. Hannele will nicht mehr gesund werden, denn ihr Stiefvater, der Maurer Mattern, hat sie geprügelt, geschunden, entwürdigt, ausgebeutet, geängstigt, in die Nacht hinausgejagt und sie schließlich zu jener Verzweiflungstat getrieben, die ihr Erlösung verhieß. Das Leben in dieser Gesellschaft ist für sie unerträglich. In ihr lebt nur noch Todessehnsucht, das Verlangen nach Verbindung mit dem Heiland und mit der zu Tode gequälten Mutter.

Aus dieser realen Welt heraus erwachsen ihre Fieberträume. Gegenüber einem Reporter sagte Hauptmann gelegentlich: «Wie die Ärzte Ihnen bezeugen können, sind alle ihre Traumgesichte einer rein pathologischen Erklärung fähig.»[5] Und im Tagebuch erklärte er: «Hannele: Wachrealität, Wachtraum, Schlaftraum. Der Himmel: Vision der Gefolterten ... Im Realismus wird reales Geschehnis gewissenhaft nachgeträumt. Ein reiner Wachtraum ist *Versunkene Glocke.*»[6] In der Tat zeichnete der Dichter die Symptome eines euphorischen Zustandes vor dem Erfrierungstod glaubhaft und exakt auf. Er ließ Hannele von einem glücklichen Dasein phantasieren, in dem es kein Elend, keine Bedrückung, keinen Hunger und Durst mehr gibt, in dem ihre Menschenwürde anerkannt wird. Und da ihr andere Gedanken und Vergleiche fehlen, baut sie ihre Traumhandlung aus Vorstellungen des Religionsunterrichts und der Märchen auf.

Sie hört den Gesang eines himmlischen Trios, erschauert beim Anblick eines schwarzen, schweigenden Engels, fährt nieder in Frau Holles Brunnen und erlebt Tod und Verklärung. Wie Aschenbrödel erhält sie die kleinsten Schuhe, wie Schneewittchen liegt sie geschmückt im gläsernen Sarg und läßt eine Schar abbittender Mitschüler an sich vorüberziehen, wie das Töchterlein des Jairus im neunten Kapitel des Markus-Evangeliums folgt sie dem Ruf ihres Heilands: Stehe auf! Und es beginnt das lyrische Finale, über das sich Lion Feuchtwanger mit den Worten äußerte: «Seitdem der deutsche Minnesang verklungen, hat keiner mehr so kinderliebe, inbrunstzitternde, sonnenäugige, glockenklare Verse geschrieben.»[7] Auch Bert Brecht zeigte sich beeindruckt vom «Gesang der Engel» und schlug ihn 1952 für den Grundschul-Lehrplan der DDR vor.[8] Inzwischen wurde die Herkunft dieser und anderer Strophen aus Hoffmann von Fallerslebens Sammlung «Schlesische Volkslieder» nachgewiesen.[9]

Die naturalistische Schule hatte bekanntlich Verse,

Rhythmen und Monologe als «unnatürlich» verworfen. Indem Hauptmann nun wieder auf diese Kunstmittel zurückgriff und sie mit schlesischer Dialektprosa verquickte, vollzog er eine eigenartige Synthese, die für sein Schaffen bezeichnend blieb. Immer wieder verbinden sich fortan in seinem Werk Mundart und Verssprache, Naturalismus, Realismus, Symbolismus und Romantik und ergeben jene «kinderhafte Poesie», die «durchaus naiv, kritiklos, sprunghaft» ist und «wahllos Höchstes neben Niedrigstes» stellt.[10]

Im einzelnen treten dabei schon in *Hanneles Himmelfahrt* manche Widersprüche hervor. So ist es beispielsweise unglaubhaft, wenn der Dichter dieses vierzehnjährige Schulkind, das in niederem Milieu aufwuchs, hochdeutsch sprechen läßt, in Mignons Nähe rückt und mit Traumgedanken beschenkt, die an Novalis' «Hymnen an die Nacht» oder Goethes «Faust» erinnern. Auch die zusammenhängenden Dialogfolgen in der Ekstase und die Träume im Traum wirken nicht recht überzeugend. Es bleibt hier nur der Hinweis auf Hauptmanns Bemerkung, man solle das Schauspiel einfach als «ein Märchen»[11] auffassen.

Ursprünglich enthielt das Stück noch einen dritten Akt, der Engel-Dasein, Hanneles Haupterhebung, das Wiedersehen mit der Mutter und himmlische Zwiegespräche mit dem Lehrer Gottwald darstellte. In pubertärer Erregung und mit Gretchen-Reminiszenzen klingt es: «Heinrich! Heinrich! ... Du Seelenbräutigam! Mit dir, du Süßer, soll ich Hochzeit feiern? ... Mein Herz hat gehungert nach dir.»[12] Das Bild dieses Lehrers, von dem sich Hannele zeitlebens verstanden fühlte und an dem sie deshalb mit schwärmerischer Verehrung hängt, fließt ihr im Traum mehr und mehr zusammen mit dem Christusbild (und·sogar mit dem Gott Odin[13]). Da die Bibelanklänge unüberhörbar sind, beklagten sich Geistliche wiederholt über die Vermenschlichung des Höchsten und die «Gotteslästerung» in dem Drama, worauf der Dichter auf den Unterschied zwischen Traum und Realität hinwies und die vom Lehrer

GERHART HAUPTMANN.

Hannele Matterns Himmelfahrt.

Musik

von

Max Marschalk.

Berlin.

S. Fischer Verlag.

1893.

Gottwald übernommenen Charakteristika der Gestalt beachtet wissen wollte. Es ist übrigens seltsam, daß der Schulmann das Mädchen nicht bei sich daheim pflegt, sondern ins Armenhaus bringt und dort sich selbst überläßt.

Das hat kompositorische Gründe. Es ging Hauptmann darum, möglichst wirksame Kontraste zu schaffen, das kindliche Idealbild von einer besseren Welt und die ärgste Dürftigkeit einander gegenüberzustellen und Hannele bei höchster Himmelsseligkeit im tiefsten Elend sterben zu lassen. Um den Kontrastreichtum nicht zu gefährden, entschloß er sich (nach einem Einwand des Freundes F. Hollaender bei der Vorlesung) auch dazu, den dritten Akt zu streichen und teilweise mit dem zweiten zu verschmelzen. Der Glanz und Prunk der himmlischen Szenen, die sich weitgehend in eine Musikpantomime auflösen, hätten die Elendsbilder überwuchert und die Proportionen zugunsten des Unwirklichen verschoben.

Die gekürzte, endgültige Form von *Hanneles Himmelfahrt* wurde gelegentlich als «zweiter Teil des Weberdramas» bezeichnet. Das ist nur teilweise richtig. Gewiß scheint in dem Stück die «Weltanschauung des alten Hilse»[14] zu siegen, aber man darf Mitleidspathos und gesellschaftskritischen Gehalt der realistischen Szenen nicht außer acht lassen. Ein zweiter Teil der *Weber* könnte historisch wohl nur wie Brechts Dramatisierung von Gorkis «Mutter» oder Friedrich Wolfs «Matrosen von Cattaro» aussehen!

Biographisch wurzelt *Hannele* in Hauptmanns Lederoser Zeit. Damals beschäftigten ihn religiöse Probleme sehr stark, wie wir schon zeigten, und damals brachten die Verwandten eines Tages ein kränkliches, hilfsbedürftiges Mädchen mit nach Hause: «Sie hatten es, das Kind eines verwitweten Maurers, der dem Trunk ergeben war, seinem Vater abgekauft.»[15] Ein zweites «Urbild» der Hannele begegnete dem Dichter 1891 während der Studienreise ins Webergebiet in der dreizehnjährigen Tochter einer armen Witwe aus Reichenbach.

Schließlich berührt sich das Schauspiel mit Fritz von Uhdes Kinderbildern und Bibelillustrationen, die Hauptmann sehr schätzte[16], da sie in verwandter Weise religiöse Motive mit den Ausdrucksmitteln des Naturalismus gestalteten. Vor allem die Gemälde «Lasset die Kindlein zu mir kommen», «Heilige Nacht» und «Im Altleuthause zu Zandvoort» legen Vergleiche nahe. Das Hannele seinerseits ging durch Hofmann, Exter, Putz und Avenarius in die bildende Kunst ein.

Nach *Hanneles Himmelfahrt* hat Gerhart Hauptmann zahlreiche weitere Märchen-, Traum- und Legendendichtungen geschrieben. Wir erwähnen nur *Die versunkene Glocke, Das Hirtenlied, Der arme Heinrich, Und Pippa tanzt, Veland, Die goldene Harfe* und *Der große Traum*. Teilweise stehen diese Werke in einer literarischen Strömung, die sich gleichzeitig im sogenannten lyrischen Theater von Maeterlinck, Strindberg und Hofmannsthal niederschlug.

Es ergibt sich für uns die Frage, inwieweit das Eindringen phantastischer, symbolischer Elemente den Realismus in Hauptmanns Schaffen gefährdete.

Realismus verträgt sich mit Symbolik und Phantastik durchaus, man denke nur an die «revolutionäre Romantik» sozialistisch-realistischer Kunstwerke. Es kommt darauf an, ob sich in der mehr oder weniger phantastischen Umhüllung reale Probleme des Lebens widerspiegeln. Brecht bemerkte in diesem Zusammenhang, nichts habe die Realisten Cervantes und Swift daran gehindert, «Ritter mit Windmühlen kämpfen und Pferde Staaten gründen» zu lassen, denn die realistische Schreibweise bedeute «keinen Verzicht auf Phantasie noch auf echte Artistik»[17]. In der Tat zählen wir «Don Quijote» und «Gulliver» ebenso zu den lebensvollen Meisterwerken der Weltliteratur wie etwa den zweiten Teil von Goethes «Faust», E. T. A. Hoffmanns «Meister Floh», Heines «Wintermärchen», Gorkis «Alte Isergil», Brechts «Der gute Mensch von Sezuan» oder Laxness' «Atomstation». In diesen Werken blieben die Dichter, trotz mancher «Übersinnlichkeit», durchaus auf dem Boden der Realität, setzten sich in symbolischer, märchenhafter Form mit den Zuständen ihrer Zeit auseinander, machten ihre Leser gerade durch satirische Übertreibung sehend oder schlugen einer reaktionären Zensur ein Schnippchen.

Hauptmanns Traum- und Legendenspiele kann man nicht ganz ohne Bedenken in diese Reihe stellen. Aber zumindest in *Hannele, Pippa* und *Armer Heinrich* erkennen wir in den wunderreichen Partien und Erfindungen sinnvolle Erweiterungen des realistischen Aussagebereichs. Vorsicht ist jedoch dort geboten, wo sich Romantik in Mystik, Dämonie, Fatalismus, Verklärung der Vergangenheit und «Verwirrung der Gefühle» verliert. Beispiele dafür finden sich auch in einigen Passagen von Hauptmanns Werken, etwa in *Die versunkene Glocke, Veland, Spuk* oder *Die goldene Harfe*. Nach des Dichters eigenem Bekenntnis drängte es ihn aber dazu, «immer wieder zum Realismus zurückzukehren, denn nur aus der Wirklichkeit können wir schöpfen und lernen»[18].

Als Mehrings *Hannele*-Kritik erschien, zeigte sich der Schriftsteller verärgert. Er fühlte sich arg mißverstanden von dem sozialistischen Publizisten, der zwar scharf- und weitsichtig die Verdienste und Verirrungen naturalistischer Kunstwerke analysiert hatte, bei der Einschätzung nachfolgender Literaturentwicklungen jedoch bisweilen Fehlurteile fällte. Hauptmann gab seiner Verstimmung über den prinzipienfesten Rezensenten, den er mit einem «trillernden Unteroffizier» verglich, im März 1894 in einer längeren Tagebuchnotiz Ausdruck.[19] Er warf ihm vor, «gallig» zu schreiben und unfähig zu sein, die «Hungerhalluzinationen eines armen gequälten Kindes» psychologisch zu erfassen. Und grundsätzlich wandte er sich gegen das sozialdemokratische «Dichter-Ideal» und die Forderung bloßer «Interessen-Dichtung». Verbittert äußerte er: «Laßt mich aus dem Spiel. Euer unisono Parteilob ist mir ebenso unangenehm, als mir euer Tadel durch seine Blindheit Pein macht.» An diesem Punkte und zu dieser Zeit schieden sich die Geister. In dem Zusammenhang bietet sich P. Sprengels Erklärung an, es sei Hauptmanns «Glück und Tragik» gewesen, jahrelang «von einer ‹revolutionären› Erwartungshaltung, und zwar in phänomenalem Maßstab, zu profitieren, die er im Grunde durchaus nicht teilte»[20].

Später hat der Dichter sein Schauspiel sogar als Pioniertat betrachtet. Wiederholt erhob er «Prioritätsansprüche», und zwar nicht nur als «Erfinder» naturalistischer Gestaltungsweisen; vielmehr schien es ihm bei Quellenstudien und Lektüre, als seien epochale Gedanken oftmals schon zuvor von ihm gedacht worden. Obwohl er die Psychoanalyse nicht schätzte, wollte er keineswegs darauf verzichten, sich als wesentlichen Anreger der seelenkundlichen Schule zu präsentieren. So notierte er im März 1926 im Tagebuch: «Meine Psychoanalyse ist seit *Hannele* gegeben ... Dieser Freud hat eine Industrie aus dem gemacht, was mein Wesen, mein Eigenstes ist.» Und 1930: «Der Sinn für Träume ist nur durch *Hanneles Himmelfahrt* erweitert worden – nicht vorher in der Literatur. Ich bin der Ursprung für zahllose Traummaschen, inbegriffen Freud. Ich habe eine Wucherung herbeigeführt wie ‹Werther›.»[21] Eine kuriose Feststellung, wenn man an die Fülle romantischer Traumerzählungen, an Hauffs Bremer Ratskeller-Phantasien, Calderons und Grillparzers Leben-Traum-Szenen u. a. denkt und daran, daß Freud viele Traum-«Belege» aus der früheren Weltliteratur entnahm. Ob es ernsthafte Beziehungen zwischen dem Wissenschaftler und dem Schriftsteller gibt, soll später erörtert werden.

Verwirrung der Gefühle
1893–1906

Der Uraufführung von *Hanneles Himmelfahrt* wohnten viele prominente Persönlichkeiten bei. Zu ihnen gehörten auch André Antoine, Direktor des Pariser Théâtre libre, der Regisseur Baston und der Übersetzer Jean Thorel. Sie waren nach Berlin gekommen, um hier vor der geplanten französischen Aufführung des Stückes eine lebendige Anschauung zu gewinnen. Nach dem Theaterabend gab Gerhart Hauptmann zu Ehren der Gäste im Hotel «Friedrichshof» ein Bankett. Dabei fügte es sich, daß der Dichter nicht Frau Marie (die in der Unterkunft nach den Kindern sehen mußte) zur Festtafel führte, sondern die achtzehnjährige Musikstudentin Margarete Marschalk (1875–1957), deren Bruder die Musik zu *Hannele* geschrieben hatte.

Die Bekanntschaft mit den Geschwistern datierte seit knapp viereinhalb Jahren. Im Juni 1889 hatte Max Marschalk zusammen mit dem jungen Schriftsteller Emil Strauß beim Dichter des *Sonnenaufgang*-Dramas in Erkner Visite gemacht und am 25. August auch seine jüngste Schwester mitgenommen. Im Juli 1890 trugen sich Gerhart und Marie mit dem Ausdruck «herzlicher Sympathie» ins Poesiealbum der Fünfzehnjährigen ein.[1] Die Eltern der jungen Leute stammten aus Güttland bei Danzig und lebten seit den siebziger Jahren in Berlin, wo Vater Marschalk als Kaufmann tätig war. Als das Geschäft Anno achtundachtzig Bankrott machte und der alte Herr kurz darauf verstarb, fiel die Ernährerrolle dem einzigen Sohne Max zu, der sich bisher mit wenig Glück in der Malerei versucht hatte. Nun eröffnete er gemeinsam mit seinen Schwestern Elisabeth, Gertrud und Margarete an der Friedrich-, Ecke Jägerstraße ein photographisches Atelier. In dem kleinen Roman «Auf der Schwelle» gab Walter Leistikow[2] davon eine spaßige Schilderung, wobei er Max und Elisabeth in Herrn Fritz Friedrich und Fräulein Lilli verwandelte. Auch Halbes Memoiren, «Scholle und Schicksal», erzählen manches aus dieser Zeit.

Anfang der neunziger Jahre wandte sich Max Marschalk stärker der Musik zu, und auch Margarete nahm jetzt ein Studium bei dem berühmten Violinisten Joseph Joachim auf, dessen Geigenton noch den kranken Robert Schumann in den letzten Lebensjahren erfreut und bis in die düsteren Stunden von Endenich begleitet hatte. Die Kontakte mit Hauptmann brachten für Marschalk Höhepunkte in seiner beruflichen Laufbahn, denn er schrieb Schauspielmusik nicht nur für *Hannele*, sondern auch für die *Versunkene Glocke, Schluck und Jau*, *Pippa* und den *Weißen Heiland*. Seit 1895 trat er als Musikreferent in der «Vossischen Zeitung» hervor, verfaßte Lieder, Orchesterwerke und Opern.

Als Margarete Marschalk am Abend der *Hannele*-Premiere im geselligen Kreise neben Gerhart Hauptmann saß, entfaltete sie alle Reize der Jugend, entzückte durch ihre Klugheit und ihr oft gerühmtes «fabelhaftes Temperament»[3]. In ihr strömte Künstlerblut. Gern posierte sie als Geigerin mit Stradivari, wie auf einem 1908 gemalten lebensgroßen, in rot-grünen Farbtönen gehaltenen Bild von Lovis Corinth, das auf dem Wiesenstein hing. Sie wirkte urgesund, unsentimental, kameradschaftlich, sportlich, tanzfroh, unternehmungslustig – kurzum: so ganz anders als die sorgenvolle, schwermütige, reizbare Marie, die bald nach dem Theaterabend ahnungslos nach Schreiberhau zurückreiste und den Dichter die ganze zweite Novemberhälfte lang mit dem jungen Mädchen in Berlin allein ließ. Nach einem Museumsgang, heißt es rückblickend, «bauten wir Luftschlösser»; man war «übermütig» und beredete, «inwieweit man sich gern hat»[4]. Damit begann eine schmerzhafte Verwirrung der Gefühle und der – dramatisch bereits vorweggenommene – Verfall einer Familie. Das Leben schrieb ein *Buch der Leidenschaft*.

Das ist der Titel eines Tagebuch-Romans, in dem Hauptmann später (vor allem gegen Ende der zwanziger Jahre) seine Ehewirren mit der Ausführlichkeit und Gründlichkeit dargestellt hat, wie das eben so «ein formidabler seelischer Konflikt verlangt»[5]. In einer Vorbemerkung suchte er allerdings den Anschein zu erwecken, als handle es sich um Papiere eines verstorbenen Bekannten und Edelmannes, die er nur herausgebe.

In dieser Fiktion, so begreiflich sie sein mag, liegt die fühlbare Schwäche des Werkes. Es gelang Hauptmann nämlich nicht, dem Tagebuchschreiber ein Eigenleben zu geben und ihn in einen pulsierenden gesellschaftlichen Organismus einzuordnen. Wir lesen zwar von Begegnungen mit Künstlern und Theaterdirektoren, von der «Bedeutung» und «öffentlichen Geltung» des Verfassers Titus, dessen Name «in Europa genannt»[6] werde, aber es fehlt jeder konkrete Hinweis auf eine Tätigkeit, die diesen Rang und Ruhm zu erklären vermöchte. Beiläufig angedeutete Architektenpläne können das weitreichende Ansehen des Mannes nicht glaubhaft machen. Die Frage nach dem Wer und Was bleibt in der vorliegenden Druckausgabe unbeantwortet. In der Urfassung finden wir interessante Ergänzungen, Erweiterungen der Handlung und Hinweise auf Theaterbau und mögliche Lehre in einem «Staatsinstitut».

Natürlich verbergen sich hinter alledem Hauptmanns eigene Lebensumstände, wobei die Daten anfangs etwa um ein Jahr differieren. Da sich der Dichter jedoch krampfhaft darum bemühte, das «Geheimnis» der Identität zu wahren, kam er in die sonderbare Lage, Wirkungen ohne Ursachen gestalten zu müssen. Titus unternimmt (wie Hauptmann) ausgedehnte Reisen nach Amerika und Italien; er bestreitet in Deutschland die Ausgaben für drei Wohnungen und läßt zwei prächtige Villen bauen. Aber welche Berufsverpflichtungen rufen ihn an fremde Orte? Aus welchen Quellen fließt sein Reichtum? Das wird nirgends gesagt. In sichtlicher Verlegenheit fällt einmal das Wort «Spielgewinste», doch das kann uns ebensowenig Sympathien für den fiktiven Autor abgewinnen wie seine protzige, untätige Lebensart. Im Grunde ist er vom 10. Dezember 1894 bis 19. September 1904, dem Zeitpunkt, an dem seine Aufzeichnungen enden, fast ausschließlich mit der Analyse seiner Gefühle und Liebeskonflikte beschäftigt, dem Schwanken zwischen seiner Frau Melitta und seiner Geliebten Anja.

Trotz einiger bunter Vagantenauftritte und Italienabenteuer fehlt dem Mädchen Anja, das der Teilnahme des Lesers so bedürftig ist, leider jede Poesie. Der Tagebuchschreiber selbst muß zugeben, die Freundin erscheine ihm bisweilen oberflächlich und rege ihn nicht zur Arbeit an. Worin liegt dann aber ihr Reiz? Es sieht so aus, als ob Titus vor allem ihre Ergebenheit schätzt, ihr ständiges erfrischendes Zur-Stelle-Sein und die Möglichkeit, ihre noch unfertige Persönlichkeit bilden zu können. «Dein Eigentum» unterzeichnet sie ihre Briefe, obwohl sie sich nicht aufdrängt und keineswegs Kleists Käthchen von Heilbronn gleicht. In Melitta, der Titus entscheidende Förderungen verdankt, besitzt er keine so demütige Partnerin.

Die Gestalt Anjas wäre sicher besser gelungen, wenn der Dichter das Liebesverhältnis durch musikalische Reminiszenzen vertieft und vergeistigt hätte. In ausgesonderten Teilen des Werkes gab es auch noch entsprechende Abschnitte über deren Geigenspiel und über musikalische Gäste, mit denen sie darbietet, «was Mozart, Beethoven, Schubert, nicht zu vergessen Bach an musikalischen Wundern»[7] schufen. Nun ist das Leben poetischer als das Buch. Es besteht wohl kein Zweifel daran, daß Gerhart Hauptmann durch Margaretes Begabung für die Musik eine nachhaltige Bereicherung und Beglückung erfuhr. Die Musik der

Hannele-Poesie führte sie beide zueinander, und fortan schenkte ihm die Geliebte die Poesie der Musik und verstärkte das seelische Zusammengehörigkeitsgefühl.

Über seine Liebe zur Tonkunst hat Hauptmann im *Abenteuer meiner Jugend* und in anderen Schriften oft gesprochen. Als Knabe nahm er Geigenunterricht und phantasierte bisweilen auf dem Klavier. In den Verlobungsjahren hörte er zusammen mit Marie gern Opernaufführungen von Verdi und Meyerbeer. Während der Jenenser Studienzeit schloß er sich an den Pianisten Max Müller an und geriet in Richard Wagners Bann, dessen Nibelungentetralogie er «vielleicht das rätselhafteste Kunstgebilde der letzten Jahrtausende»[8] nannte. 1883 pilgerte er zur Totenfeier für den Meister nach Weimar, und 1905 bemerkte er «Unerhörtes in Wagner»[9] bei der «Rheingold»-Aufführung von Gustav Mahler, dem Wiener Komponisten und Dirigenten, mit dem ihn bald Duz-Freundschaft verband. Wiederholt besuchte er die Bayreuther Festspiele und beschäftigte sich mit der Idee eines «Gesamtkunstwerks». Beiläufig mokierte er sich über Wagners «Tati-Tata-Geblase» und die «überhitzte» Tristan-Oper. Später resümierte er, der Tonschöpfer bleibe ihm mit seiner Lebensarbeit eng verbunden. «Rheingold gilt für mich als unerreicht.» Und provokatorisch fügte er hinzu: «Der Anfang dieses Musikdramas übertrifft Sämtliches, was Beethoven in Noten gesetzt hat. Ohne Wagner ist meine Jugend nicht zu denken.»[10] In den Memoiren berichtete er jedoch auch von dem begeisternden Erlebnis Mozarts und der IX. Symphonie von Beethoven während der Berliner Studienjahre[11], und mehrmals bezog er sich in Dichtungen auf Musikstücke des Wiener Klassikers, den er besonders deshalb als «groß» empfand, «weil seine Dimensionen einfach bleiben. Er singt immer, er spricht immer etwas Einfaches, Ehrliches, Menschliches.»[12] Die Appassionata erregte ihm «tiefste Schauer»; bei Beethoven bewunderte er «große Revolution», bei Bach «klingende Mathematik»[13].

Nun brachte Margarete buchstäblich Musik in sein Haus, eröffnete ihm mit einer echten Stradivari neue, zauberhafte Klangbereiche. Später wurde sie häufig von dem Cellisten Heinrich Grünfeld[14] und dem Bratschisten Paul Herrmann begleitet. Dann rief der Dichter wohl gelegentlich aus: «Warum bin ich nicht Musiker, der ich doch vor allem Musiker bin?» Oder er notierte: «Ein Künstler, dem nicht das letzte seiner Kunst Musik ist, befindet sich im Puppenstadium.»[15] Mehrere seiner Werke, wie *Indipohdi*, die *Gral-Phantasien* und *Die goldene Harfe*, wurden durch musikalische Erlebnisse ausgelöst und gefördert. Auch begann er, in Worten zu musizieren. (Um 1932 hatte er «freundschaftliche» Kontakte mit Alban Berg.)

Von alledem vermittelt das *Buch der Leidenschaft* keine Vorstellung, obwohl es sonst fast alle familiären Ereignisse in Hauptmanns Dasein von 1893 bis 1904 wenig verhüllt zur Sprache bringt und somit eine Art Fortsetzung des Memoirenwerkes *Das Abenteuer meiner Jugend* (nebst Anhang *Zweites Vierteljahrhundert*) bietet. Eine weitgehende Identität besteht zwischen Gerhart und Titus, Marie und Melitta, Margarete und Anja. Die Brüder Georg und Carl treten als Marcus und Julius auf, in den Freunden Hüttenrauch und Rauscher lassen sich Alfred Ploetz und Hugo Ernst Schmidt erkennen, und die Lokalitäten Grünthal, Bergfried und Bußbeck entsprechen ungefähr Schreiberhau, dem Wiesenstein zu Agnetendorf und Reinbek bei Hamburg. Dennoch darf man den Tagebuchbericht, trotz zahlreicher Übereinstimmungen im einzelnen, nicht uneingeschränkt wie eine authentische Lebensurkunde zitieren, wie das beispielsweise Hansgerhard Weiß in seiner Chronik tut. Hauptmann selbst bezeichnete das Werk als «Wahrheit und Dichtung»[16].

In einer beiläufigen Notiz rühmte Musil an dem Buche den «Reichtum, mit dem es das eine Thema dieser Liebe immer neu abwandelt». Er fand einige «gewaltige Szenen, z. B., wie das Ehepaar seine Liebesbriefe im Garten verbrennt und die Kinder ums Feuer springen und fortflatternde Papiere einfangen, um sie wieder ans Feuer zu tragen»[17]. Derartige episodische Höhepunkte und Feinheiten begegnen uns häufig in den Aufzeichnungen, doch insgesamt kann die subjektiv begrenzte, eingleisige Erzählweise nicht befriedigen. Vielleicht spürte das der Dichter selbst und versuchte aus diesem Grunde, den zweiten Teil des Buches aufzulockern. Durch die Wiedergabe von Reiseeindrücken, Erörterungen über Träume, den Abdruck des Brieffragments eines Lords (über ähnliche Liebeskonflikte) und die beziehungslos eingefügte Geschichte von einem «Liebesnarren» stellte er allerdings die Geschlossenheit der Komposition in Frage. Auch jetzt gelang es ihm nicht, einen plastischen Zeithintergrund zu gestalten. Er bot rein private Konfessionen.

Wir wollen nun die Vorgänge des bewegten Jahrzwölfts ohne dichterische Zutat an uns vorüberziehen lassen. Als Gerhart Hauptmann Ende November 1893 aus Berlin nach Schreiberhau zurückkehrte, trug er Margaretes Bild im Herzen, und die Liebe zu ihr stürmte mit der «Gewalt eines Naturereignisses»[18] in ihm. Es schien ihm unmöglich, künftig ohne dieses Mädchen zu leben.

Marie fühlte sich durch die offenen Bekenntnisse ihres Mannes tief getroffen. Sie hatte ihn als Jüngling gefördert, ihm Bildungsmöglichkeiten erschlossen und Sorgen erspart, in erfolgsarmer, später kampfumtoster Zeit unerschütterlich zu ihm gehalten, obwohl ihr die Verwandten vorwarfen, «einen Tagedieb ohne Aussichten»[19] geheiratet zu haben. Und nun, wo er sich einen Namen zu machen begann und Geld ins Haus strömte, sollte sie «abdanken»? Es gab heftige Auftritte, ein wildes Verbrennen der Liebesbriefe und Erinnerungsstücke, schließlich die Vereinbarung einer Probezeit.

Die Weihnachtstage verbrachte Gerhart Hauptmann in Zürich, um Distanz zu gewinnen. Hauptsächlich war er dort mit seinem Jugendfreund Ferdinand Simon zusammen, auch mit dessen Schwiegervater August Bebel. Ferner sprach er mit Wilhelm Bölsche[20] und entwickelte ihm den Gedanken einer Ehe zu dritt in moslemischer Eintracht. Er meinte, nur polygame Verhältnisse erlaubten eine wahrhaft menschenwürdige Entfaltung der Persönlichkeiten und seien durch die Respektierung der Freiheitsidee hochmoralisch, ja höher gearteten Wesen einzig gemäß. Die beiden Frauen könnten sich doch gegenseitig ergänzen; von hier aus bahne sich eine «Wiedergeburt» an.

Kurz vor Neujahr fuhr Hauptmann nach Berlin zu Margarete. Es ist kurios, zu denken, wie sich der nun schon bekannte Dichter aus Furcht vor dem Klatsch der Umwelt wie ein Schmuggler verstohlen mit seiner Freundin traf, wie «Deklassierte der Liebe», mit ihr durch entlegene Gassen und Vororte irrte, auf ferne Havelseen zum Eislauf floh und nur gelegentlich den Besuch der Nationalgalerie oder eines Konzerts wagte. Gewöhnlich ging man in Wind und Schnee – und fror.

Auf Einladung von Antoine und Thorel reiste Hauptmann Mitte Januar 1894 nach Paris, um an der Einstudierung und der französischen Uraufführung von *Hanneles Himmelfahrt* teilzunehmen. Nach dem Krieg von 1870/71 hatten sich die Franzosen in der Pflege deutscher Bühnenkunst Zurückhaltung auferlegt, und erst die *Weber* brachen den Bann nach mehr als zwei Jahrzehnten. Der junge Autor wurde rasch zum allgemeinen Gesprächsthema. Daraus erwuchsen für ihn viele gesellschaftliche Verpflichtungen, die er mit «zusammengebissenen Zähnen» absolvierte.

Mitten in den Theaterproben erreichte den Dichter plötzlich eine Nachricht aus Hamburg. Marie teilte ihm mit, sie könne die Ungewißheit nicht mehr ertragen und wolle zu retten versuchen, was man einst gemeinsam besessen. Darum sei sie zusammen mit den Kindern gegenwärtig dabei, mit dem Schnelldampfer «Fürst Bismarck» nach Amerika aufzubrechen, wo sie von der Familie Ploetz erwartet werde. «Ich gehe nicht, unsere Trennung zu verschärfen», hieß es in dem Brief. «Ich hoffe, der Schritt soll einen Weg bauen helfen, der uns beide wieder zusammenführt, wenn auch auf Umwegen ... Erwacht in Dir die Sehnsucht nach uns, so komm hinüber.»[21]

Die sagenhaften Trompeten von Jericho hätten nicht stärker wirken können als diese Zeilen, die Hauptmann erst erhielt, als das Schiff bereits durch die Kanalenge von Dover und Calais gesteuert war. Marie und die Kinder auf dem tobenden Ozean! Alle Meeresungeheuer fraßen sich in seine Phantasie hinein und versetzten ihn in einen Zustand der Ratlosigkeit.

Eine Entscheidung von seiner Seite schien unvermeidlich. Doch es lag nicht in seinem Wesen, sich zu entscheiden, vielmehr pflegte er sich von der kräftigsten Strömung treiben zu lassen. Für diesmal entschloß er sich, der Familie zu folgen. Ohne die *Hannele*-Aufführung abzuwarten, fuhr er überstürzt nach Southampton und belegte einen Platz auf dem Dampfer «Elbe», der am 24. Januar in See stach. Mit Erbitterung las er dort ein boshaftes Zitat von Bruder Carl aus Grimms Froschkönigs-Märchen: «Heinrich, der Wagen bricht!»

Die Überfahrt gestaltete sich außerordentlich stürmisch. Der Dichter berichtete davon später nicht nur im *Buch der Leidenschaft*, sondern vor allem in dem Roman *Atlantis*, der von Seenot, Katastrophe und Untergang eines Dampfers «Roland» erzählt. Mit der ihm eigenen wiederholungsreichen, wortballenden Sprache fing er immer wieder das Bild der entfesselten Elemente ein. Es war, als fiele der Himmel ins Meer oder als stiegen die Wellen zu den Wolken empor. «Das Salzwasser rannte und schoß über Deck; dazu peitschte Regen und Schnee vom Himmel. In allen Tönen heulte, stöhnte, surrte und pfiff das Takelwerk. Und dieser harte und schaurige Zustand, mit dem rauschenden, brummenden, ewig dröhnenden, ewig zischenden gewaltigen Wasserlärm, durch den sich der Dampfer wie in wilder und blinder Trunkenheit vorwärtswälzte, dieser rasende, trost-

lose Taumel hielt Stunde um Stunde an.»²² Merkwürdigerweise fand Hauptmann in der ihn umgebenden äußeren
Wirrnis innere Klarheit. Er war also auf dem Wege nach
New York, um sich auf dem fremden Erdteil erneut mit der
Gattin zu verbinden. Reue überkam ihn, Abbitte wollte er
leisten. Würde er die Geliebte, von der nun bald ein Ozean
in der Breite von achttausend Kilometern ihn trennte, jemals wiedersehen? In diesen Tagen glaubte er, die Ehekrise
überstanden zu haben und zu wissen, wo sein Platz sei: an
der Seite Maries und der drei Söhne.

Am 4. Februar passierte er mit einer dreitägigen, durch
den Sturm bedingten Verspätung die Freiheitsstatue vor
der Südspitze Manhattans. Das Wiedersehen der Ehegatten
im Hause des Freundes Ploetz zu Meriden brachte die Versöhnung. Das *Buch der Leidenschaft* spricht von einer «stillen Harmonie» und der Wiederkehr von Zartheit, gegen-
seitigem Verständnis und Vertrauen. Trotz bescheidener
Wohnverhältnisse fühlte man sich glücklich.

Alfred Ploetz, der seit etwa drei Jahren als Arzt am Ort
lebte und wirkte, stellte der Familie Hauptmann eine Unterkunft zur Verfügung, die hauptsächlich aus einem großen Schlafraum mit fünf Feldbetten, dem notwendigsten
Mobiliar und einem Anthrazitofen bestand. Die Quecksil-
bersäule fiel oft unter fünfzehn Grad minus, und man
mußte tüchtig einheizen. Ein Dachgeschoßstübchen diente
dem Dichter als provisorische Arbeitsstätte.

Hier arbeitete er in den folgenden Wochen an dem dramatischen Fragment *Der Mutter Fluch*, einer Vorstufe der
Versunkenen Glocke. Dabei wird erkennbar, daß er den Liebeskonflikt noch keineswegs gelöst hatte, denn das Werk
erzählt in mythologischer Form von der Verlassenheit einer
Königin und ihrer drei Prinzen und der Sehnsucht des
schwermütigen Königs Heinrich nach einer heiteren, lebensvollen Geliebten. Ins Tagebuch schrieb er «gefühls-
duselige» Liebesgedichte und Liebesbekenntnisse für Margarete. («Du bist in mein Leben getreten als die Erfüllung

meiner innigsten Sehnsucht.») Bald neigte er zur Resignation und fortdauernden «Kameradschaft», bald vermochte er seine Leidenschaft nicht zu bezähmen. Dann begegnete ihm Frau Marie takt- und verständnisvoll und in einer «rührenden Geduld und Liebe»[23].

Mit dem notgedrungen einfachen Lebensstil fand man sich bald ab. Mittags aß die Familie gewöhnlich in einer nahe gelegenen Pension. Im übrigen liebte es Hauptmann, den Freund, der häufig Fabrikarbeiter, Weinbauern und Armenhäusler kostenlos behandelte, in der Praxis zu besuchen oder ihn im Einspänner auf den Arztvisiten zu begleiten. Hin und wieder traf man auch mit dem Apotheker Lamping und dem Holzschneider Gerecke zu Diskussionen zusammen.

Die Neue Welt blieb nicht ohne Wirkung auf Hauptmann. Der Schriftsteller schätzte Autoren wie Cooper, Poe und Whitman, später auch Th. Dreiser, S. Lewis und E. O'Neill. Gelegentlich erwog er, ob man nicht in Amerika bleiben sollte. Was hatte er schließlich im «kaiserlichen und militaristischen Deutschland» verloren? In dem Zusammenhang fallen im *Buch der Leidenschaft* bemerkenswerte Worte: «Ich hasse diese eitle, dünkelhafte, herausfordernde, ganz und gar schwachköpfige, säbelrasselnde Militärdiktatur mit der Kotillonpracht ihrer Uniformen und Orden, die dem eigenen Staatsbürger täglich und stündlich, als wäre er eine wilde Bestie, mit dem aufgepflanzten Bajonette droht ... Man kann in Deutschland augenblicklich nur mittels eines wohlbegründeten philosophischen Gleichmuts Menschenwürde aufrechterhalten ...»[24].

Doch auch in Amerika hatten sich in den drei Jahrzehnten seit dem Tode des Sklavenbefreiers und Volkspräsidenten Abraham Lincoln Entwicklungen vollzogen, die Hauptmann abstießen. Er lernte das Land in der konjunkturerhitzten, vom Goldrausch beherrschten Zeit kurz vor dem Spanisch-Amerikanischen Krieg von 1898 kennen und erschrak über die Herrschaftsmethoden mit «Dollar und Zukkerbrot». An Ludwig von Hofmann schrieb er: «Gehen Sie niemals nach Amerika, das noch viel, viel zu jung ist für Kunst und Künstler.»[25] Seine negativen Empfindungen verstärkten sich, da er in Meriden durch Ploetz hauptsächlich mit Kranken zusammenkam und er sich zu guter Letzt in New York persönlichen Angriffen ausgesetzt sah.

Die Ursache davon war die Absicht der Gebrüder Rosenfeld, aus der Anwesenheit des deutschen Dichters für ihr Fifth-Avenue-Theatre Kapital zu schlagen. Sie erbaten die Aufführungserlaubnis für *Hanneles Himmelfahrt* und ließen zur «Reklame» verbreiten, das Stück sei moralisch anstößig, nicht ohne Pikanterie und werde voraussichtlich mit einem fünfzehnjährigen Mädchen in der Hauptrolle über die Bühne gehen. Während sich die Manager noch die Hände rieben, trat unerwartet der Vorstand der Kinderschutzgesellschaft auf den Plan. Commodore Elbridge T. Gerry schrieb einen salbungs- und empörungsvollen Brief an den Bürgermeister Gilroy und protestierte entschieden gegen das geplante Auftreten eines unmündigen Mädchens in dem «gotteslästerlichen»[26] Drama jenes Ausländers.

Mister Gilroy zitierte Kläger und Beklagte in ähnlicher Weise aufs Rathaus, wie es Hauptmann später in *Atlantis* beschrieb, doch der Mayor wagte nicht die Romangeste des Freispruchs, sondern untersagte das Auftreten der minderjährigen Alice Pierce. Dem weiteren Ansinnen der Gegenpartei, das Schauspiel aus religiösen Gründen überhaupt zu verbieten, verschloß er sich. Und so engagierten die Impresarien fix eine ohne alle Zweifel «großjährige» Dame und setzten die *Hannele*-Premiere für den 1. Mai 1894 fest.

Trotz allen Aufwandes war der Aufführung kein Erfolg beschieden. Ein puritanisches, bigottes Publikum brachte dem Stück kein Verständnis entgegen. Die Presse verhielt sich kühl oder ablehnend. Zwei Tage später reiste Gerhart Hauptmann mit seiner Familie auf der «Auguste Viktoria» nach Europa zurück. Das dreimonatige amerikanische Zwischenspiel war zu Ende.

Wenn wir dem *Buch der Leidenschaft* trauen dürfen, fühlte sich der Dichter bei der Wiederbegegnung mit Margarete in Berlin zunächst ernüchtert. Im Vergleich mit Marie erschien ihm die Freundin plötzlich oberflächlich und zudem «bohnenstangenmäßig unproportioniert». Er fuhr nach Schreiberhau, setzte dort die 1892 begonnene und in Amerika geförderte Arbeit am *Florian Geyer* fort und begab sich Ende Juni auf eine zweite Studienreise nach Franken.

Wenige Wochen später, im Hochsommer, stand er jedoch wieder in Margaretes Bann. Das Leben in Schreiberhau gestaltete sich nun sehr unerquicklich. Das Gelärme der Kinder «störte» den Dichter.[27] Marie kämpfte verzweifelt um die Erhaltung der Ehe, und Carl Hauptmann redete dem Bruder immer wieder ins Gewissen und mißbilligte dessen Untreue.

Über das Verhältnis der Brüder in jenen Jahren geben nachgelassene Tagebuchnotizen von Carl Hauptmann Aufschluß, die Anfang 1969 mit dem gesamten Nachlaß des Dichters nach Berlin kamen. Carl faßte damals den nicht ausgeführten Plan, sich die schmerzvollen Erlebnisse seines Esau-Schicksals in Form eines Tagebuchromans von der Seele zu schreiben und zu zeigen, wie der eine Bruder «systematisch durch den äußeren Ruhm und die Taktlosigkeit der Fremden und auch durch tyrannische und Launenzüge des anderen krank und verzweifelt gemacht wird»[28]. Über künstlerische Probleme und das eigene Schaffen redete man nach ausdrücklicher Vereinbarung kaum noch, damit sich jeder zu «möglichster Selbständigkeit» durchringen könne. Das verstärkte die Entfremdung. Als Carl 1921 starb, bemerkte Gerhart, man sei schon «seit Jahrzehnten geschieden» gewesen, und er sprach über angebliche «Donquichotterie» des Verstorbenen, von dessen «Mangel an praktischem Sinn, Gefühlsduselei und Kampf gegen Windmühlen»[29].

Um sich günstigere Arbeitsbedingungen zu schaffen, zog Gerhart Hauptmann im Herbst 1894 wieder nach Berlin (zunächst in die Gegend am Tauentzien und Kurfürstendamm, seit 1897 in die Villenkolonie am Grunewald), während er gleichzeitig in Dresden für seine Frau und die Kinder ein neues Heim einrichtete. Obwohl er kurz nach der Übersiedlung notierte: «Ich fühle meine Familie und wie ich ihr an- und zugehöre»[30], war er nun fast täglich mit Margarete zusammen, die um diese Zeit ein Engagement als Schau-

Zwei Karikaturen von Arpád Schmidhammer,
1904

spielerin am Deutschen Theater erhielt. Mit Rücksicht auf den hauptstädtischen Klatsch[31] empfahl sie der Dichter später an das Lobetheater in Breslau, wo sie dann seit Herbst 1895 auftrat. Eine Augenerkrankung (Netzhautriß) bereitete ihrer Karriere allerdings ein baldiges Ende. Was nun?

Eine Lösung des Ehekonflikts stand vorläufig nicht zu erwarten, da Marie nicht in die Scheidung willigte. Manchmal hoffte Hauptmann, sie werde etwas «ganz Wunderbares», das heißt natürlich: ihm Erwünschtes tun, aber sie hatte sich dazu entschlossen, alles der Zeit anheimzugeben. Zäh hielt sie an dem Glauben einer möglichen Erneuerung der Liebe fest, auch als diese Liebe nur noch die leidvolle Idee einer betrogenen Ehefrau war.

Man kann es glauben, daß die familiären Zwiste jener

Jahre Gerhart Hauptmann manche schlaflose Nacht bereiteten. Hinzu kamen aufreibende berufliche Wechselfälle. Bei der *Florian-Geyer*-Premiere am 4. Januar 1896, von der er sich einen großen Erfolg versprochen hatte, wiederholte sich das Fiasko der New-Yorker *Hannele*-Aufführung: Publikum und Presse lehnten das Stück fast einmütig ab.

Der Dichter fiel in eine tiefe Depression und ging mit Selbstmordgedanken um. Zum Glück traf zehn Tage später die Nachricht ein, die Kaiserliche Akademie der Wissenschaften zu Wien habe ihm den Grillparzer-Preis verliehen. Die Ehrung, die sich 1899 und 1905 (kurz vor der Oxforder Doktorpromotion) wiederholte, wirkte wie eine Befreiung aus einer «Klammer von Eis»[32]. Aber die ermutigende Wirkung hielt nur kurze Zeit an. Ein neuer Konflikt mit Carl brach aus; Georg in Hamburg erwartete finanzielle Hilfe, die nur mit Maßen geleistet werden konnte. Schließlich lehnte Kaiser Wilhelm II. nachdrücklich den Vorschlag einer Verleihung des Schillerpreises[33] an Hauptmann ab, da er ihm die *Weber* nicht verzeihen konnte. In dieser Zeit entstand die *Versunkene Glocke*. Am 2. Dezember 1896 ging sie über die Bühne des Deutschen Theaters zu Berlin und wurde Hauptmanns größter Theatererfolg.

Dank der guten Einnahmen konnte er zu Beginn des neuen Jahres gemeinsam mit Margarete zu einer fast viermonatigen Italienreise aufbrechen. Es ging jenem Ort entgegen, in dem Goethe einst berühmte Epigramme gedichtet, in dem Platen ein «frei gebornes Volk» gefunden und Richard Wagner letzte, glückliche Stunden verlebt hatte: Venedig. Die Stadt enttäuschte nicht. Hauptmanns Fahrtenbuch liegt seit 1976 unter dem Titel *Italienische Reise 1897* vor und bezeugt sein Ergriffensein durch die «Festivitas» dieser «Aphrodite unter den Städten»[34], sein staunendes Entzücken über Farbe und Form. Er sah eine beinahe orientalische Märchenpracht aus Purpur, Gold und Hermelin, besuchte die Glasmacherinsel Murano, glitt in der Gondel zum Dogenpalast hinüber und bewunderte hier im Pa-

Illustration von Hans Meid zum «Ketzer von Soana», 1926

Margarete Marschalk im Jahre 1896

Hans Fechner, Gerhart Hauptmann, 1897

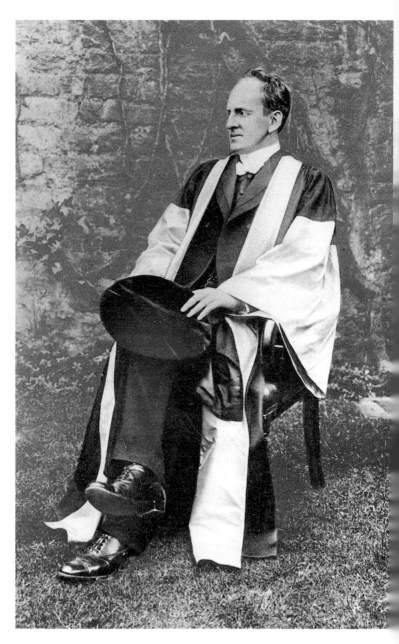

Nach der Promotion in Oxford am 30. Mai 1905

Illustration von Heinrich Ehmsen zum «Emanuel Quint», 1927

Ida Orloff als Rautendelein

Ida Orloff im Alter von 17 Jahren

Emil Orlik, Gerhart Hauptmann, 1909

lazzo Ducale und in der Scuola di San Rocco die Werke der Maler Tizian, Veronese und vor allem des «Bilddenkers» Tintoretto.

Als er vier Jahrzehnte später in einem Essay zu Ehren des italienischen Meisters ein geheimes Selbstporträt entwarf, war das die letzte seiner mannigfachen Huldigungen an das urbane «Wunder aus den Tausendundeinen Nächten»[35]. Schon 1903 hatte er ein Romanfragment über einen neunzigjährigen, zaubermächtigen *Venezianer* geschrieben, wobei das Goldmachermotiv und die prunkbeladene Atmosphäre der Lagunenstadt auftauchten, und kurz darauf schuf er das schöne Kind aus Murano, die tanzende Pippa und den phantastischen Okarina-Spieler Hellriegel. Er münzte das Gold, das er Anno siebenundneunzig zusammen mit Margarete am Lido fand.

Mitte Februar ging es über Verona (die Stadt von Shakespeares «Romeo und Julia») und Florenz weiter nach Rom. Die Schatten der Vergangenheit stiegen auf. Knapp anderthalb Jahrzehnte lag das erste römische Abenteuer zurück, in dem Hauptmann Bildhauerträume hatte und mit Marie über den Petersplatz gewandelt war, bevor ihn eine Typhuserkrankung niederwarf. Die Erinnerungen begleiteten ihn nun auf Schritt und Tritt und belebten auch das künstlerische Kernerlebnis von damals wieder. Im *Buch der Leidenschaft* heißt es: «Eigentümlicherweise sah ich diesmal in der Ewigen Stadt nichts als die Pietà»; sie erschien ihm wie der «Gestalt gewordene Genius Michelangelos»[36]. Die seelischen Kämpfe der vergangenen Jahre hatten ihn empfänglich gemacht für dieses Symbol tiefer Leiderfülltheit, für die zweifache Marien-Klage. Auch im Tagebuch (das weniger von äußeren und mehr von inneren Erlebnissen berichtet und viele Überlegungen zu einer «Dramaturgie» enthält) bekannte er sich emphatisch zu dem großen Bildkünstler, wobei ihm schien, als offenbare sich dieser «gottähnliche Schöpfer in der Sixtina» am «gewaltigsten»[37].

Nur eine Woche ertrug Hauptmann den Umgang mit

den Gespenstern eines früheren Lebens. Dann folgte er der «Einladung nach Sorrent», die einst auch an Platen ergangen war und «reinere Luft» versprach. In diesem reizenden Badeort im Golf von Neapel blieb das Paar den ganzen März über, unternahm Ausflüge zum Vesuv, nach Amalfi und Salerno, dem Wallfahrtsort jenes «armen Heinrich», dessen Bild der Dichter bald beschwören sollte. Die Lektüre orientalischer Literatur weckte zudem exotische Dramenpläne, die aber nicht über Entwürfe hinauskamen. Im April reiste man über Rovio und die Schweiz nach Deutschland zurück und traf am 20. Mai 1897 in München ein.

Nach der Heimkehr suchte Gerhart Hauptmann (durch die römische Episode nachdenklich gestimmt) behutsam eine familiäre Versöhnung ins Werk zu setzen. Im Grunde kurios, denn sowohl Bruder Carl wie die Gattin weilten gleichzeitig in Italien; brieflich bekundete sie, keinen «Groll» zu empfinden, zumal sie «einen Schatz der Liebe in den Kindern» besitze, «und auch Gerhart ist mir gut»[38]. Tatsächlich versicherte er ihr in zahlreichen Episteln trotz der Trennung immer wieder Zusammengehörigkeitsgefühle und Zärtlichkeit! Die «Chronik» von Behl und Voigt verzeichnet für die folgenden Monate mehrere Besuche bei Marie und den Söhnen in Dresden, bei den Eltern in Warmbrunn und bei den Brüdern in Schreiberhau und Reinbek. So gelang es ihm, die vier Familien für die Idee eines gemeinsamen Weihnachtsfestes in Schreiberhau zu erwärmen. Ein paar Tage vor dem Heiligen Abend stellte er in einigen Berliner Delikateßwarengeschäften mit Hilfe von Margarete, die er freilich nicht in den geladenen Kreis einbeziehen durfte, gehaltvolle Proviantkisten zusammen, damit es feiertags in dem kleinen Gebirgsort an nichts mangele. Und so konnte also das «Friedensfest» beginnen.

Nicht von ungefähr drängt sich einem hier der frühe Dramentitel auf, denn die Vorfälle des Schauspiels wiederholten sich, mutatis mutandis, wahrhaftig in tragisch-grotesker Weise in der Wirklichkeit! Zwar brach die «Familien-katastrophe» nicht gerade bei der Bescherung aus, und sie hatte auch andere Ursachen, aber sie traf unvermeidlich ein und führte in den Weihnachtstagen zu häßlichen Szenen. Später vergegenwärtigte Gerhart Hauptmann die Vorgänge in Stücke-Entwürfen unter dem Doppeltitel *Familientag / Das Gastmahl*. Bei den Auftritten spielen weniger die Ehekonflikte eine Rolle als vielmehr heftige Auseinandersetzungen zwischen Gerhart (hier Hellmuth, Erasmus oder Walter genannt) und dem empfindsamen, reizbaren, jähzornigen Carl (Christian, Robert oder Paul genannt), der sich zurückgesetzt und durch die «Protzereien» des erfolgreichen jüngeren Rivalen verletzt fühlt. Nur mühsam wurde der Riß gekittet. Am Jahreswechsel sangen die Kinder: «Schöner Frühling, komm doch wieder, lieber Frühling, komm doch bald!» Das unvermutete Gleichnis löste eine allgemeine Sentimentalität aus.

Es war das letzte große Familientreffen. In den beiden folgenden Jahren starben der Vater und der Bruder Georg (die Mutter lebte noch bis 1906); außerdem verlor Gerhart Hauptmann seinen Jugendfreund Hugo Ernst Schmidt und Margarete ihre Mutter. Trotz dieser Schicksalsschläge vollendete Hauptmann in dieser Zeit die Schauspiele *Fuhrmann Henschel* und *Schluck und Jau* und arbeitete am *Michael Kramer* und am *Armen Heinrich*. Zu den Freunden, die ihm damals zur Seite standen, gehörten einige bildende Künstler. Der Impressionist und Literat Walter Leistikow, in dessen Atelier der Dichter bisweilen aus Manuskripten vorlas, gründete (vermutlich) 1899 einen «Freundschafts- und Rosenbund»[39], dem sich vor allem die Maler Lovis Corinth, Ludwig von Hofmann und Bernt Grönwold zugesellten. Man lud reihum zu Diners ein und schuf durch Sektumtrunk und Rosengebinde ein besonderes Fluidum.

Zu Beginn des Jahrhunderts nahm der Ehekonflikt nochmals dramatische Formen an, denn Margarete sah der Geburt eines Kindes entgegen. Marie willigte noch immer nicht in die Scheidung, obwohl Gerhart nun dem Architekten Grisebach den Auftrag gab, für die Freundin und sich in Agnetendorf ein neues Heim zu schaffen. Um Marie nicht zu benachteiligen, ließ er ihr in Dresden-Blasewitz gleichfalls eine Villa bauen; ihrem Wunsch nach Übersiedlung in die Schweiz stimmte er nicht zu.[40] Am 1. Juni 1900 wurde Benvenuto, der «willkommene» Sohn, geboren.

Im Herbst bezog Marie mit den Kindern das Dresdener Landhaus. Ein knappes Jahr später siedelte der Dichter mit Margarete und dem Einjährigen nach dem Wiesenstein in Agnetendorf über, und im Sommer 1904 gab Marie ihn endlich frei. In Übereinstimmung mit der Realität schließt der Erstdruck des *Buches der Leidenschaft* am 19. September 1904, einen Tag nach der Hochzeit mit Margarete. Mit hörbarem Aufatmen notierte der Dichter: «Eine neue, stille Schönheit erfüllt unser Haus.»

Natürlich ist es leicht, über Hauptmanns Verhalten während der Ehewirren zu Gericht zu sitzen und seine Lösung von Marie als eine «höchst bedauerliche Undankbarkeit»[41] zu bezeichnen. Aber was wissen wir schon von der Intimsphäre anderer Menschen! Wo Liebe herrscht, so könnte man ein Sprichwort abwandeln, hat der Kadi die Macht verloren. Zudem wollen uns Bekenntnis und Bewährung einer echten, neuen Liebe moralisch wertvoller erscheinen als das Festhalten an brüchigen Formen und das Vortäuschen harmonischen Familienglücks.

Bei Hauptmann findet sich der Satz: «Moralische Urteile sind Bequemlichkeit»[42], und an anderer Stelle sprach er im Hinblick auf das Jahrzehnt seiner Krisen von einem «Wachstumsprozeß»[43], der ihn naturnotwendig von der ersten Frau entfernt habe, an die er sich einst in jugendlichem Alter und mit dem Gedanken an eine bürgerliche Ehe gebunden hatte. Dennoch blieb ihm seine Schuld zeitlebens bewußt. Das wird namentlich in dem Versepos *Mary* und im ersten und sechsten Gesang des *Großen Traums* erkennbar, in denen er voller Ergriffenheit das Bild der früheren Gefährtin beschwor, die 1914 starb, da ihr die Trennung von ihrem Mann allmählich das Herz zerbrach.[44]

Frau Margarete war nicht in dem Maße seine «Muse», doch sie verstand es, zu repräsentieren, Freunde zu gewinnen und für ihren Mann nutzbringend tätig zu werden. Er selbst bekannte einmal: «Ohne ihre Hilfe hätte ich diese Weltgeltung nicht bekommen.»[45] Hausfrauliche Talente besaß sie kaum. Stets beschäftigte sie Dienstpersonal, ward selten in der Küche gesehen, widmete sich ganz den Künsten und den gesellschaftlichen Verpflichtungen. Übrigens heirateten auch ihre Schwestern Elisabeth und Gertrud Schriftsteller, nämlich Emil Strauß und Moritz Heimann.

Frühere Biographen haben in Margarete das Urbild für zahlreiche Gestalten in Hauptmanns Dichtungen gesehen. Zweifellos stand sie Modell für die Anja des *Buches der Leidenschaft* und für die Geigerin Lucie Heil in *Gabriel Schillings Flucht*, und sie lieh wohl auch Ottegebe einige Züge. Dennoch spiegelt sie sich nicht «eindeutig» im Werk. Das liegt vielleicht daran, «daß sie niemals Erinnerung wurde, sondern bis zum Ende lebendige Gegenwart blieb»[46]. Des Dichters bevorzugter Jungmädchentyp, der uns erstmals in Pippa entgegentritt, beruht auf einem anderen Erlebnis, nämlich dem Intermezzo mit der jungen Schauspielerin Ida Orloff (1889–1945).

Merkwürdigerweise griff abermals das *Hannele* schicksalhaft in Hauptmanns Leben ein, denn bei den Proben zu einer Neuinszenierung seines Traumspiels lernte er im September 1905 das damals sechzehnjährige Mädchen, dem die Hauptrolle zugefallen war, im Lessing-Theater kennen und fühlte sich von ihrer «Flämmchennatur» sofort fasziniert. Genau vier Monate später, am 19. Januar 1906, sah er sie auf derselben Bühne als Zentralgestalt in seiner soeben vollendeten Dichtung *Und Pippa tanzt*, die er ihr ein paar Tage später mit einem Begleitbrief zusandte: «Ihre schöne Jugend hat es mir geschenkt … als leuchtende Verwirklichung eines eignen Gedankens.»[47]

Was nun folgte, kann man als eine Art nachgelebte «Marienbader Elegie» am Ostseestrand bezeichnen. Aus Brief- und Tagebuchnotizen geht hervor, daß den dreiundvierzigjährigen Dichter eine starke Leidenschaft für Ida Orloff packte. Zunächst wiegte er sich in dem Gedanken einer rein väterlichen Neigung. Bald bot er ihr das «Du» an, nannte sie «kleine Herzensfreundin», «geliebtes Menschenkind», auch «ungezogener Liebling», und er gebrauchte Wendungen wie «ich streichle Deinen Scheitel» oder «ich küsse Deine Stirn». Mehrmals findet sich der Ausruf: «Deine Hände, Idinka, Dein Haar!» Das sieht nicht mehr nach bloß väterlicher Gunstbezeigung aus.

Man redete bald «sehr konfus» miteinander. Durch freimütige und offenbar schalkhaft-provokatorische Bekenntnisse des Mädchens von ihrer «Lasterhaftigkeit» fühlte sich der Autor bewogen, etwas «Gutes, Festes, Reines in sie zu bringen»[48] und Erlöser zu sein. Das Feuer wurde geschürt durch Aufmerksamkeiten Frank Wedekinds für die Schauspielerin, deren Typ, Vielgeliebtheit und Pippa-Tänze er gleichsam in Lulu vorweggenommen hatte.[49] Seit den Gereiztheiten des «Friedensfestes» bemühten sich die beiden Dramatiker um Fair play, doch nun ärgerte sich Hauptmann über den «alten Hurer mit dem gemachten Genieton». Bald darauf beeindruckte ihn «Frühlings Erwachen» als das «Tiefste, Wahrste und Merkwürdigste»[50] des Generationsgefährten. Ansonsten sprach er von dessen «Darminhaltsstücken»[51], und drei Jahrzehnte später präzisierte er: «Ich kenne nichts Abstoßenderes als die Kunst Wedekinds. Sie ist für mich geradezu pestilenzialisch.»[52] Die erste erzählerische Gestaltung der Amouren mit Ida erfolgte in einem dritten, erst 1966 publizierten Teil des *Buches der Leidenschaft*. Der fiktive Tagebuchverfasser beschreibt hier, daß er etwa ein Jahr nach der Hochzeit mit Lella (der Anja des *Buches der Leidenschaft*) plötzlich der jungen Schauspielerin Minka verfallen sei. Kaum verhüllt werden die bewegten Monate in Berlin eingefangen, die «Verzauberung» durch das «goldgemähnte, süße Bildchen» des Mädchens, das zerbrechlich, schutzflehend und zugleich verdorben wirkt und den Erzähler zwischen Mitleid und Ernüchterung hin und her schwanken läßt. Er möchte sie «retten», mit ihr nach Afrika reisen, sie vielleicht auch mit den beiden anderen geliebten Frauen in einem «Mysterium» vereinen.

Im Text der Centenar-Ausgabe folgt er jedoch am Ende nicht ihrem Ruf zu einem Treffen auf Rügen. F. Heuser hingegen berichtete von eliminierten Abschnitten über eine Begegnung des Paares auf der Ostseeinsel.[53] Der Liebhaber lernt die Freundin beim Wandern und Schwimmen näher kennen und denkt schließlich daran, Lella zu verlassen, falls die unzuverlässige Minka zu einer bestimmten Verabredung kommt. Der Zufall soll über die Zukunft entscheiden! Minka erscheint nicht, und damit ist die Ehe gerettet.

Manche Einzelheiten entsprechen den authentischen Tagebuchnotizen, denn Ende Juni 1906 weilte Hauptmann eine Woche lang bei Ida Orloff in Göhren. Bevor er sich nach Aia-Baabe einschiffte, las er im Kurhaus Flauberts «Versuchung des heiligen Antonius»; dann näherte er sich gefaßt der «kleinen, goldenen Sirene», genoß am Strand die «Schönheit» ihres «bloßen Oberkörpers», empfand «große, umfassende Liebe» und zugleich «Lächerliches, manches Demütigende» und «Entillusionierung»[54]. In einem anderen Notizbuch gestand er seine Verwirrung ein durch das Mädchen, das einerseits ein stolzer, respektloser, vampyrhafter «Geist, der verneint» sei, andererseits schwer leidend, «gut, klein, bezaubernswert in Jugend» und ihn zu dem schlichten Bekenntnis veranlaßte: «Ich habe sie lieb.»[55] Obwohl er bei der Freundin möglicherweise Hoffnungen weckte und gelegentlich erwog: «Eine neue Ehe: was gewönne ich? was verließe ich?»[56], dürfte feststehen, daß er «niemals an eine echte Verbindung mit ihr»[57] dachte. Die Schauspielerin mochte sich anfangs durch die Aufmerksamkeiten des berühmten Dramatikers geschmeichelt fühlen; sie versicherte ihm wiederholt ihre Liebe, doch nach dem Rügen-Abenteuer (das durch eine telegraphische Nachricht über eine Erkrankung Benvenutos beendet wurde) scheint sie eher auf Lösung denn auf Bindung bedacht gewesen zu sein. Jedenfalls ließ ihr Korrespondenzeifer nach, worüber sich Hauptmann Ende Juli beklagte. Nach ihrer Verbindung mit Karl Satter im Frühjahr 1907 brachen die persönlichen Beziehungen zum Dichter für lange Zeit ab. Sie trat aber weiterhin in seinen Stücken auf, vor allem als Hannele, Pippa und Rautendelein.

Da die Orloff-Episode im Manuskript des *Buches der Leidenschaft* gar zu bekennerisch und «selbstquälerisch» geraten war und die autobiographischen Züge nicht übersehen werden konnten, bemühte sich Hauptmann zehn Jahre später (1939) in der Erzählung *Siri* um eine distanziertere Darstellung der Vorgänge. Wiederum wählte er die Tagebuchform, wobei er die Aufzeichnungen einem «jungen Humanisten» und Privatdozenten in einer Saale-Stadt (wohl Jena) zuschrieb. Durch diese berufliche Abgrenzung und die Schauplatzverlagerung verfremdete er den Stoff ebenso wie durch eine eigentümliche Vermischung der zugrunde liegenden persönlichen Erlebnisse. Der fiktive Berichterstatter doziert an der Universität über Plato und wirkt als Kollege von Professor H. (Haeckel), einer «Leuchte der Naturwissenschaft», und des Philosophie-Professors E. (Eucken); hier klingen Reminiszenzen an die Jenenser Studienzeit des Dichters an. Züge von Marie Hauptmann (die ihren Mann «materieller Sorgen» enthob und durch ihre dunkle Erscheinung mit «blauschwarzem Haar» oft Aufsehen erregte) und der späteren Gattin Margarete (die nachdrücklich vertraute und half) finden sich in der erzählerischen Gestalt Annemaries vereint, deren Rivalin Siri wiederum bisweilen an die Anja des *Buches der Leidenschaft* erinnert.

Die wesentliche Konfliktsituation hat sich nicht geändert: Der Tagebuchschreiber legt eine private Beichte ab über die Bedrohung seiner Ehe mit Annemarie infolge seiner triebhaften Neigung zu der Schauspielerin Siri. Aber er verhält sich zu der Geliebten von Anfang an kritischer als der Autor des früheren Memoirenbuches, gibt sich keiner Illusion hin über Siris zwiespältigen Charakter und betrachtet seine Notizen als «eine Art Therapie»[58]. Gewiß ist die verführerische Macht dieser Komödiantin der Unschuld, die Shakespeares Julia ungemein überzeugend zu spielen vermag, außerordentlich groß; ihr «kindliches Schönheitswunder» zieht den Erzähler immer wieder in den Bann, doch er versucht, die Magie ihres Wesens und ihre Circe-Natur zu analysieren und zu neutralisieren. Das gelingt ihm bedingt, nachdem er auf schwerem Krankenlager Abstand gewonnen hat. Beim letzten Wiedersehen mit Siri auf der Insel Rügen (das diesmal gemäß dem Urerlebnis geschildert wird) spürt er hauptsächlich «Verlegenheit» und «Ernüchterung», wenngleich er eingesteht, daß die «Morbidität» seines Inneren noch keineswegs behoben sei. Insgesamt bietet *Siri* eine weitgehend objektivierte, kunstvolle Fassung des Liebesabenteuers.

Hans von Hülsen, der die Schauspielerin persönlich gut kannte, teilte dem Verfasser in einem Brief ergänzend mit, Ida Orloff habe Hauptmanns «Leidenschaft nicht im geringsten erwidert», ja, sie sei einmal so offenherzig gewesen, mit komischem Akzent zu erklären: «Wenn er kam — es war entsetzlich. Er wollte immer Sahne trinken, weil er sich einbildete, ein Lungenleiden zu haben, und Menschen, die Milch trinken, sind mir einfach ekelhaft.»

Die hier skizzierte Freundschaft, die mit Entsagung, plötzlicher Abreise und Nimmerwiederkehr endete, gehört zu den großen Merkwürdigkeiten in Hauptmanns Leben. Keine Frau, weder Marie, Margarete noch sonst irgendein Mensch seiner Bekanntschaft, hat jemals einen derart produktiven Reiz auf ihn ausgeübt wie die junge Ida Orloff. Annähernd ein dutzendmal beschwor er innerhalb von rund drei Jahrzehnten ihre Erscheinung, wie er sie (sicher in manchem verzerrt) sah, das Bild einer etwa sechzehn-jährigen, kecken, leicht lasterhaften, zierlich-tänzerischen Mädchenschönheit mit langwallendem Blondhaar.

Er selbst bezeichnete sie ausdrücklich als Modell für Pippa und für die Gersuind in *Kaiser Karls Geisel*. Unter den weiteren Gestalten, denen sie, abgesehen von der Minka in der *Neuen Leidenschaft* und dem Mädchen Siri, ihre Züge lieh, erwähnen wir nur die Ingigerd in *Atlantis*, die Melitta in *Phantom*, die Irina aus *Im Wirbel der Berufung* und Mignon aus der gleichnamigen Erzählung.

Noch ein Wort über die späteren Kontakte zwischen Hauptmann und Ida. Die Akademie der Künste der DDR bewahrt zwei Briefe von Ida Orloff auf, die Heuser in sei-ner Studie noch nicht ausgewertet hat. In dem einen (unda-tierten) Schreiben bat die Schauspielerin um eine Empfeh-lung Gerhart Hauptmanns an den Leiter des Moskauer Künstlertheaters, an dem sie während einer Rußland-Tour-nee zu gastieren gedachte. Sie schrieb: «Stanislawski wird sicher auf Ihre Fürsprache hin alles tun, da Sie in meiner Heimat diesen enormen Anhang haben, und Sie lernten ihn ja damals in Berlin kennen.» Ob der Dichter ihrem Wun-sche entsprach, wissen wir nicht. Idas kleine Truppe trat 1913/14 im wesentlichen in Petersburg auf.

Hauptmanns Ansehen in Rußland war damals in der Tat beträchtlich. Seit Mitte der neunziger Jahre inszenierte Sta-nislawski in der Gesellschaft für Literatur und Kunst und bald auch im Moskauer Künstlertheater neben *Hannele* vor allem die *Versunkene Glocke* und die *Einsamen Menschen*; Gor-kis spätere Frau Maria Andrejewa spielte darin Hauptrol-len. Durch diese Aufführungen wurde Tschechow zu eini-gen Theaterstücken mit ähnlichen Problemen und Stim-mungen angeregt (etwa zum «Kirschgarten»). 1902 erschien in Rußland die erste Gesamtausgabe von Hauptmanns Schriften. 1908 folgte eine dreibändige und 1911 sogar eine vierzehnbändige Edition.[59] Im Frühjahr 1906 empfing der Dichter durch ein Gastspiel des Stanislawski-Ensembles in

Berlin tiefe Eindrücke und traf wiederholt mit dem bekannten Regisseur zusammen, wie wir aus dessen Memoiren[60] wissen. Sicher nahm die in Petersburg geborene Ida an jenen Vorgängen lebhaften Anteil.

Nach Auflösung ihrer ersten Ehe heiratete sie 1920 den damaligen Leiter des Berliner Propyläen-Verlags und betätigte sich zuweilen als Dostojewski- und Turgenjew-Übersetzerin. Ihr Sohn Wolfgang Leppmann wurde später als Literaturwissenschaftler bekannt mit bedeutenden Büchern über Goethe, Rilke und Gerhart Hauptmann. Die Schauspielerin korrespondierte in den dreißiger Jahren sporadisch mit dem Schriftsteller, dem sie (nach drei Dezennien) im Januar 1938 zufällig in Rapallo begegnete. Im Diarium notierte er: «Ida Orloff wiedergesehen ... Der Mensch I. O. – ist ein ganz anderer als der unendliche, dämonisch bezaubernde Genius, der sie, sich selbst unbewußt, war, die Pippa. Ein Mensch, der nichts mehr mit seiner Jugend gemein hat. Ihre Jugend, 18 Jahre etwa, war ihre höchste Entfaltung.»[61] Eine merkwürdig unverständige, ja groteske Eintragung. Im folgenden erfüllte er mehrmals Autogrammwünsche, bis sich der Briefwechsel im Herbst 1941 vorübergehend intensivierte. Die Direktion des Berliner Rose-Theaters hatte vergeblich um Hauptmanns Teilnahme an einer Aufführung des *Roten Hahn* gebeten. Da sandte ihm Ida Orloff ein paar herzliche Zeilen und ein Photo («30 Jahre jünger – gerne genug!» steht auf der Rückseite) und vermochte ihn umzustimmen.[62] Am 5. Oktober saß er im Zuschauerraum und sah die Herzensfreundin von einst in einer Rolle, die er durchaus nicht für sie geschrieben hatte, nämlich in jener der alten Frau Fielitz. Schließlich trafen, nach einer Mitteilung Hans von Hülsens, die beiden Künstler am 12. Februar 1942 nochmals während der Generalprobe zu *Iphigenie in Delphi* im Wiener Burgtheater zusammen.

In seinen Memoiren hat Hauptmann gelegentlich erklärt, es sei ihm unmöglich gewesen, «auch nur das erste Vierteljahrhundert» seines Lebens «im Sinne der Kunst auszuwerten»[63]. Diesem Bekenntnis entsprechend, kehrte er in seinen Werken immer wieder zu Erlebnissen und Gestalten seiner Jugend zurück, aber man darf die Zeitbegrenzung nicht so genau nehmen. Tatsächlich hat der Dichter mindestens ebensoviel aus dem Erfahrungsschatz seines zweiten Vierteljahrhunderts geschöpft, und dabei spielten vor allem die schmerzlich durchlittenen Eheprobleme und Berührungen durch den Eros und die mit Entsagung endenden Liebeskonflikte eines Alternden die entscheidende Rolle. Von den Nachwirkungen des Jahrzwölfts, das wir soeben an uns vorüberziehen ließen, wird im folgenden noch häufig die Rede sein.

Szenen
aus der Zeit der Reformation
und Gegenreformation

Wir wollen uns noch einmal die Situation in den neunziger Jahren des neunzehnten Jahrhunderts vergegenwärtigen. Im März 1890 hatte Bismark von der Bühne der Weltpolitik abtreten müssen. In diesem Jahr bekannten sich nahezu anderthalb Millionen Wähler zur Sozialdemokratischen Partei. Das Sozialistengesetz hatte sich als wirkungslos erwiesen und mußte aufgehoben werden. Nun standen große Aufgaben und Möglichkeiten vor der deutschen Arbeiterbewegung.

Gerhart Hauptmann griff damals Themen auf, deren künstlerische Gestaltung den schweren, verantwortungsvollen Kampf des Proletariats unterstützen konnte. In seiner Frühzeit hatte er noch Germanen und Römer bedichtet und damit einer literarischen Mode gehuldigt. Jetzt stellte er den zeitgenössischen Gesängen von Preußens Gloria und Monarchen-Herrlichkeit wirklichkeitsgetreuere historische Anschauungsbilder gegenüber. Dabei visierte er vor allem zwei Knotenpunkte unserer nationalen Geschichte an: den Aufstand der schlesischen Weber von 1844 und den deutschen Bauernkrieg von 1525.

Den Plan zu einem Werk über die Freiheitsbewegung im ersten Viertel des sechzehnten Jahrhunderts faßte der Dichter bereits 1891 während der Arbeit an den *Webern*. In jenen Monaten las er das gerade in dritter Auflage als Volksausgabe erschienene Werk «Der große deutsche Bauernkrieg» von Wilhelm Zimmermann, ein Buch, in dem

Florian Geyer als der «schönste Held des ganzen Kampfes»[1] gewürdigt wurde. Die vielfältigen Hinweise auf den tapferen Mann konnten schöpferische Kräfte aufrufen. Hauptmann unternahm zur Sommerzeit 1892 und 1894 zwei ausgedehnte Fahrten durch das Frankenland, um sich den Schauplatz des historischen Geschehens einzuprägen. Er trieb umfangreiche wissenschaftliche Studien (u. a. in den einschlägigen Büchern[2] von Blos, Cornelius, Cronthàl, Fries und Bensen), empfand es als wohltuend, sich inmitten seiner Ehewirren poetisch mit einer kernigen Männersache befassen zu können, und vollendete das Drama *Florian Geyer* im Frühjahr 1895. Hervorhebenswert ist die «tätige Anteilnahme Bebels» an dem Schauspiel.[3] Der Schriftsteller nutzte dessen «Bauernkriegs»-Buch und persönliche Informationen ebenso wie einstmals briefliche Auskünfte für das *Friedensfest*. Hingegen beachtete er weder Friedrich Engels' bekannte Abhandlung zum Thema noch die marxistische Debatte um Lassalles Sickingen-Stück. Man hat das Werk als «Fortsetzung der *Weber*» bezeichnet: Dort die Darstellung von Entstehung und Teilerfolg der schlesischen Erhebung, hier der szenische Einsatz auf einem Höhepunkt und die Gestaltung des Niedergangs des fränkischen Bauernaufstandes[4], wobei jeder Akt mit Debakel oder Tod endet.

Ein altes Zueignungsblatt trägt die Aufschrift: «Allen freien Deutschen gewidmet!»[5] Nach der erfolglosen Uraufführung des Stückes am 4. Januar 1896 schrieb der Autor resignierend in sein Handexemplar: «Das deutsche Nationalgefühl gleicht einer zersprungenen Glocke; ich schlug mit dem Hammer daran, aber es tönte nicht.» Er hatte des «deutschen Freiheitsgeistes jubelnden Empfang» erwartet und beklagte nun das Fehlen des «ritterlichen alten Huttengeistes»[6]. Die Ideen der Nation und der Freiheit und die Mahnung zur Einheit aller progressiven Kräfte sollten also in dem Werk den Tenor angeben. Der Dichter versuchte, einen bedeutsamen historischen Stoff für die Gegenwart fruchtbar zu machen, aber trotz aller Detailtreue und kompositorischen Mühen vermochte er das gewaltige Thema nicht ganz zu bewältigen.

Der Untertitel des Dramas spricht von einer «Tragödie des Bauernkrieges». Damit besitzen wir einen allgemeinen chronologischen Ansatzpunkt. Auch die genaueren Daten lassen sich ermitteln, weil die Handlung im großen und ganzen dem Geschichtsverlauf folgt.

Das im «Vorspiel» geschilderte Ritter-Aufgebot und die Flucht des Bischofs Konrad von Thüngen von seinem Würzburger Schloß auf Unserer Frauen Berg nach Heidelberg fanden am 5. Mai 1525 statt. Den Einzug der Bauern in Würzburg und die Verhandlungen zur Übergabe des Kastells, die sich im ersten Akt widerspiegeln, haben wir uns um den 9. Mai herum zu denken. Auf den 15. Mai datieren die Chronisten den vergeblichen, verlustreichen Angriff der Bauern auf die Festung, von dem Florian Geyer im zweiten Akt während einer Mission zu Rothenburg erfährt und darüber schier verzweifelt. Der im dritten Akt heraufbeschworene Landtag zu Schweinfurt trat am 1. Juni zusammen. Etwa eine Woche später, nach einem Zwischenaufenthalt in dem verängstigten Rothenburg (vierter Akt), wurde Florian Geyer zu Rimpar nahe dem Schloß der Herren von Grumbach, mit deren Schwester Barbara er verlobt war, hinterrücks ermordet (fünfter Akt).

Im Mittelpunkt des Schauspiels steht Florian Geyer, den Gerhart Hauptmann recht widersprüchlich gestaltet hat. Einerseits faßte er ihn durchaus als Ritter auf, der sich der bäuerlichen Bewegung anschließt, dabei jedoch die Ziele seines Standes nicht aus den Augen verliert. Geyer wünscht, «dem Kaiser seine alte Macht wiederzugeben, unverkümmert von Pfaffen und Fürsten», sucht einem mächtigen «Volkskaiser» den Weg zu bereiten und träumt von der Wiederkehr der Zeiten des alten Barbarossa, unter dem das Rittertum gute Tage sah. Mehrmals bekennt er sich zu der 1523 gescheiterten Rebellion des niederen Adels unter Franz von Sickingen und Ulrich von Hutten, läßt Andeutungen seiner Beziehungen zu Kaiser Maximilian und Herzog Ulrich von Württemberg unwidersprochen und stimmt im bäuerlichen Lager zusammen mit Götz von Berlichingen, den Grafen Wertheim und Henneberg für einen Vergleich mit der Besatzung der Bischofsburg.

Andererseits verkündet Florian Geyer im ersten Akt nachdrücklich: «Ein Bauer bin ich und nichts dann ein Bauer!»[7] Er fordert in erregtem Disput mit Götz die Zerstörung aller Schlösser und «verfluchten Rabennester» des Adels, billigt die Einäscherung seiner eigenen Stammesburg, gewinnt strategische Stützpunkte und neun fränkische Städte für die Evangelische Bruderschaft, mahnt zur Einigkeit und Ordnung und weist am Ende die Vermittlungsversuche seiner Frau zur Versöhnung mit den einstigen Standesgenossen energisch zurück.

Beide Standpunkte lassen sich schwer miteinander vereinen. Man kann nicht von neuer Ritterherrlichkeit träumen und zugleich die ökonomische Basis des Rittertums, die Schlösser und Burgen, vernichten. Die Widersprüche hängen sichtlich damit zusammen, daß Hauptmann die weltanschauliche Entwicklung des historischen Florian Geyer[8] ungenügend beachtete. Nur bis etwa 1523 können wir den Ritter von Giebelstadt als einen Vertreter des Junkertums ansehen, doch auch dies mit Vorbehalt, denn vielfältige Erfahrungen hatten ihn früh die problematische Situation des niederen Adels erkennen lassen. Schon 1512 hatte er in England den Segen einer politischen Zentralisierung, die Ausschaltung der Fürsten und das Aufblühen der Städte und des Bürgertums erlebt. Sieben Jahre später half er als Hauptmann des Schwäbischen Bundes mit bei der Vertreibung des Herzogs Ulrich von Württemberg, und danach erfüllte er im Auftrage des preußischen Hochmeisters Albrecht diplomatische Missionen in vielen Ländern, so in Polen, Holland und Dänemark, wo es keinen Partikularismus gab.

Die Nachricht von Sickingens Niederlage und Tod, die Teilnahme an einer Ritterversammlung zu Schweinfurt im Januar 1523 und die Auswirkungen der kurz darauf eingeleiteten Zerstörung von achtzehn Raubritterburgen durch den Schwäbischen Bund trugen dazu bei, daß sich Florian Geyer allmählich von der verfallenden Welt seiner Herkunft löste und im April 1525 in die Bruderschaft der Tauberbauern eintrat. Um jene Zeit glaubte er kaum noch an die Realisierbarkeit einer Adelsmonarchie, die sich schließlich nur durch ein Zurückdrehen des Zeigers der Geschichte und auf Kosten des aufstrebenden Bürgertums, der Territorialfürsten und des Klerus hätte entfalten können. Seine Welterfahrenheit bewahrte ihn vor solchen Utopien und auch davor, sich der Bauern nur zur Durchsetzung eigener Standesinteressen zu bedienen.

Während sich Götz von Berlichingen, die Grafen von Löwenstein, Hohenlohe, Wertheim und Henneberg nur widerwillig, vorteilsuchend und auf eine begrenzte Frist der Bauernbewegung anschlossen, verfocht Florian Geyer weitgehend das revolutionäre Programm des Taubertaler Haufens, dessen unbedingtes Vertrauen er genoß. Es ist wahr, was Hauptmanns Drama von ihm kündet: Ohne mit der Wimper zu zucken, ließ er sein Schloß zu Ingolstadt niederbrennen. Vor den Rothenburger Ratsherren[9] identifizierte er sich am 13. Mai mit den Artikeln der Bauern.

Leider hat Gerhart Hauptmann diese eindeutige Parteinahme seines Helden abgeschwächt und in dem beschriebenen Sinne ins Zwielicht gerückt. Realistisch wirkt Florian Geyer nur dort, wo er als Bruder Bauer spricht und handelt. Hingegen büßt er seine Überzeugungskraft als Mit-Träger der bäuerlichen Freiheitsbewegung da ein, wo er als Verfechter der Ziele des Rittertums und einer anachronistischen Feudalgesellschaft in Erscheinung tritt. In diesen Szenen liegt auf ihm der Schatten eines reaktionären Opponenten und Geistesgefährten Franz von Sickingens, der – gemäß einer Kritik von Karl Marx an Lassalles Sickingen-

Tragödie – scheitern muß, weil er als «Repräsentant einer untergehenden Klasse gegen das Bestehende sich auflehnte oder vielmehr gegen die neue Form des Bestehenden»[10].

Es gibt in Hauptmanns Schauspiel eine ganze Reihe von Irrtümern in den historischen Details. Grundsätzlich betätigte sich Geyer mehr als Diplomat denn als Kriegsmann, und es ist zweifelhaft, ob er an den Gefechten zu Pavia, Weinsberg und Ingolstadt teilnahm, wie das Drama, veralteten Quellen folgend, berichtet. Auch lassen sich seine Beziehungen zu Sickingen, Hutten, Herzog Ulrich und zum französischen Hof nicht nachweisen. Die Übergabe eines Meßgewandes aus Rothenburger Kirchengut betrachtete er keineswegs als persönliches Geschenk, sondern als Tribut an die Bruderschaft, und unwahrscheinlich ist auch sein Abrücken von den Forderungen der Tauberbauern zur Übergabe der Bischofsburg. Aber all das ist nicht das entscheidende.

Die fühlbarste Schwäche der Hauptmannschen Gestaltung liegt wohl in der fehlerhaften Auffassung der Rolle der Persönlichkeit in der Geschichte. Das wird besonders deutlich, wenn wir sein Stück mit Friedrich Wolfs elfteiliger Szenenfolge «Thomas Münzer» (1953) vergleichen. Auch Wolf entwirft das Porträt eines revolutionären Führers, aber dieser Müntzer ist Ausdruck des Volkswillens, zwischen ihm und den Massen besteht ein korrelatives Verhältnis. Bildung und Erfahrung befähigen ihn dazu, die historischen Notwendigkeiten zu erkennen, den Widerstandswillen der Unterdrückten durch kluge, klärende Worte anzufachen und eine Organisation einzuleiten, die Bauern, Bergarbeiter und Landsknechte umfaßt und über die Provinzgrenzen hinaus die gesamte deutsche Nation in Bewegung bringen soll. Bisweilen zeigt das Volk einen größeren Weitblick als Müntzer, so wenn es sich im fünften Bild nach einer mutigen Predigt in der Schloßkapelle zu seinem Schutz postiert oder wenn es nur «Werkleut und Bauern» im künftigen Rat von Mühlhausen sehen will und mit Recht dem Treuegelöbnis der Patrizier mißtraut.

Während Friedrich Wolf seinen Müntzer als einen Mann
zeichnete, in dem sich die Sehnsüchte und die Weisheit
der einfachen Leute offenbaren, dessen Ideen aber schließlich der Zeit so weit vorauseilen, daß ihrem Träger die Tragik des Zufrühgekommenen zuteil werden muß –, während sich bei Wolf also das Volksheer und die bedeutende
Persönlichkeit gemeinsam um eine Neuordnung der Welt
bemühen und einander ergänzen, hat Gerhart Hauptmann
seinen Florian Geyer unhistorisch überhöht, ihn über willenlose Bauernhaufen gesetzt und ihm die sogenannte Tragik des «großen Mannes» angedichtet. Er duldet nur «Bewunderer oder Verehrer um sich» und erscheint oftmals als
«Übermensch jenseits von Gut und Böse»[11]. Das Volk stellt
für Geyer im wesentlichen eine dumpfe, zuchtlose Masse
dar, die es mit starker Hand zu leiten gilt und deren «eigenmächtige» Aktionen (etwa bei den Gefechten zu Weinsberg
und Würzburg) der Bewegung schaden und die hochfliegenden Pläne des Tribuns durchkreuzen.

In Hauptmanns Drama gibt es noch keine Gestalten wie
die des Bauern Konz im «Armen Konrad» (1923) von Friedrich Wolf. Dieses Stück über eine Vorstufe der großen Erhebung von Anno fünfundzwanzig verdient hier übrigens
besondere Beachtung, weil Wolf am 12. April 1928 «dem
Schöpfer des *Florian Geyer* in großer Verehrung»[12] ein
Exemplar zueignete und damit seine Verbundenheit bekundete.

Bei Gerhart Hauptmann erhalten die Volkskräfte, die
armen und geschundenen, aufbegehrenden, kämpfenden
Bauern, kaum ein Gesicht. In frühen Entwürfen und einem
ausführlichen Hauptszenar hatte er allerdings schon im
2. und 3. Akt Auftritte anonymer Kossäten vorgesehen, denen er auch die Flüche und Messerstiche «mitten ins Herz»
der Aristokraten, Pfaffen und «Schinder des Volkes» zuschrieb.[13] In der Endfassung treten nur Hauptleute und na

mentlich bezeichnete Bauernführer vor den Kreidekreis und stehen bei ihren Aktionen im Vergleich zu Florian Geyer meist wie ausgemachte Tölpel da. Im ersten Akt vertreten Flammenbecker und Link zwar noch radikale Forderungen, doch im dritten Akt, auf dem Landtag zu Schweinfurt, erweisen sie sich als Großsprecher und Feiglinge. Auch die Hauptmänner Kohl und Metzler werden abfällig als Trinker und Eigennutze charakterisiert.

Dennoch hat der Dichter die wirklich bewegenden Momente im Deutschen Bauernkrieg nicht ganz übersehen. Mehrmals fällt an entscheidenden Stellen der Name Thomas Müntzers, und zwar hören wir von dessen konspiratorischer Tätigkeit, seiner Abrechnung mit Luther und von dem tapferen Sterben des Bauernheeres in der Schlacht bei Frankenhausen. Noch in anderem Zusammenhang wird die Rolle Martin Luthers kritisch beleuchtet. So erwähnt Karlstadt, der ehemalige Kollege und Doktorvater des Reformators zu Wittenberg, im zweiten Akt nicht nur die gegen ihn und den «Geist des Aufruhrs» gerichteten Pamphlete Luthers und den berühmten Aufruf «Wider die räuberischen und mörderischen Rotten der Bauern», sondern auch dessen frühere Angriffe auf Pfaffen und Fürsten, von denen nun keine Rede mehr sein soll. Geyer bemerkt: «Wehe, daß er zum Judas worden!» Trotzdem fühlt man sich weiterhin der «evangelischen Sache» verbunden, wie ohnehin die progressive «politische Wirkung der Reformation» nicht übersehen werden darf.[14] Die Schilderung der Brutalität und Grausamkeit der Konterrevolution nimmt in Hauptmanns Schauspiel einen nicht unbeträchtlichen Raum ein und erfüllt Zuschauer und Leser mit Abscheu vor der feudalen Soldateska. Der Schluß des Vorspiels mit der demagogischen Rede des bischöflichen Hofmeisters von Rotenhahn, seiner Rettet-die-Nation-Gebärde und dem wilden, kriegerisch begeisterten «Her!-Her!»-Rufen der Ritter gemahnen uns heute an ähnlich frenetische Ausbrüche der faschistischen «Heil!-Heil!»-Schreier. In dem gleichen Auftritt wir-

Widmungsblatt von Max Slevogt für «Florian Geyer»

ken die Klagen der Junker über die harten Strafgerichte der Bauern wie pure Heuchelei, und der volksfreundliche Herr von Hanstein (der später nicht mehr auftritt) erinnert dann auch sofort an die vorangegangenen Metzeleien, die die Bundestruppen des Truchseß Georg Graf von Waldburg unter den Bauern in der Schlacht bei Wurzach verübten.

Im ersten Akt zerstört Geyers Feldschreiber Lorenz Löffelholz, ein entschiedener Anwalt der Bauern, dann vollends die Ritterlegende, der Graf Ludwig von Helfenstein sei zu Weinberg «wider Kriegsbrauch und Recht» von den

Revolutionären durch die Spieße gejagt und hingerichtet worden. Nein, dieser Graf war kein Märtyrer, sondern ein Henker, der ahnungslose Bauern überfallen und aufknüpfen und Parlamentäre erschießen ließ.

Die Helfenstein-Episode regte übrigens schon Goethe zu einer imposanten Szene an, die im fünften Akt des «Ur-Götz» enthalten ist. Die Bauern sind hier durchdrungen vom Bewußtsein ihres gerechten Kampfes, und wenn sie von ihren Unterdrückern den Blutpreis fordern und sich von keiner flehenden Edelfrau erweichen lassen, so üben sie nur Vergeltung für die unsäglichen Schandtaten, die an ihren Brüdern begangen wurden. Es ist nicht blaues Blut, sondern Bauernblut, «sie geben's nur wieder wie Blutigel»[15].

In vielen Einzelheiten vermittelt Hauptmanns *Florian Geyer* ein realistisches Zeitbild. Der Dichter zeichnete zwar keine plebejischen Volkshelden, doch in Geyers Feldschreiber Löffelholz und dem Feldhauptmann Tellermann durchaus charaktervolle, der bäuerlichen Sache ergebene Gestalten. Am Ende des vierten Aktes klingt zukunftsweisend das Evangeliumswort auf: «... das schwankende Rohr wird er nit zerbrechen, und das glimmende Docht wird er nit auslöschen.» Es bleibt die Hoffnung auf künftigen Sieg der vorerst geschlagenen Volksmilizen.

Durch die Darstellung der Bestialitäten der Konterrevolution ergriff der Dichter unmißverständlich die Partei der Unterdrückten. Er deutete die Weite der Bewegung und die Rolle von Thomas Müntzer und Martin Luther in dem großen Kampf an. Einprägsam charakterisierte er die aussichtslose Situation des Ritterstandes im Reformationszeitalter, wobei er allerdings die Position Florian Geyers nicht eindeutig von jener der untergehenden Klasse trennte. Sein Geyer gleicht oftmals Goethes idealisiertem Götz.

Wir wollen noch ein paar Worte über die Technik des Werkes sagen. Es ist schon oft bemerkt worden, daß in diesem Drama im Grunde nichts «geschieht», zumal der Held zu «kriegerischer Tatenlosigkeit» verurteilt ist.[16] Alle entscheidenden Vorgänge ereignen sich hinter der Bühne. Die Aktionen der Bauern und Ritter werden lediglich «beredet», spiegeln sich in zahlreichen Beratungen, Wirtshausgesprächen, Botenberichten und breiten Dialogen wider. Dabei wirken in der sprachlichen Gestaltung noch naturalistische Elemente nach. Der Dichter bemühte sich darum, seine Menschen möglichst in der Sprache ihrer Zeit reden zu lassen, bediente sich deshalb vieler antiquierter Ausdrücke aus den Quellen, aus Schriften von Luther, Gryphius (Tellermann wird auf diese Weise sprachlich zu einem Nachfahr der Horribilicribrifax), Hans Sachs, Murner, Moscherosch und verband sie mit fränkischen und schlesischen Eigentümlichkeiten. Es entstand eine Sprache, die «altertümlich klingt, das Entsetzen aller Philologen und das Entzücken aller musikalischen Menschen»[17].

Auf die formale Seite des Stückes richtete auch der junge Arnold Zweig ein besonderes Augenmerk, als er im Jahre 1909 einen seiner ersten Essays dem *Florian Geyer* widmete. Was er in dem Aufsatz über die «Tragik des Führers» und dessen Konflikt mit der «unreifen, unvernünftigen» Masse sagt, hat er später in seinem eigenen Schaffen widerlegt, das oft von der Weisheit des Volkes kündet, doch denkwürdig bleibt sein Empfinden für diese Sprache, «eine Prosa von solcher Derbheit und Lebendigkeit, von solcher Schlagkraft und Einfachheit, die so donnern und so hold sein kann, daß wir vor diesem Neuschaffen des Veralteten bewundernd stehen»[18].

Ergänzend teilte Arnold Zweig in zwei Briefen[19] an den Verfasser mit, er habe zu den Werken Gerhart Hauptmanns «von früh an leidenschaftlich ja gesagt». Durch ein Antiquariat sei er damals in den Besitz einer Erstausgabe von *Hanneles Himmelfahrt* und eines Exemplars vom *Armen Heinrich* gelangt, und während seiner Berliner Universitätszeit (Herbst 1909 bis Frühjahr 1911) habe er oft der Aufführung von Hauptmann-Stücken als «begeistertes Publikum in den hinteren Parkettreihen» beigewohnt. Später sei ihm die «dramatische Form» dieses Dichters allerdings «immer fragwürdiger» geworden. «... als ich in einem Artikel des ausgezeichneten Münchener Kritikers Franz Blei[20] den Ausdruck fand, Hauptmann sei ein begabter Erzähler, der sich dramatisch verkenne, fand ich diese Meinung bestätigt, als nach *Bahnwärter Thiel* auch *Emanuel Quint* vom Verlag S. Fischer herausgebracht wurde. De facto aber standen wir Schlesier in unserer Jugend ganz so unter dem Einfluß des Stückeschreibers Gerhart Hauptmann wie unser Freund Bertolt Brecht unter dem Frank Wedekinds.»

Es muß hier daran erinnert werden, daß Arnold Zweig seit 1909 etwa ein Dutzend Dramen oder Szenenfolgen geschrieben hat, die großenteils in einer ähnlichen Tradition stehen wie Hauptmanns Werke. Beide Dichter sahen in Shakespeare, Büchner und Kleist Vorbilder, beide standen vor dem ersten Weltkrieg gelegentlich unter dem Eindruck der Lehren des zeitgenössischen bürgerlichen Nationalökonomen Werner Sombart, und als Zweig später die «Soldatenspiele» vom «Sergeanten Grischa» und «Bonaparte in Jaffa» schrieb, bewegte er sich in Bahnen, die Hauptmann im *Florian Geyer* und *Herbert Engelmann* ebenfalls beschritten hatte.

Ansonsten unterscheiden sich die Werke beider Schriftsteller, die sich übrigens nie persönlich begegneten, wesentlich voneinander. Für Hauptmann gab es kein «jüdisches Problem», für Zweig blieb die naturalistische Schule bedeutungslos. Während sich Hauptmann allmählich von der Arbeiterbewegung entfernte, kam ihr Zweig immer näher. Ein Briefkontakt sei erwähnt: Im Juli 1930 bat er den berühmten Kollegen um Unterzeichnung einer Resolution für die Zulassung der hebräischen Sprache in der Sowjetunion; Thomas Mann, Einstein, Liebermann signierten, doch Hauptmann antwortete nicht, weshalb der Grischa-Autor Anfang 1931 nochmals mahnte (vermutlich vergeblich).[21] Als Arnold Zweig 1935 in Palästina zu einer geplanten Aufführung von Hauptmanns Drama *Die Weber* einen «Prolog»[22] verfaßte, ließ er noch einmal geliebte Gestalten von Fuhrmann Henschel über Michael Kramer und Rose Bernd bis zu Gabriel Schilling vorüberziehen, rechtete jedoch zugleich heftig mit ihrem Schöpfer, der den kämpfenden Emigranten offenbar in den Rücken fiel und «hochhob die Hand für den Anstreicher aus Braunau». Das Spätwerk Hauptmanns vermochte ihn kaum noch zu beeindrucken.

Nach einem Bericht soll Gerhart Hauptmann Mitte der neunziger Jahre daran gedacht haben, einen «Zyklus von zehn Stücken aus der Bauernkriegszeit zu schreiben»[23]. Möglicherweise handelt es sich um ein Mißverständnis in Hinblick auf den «Entwurf einer Reihe von 10 Dramen» im Diarium von 1906[24] mit Titeln wie «Der Kirchhof der Reformatoren», «Der Antiprotestant» u.a., doch der Dichter hatte dabei wohl mehr moderne «Typen» im Sinne (z. B. auch «Revisionist» und «Utopist»). Andererseits bekundete er in einem Interview sein «Interesse … für das Leben des 16. Jahrhunderts», und er sagte: «Vielleicht nehme ich mir den Thomas Münzer vor.»[25] Während der Arbeit am *Florian Geyer* hatte der Dichter umfangreiche Materialien zusammengetragen, immer neue Kompositionsversuche unternommen, viele Skizzen und Szenen ausgeschieden und schließlich damit begonnen, auch die Vorgeschichte seines Helden zu gestalten. Anknüpfend an eine unwahrscheinliche Vermutung des Historikers Zimmermann und ein Buch von L. F. Heyd[26], brachte er unter der Überschrift *Der Mann vom Twiel* einige Entwürfe zu Papier, die Florian Geyer am Hofe Ulrichs von Württemberg zeigen. Bekanntlich war der gewalttätige Herzog im Jahre 1519 nach einem Überfall auf die Freie Reichsstadt Reutlingen durch den Schwäbischen Bund aus dem Lande vertrieben worden, worauf er auf der Felsenfeste Hohentwiel andere Geächtete und Ritter um sich sammelte und 1525 vergeblich versuchte, mit Hilfe der aufständischen Bauern sein Herzogtum wiederzugewinnen.

Es erscheint zweifelhaft, ob es Hauptmann in diesem Rahmen gelungen wäre, Wesentliches über die Ursachen des Bauernkrieges und über Geyers Entwicklung auszusagen. Er konnte hier allenfalls einige Blitzlichter auf den Handel um die deutsche Kaiserkrone und die ränkevolle «hohe Politik» werfen, doch für die Deutung von Geyers Wesen war durch das – historisch nicht verbürgte – Bündnis mit dem Tyrannen und Heuchler Ulrich keineswegs etwas zu gewinnen. In einem Fragment verklärte er Ulrich sogar und zeichnete ihn als einen Mann, der «Unmenschliches zu verwinden» hatte und wie niemand tragisch «von Feinden umringt»[27] gewesen sei. – Einen besseren Ansatzpunkt bot die anschließend geplante vieraktige Familientragödie im Hause Florian Geyers, der nach seiner (angeblichen) Teilnahme an der Schlacht bei Pavia verwundet nach Hause eilt, dort die Nachricht vom Bauernaufstand erhält und sich trotz der Mahnungen seiner Familie und diffiziler Herzenskonflikte ins Lager der Freiheitskämpfer begibt. Aus Hauptmanns Nachlaß wurden einige Auftritte bekannt, die Geyer im Kreuzfeuer der Kritik seines Bruders Sebastian und seiner Frau Barbara zeigen, aber er läßt sich nicht irremachen und fordert nachdrücklich: «Fort mit der römischen Tyrannei ... Fort mit den Fürsten allesamt.»[28]

Obwohl der Dichter nach dem Theater-Mißerfolg des *Florian Geyer* das große Projekt kaum noch weiter verfolgte und die alten Notizen liegenließ, fühlte er sich auch später immer wieder von dieser wichtigen Epoche der deutschen Geschichte angezogen. Er schrieb nach und nach eine Reihe von Dramen und Dramenfragmenten nieder, die letztlich doch einen stattlichen, vielteiligen Themenkomplex bilden und die Zeit der Reformation und Gegenreformation von verschiedenen Seiten aus beleuchten.

Möglicherweise wurde er erstmals durch die Gestalt des wittenbergischen Professors Andreas R. Bodenstein, der sich nach seinem böhmischen Heimatort «Carlstadt» nannte und unter diesem Namen auch im *Florian Geyer* auftritt[29], zur Beschäftigung mit der Wiedertäuferbewegung angeregt, denn in den Lehren dieses Theologen finden sich viele anabaptistische und chiliastische Vorstellungen. Hauptmann schrieb schon 1901 an einem Versdrama *Die Wiedertäufer*, das er schubweise erweiterte, dessen Thema er in einem Romanfragment variierte und das er um 1915/16 in die Szenenfolgen *Magnus Garbe* und *Der Dom* einmünden ließ.

In den Schauspiel-Entwürfen bemühte er sich um eine vielseitige Exposition, wobei er die Täuferbewegung der dreißiger Jahre des 16. Jahrhunderts politisch und psychologisch zu deuten suchte. Er wies im Handlungsverlauf auf die Paradoxie zwischen gewollter anabaptistischer Friedfertigkeit und (durch Unterdrückung erzwungener) Gewalttätigkeit hin, auf die Not des Volkes und dessen Abscheu vor «Fürsten- und Pfaffengeschmeiß». Manchmal spürt man eine geistige Nähe zu Thomas Manns wenig später entstandenen «Fiorenza»-Dialogen, die das «Heraufkommen einer sozialen Leidenswelt» signalisieren. Aber trotz aller Sympathien für den populären Protest, der sich in einem Kollektivhelden manifestieren möchte, gestaltete Hauptmann die Führungskämpfe der «Propheten» und den Höhepunkt der Erhebung als Ausbruch von Massenwahn und Schreckensherrschaft. Wenn die Entstehungsdaten nicht beglaubigt wären, könnte man einige *Wiedertäufer*-Szenen für aktualisierte Geschichte aus dem Blickwinkel des Jahres 1933 halten (vergleichbar der antifaschistisch gemeinten Bockelson-Monographie von F. Reck-Malleczewen). Es ist verblüffend zu lesen, wie die Täufer Matthiesen und Jan Bockelson hier um 1534 einen «Herrschversuch durch Prophetie» unternehmen, wie sie und ihre Anhänger in der vom Bischof belagerten Stadt Münster blutigen Terror ausüben, Wehrspenden fordern, Bücher verbrennen, Personenkult treiben, sich für den «Nabel der Welt» halten und ihren Glaubensfanatismus «im umgekehrten Verhältnis zur Realität»[30] steigern. Aphorismen heben an Bockelson, der seinen Nebenbuhler

Matthiesen schließlich matt setzt und in den Tod treibt, nicht nur Eitelkeit und Schauspielerei hervor, sondern auch Sadismus, Epilepsie und Geschlechtswahnsinn.

Die Frage, ob der Dichter mit diesen bruchstückhaften Aufzeichnungen (trotz aller Quellenstudien in den Büchern von H. Kerssenbroick und H. Jochmus) der historischen Täuferbewegung gerecht wurde, ist wohl zu verneinen. Es handelt sich hier doch um eine echte, wegen ihrer Tendenzen zu einem christlichen Urkommunismus progressive religiöse Erneuerung, deren «Ausschreitungen» sich nicht mit den üblichen Praktiken der «Ketzergerichte» vergleichen lassen. Offensichtlich hat Hauptmann die positiven Züge der Münsterschen «Kommune» unterschätzt: Abschaffung der Standesprivilegien, Ringen um Glaubensfreiheit und Gütergemeinschaft. So bleibt die kontrastreiche Charakterisierung des Täufers Bockelson in dem Stück unvollständig.

Eine Spezialstudie von W. Bungies interpretiert die einzelnen dramatischen *Wiedertäufer*-Fragmente, zieht interessante Querverbindungen zu anderen Werken des Dichters, erhellt Strukturen und gibt Ausblicke auf den Romantorso. Die Prosakapitel finden wir künstlerisch ausgewogener, denn sie schildern die problematische Realität der «Ketzerstadt» nur andeutungsweise und behandeln überwiegend die Vorstadien der Umwälzung. Da Hauptmann bisweilen daran dachte, das Täuferthema mit einer umfassenden Darstellung des Reformationszeitalters zu verknüpfen, bot er im ersten Ansatz gewissermaßen eine «geschichtliche Monsterschau»[31]. Im Wittenberg von 1526 ließ er den Magister und späteren Münsterschen Prediger Bernhard Rottmann mit Luther, Melanchthon, Karlstadt, Dürer, Cranach und Gossaert zusammentreffen, was nicht ohne Anachronismen abging. Immerhin sind die Diskussionen der Beteiligten aufschlußreich, vor allem Rottmanns Sympathiebekundungen für Thomas Müntzer und die Kritik an Luther, der seit dem Aufruf wider die «mörderischen

Rotten der Bauern» bei den «Fürsten gewonnen, im Volke jedoch sein Ansehen eingebüßt» habe. Karlstadt bekennt sich zu den unterworfenen Landarbeitern, weil er dort stehen wolle, «wo das tiefste Unrecht erlitten wird»[32].

Im zweiten Ansatz kommt der Maler und Holzschnitzer Ambrosius Holbein (der im Handlungszeitraum 1531/32 nicht mehr auf Erden wandelte) in die westfälische Hauptstadt, begegnet dort dem bajazzo- und eulenspiegelhaften Jan Bockelson und einem fanatisierten Rottmann, erlebt Geselligkeit und erste Unruhen. Durch die Einführung dieses Beobachters aus der Fremde schuf sich Hauptmann die Möglichkeit zu freiem Fabulieren und zu stärkerer Distanzierung. Es gelangen ihm atmosphärisch dichte Episoden, doch letztlich drängte sich Jan als «dominierendes Thema» vor. Im Oktober 1942 beschäftigte sich der Dichter nochmals mit dem Werk, das er vorerst als seine «wesentliche Altersaufgabe» betrachtete. Er dachte wahrlich nicht klein davon und erkärte im Tagebuch: «Ich hoffe, den Deutschen damit ihren ersten historischen Roman, ja ihren ersten, sie wahrhaft angehenden großen Roman zu schenken, der die ungeheure geistige Revolution, den gewaltigen Kampf und Krampf der Reformation objektiv darstellt, darin verständlich werden soll der Kampf gegen die Gotik.»[33] Es entstand ein variiertes Künstler-Kapitel um Holbein und die Humanistengemeinde um Erasmus von Rotterdam, bis der Traum vom größten Prosaepos der Deutschen ausgeträumt war.

Der Täufer Jan begegnet uns zu Beginn des Fragments *Der Dom* wieder, das sich im folgenden in zahlreiche wenig zusammenhängende Episoden auflöst. Manche sind als «Mysterienspiel», «Traum» oder «Spuk in zwölf Nächten» gedacht, bisweilen in bewundernswürdigen Domen der Gotik. Dabei verschwimmen auch die chronologischen und lokalen Grenzen und führen gelegentlich zu der unmotivierten, vagen Angabe, man könnte das Ganze vielleicht in das «Wittenberg von 1515 bis 1525» verlegen[34]. Über Hauptmanns Absichten unterrichten die in der Centenar-Ausgabe mitgedruckten Arbeits- und Tagebuchnotizen, in denen der Gedanke an einen «Gegenwarts-Faust» auftaucht.[35] In der Tat werden in den Texten die Kämpfe zweier Antipoden um den jungen Michael angedeutet; auch der Kontrast zwischen zwei Brüdern, einem «im Irdischen wurzelnden» faustischen Abenteurer und «Kavalier» Gottes und einem mönchischen Gottsucher[36]; ferner Hexen- und Türmer-Szenen, Kaiserhofspektakel, «gotische Walpurgisnacht» und Auftritte des alten Faust (mit Reminiszenzen an den Buchdrucker Fust).

Es handelt sich hier aber nur um äußere Anklänge, denn mit Goethes Lebensoptimismus konnte sich Gerhart Hauptmann ebensowenig befreunden wie mit Ideen, die das große Gedicht überzeugend fortgesetzt und buchstäblich vergegenwärtigt hätten. Im Sinne der Lehre der Bogomilen begriff er Satanael oder Luzifer als Urgrund und eigentlichen Schöpfer der Welt, erhöhte den gefallenen Engel, vermischte das Faustische und Mephistophelische (ähnlich wie Thomas Mann im «Doktor Faustus»). Zum andern enthalten die *Dom*-Fragmente manche Bezugnahmen auf die Nazizeit, so etwa die unterm 20. Juli 1933 notierte Forderung, «auszutreten solch Geschmeiß, das züngelt, schleicht wie gift'ge Kohle».

Über zwei abgeschlossene, weitere Stücke aus dem Reformationszeitalter, nämlich die Inquisitionstragödie *Magnus Garbe* und das Schauspiel *Hamlet in Wittenberg*, werden wir später sprechen. Zum Abschluß der ganzen Fragmentengruppe sei noch *Die Hohe Lilie* erwähnt, eine komödiantische, burleske Szenenfolge um den jungen Schwedenkönig Gustav Adolf, der mitten im Dreißigjährigen Kriege in lustiger Erfurter Wirtshausatmosphäre scherzhaft und zunächst unerkannt um seine Aufnahme in die Sattlerzunft nachsucht und den galanten Liebhaber spielt. Auf erheiternde Weise wird hier jede Hochwohlgeborenheit ad absurdum geführt, und am Ende könnte der König wie der Landstreicher Jau sagen: «Ich bin getuppelt.» Wenigstens am Rande sei auf die Auftritte des berühmten Physikers und Erfinders der Kolbenluftpumpe, Otto von Guericke aus Magdeburg, hingewiesen, dessen historische Bedeutung aus dem Fragment allerdings in keiner Weise hervorgeht.

Die Leser empfangen immer wieder einen Eindruck von der Fülle, aus der heraus dieser Dichter schuf, von seinem Ideenreichtum und seiner nimmermüden Experimentierfreudigkeit. Hätte Hauptmann alles ausführen können, müßte das Titelregister seines dramatischen Œuvres mindestens verdoppelt und jene Produktion zu den umfangreichsten des Welttheaters überhaupt gezählt werden. Es war verfrüht, nur seine Sucherphase von 1896 bis 1899 die «Jahre der Fragmente» zu nennen[37], denn ein Vergleich der Entstehungszeiten zeigt von *Anna* (1890) bis zu *Lykophron* und *Perikles* (1944) eine fast alljährliche Beschäftigung mit Torsohaftem, noch Unfertigem. Zeitlebens liebte es Hauptmann, Episoden und bruchstückhaft Erfahrenes versuchsweise zu gestalten, bis der literarische Fluß stockte; danach vertraute er auf das allmähliche «Wachstum». Er hatte einfach Freude daran, einen poetischen Kern mit Assoziationen zu umlagern. In der *Blauen Blume* schrieb er: «Es schwillt mein Herz von köstlichen Entwürfen.»[38]

Symbolische Dichtungen, Märchen- und Legendenspiele

Bei einer Wiederbegegnung mit seinem Drama *Die versunkene Glocke* soll Gerhart Hauptmann in späteren Jahren kopfschüttelnd gesagt haben: «Ich kann mich in diese Angelegenheit nicht mehr zurückversetzen.»[1] Auch wir können uns heute in «diese Angelegenheit» nur schwer hineinfinden und die einstigen Begeisterungsstürme des Publikums kaum verstehen. Gar zu verstiegen, pathetisch-sentimental erscheint uns das Werk, dem schon Theodor Fontane «eine gewisse Schwabbelei»[2] nachsagte (obwohl er an dem Autor weiterhin «Talent, Hochflug und Reichtum an Herz und Seele mit Bescheidenheit gepaart»[3] schätzte).

Um die Jahrhundertwende errang Gerhart Hauptmann damit jedoch einen seiner größten Bühnenerfolge. Rund zweihundertmal wurde das Stück allein in den ersten drei Jahren nach der Premiere vom 2. Dezember 1896 im Berliner Deutschen Theater aufgeführt, wobei Josef Kainz und Agnes Sorma die Hauptrollen spielten. Auch die Buchausgaben jagten einander, und das brave Bürgertum hielt diese Mischung von romantischem Singsang und bombastischem Klingklang, von Volkslied und Bildungsreminiszenzen an Goethe, Ibsen, Shakespeare und Nietzsche für den Inbegriff der Poesie.

Ursprünglich war vielleicht nur eine dramatisierte «Deutsche Mythologie» geplant, ein Rothändel-Märchenspiel und Hohelied auf die Riesengebirgslandschaft.[4] Uns ist die *Versunkene Glocke* im wesentlichen als Niederschlag biographischer Erlebnisse und weltanschaulicher Erkenntnisse des Dichters interessant. Erstmals versuchte er hier eine künstlerische Auseinandersetzung mit seinen Ehekonflikten und manchen Schaffenserfahrungen. Die Probleme bedrängten ihn derart, daß er zwei Anläufe zur Gestaltung unternahm, bevor er das endgültige Märchenspiel vom Glockengießer Heinrich niederschrieb.

Wir erwähnten schon beiläufig das dramatische Fragment *Der Mutter Fluch*, an dem Hauptmann im März 1894 während seines Aufenthaltes in der amerikanischen Provinzstadt Meriden arbeitete. Darin hören wir von einem König, dem die Eheschließung mit einer christlichen Königstochter und die damit verbundene Unterwerfung unter die Pfaffenreligion alle Lebensfreude raubt, der sich von seiner Frau und den drei Söhnen trennt und den Tod sucht. Nach einem Selbstmordversuch gewinnt er aber plötzlich das verlorene Lachen wieder – durch Liebe! Ein bubenhaft verkleidetes Mädchen Fridolin (auch Felix genannt) pflegt ihn gesund. Als er nun mit Hilfe von Felix' Lehrer Jamnitzer Gymnasien bauen und Sümpfe urbar machen läßt, rüstet sich die christliche Verwandtschaft zum Kampf gegen ihn, und die Inquisitoren verbrennen im Zeichen des Kreuzes seine insgeheim entführte Geliebte auf dem Scheiterhaufen. Vergeblich blieb der Versuch, den Fluch der Sonnenmutter über die vom «Urfeuer» und den Lichtmächten abgefallenen Menschen zu brechen.

In dem zweiten, 1896 entstandenen Fragment *Helios* ist die Situation ähnlich. Wieder tritt ein König auf, dem die Verbindung mit der lemurenhaften Tochter eines benachbarten Christenkönigs nur Leid, Einsamkeit und Finsternis bringt, und wiederum wird er durch einen greisen Weisen und ein junges Mädchen, das hier den Namen Umbine oder Helios trägt, dem Leben wiedergeschenkt, bis die geliebte Lichtbringerin den Flammentod erleiden muß. Alte heidnische Mythen vom Kampf zwischen Nacht und Licht, von Tod und Auferstehung klingen an.

Aufschlußreich sind in diesen Entwürfen drei Motive: Einmal glaubt der König bei seinem selbstmörderischen Sturz ins Meer dumpfen Glockenklang aus der Tiefe zu hören; zum andern nimmt er nach seiner Rettung den «Bau der Zukunft» und eines mächtigen Sonnentempels in Angriff. Schließlich erweist sich der Baumeister und Arzt Jambulos, der lange Kerkerhaft, Folter und Verbannung zu ertragen hatte, als bedeutender Reformer und Vorbereiter eines utopischen Sonnenstaates in der Nachfolge des italienischen Philosophen Campanella.

Außer von Campanella empfing Gerhart Hauptmann zahlreiche weitere literarische Anregungen, so aus Goethes «Faust» und Ibsens «Peer Gynt» und «Baumeister Solness», aus E. Rohdes «Griechischem Roman», L. Giesebrechts «Wendischen Geschichten», Diodors Schriften und der germanischen Baldursage, möglicherweise aus dem lyrischen Versdrama «Erlinde»[5] von Goethes Enkel Maximilian und auch aus Nietzsches «Morgenröte» und «Götzen-Dämmerung», die er in vorbereitenden Aufzeichnungen zitierte. Bei der Darstellung der «Sklavenmoral» des Christentums und der Besinnung auf ein sonnentrunkenes antikes Heidentum näherte er sich ebenso dem Verkünder des «Übermenschentums» wie bei der Lobpreisung der freien, rücksichtslosen Persönlichkeit des Glockengießers Heinrich. Jedoch blieb der Nietzsche-Einfluß in Hauptmanns Weltanschauung episodisch.

Die hier (im Anschluß an die Erstveröffentlichung in der Centenar-Ausgabe) skizzierten Vorstufen der *Versunkenen Glocke* gestatten einen Einblick in die Arbeitsweise des Dichters. Immer wieder unternahm er neue Ansätze, entwarf und verwarf Szenenfolgen, rang mit dem Stoff, weniger mit der Form, präludierte vielfältig die Themen des Hauptspiels. Aus dem schwermütigen König, der in *Der Mutter Fluch* am Schluß bereits den Namen Heinrich trug, und dem titanischen Baumeister Jamnitzer schuf er die Gestalt des Glockengießers Heinrich. Die bleiche, tränenreiche Königin mit ihren Prinzen erkennen wir andeutungsweise in Heinrichs Frau, Magda, und ihren Buben wieder. Das lebenspendende Mädchen Felix-Helios aber verwandelte sich in die Lichtelfe Rautendelein, die das Feuer besingt, zeitweise die Rolle der Göttin Frigga im Baldurmythos übernimmt und alle Naturwesen schwören läßt, dem Geliebten kein Leid zu tun. Bisweilen erinnert sie auch an die Wasserfeen Undine und Lorelei. Mit ihren elegischen, diminutivreichen Gesängen breitet sie Märchenstimmung aus.

Des weiteren erfahren viele Motive der beiden Fragmente eine Abwandlung. So stürzt die Glocke des Meisters Heinrich, die als Artillerie der Geistlichkeit eine Bresche ins Heidenreich schlagen sollte, beim Transport ins Bergland plötzlich in einen See hinab, wo sie später geisterhaft zu klingen beginnt. Ihr Schöpfer erkrankt nach dem Sturz schwer, erschauert vor dem Dasein der düster-frommen Talbewohner und gewinnt erst durch Rautendelein neue Lebenskraft und den Mut, sich mit den Naturmächten zu verbinden und hoch im Gebirge einen Sonnentempel mit zauberhaftem Glockenspiel zu bauen. Heftig widersetzt er sich den Versuchen des Pfarrers, ihn in die beschränkten gesellschaftlichen Verhältnisse der Niederung und in die Unfreiheit des Willens zurückzuzwingen.

Während König Heinrich in der ursprünglichen Konzeption zur Absage an die Vergangenheit und zur Vermählung mit dem Sonnenmädchen Umbine-Helios entschlossen ist, schwankt der Glockengießer Heinrich zwischen Magda und Rautendelein, kehrt im vierten Akt reuig aus heiteren Höhen ins Tal der Pflichten zurück und verliert schließlich sowohl die Frau wie die Geliebte. Diese Unentschiedenheiten und Halbheiten sind bezeichnend für sein Wesen. In ihm lebt der Glaube, große Kunst schaffen zu können, doch ihm fehlen Beharrlichkeit und Charakterstärke zum Vollbringen. Er spricht ekstatisch, verzückt, fieberhastig und pathetisch[6], fordert die Götter zum Preiswürfeln heraus – und kann doch Wollen und Können, Idee und Realität nicht miteinander in Einklang bringen.

So eindeutig Meister Heinrichs Schwanken zwischen zwei Frauen eine Widerspiegelung von Gerhart Hauptmanns Ehewirren darstellt, so wenig scheint auf den ersten Blick das Motiv vom Unvermögen und der Selbsttäuschung eines Künstlers in Hauptmanns persönlicher Situation begründet zu sein. Hier muß jedoch daran erinnert werden, daß der Dichter im Januar 1896 mit *Florian Geyer* einen Fehlschlag erlitten hatte, obwohl er an dieses Stück unendlich viel Arbeit, Mühe und ehrgeiziges Streben verwandt hatte. Da mochten sich in ihm Zweifel regen; Selbstmordgedanken drängten sich auf, und die Königslegende von *Der Mutter Fluch* verwandelte sich allmählich in eine Künstlertragödie. Durch den Mund der naturhaften Wittichen ließ er im volkstümlichen schlesischen Dialekt das Urteil über den Glockengießer sprechen: «Du woarscht berufa, ock bluß a Auserwählter woarschte nich.»[7] Ob das auch als Selbstkritik gedacht war? Man darf es vermuten.

Wir wollen nun auf einige weitere symbolische Dichtungen oder Legendenspiele Gerhart Hauptmanns eingehen, obwohl wir damit die chronologische Abfolge etwas durchbrechen. Aber was bedeutet das schon bei diesem Dichter, der an mehreren Wocken zugleich spann, heute grobes, morgen feines Gewebe in Arbeit nahm und manches Werk erst nach Jahren vollendete. Bereits im Juni 1897 begann er mit der Dramatisierung der «deutschen Sage» vom armen Heinrich, schaltete von November 1897 bis zum Herbst 1898 das realistische Schauspiel *Fuhrmann Henschel* aus dem Schlesien der sechziger Jahre ein, unterbrach auch dieses im Frühjahr 1898 durch Arbeit an fragmentarischen Szenen aus biblischer Zeit *(Das Hirtenlied)* und dem Mittelalter (*Kynast*, 1899), kehrte zum *Armen Heinrich* zurück, schloß ihn jedoch erst im Herbst 1902 ab, nachdem er *Schluck und Jau* (1899), das Künstlerdrama *Michael Kramer* (1900) und den *Roten Hahn* beendet hatte.

Illustration
von Ludwig von Hofmann
zu dem Fragment «Das Hirtenlied»,
1921

229

Gegen die Zuordnung von *Elga* (1896) zu den echten Traumspielen hat H. Schreiber[8] psychologische Einwände geltend gemacht. Gewiß kleide Hauptmann die – im wesentlichen aus Grillparzers Novelle «Das Kloster bei Sendomir» übernommene – Fabel in die Form eines Traumes, doch erwecke es Bedenken, wenn der Träumer von eigenen früheren Träumen und denen Elgas träumt. Hier sei die Vorlage nicht zureichend umgeformt worden.

Trotz allem fand das bühnenwirksame Stück oft ein dankbares Publikum. Man fühlte sich gepackt durch diese Tragödie des Grafen Starschenski, der nach der Entdeckung des Ehebruchs seiner dämonischen, triebhaften, von ihm unmäßig geliebten Frau sein Leben zerstört sieht, den Nebenbuhler Oginski ermordet und die Ungetreue wiedergewinnen will, der er bis zuletzt verzeihen möchte. Schließlich flieht er verwirrt und verzweifelt ins Kloster.

Unter den frühen Fragmenten ist *Das Hirtenlied* in zweierlei Hinsicht interessant. Einmal setzt sich Hauptmann darin wiederum mit seinen Eheproblemen auseinander. Er schildert, wie ein Maler um die Gestaltung der im 29. Kapitel der biblischen Genesis berichteten Szene der Rahel am Brunnen ringt, wie ihm ein Traum zur Vergegenwärtigung verhilft, ihn gleichsam in den Mann Jakob verwandelt, der zwischen zwei Frauen steht und Rahel und Lea zusammen gewinnen darf.

Zum andern verdienen diese dramatischen Entwürfe unsere Beachtung, weil Thomas Mann später im ersten Roman der Josephs-Tetralogie, in den «Geschichten Jaakobs», die gleiche Episode episch behandelte. Dabei weichen die Charakterzeichnungen in beiden Poemen aber wesentlich voneinander ab. Bei Hauptmann erscheint Rahel lebensstark und gesund (wie seine nachmalige Frau Margarete), Lea zart und kränklich (wie Frau Marie), und dem gottverbundenen, ehrwürdigen Patriarchen Laban tritt Jakob als ein «Fürst der Finsternis» gegenüber. Bei Thomas Mann sind die Beziehungen der Personen zueinander gerade umgekehrt: Jaakob repräsentiert den Gesegneten des Herrn, während sich um Laban die Unterweltssymbole häufen. Rahel faßte der Dichter als die Zarte, Lea als ein derbes, kräftiges Wesen auf und vertiefte die Handlung durch Mythos und Psychologie.

Wenn man das *Hirtenlied* ein Stück geträumtes Leben nennen kann, so die Komödie *Schluck und Jau* einen gelebten Traum. Hauptmann griff darin ein weitverbreitetes, schon in der altbabylonischen Ellilbani-Legende überliefertes Motiv vom Tauschkönig aus dem Volke auf, gestaltete nach Anregungen durch Shakespeares «Timon» und das Vorspiel zu «Der Widerspenstigen Zähmung», durch das Märchen vom verwunschenen Kalifen aus «Tausendundeiner Nacht», das dänische Lustspiel «Jeppe vom Berge» von Ludvig Holberg und Emersons Essay «Selbständigkeit»[9] das Ineinanderrinnen von Traum und Wirklichkeit, Schein und Sein.

Der betrunkene Landstreicher Jau erwacht hier, infolge der Laune eines Höflings, im Himmelbett eines Jagdschlosses, wird von Lakaien und Würdenträgern als «Durchlaucht» behandelt und findet sich, nach anfänglichem Zweifel an der Existenz der für ihn «traumhaften» Umgebung, erstaunlich rasch in die neue Lage. Sein Kumpan Schluck hingegen läßt sich nicht darüber täuschen, daß er das Opfer einer herrschaftlichen Kaprice geworden ist, und versucht, möglichst anstellig und kunstfertig die von ihm geforderte Rolle zu spielen – nicht ohne Furcht vor der Ungnade der «hohen» Personen.

Unterdessen wächst sich Jau zu einer Serenissimus-Karikatur aus. Er reitet zur Jagd, akzeptiert die Prinzessin Sidsellil als «Tochter», tobt tyrannische Gelüste aus, erfreut sich am nackten, sinnlosen Machtgebrauch, bleibt auch im Staatsrock ganz, der er war, und gibt – nach dem Zusammentreffen mit dem als «Fürstin» verkleideten Schluck – den sehr standesgemäßen Befehl, dieses «Weibsbild» aus der Welt zu schaffen und zu vergiften. Als er schließlich ernsthaft und mit dem Hinweis, was er wolle, habe zu geschehen, die Kammerfrau der Prinzessin begehrt, reicht man ihm flugs einen Schlaftrunk, um ihn wieder in den Straßengraben werfen zu können. Schon regen sich Befürchtungen bei den adligen Herrschaften, dieser «Isegrimm» könne sie, wenn man ihn nicht bald entferne, «dermaßen an die Wand» drücken, daß man «zeitlebens an dies Spiel» in diesem «Revolutions-Karneval» denke.[10]

Das Stück darf zu den bedeutenderen Werken Hauptmanns gezählt werden, denn es zeigt die ganze Nichtigkeit des fürstlichen «Trödler-Himmels», die Haltlosigkeit der ständischen Rangordnung und wirft ein bezeichnendes Licht auf die Inhumanität der Feudalherren, die zum Zeitvertreib verantwortungslos mit zwei armen Menschen spielen, sie in Konflikt mit der Wirklichkeit und bis an den Rand des Wahns bringen (ähnlich wie Sosias in Kleists «Amphitryon»). Trotz einer gewissen Unklarheit in der Frontenstellung, die den Zuschauer in die Betrachterrolle der Experimentatoren zu drängen droht, gehört die Sympathie des Publikums kaum dem blasierten, melancholischen Regenten Jon Rand und seinem schemenhaften Hofgesinde, sondern dem derben, geäfften Jau und vor allem dem «kinstlichen», gutmütigen Schlucker Schluck, der nur «aus Marter und Sorgen» bisweilen zu tief in die Kanne guckt. Nach dem Willen des Dichters sollen sich die beiden Vagabunden in ihrer Identitätskrise als «kindlich naive, überlegene Philosophen»[11] erweisen.

Was in *Schluck und Jau* Spiel war, wird im *Armen Heinrich* furchtbarer Ernst. Heinrich Graf von Aue, reicher Schloßherr und Freund des Kaisers, gleitet plötzlich die gesellschaftliche Sprossenleiter hinab, findet sich auf niedrigster, ärmlichster Stufe wieder, weil ihn die Leprakrankheit befiel. Keine «Hochgebürtigkeit» schützt ihn mehr vor dem Ausschluß aus der mittelalterlichen Ständeordnung. Nur die Familie eines schlichten Bauern und Pächters nimmt sich seiner mitleidig an, bietet ihm ein Obdach.

Die Geschichte von der wundersamen Heilung und Errettung des armen Heinrich, die uns ein Versepos des mittelhochdeutschen Klassikers Hartmann von Aue überliefert, hat später zahlreiche Gestaltungen hervorgerufen. Chamisso schrieb darüber ein längeres Gedicht, das Hauptmann schon in früher Jugend mit Anteilnahme las.[12] Dramatisch beziehungsweise erzählerisch behandelten Henry W. Longfellow (1872) und Ricarda Huch (1899) diese Legende, die Hans Pfitzner (1904) für die Opernbühne bearbeitete.

Bei Hartmann wird Herr Heinrich vom Aussatz befallen, weil er unbekümmert weltliche Freuden genoß, Rittertugenden pflegte, «vil wol von minnen» sang und darüber vergaß, sein Glück als Gottesgeschenk anzusehen. Dadurch lädt er, im Sinne der mittelalterlichen Heilslehre, Schuld auf sich, die er vermehrt, als er sein Leid nicht geduldig trägt, sondern das Sühneopfer des unschuldigen Pächterkindes anzunehmen bereit ist. Ihr Herzblut soll ihn heilen, eine Vorstellung, in der sich heidnische Blutriten und das christliche Erlösungsmysterium eigenartig mischen. Erst als sich der arme Heinrich überwindet, das todbereite Mädchen vom Opfertisch befreit und sich ganz Gottes Ratschluß unterwirft, läßt ihn himmlische Gnade wunderbar genesen.

Das klingt alles recht einfältig-fromm und zeitgebunden. Was konnte einen modernen Künstler an der Fabel reizen? Spiegelten sich darin nicht die Verhältnisse der Leibeigenschaft und – in Heinrichs Diesseitsbejahung und des Mägdleins Jenseitsverlangen – ein schroff dualistisches Weltbild? War die Möglichkeit zu tätiger Bewährung nicht gar zu stark eingeengt? Gewiß, aber darüber hinaus bot schon Hartmann das Seelenporträt eines egoistischen Kranken, eine psychologische Studie von Rang. Und am Schluß erzählte er von der Befreiung des Pächters und der Verbindung des Herrn Heinrich mit der Bauerntochter.

Für Gerhart Hauptmann bedeuteten die psychologischen

Doppeltitelblatt der Erstausgabe

Der arme Heinrich

von Gerhart Hauptmann

Eine deutsche Sage

Mit Buchschmuck
von
Heinrich Vogeler

Erstes bis Neuntes Tausend

Erschienen bei
S. Fischer, Verlag
Berlin 1902

Konflikte des Leidgezeichneten zweifellos das auslösende Moment. Das Glaubensanliegen spielte bei ihm kaum noch eine Rolle; er durchdrang die Vorlage mit Realismus. Sein Ritter Heinrich leidet im Grunde schuldlos. Es gibt hier keinen pädagogisch strafenden, sondern allenfalls einen phantomhaft hohnlachenden Gott. Nur gerüchtweise taucht die Motivierung auf, Gottes Fluch habe einen im Kirchenbann stehenden getroffen, was zugleich aus einer bestimmten historischen Situation heraus erklärt wird.

Mehrmals hören wir, Heinrich sei ein Freund des Kaisers Friedrich gewesen, sei gleichzeitig mit jenem dem Bannfluch des Papstes verfallen und habe sowohl am sizilianischen Hofe des Imperators gelebt wie an dessen Kreuzzug teilgenommen. Die Angaben versuchen eine historische Datierung der Legende – und überraschen den Historiker, denn als Friedrich II. von Hohenstaufen das Exkommunikationsdekret des Vatikans erhielt, schrieb man bereits 1227, und die Kreuzfahrt, für die übrigens der alternde Walther von der Vogelweide in Österreich mit berühmten Strophen warb, fand 1228/29 statt. Hartmann von Aue, der Verfasser des mittelhochdeutschen Epos, war in diesen bewegten Monaten schon fast zwei Jahrzehnte tot – und doch ließ ihn Hauptmann in seinem Schauspiel als Nebenfigur persönlich auftreten, übrigens nicht als Dichter, sondern nur als Dienstmann und Vertrauten des Ritters Heinrich, den der mittelalterliche Epiker aus fabelhafter Überlieferung erst zum Leben erweckt hatte. Die dichterische Figur wurde also zum «Vorgesetzten» seines intellektuellen Erzeugers befördert. Der kleine Anachronismus war beabsichtigt.

In einer gelegentlichen Notiz bemerkte der Dichter: «Zeit etwa um 1230. Ich habe aus inneren Gründen die Vorgänge in eine spätere Zeit verlegt.»[13] Es ging ihm offenbar darum (gestützt auf F. Raumers «Geschichte der Hohenstaufen»), seinen Helden in eine möglichst aufgeklärte, freisinnige Atmosphäre hineinzustellen, wie sie in der Tat erst am Hofe des faszinierenden Barbarossa-Enkels vorherrschte. Auch bediente er sich mancher Anregungen aus dem spätmittelalterlichen Epos vom «Guten Gerhard» des Rudolf von Ems (in dem er den Namen des Mädchens Ottegebe fand). Trotz allem bleibt der historische Hintergrund des Stückes blaß und auf das äußere Geschehen ohne nennenswerten Einfluß, weshalb uns die zeitliche Verschiebung des Hartmann-Auftritts nicht unbedingt zwingend erscheint.

Sein Hauptaugenmerk richtete Gerhart Hauptmann auf die Darstellung der seelischen Krise des armen Heinrich. Ähnlich wie der biblische Hiob hadert der Kranke mit dem Schicksal, stellt die unerbittliche Frage nach dem Sinn des Leidens, ohne eine Antwort darauf zu erhalten. Gegenüber seinem Freund und Ministerialen Hartmann ruft er in erregtem Disput (durch den der Dichter geschickt Monologpartien umgeht) bitter aus: «Denn ich bin so beglückt vom Himmel worden, daß ich Verderben spein muß.»[14] An eine Errettung durch Blutopfer vermag er in seiner Aufgeklärtheit nicht zu glauben.

Abweichend von der mittelhochdeutschen Vorlage weist Herr Heinrich den Erlösungswillen des Mädchens zunächst ab. In Ottegebe hat Hauptmann eine eigenartige Gestalt geschaffen. Ähnlich wie Kleists Käthchen von Heilbronn, dieses «vom Eros hörig gemachte Kind»[15], lebt sie ganz und demütig für ihren Herrn, doch in ihrer «aktiven Opferbereitschaft» übertrifft sie die literarische Schwester. Dabei haftet ihrer Neigung etwas Pathologisches an; krankhafte Züge verzerren ihr Wesen bis zur Unnatur, wodurch sich ein Ansatz für die Motivierung ergibt, daß sie gar keine «reine» Bauerntochter, sondern ein uneheliches Kind der Bäuerin und des seither weise gewordenen skeptischen Paters Benedikt ist. Überall deuten sich hier Entwicklungsprozesse an.

Der arme Heinrich flieht vor der Versucherin in einen entlegenen Waldwinkel und behauptet seinen Stolz. Aber nach Wochen geschieht das Erstaunliche: Völlig verwildert und von Schwären entstellt, bricht er in menschliche Bezirke ein und fordert nun das Opfer des Mädchens. Angst hat ihn ergriffen, die Schrecken der Einsamkeit und des drohenden Todes haben ihn zermürbt. «Ich will leben!! leben!!!» schreit er und sinkt röchelnd am Altar nieder. Er entschließt sich, gemeinsam mit Ottegebe, die die Führerrolle übernimmt, in das neapolitanische Mekka der ärztlichen Kunst zu wallfahren, wo er irdisches, das Mädchen aber himmlisches Heil zu gewinnen hofft. Ursprünglich hatte Hauptmann für den 4. Akt eine Szene in Salerno entworfen und Ottegebe noch eine Art Heiligenschein verliehen[16]; in der Endfassung wird lediglich rückblickend berichtet, wie in Heinrich von Aue die Liebe zu der pubertierenden, ekstatisch-aufopferungsbereiten Jungfrau erwacht.

Am Ende zwingen Geist, Lebenswille und Liebe das körperliche Gebrechen nieder (das im naturalistischen Drama stets triumphierte). «Nicht Demut und Christenliebe sind es, die Heinrichs Erlösung bewirken, sondern die Macht des Eros.»[17] Gewiß wird der aus der Vorlage übernommene schöne Gedanke von der Selbstüberwindung des Dulders und der Befreiung der Jungfrau vom Opfertisch nicht aufgegeben, aber die Idee von den drei «Strahlen der Gnade» wirkt nurmehr dekorativ.

Unter den Werken Gerhart Hauptmanns hat Thomas Mann dieses «Poem von Glanz, Fall und Wiederaufrichtung»[18], dem er selbst später in «Der Erwählte» (einer Nacherzählung von Hartmanns Gregoriusepos) ein Pendant gab, immer besonders geschätzt und geliebt; ihm imponierte die «eigentümliche Poetisierung der Krankheit, des Pathologischen»[19]. Lion Feuchtwanger betonte, Hauptmann habe hier «die herrlichsten Verse geschrieben, die ihm je geglückt sind»[20]. Und Rilke bekundete seine Vorliebe für dieses Stück und die «Herrlichkeit dieser Heimsuchung, die so grenzenlos und grausam ist und doch so seltsam gerecht:

sie nimmt dem Menschen alles Zeitliche und Zufällige ...,
und sie gibt ihm dafür Einsamkeit und Zeit, Einsamkeit,
sich zu sammeln, Zeit zu wachsen.»[21] Man darf im *Armen
Heinrich* einen wertvollen Beitrag zur Belebung und Neuinterpretierung einer klassischen Schöpfung unseres Kultur-
erbes sehen.

Noch mehrmals verarbeitete Hauptmann mittelalterliche
Themen, etwa in *Veland, Ulrich von Lichtenstein* und *Tochter
der Kathedrale*; auch versuchte er Dramatisierungen des Ni-
belungen- und Gudrun-Stoffes. Unter den Fragmenten dürfen Ansätze zu einer Bühnenfassung der *Kynast*-Sage besonderes Interesse beanspruchen. Wie man im *Abenteuer
meiner Jugend* nachlesen kann, hatte Hauptmann frühzeitig
eine Vorliebe für Theodor Körners «Kynast»-Ballade, und
um die Jahrhundertwende entschloß er sich dazu (hauptsächlich gestützt auf ein Büchlein von H. Nentwig), die
altschlesische Überlieferung szenisch darzustellen. Die ausgeführten Passagen erzählen von der stolzen Burgherrin
Kunigunde von Scharfeneck, die ihre Hand nur dem Be-
werber reichen möchte, der einen gefährlichen Mauerritt
wagt und überlebt. Viele Ritter eilen zum Turnier herbei;
einer stürzt tödlich ab, doch ein anderer (in dem man den
Landgrafen von Thüringen vermutet) scheint bei der Probe
erfolgreich zu sein und am Ende, trotz überwundener Gefahr, die hochmütige Dame abweisen zu wollen.

Vor diesem ernsten, um 1221 anzusetzenden Hintergrund,
den anfangs zudem die Stäupung eines Bauern verdüstert,
spielen ein paar heitere Auftritte, über denen Walther von
der Vogelweide, der «liederreiche Mann», als Schutzpatron
steht. Aus der Walther-Biographie ist die Gestalt des Gerhard Atze übernommen, die angeblich «Zielscheibe des
Witzes»[22] am Hof zu Eisenach gewesen sei. Nun gibt es
zwar zwei berühmte sarkastische Anti-Atze-Sprüche Wal-
thers, doch muß man darin eine ungewöhnlich mutige Aktion sehen, da der Verspottete als ein hochangesehener,
mächtiger Ritter beurkundet ist. – Hauptmann reihte Atze

in die Schar der Spielleute auf dem Kynast ein, zeichnete ihn als renommistisch-lächerliche Figur und plante deren kuriose Mitwirkung in der Freierschar. Damit verband er ein anderes Motiv: die unglückliche Liebe des Pagen Franz von Chila zu Kunigunde, die nun in die Nähe von Mörikes Schön-Rohtraut rückt. Wie König Ringangs Töchterlein neckt sie den Jungen bei einem Jagdausflug und macht ihn eifersüchtig. Bei einem alten Einsiedler, dem Pater Laurentius, gibt es ein Zusammentreffen mit den Spielleuten, und plötzlich spürt man, daß das Stück wesensmäßig zum *Armen Heinrich* gehört, der ursprünglich als «Fortsetzung» vorgesehen war. Wiederum gelangen dem Dichter wohltönende jambische Verse, tief empfundene Aussagen, mit denen der gütige, leicht schalkhafte Pater für ein paar Augenblicke ebenbürtig neben den Herrn von Aue tritt.

Eine weitere Legendendichtung ist heute nur noch biographisch bemerkenswert. *Kaiser Karls Geisel* (1908) ging aus dem Liebeserlebnis mit Ida Orloff hervor. Gelegentlich bekannte der Dichter im Tagebuch: «Ich lebe mit ihr wie Karl der Große»[23], weshalb vermutete «Ähnlichkeiten mit den Vampiren Strindbergs»[24], mit Tekla und Elise, fragwürdig erscheinen. Unter Anlehnung an eine von Sebastiano Erizzo novellistisch überlieferte Sage (die übrigens eine Motivähnlichkeit mit dem von Grillparzer und Feuchtwanger gestalteten Stoff der Jüdin von Toledo[25] aufweist) berichtete Hauptmann von der pathologischen Leidenschaft des großen Frankenkaisers Karl für eine dirnenhafte Kriegsgefangene, die ihm Geisel und Geißel wird. Der alternde Herrscher vermag das wilde Mädchen Gersuind nicht zu gewinnen.

Diese Zähmung einer Widerspenstigen gelingt in den (nach Boccaccios zehntem Decameron-Buch geformten) *Griselda*-Szenen (1909), in denen psychologische Motivierung und künstlerische Aussagekraft oft zu wünschen übriglassen. Auf *Veland* (1925) und *Ulrich von Lichtenstein* (1939) wollen wir in anderem Zusammenhang eingehen.

Hier soll nur noch von dem Glashüttenmärchen *Und Pippa tanzt* (1906) die Rede sein, einem Stück, das eine eigenartige Mischung von Phantasiewelt und Realität bietet und immer wieder zu neuer Deutung herausforderte. Der Dichter selbst sprach gelegentlich von einer «Versinnbildlichung des inneren Suchens», einer «Vermählung des deutschen Genius in der Gestalt des Michel mit dem Ideal südländischer Schönheit, wie es sich in Pippa verkörpert»[26].

Obwohl Hauptmann dieses Werk sehr schätzte und darüber äußerte, er habe «Besseres kaum zu sagen»[27], antwortete er auf die Frage nach dem Sinn der Aussage achselzuckend: «Wenn ich das wüßte, hätte ich doch die ganze Geschichte nicht aufzuschreiben brauchen!»[28] Dem Leser stehen demnach viele Möglichkeiten zur intuitiven Erfassung offen.

Der erste Akt enthüllt ein Stück schlesisches Volksleben. In einer Gastwirtschaft hält Bacchus noch zu mitternächtiger Stunde Cercle. Waldarbeiter und kartenspielende Handwerker haben sich eingefunden, und am vordersten Tisch sitzt der Direktor der modernen Glashütte Sophienau, die das Feuer in den Glasöfen eines alten Unternehmens im Gebirge zum Erlöschen brachte. Konkurrenzkämpfe deuten sich an. Vor den Zechenden tanzt nun das zarte Mädchen Pippa, wird während eines Tumults von dem alten arbeitslosen Glasbläser Huhn in eine entlegene Kate entführt, von dort durch den träumerischen Wanderburschen Hellriegel erlöst (zweiter Akt), wonach das Paar aufsteigend in die Gebirgsbaude des Forschers Wann gelangt (dritter Akt). Hier entscheiden sich Schicksale. Wann ringt den eindringenden Hünen Huhn nieder und geht aus, den Tod für den unerbetenen Gast herbeizurufen. Unterdessen tanzt Pippa im vierten Akt zu Michaels Okarinaklängen vor dem Sterbenden – und stirbt selbst. Blind und kindlich wandert Hellriegel, der sich von allen Bildern der Hölle abgeriegelt hat, allein seine Traumstraße nach Venedig, will sagen, in den mutmaßlichen Schneetod.

In früheren Entwürfen des letzten Aktes gab es ein mehr realistisches Finale. Dort zog das Liebespaar gemeinsam vondannen oder traf sich im lebensvollen Zirkus-Milieu wieder, wo sich Pippa als «Tochter der Luft» und Michael als Clown zu produzieren gedenken.[29]

Im Tagebuch hat Hauptmann später den autobiographischen Hintergrund des Stückes entschleiert und eine Erklärung angeboten. Mit deutlichem Bezug auf die Orloff-Episode sprach er von einem «Mann von dreiundvierzig Jahren», der sich an ein «Mädchen von siebzehn» verliert und den «Kampf der Leidenschaft» in vierfacher Gestalt künstlerisch darzustellen suchte.[30] In allen Figuren spiegele sich der Dichter selbst, umkreise sein «Idol» und verkörpere bei dieser Jagd nach Liebe sowohl das Kindlich-Naive, Rohe und Genießerische wie Hoheitsvoll-Überlegene. Entsprechend werben vier Männer um Pippa: Mit dumpfer Gier wird die kleine Tänzerin von dem alten Glasbläser Huhn verfolgt, einem urwüchsigen «Korybanten» und Diener der Erdmutter Kybele, dessen primitivem Drängen nach Licht und Schönheit etwas Drohendes anhaftet. – Der Direktor der Glashütte tritt als illusionsloser, zynisch-raffinierter, besitzhungriger Lebemann in Erscheinung. Für Michael Hellriegel dagegen ist Illusion das wahre Element. Er verkörpert gleichsam einen kauzig-romantischen Dichtertyp aus der Märchenkiste des E. T. A. Hoffmann und kompensiert seine Schwäche, indem er bald den Drachenbezwinger Michael, bald den starken David mimt. Verträumt verkündet er: «Es muß alles anders werden! Die ganze Welt!»[31] Aber sein Wesen ist eine wirre Sehnsucht, nicht verändernde Tat. – Die höchste Stufe des Eros bezeichnet der Wahrheitssucher Wann, der sich zum Verzicht durchringt und sich als «Herr im Spiele» erweist.

Fragt man nun nach der «Bedeutung» der vierfach umworbenen Pippa, so hat sie wohl weniger als Schönheits- denn als Psyche-Symbol[32] zu gelten, auch als «Wunschgebilde der männlichen Figuren»[33]. Die Vertreter aller vier dargestellten Lebensmöglichkeiten sehnen sich nach der schönen Seele. «Real» stirbt das Mädchen an Überanstrengung; im übertragenen Sinne zerbricht sie, die an Tizians zarte Laura Dianti erinnert, an einer gar zu rauhen Wirklichkeit. Trotz des Untertitels ist in dem Schauspiel «kaum etwas ‹märchenhaft›»[34]; dennoch kann man es im Gorkischen Sinne als ein Märchen der Wirklichkeit betrachten.

Die Gestalten des Wann und der Pippa haben Gerhart Hauptmann auch später noch beschäftigt. So trug er sich zeitweise mit dem Plan, eine Folge von «Dramen mit dem alten Wann»[35] zu schreiben, und in den szenischen Fragmenten *Galahad* und dem Roman *Der neue Christophorus* erzählte er von der magischen Geburt eines Sohnes der toten Pippa und des Michael, eines «Erdmannes», der unter der Obhut eines weisheitsvollen Erziehers (Wann) aufwächst.

«Warum so viele Leiden!»

Realistische Dramatik
von «Fuhrmann Henschel»
bis «Rose Bernd»

Vom Maler des «Abendmahls» und der «Mona Lisa», den Hauptmann sehr schätzte[1], gibt es das schmerzlich-fragende Wort: «Oh, Leonardo, warum so viele Leiden!» Er hatte Kriegsgreuel und das Wüten der Pest erlebt, höfische Intrigen erfahren und die Not in den Armenvierteln gesehen, in denen er oftmals seine Modelle fand. Der Anblick drückte ihn nieder. Nur in seinen Bildern konnte er der verletzten Menschlichkeit Genugtuung verschaffen und gedemütigte, arme Kreaturen adeln.

Die Leiderfülltheit der Welt, über die der große Renaissancekünstler einstmals nachsann, wurde vierhundert Jahre später für den Schriftsteller Gerhart Hauptmann zu einem zentralen Problem. Immer wieder zeigte er den verzweifelten Existenzkampf der zahllosen Stiefkinder dieser Erde, Menschen in unmenschlichen Verhältnissen, die verschärften Klassenkonflikte in der bürgerlichen Spätzeit. Auch wenn er seine Gedanken gelegentlich märchenhaft und symbolisch einkleidete, bemühte er sich darum, ein realistisches Bild seiner Zeit zu geben. Stets aufs neue zogen ihn die komplizierten seelischen Vorgänge der «einfachen» Leute an. Und in den Wirtshäusern und Weberstuben, in den Nachtasylen und Hinterhöfen fand er menschliche Schicksale von antiker Größe.

Von *Fuhrmann Henschel* sagte Thomas Mann, das Drama stelle gleichsam «im rauhen Gewand volkstümlich-realistischer Gegenwart eine attische Tragödie»[2] dar, hier und in

Rose Bernd handle es sich um «Volksstücke, und zwar die stärksten und menschlich erfülltesten, die in Deutschland geschaffen wurden»[3]. Mit dem Hinweis auf das Theater der alten Griechen meinte er, daß in Hauptmanns Stück eine ähnlich unerbittliche, blinde Schicksalsmacht zu walten scheine wie dort. In der Tat verfolgt den Fuhrmann Henschel ein merkwürdiges Verhängnis: Zuerst überfährt er seinen Hund, danach erkranken und fallen ihm drei Pferde, Frau und Kind sterben, schließlich drängt ihn seine zweite Frau, deren teuflisches Wesen er lange verkennt, in Vereinsamung, Verzweiflung und Tod. Der abergläubische Mann argwöhnt, es sehe geradezu so aus, als «wärsch uf mich abgesehn», und am Ende spricht er von der «Schlinge», die ihm ein unheimlicher Jäger gelegt habe: «... da trat ich halt nein!»[4]

Er selbst versucht in primitiver Weise die Fehlschläge als Folge einer Schuld zu begreifen. Hat er seiner hysterischen ersten Frau nicht zur Beruhigung und halb scherzhaft das Versprechen gegeben, niemals die Dienstmagd Hanne Schäl zu heiraten? Doch nach dem Tode der Kranken vermag er den Ränken der Aufwärterin nicht zu widerstehen; Sinnlichkeit und wirtschaftliche Notwendigkeit zwingen ihn in das Ehejoch. Nun redet er sich hartnäckig ein, mit dem «Wortbruch» eine Schuld auf sich geladen zu haben. Schuld verlangt Sühne ...

In mancher Beziehung befindet sich Fuhrmann Henschel (dessen mächtiger Schattenriß Maxim Gorki[5] stets besonders imponierte) in einer ähnlichen Situation wie der Bahnwärter Thiel, der ebenfalls die Frau verliert und dem verwaisten Kind eine Stiefmutter gibt, durch deren Brutalität und Unachtsamkeit das zarte Wesen bald zugrunde geht. Aber während Thiel die Verewigte als einen guten Geist empfindet, vertrauliche Jenseitsgespräche mit ihr führt und in dem sexuellen Hörigkeitsverhältnis zu seiner zweiten Frau Lene etwas Entwürdigendes sieht, heiratet Henschel die Hanne in dem Glauben, es gäbe «keene bessere Frau» für ihn, und zugleich betrachtet er die Verstorbene mehr und mehr als furchtbares, rächendes Gespenst. Vor unseren Augen vollzieht sich das erschütternde Schauspiel, wie der urwüchsige, ratkundige, selbstsichere Fuhrmann binnen Dreivierteljahrsfrist völlig zerbrochen wird.

Nicht nur der «Schuldkomplex», die Angst vor der Toten und die fatalistische Ergebenheit in ein angeblich unentrinnbares Verhängnis lähmen seine Widerstandskraft, sondern vor allem der brutale Aufstiegswille der Hanne Schäl. Sie drückt ihn überall an die Wand, betrügt ihn und untergräbt sein Sicherheitsgefühl. Das «Schicksal», vor dem er erschauert, liegt somit weitgehend in seinem eigenen Charakter begründet. Aberglaube und Gutmütigkeit, mangelnde Menschenkenntnis und der Umgang mit der Frau bringen ihn an den Rand des Abgrunds.

Dennoch ist am Ende sein Selbstmord nicht zulänglich motiviert. Dazu hätte sich ein Motiv geeignet, das Hauptmann leider nur anklingen läßt. Im zweiten Akt gibt er ein aufschlußreiches Gespräch zwischen dem Hotelbesitzer Siebenhaar und dem Fuhrmann wieder, in dessen Verlauf Siebenhaar seine materiellen Schwierigkeiten eingesteht und bemerkt, dieselben Verhältnisse, gegen die er sich «nur mit höchster Mühe behaupten konnte», die eben hätten Henschel groß gemacht. Das will sagen: Während es ihm nicht möglich war, sein Gasthaus den neuen, zeitgemäßen Bedürfnissen anzupassen und es zu renovieren, floriert Henschels Fuhrbetrieb, weil ihm die Beförderung der Kurgäste obliegt. Aber schon ist auch sein Erwerbszweig durch die Industrialisierung und den fortschreitenden ökonomischen Prozeß bedroht. Bald werden die Patienten per Eisenbahn herbeireisen und seine Dienste nicht mehr benötigen.

Was dann? Er spürt, wie sein Geschäft zurückzugehen beginnt. Durch Hanne wird er veranlaßt, den alten Gehilfen Hauffe unbarmherzig zu entlassen und sich nach jüngeren, kräftigeren Knechten umzutun. Im stillen denkt er bereits daran, eine Gastwirtschaft zu übernehmen, denn nach dem Bahnbau muß er damit rechnen, aus dem Kleinbürgertum ins Proletariat abzusinken. Eine unnennbare Furcht bedrängt ihn, und von hier aus ließe sich die Kapitulation des Fuhrmanns vor den Anforderungen des Lebens verstehen: Neben die Zerstörung der Ehe könnte die Zerstörung einer Persönlichkeit durch Existenzangst treten.

Hauptmann erfaßte die sozialen Umschichtungen jedoch nur mittelbar als eine Ursache der Tragödie, obwohl er sich bei der Gestaltung zum Teil an erlebte «Modellfälle» hielt. Er selbst gab den Hinweis, das Stück spiele in den «sechziger Jahren» in einem «schlesischen Badeort». Dabei dachte er natürlich an sein eigenes Geburtsstädtchen Bad Salzbrunn, und unzweifelhaft entspricht der Gasthof «Zum grauen Schwan» weitgehend der «Preußischen Krone». Aus dem Memoirenwerk *Das Abenteuer meiner Jugend*[6] wissen wir, daß im Kellergeschoß der «Krone» der Fuhrmann Krause wohnte; ferner gab es in Glatz einen Spediteur Henschel. Die «Urbilder» kehren im «Typ» Henschel wieder, wie die Problematik von Hauptmanns Vater in der des Hotelbesitzers Siebenhaar. Nur andeutungsweise sind die historischen Prozesse künstlerisch abgebildet. Den Dichter beschäftigen vor allem psychologische Konflikte, persönliche Erinnerungen und die Überlieferung von einer zweiten Ehe seines Großvaters mit einer Dienstmagd, die ein voreheliches Kind «schlimmer als eine Stiefmutter»[7] behandelte.

In mancher Hinsicht kehrte Gerhart Hauptmann mit *Fuhrmann Henschel* zur Thematik und Technik seiner frühen Dramen zurück. Er zeigte den Verfall menschlicher Beziehungen, Episoden aus dem Volksleben. Angeregt durch mundartliche Novellen von Hermann Stehr, schrieb er die Urfassung des Stückes im schlesischen Dialekt nieder und bot auch sonst weitgehend eine breite «naturalistische» Dialogführung. Diesen Menschen geht das Wort nur schwer und bruchstückweise aus dem Mund, ja bisweilen offenbart sich ihre Aussage in der Sprachlosigkeit ... Die Höhepunkte des Geschehens ereignen sich ohnehin hinter der Szene, doch der Leser und Hörer bleibt keinen Augenblick im unklaren darüber, was hier «gespielt» wird: die Tragödie unseliger Milieusklaven.

Bezeichnenderweise entfachte sich Hauptmanns Kritik an der bürgerlichen Gesellschaft immer wieder an der realistischen Darstellung von Auflösungssymptomen in engeren Familienkreisen. Von *Vor Sonnenaufgang* bis *Vor Sonnenuntergang* galt sein Augenmerk den «einsamen Menschen», dem Existenzleid unglücklicher Kreaturen wie Helene Krause, Wilhelm Scholz, Johannes Vockerat. In einer Reihe von Schauspielen, auf die wir im folgenden eingehen wollen, ließ er den Namen des jeweils «Gezeichneten» bereits im Titel aufklingen. Das beginnt mit Fuhrmann Henschel und setzt sich über Michael Kramer, Rose Bernd und Gabriel Schilling bis zu Christiane Lawrenz fort.

Das Drama *Michael Kramer* führt uns in eine Malerfamilie. Nach dem Vorbild seines Breslauer Lehrers Professor A. Bräuer schuf der Dichter die Gestalt des alten Michael Kramer, der an einer königlichen Kunstschule wirkt und (wie Bräuer) jahrelang hinter verschlossenen Türen an einem Christusbild malt. Kunst ist für Kramer «Religion» und der Künstler ein «Einsiedler», aber trotz aller Selbstdisziplin und Askese befinden sich Aufwand und Leistung bei ihm in krassem Mißverhältnis.

Die ihm karg zugemessenen schöpferischen Gaben besitzt sein Sohn Arnold vorgeblich im Überfluß – ohne sie zu nutzen. Der junge Mann (den der Alte «malträtierte» und aus dem Hause trieb) gibt sich als «verkommenes Genie», wovon wir ihm jedoch nur seine Verkommenheit, nicht das Genie glauben. Seine Verkommenheit wiederum ist das Produkt psychologischer Veranlagung und gesellschaftlicher Bedingungen. Infolge einer Verkrüppelung fühlt sich Arnold ausgesondert und hat dennoch ein unbezwingbares Verlangen nach den «Wonnen der Gewöhnlichkeit», die er im Lokal des Restaurateurs Bänsch zu finden hofft. Aber die kokette, «nichtsnutzige Bierhebe» Liese Bänsch denkt gar nicht daran, dem unrepräsentablen, verwachsenen Hunger-Künstler zu Willen zu sein. Ihr Brusttuch verschiebt sich nicht von seiner Hand ...

Die Kneipen-Szenen des dritten Aktes zeigen den Zusammenstoß des verbummelten Malers mit einigen Typen des Kaiserreichs. Soviel die monokelblitzenden Herren vom Stammtisch auch schwadronieren: Hochstapler und Betrüger sind sie alle und stehen für ihr unsolides «System». Wie soll ein Künstler in einer Welt produzieren, in der Banausen wie der Baumeister Ziehn und der Gerichtsassessor Schnabel, der faulenzende Junker-Student von Krautheim und Lieses Strumpfbandträger, der angebliche Jurist Quantmeyer, den Ton bestimmen? Kunst müßte unter diesen Umständen zur Kritik werden, doch ein so charakterschwacher Mensch wie Arnold Kramer vermag es mit der rohen, sich immer mehr veräußerlichenden, kunstfeindlichen Gesellschaft seiner Wehrstands-Epoche nicht ernstlich aufzunehmen. Er beschränkt sich darauf, die Physiognomien seiner Peiniger «fratzenhaft» zu skizzieren, deren Hochmut und Falschheit herauszukehren und sich als «unbequem» zu erweisen. Höhnisch hetzen ihn die «Honoratioren« in den Tod.

Damit versöhnt und beflügelt er paradoxerweise den Vater. Während Michael Kramer in seinem Sohn bisher einen «Lotterbuben» und «gemeinen Menschen» sah, wächst ihm der Gestorbene «ins Erhabene». Er begreift plötzlich die unheimliche Bedrohung eines humanen Kunstwollens und beginnt nach neuen Wegen auszuschauen. In der vielzitierten Meditation an kerzenumlohter Bahre feiert er den Tod des Sohnes als «mildeste Form des Lebens». «Wo sollen wir landen, wo treiben wir hin? Warum jauchzen wir manchmal ins Ungewisse? Wir Kleinen, im Ungeheuren verlassen? Als wenn wir wüßten, wohin es geht. So hast du gejauchzt! – Und was hast du gewußt? – Von irdischen Festen ist es nichts! – Der Himmel der Pfaffen ist es nicht! Das ist es nicht und jen's ist es nicht, aber ... was wird es wohl sein am Ende?»[8] Mit neuer Energie hält er die stumm klagenden Züge des Verewigten, der ausgelitten hat, in einer Maske fest, und mit der Radiernadel formt er das Bild eines toten, geharnischten Ritters.

Obwohl dieser lyrische, handlungsarme Schlußakt mit seiner «Ästhetisierung des Todes»[9] anfangs oft kritisiert wurde, fand er später namhafte Bewunderer. Kerr sprach von einem «bleibenden Geniewerk», das in «trostvollen Widerstand» und ein «sinnendes, letztes, tiefes Fragen»[10] mündet. Polgar bezeichnete die Szenenfolge als «Passionsspiel von dem ans Fleisch geschlagenen Geist», als «Drama von der graden Seele im schiefen Leibe»[11]. Rilke rühmte mehrmals ein «Meisterwerk», das man «vielleicht erst in Jahrzehnten begreifen und werthalten wird», und auch Thomas Mann hegte eine besondere Vorliebe für das Stück[12], denn manche Gestalten seiner frühen Novellen durchleben ganz ähnliche Konflikte. So wie die Liebe des sensiblen, verwachsenen Arnold Kramer verschmäht wird, so auch die Liebe des sensiblen, verwachsenen kleinen Herrn Friedemann[13], und ebenso wie der Leistungspathetiker Michael Kramer betrachten Tonio Kröger und Gustav von Aschenbach die Kunst als bedeutende Anstrengung und Fleißaufwendung; Arbeit und Leben erscheinen hier als Synonyme.

In einer brieflichen Äußerung hat Gerhart Hauptmann mündliche «Erzählungen» seines Breslauer Studienkameraden Hugo Ernst Schmidt als «Anregung»[14] für das Stück bezeichnet, und er porträtierte den 1899 gerade verstorbenen Freund in Michael Kramers Schüler Ernst Lachmann.

Ein noch plastischeres Denkmal setzte er dem befreundeten Maler in der Titelgestalt des Dramas *Gabriel Schillings Flucht*. Wie wir aus Dokumenten und umschreibenden Passagen des *Buches der Leidenschaft* wissen[15], litt der Künstler unter einem Dreiecksverhältnis zu Frau Klara und Freundin Dora, was Hauptmann dazu bewog, «das Erlebnis eines

Nahestehenden»[16] szenisch zu verdichten. – Im Schauspiel flieht Gabriel Schilling aus einem kleinbürgerlichen Ehealltag, vor dem Zwang zum «Sackhupfen nach der Krume Brot» und den Verführungskünsten eines vampyrischen Mädchens zu Freunden auf eine Ostseeinsel. Aber das Schicksal holt ihn gewissermaßen ein. Eveline und Hanna heften sich an seine Fersen, geraten vor ihm in rasender Eifersucht aneinander, zerstören seinen Gesundungswillen. Der Freund Ottfried Mäurer, in dem sich der Maler und Plastiker Max Klinger spiegelt, verliert den Einfluß auf den Verzweifelnden, Haltlosen, der schließlich den Tod im Meere sucht. Das weiße Gebiß der Brandung schlägt über ihm zusammen. Diese atmosphärischen Szenen in Ostseedünungen erinnern an Klingers Strandbilder oder an die wellenumtoste «Sirene», wenn auch Hauptmanns dramatischer Entwurf deren künstlerische Perfektion nicht erreicht.

Immer wieder griff der Dichter auf wahre Begebenheiten zurück. Mitte April 1903 nahm er als Geschworener an einem Prozeß teil, in dem die Landarbeiterin und Kellnerin Hedwig Otte aus Herischdorf der Kindestötung und des Meineids angeklagt war. Aufmerksam folgte er der Verhandlung und den Worten der Beschuldigten («Was sollte aus dem Kinde werden?»[17]). Er fühlte sich tief berührt von der sozialen und seelischen Not des Mädchens und wirkte erfolgreich für ihren Freispruch. Noch im selben Monat begann er *Rose Bernd* zu schreiben.

Das Stück bietet ein Bild der anachronistischen feudalen Gutsherrlichkeit; es enthält keine Jahresangabe, spielt aber wohl an der Wende zu unserem Jahrhundert. Das Mädchen Rose Bernd ist dem verheirateten großbäuerlichen Dorfschulzen und Leutnant Christoph Flamm beinahe unterwürfig zu Willen und erwartet ein Kind von ihm, wovon er erst spät erfährt. Nur schwer entschließt sie sich zur Lösung des Verhältnisses, doch ihr Vater drängt sie zur Eheschließung mit dem frommen Buchbinder August Keil. Der alte Bernd hat seine Stellung als Verwalter auf dem Dominium verloren und zugleich von der «Herrschaft» eine Wohnungskündigung erhalten. Für ihn und die Braut will nun der kränkliche August Keil sorgen; mit geliehenem Geld kauft er ein Häuschen, bereitet die Eröffnung eines kleinen Papier- und Traktätchenhandels vor und meldet die Trauung an.

Es könnte alles gut gehen, wenn nicht der Maschinist Streckmann seinen Spaß daran hätte, ein armes Menschenkind zur Strecke zu bringen. Er hat ein Stelldichein zwischen Rose und Flamm belauscht und fordert von dem Mädchen für das Schweigegelöbnis den Preis der körperlichen Hingabe. Sie bittet um Erbarmen, fleht, bietet ihre Ersparnisse an, demütigt sich – vergebens! Brutal tut er ihr Gewalt an. Danach läßt er dennoch gemeine Andeutungen fallen, wird deshalb von Roses Vater in eine Beleidigungsklage verstrickt und beschwört die Katastrophe herauf.

Ähnlich wie Fuhrmann Henschel wandelt sich Rose Bernd aus einem lebensfrohen, kräftigen, selbstsicheren Menschen zu einem verzweifelten und haltlosen; ebenso wie er spricht sie am Schluß von den «Schlingen», die ihr ein grausames Schicksal gelegt habe. Nach Alfred Kerrs Worten erleben wir, wie ein «Mitgeschöpf» aus der «Sonnenluft in den Keller des Daseins gerät, ohne zu wissen, wie»[18]. Unaufhaltsam vollzieht sich die Tragödie grenzenloser Vereinsamung in einer inhumanen Welt. Flamm, der in einem frühen Entwurf bereits im ersten Akt die «Adoption» des zu erwartenden Erdenbürgers erwägt[19], will nun gar nicht lange «fackeln» und wendet sich im vierten Akt, trotz des Wissens um seine Vaterschaft, in niederträchtiger Weise von dem Mädchen ab. Bei ihrem eigenen ehrpusseligen Vater findet sie keinen Halt, sondern nur einen starren Moralkodex, in dem es grundsätzlich keine Verzeihung für eine «Gefallene» gibt. Eine Mutter hat sie nicht.

Von Streckmann verfolgt und bloßgestellt, von Flamm allein gelassen, vom Vater moralisch verdammt, weiß sie keinen Ausweg mehr. Unter Eid bestreitet sie vor Gericht jede Geschlechtsbeziehung, weil sie sich schämt. Das ist vielleicht der rührendste Zug in ihrem Wesen. Danach tötet sie in tiefer Verwirrung ihr eben geborenes Kind, um es vor den eigenen Martern zu bewahren. Sie zweifelt an der Gerechtigkeit der bestehenden Ordnung, der angeblich göttlichen und der irdischen, denn ihr Verlangen nach Liebe blieb ohne Erfüllung, ihr Menschenrecht auf Liebe wurde mit Füßen getreten. In einer erschütternden Schlußszene schreit sie ihre Verachtung für alle und alles heraus, erkennt nur Lug und Trug in der Welt, spricht einen Fluch über sie.

Mit *Rose Bernd* ordnete sich Gerhart Hauptmann in eine bedeutende Tradition ein. Von Heinrich Leopold Wagners «Kindermörderin» über die Gretchentragödie in Goethes «Faust» bis zu Friedrich Hebbels «Maria Magdalene» diente diese Thematik immer wieder dazu, gesellschaftliche Mißstände als Ursachen für Verbrechen an jungem Leben zu entlarven. Namentlich die Stürmer und Dränger der Goethezeit erhoben heftige Anklage gegen die schurkischen Verführungskünste, die Gewissenlosigkeit und Scheinmoral der Junker. – Auch bei Hauptmann tragen unbarmherzige «Herrschaften» und die Kaltherzigkeit des Erbscholtiseibesitzers Flamm wesentlich zu Roses Niedergang bei; hinzu kommen die bigotten Ehrbarkeitsanschauungen und die Spießigkeit des alten Vaters. Nicht zufällig verließ die österreichische Erzherzogin Marie Valerie beim Anblick dieser schonungslosen Enthüllungstragödie mit Empörung das Wiener Hofburgtheater, so daß die verschreckte Intendantur das Drama vom Repertoire absetzte.

Bei aller Düsternis bietet das Stück zwei Lichtblicke: Die kranke Frau Flamm bringt für das verschüchterte, ratsuchende Mädchen gütiges Verständnis auf, behandelt sie mit feinem Takt und verspricht ihr Beistand in der schweren Stunde, aber die Vertrauensbasis erweist sich am Ende als zu schwach, zumal sich Christoph Flamm kühl distan-

ziert. – Zu menschlicher Größe wächst schließlich August
Keil empor. Anfangs erscheint er als einfältiger Frömmler,
der sich ein abgeschiedenes, stilles Leben wünscht und seinen Ekel vor Welt und Menschen und eine selige «Freude»
aufs Sterben bekennt (in Entwürfen gilt er als «Überstun-
denmacher, Streikbrecher»). Seiner Gestalt und der des alten Bernd haften zunächst fast karikaturistische Züge an.
Allmählich ahnt er jedoch Roses Zustand, und als die Katastrophe eintritt, steht er tapfer zu ihr und spricht epilog-
haft-verzeihend die berühmten Worte: «Das Mädel ... was
muß die gelitten han!»

Zweifellos gehört *Rose Bernd* zu Hauptmanns bedeutendsten Schauspielen. Indem der Dichter die Entwürdigung
eines armen Mädchens zeigte und sie weitgehend aus den
unbefriedigenden gesellschaftlichen Verhältnissen erklärte,
legte er die Notwendigkeit von grundlegenden Veränderungen nahe. Mit meisterhafter analytischer Technik entwarf er ein realistisches Bild vom schlesischen Landleben
um die Jahrhundertwende. Der junge Bertolt Brecht hob
1920 in einer Augsburger Theaterkritik etwas «Stiernacki-
ges» und «Drohendes» in dem Drama hervor, erkannte die
Wahrhaftigkeit der Darstellung an und resümierte: «Es ist
unsere Sache, die in dem Stück verhandelt wird, unser
Elend, das gezeigt wird. Es ist ein revolutionäres Stück.»[20]

Werfen wir noch einen Blick auf das 1905/07 entstandene
Schauspiel *Christiane Lawrenz,* das erst 1963 durch die Centenar-Ausgabe zugänglich gemacht wurde. In dieser (an
Ibsen gemahnenden) Enthüllungstragödie hat der Dichter
den Zerfall einer bürgerlichen Familie vielleicht am krasse-
sten eingefangen. Mann, Frau und Kinder stehen sich hier
fremd, ja feindlich gegenüber; kein Gefühl überbrückt
mehr den Graben. Die Titelgestalt Christiane Lawrenz löst
sich (wie Nora) von ihrem ungeliebten Gatten und widmet
sich ganz der Erziehung ihres kränklichen Sohnes Helmuth, zu dessen Betreuung sie den jungen Kandidaten
Beck ins Haus zieht. Sie ist eine starke, freie Persönlichkeit

und verteidigt ihre Frauenwürde, die Rose Bernd nicht zu erringen vermochte. Aber als Helmuth nach der Entdeckung der Zerwürfnisse zwischen den Eltern stirbt, hat das Leben für sie allen Sinn verloren. Vermutlich geht sie zusammen mit Beck in den Tod.

Es ist ein düsterer Liebestod. Rausch, Nacht und Hoffnungslosigkeit breiten sich aus, bevor der Vorhang sinkt. Am Fenster tropft Regen hernieder wie Tränen über das Menschenleid.

Im Lande
des goldelfenbeinernen Zeus
1907

Es wurde schon erwähnt, daß sich Gerhart Hauptmann im Wintersemester 1882/83 an der Universität Jena mit antiken Studien beschäftigte, sich für Platon, die Akropolis und das Perikleische Zeitalter begeisterte, Vorstudien für ein Lykophron- und ein Perikles-Drama trieb und den Plan zu einer Griechenlandreise faßte. Als er im April 1883 in Hamburg an Bord des Dampfers «Livorno» ging und in See stach, war er noch davon überzeugt, bald – nach einigen Zwischenstationen in Italien – am Fuße des Olymps zu stehen; aber das siebenhügelige Rom hielt ihn gefangen. Michelangelo und Raffael ließen die Gedanken an Phidias und Praxiteles in den Hintergrund treten.

Obwohl der Dichter später bemerkte, er sei seit seinem «sechzehnten Jahre jeden Frühling und Herbst mittels einer sehr lebhaften Phantasie»[1] und gleichsam «hyperionsüchtig» durch homerische Gefilde gezogen, schlugen sich in seinem Schaffen zunächst kaum hellenische Bildungselemente nieder. Nur in den *Helios*-Fragmenten finden sich einige Vorstellungen, die auf ein ideal geschautes «griechisches Heidentum» hindeuten. So scheint uns ein anderes Hauptmann-Wort der seelischen Wahrheit näher zu kommen: «Die Antike habe ich während meiner Zeit als Plastiker über Bord geworfen, ich habe sie mir aber dann auf anderem Wege neu erobert.»[2] Diese «Eroberung» erfolgte erst über zwei Jahrzehnte nach dem Einsturz seines lehmigen Kriegerkolosses zu Rom.

Vielleicht weckte im Sommer 1905, nach dem Empfang der Ehrendoktorwürde der Universität Oxford, die Begegnung mit dem Parthenonfries im Londoner Britischen Museum erneut die Sehnsucht, einmal auf der Akropolis zu stehen. Immerhin vergingen noch fast zwei Jahre, bis Gerhart Hauptmann Ende März 1907 von Triest aufbrach. Erstmals sah er nun Patras, Olympia, Athen, Eleusis, Delphi, Sparta und kehrte schließlich Ende Mai über Konstantinopel nach Deutschland zurück. In seiner Begleitung befanden sich seine Frau Margarete, der älteste Sohn Ivo (der damals seine Malerlaufbahn begann), der sechsjährige Sohn Benvenuto nebst Gouvernante Edith Cox, der befreundete Maler Ludwig von Hofmann und dessen Gattin Elli.

Über die Stationen und Erlebnisse der Fahrt berichtete Hauptmann in dem reportagehaft-sentenziösen Buch *Griechischer Frühling* (1907). Es handelt sich dabei um eigenartige Aufzeichnungen: Einerseits erstreben sie mit Hilfe der konsequent beibehaltenen Präsensform unmittelbare Vergegenwärtigung, die Aufhebung der Distanz und die Erzeugung der Illusion des Mittendrinstehens, andererseits jedoch wirkt das Werk ungewöhnlich zurückhaltend und «unpersönlich» – obwohl der Autor ständig «anwesend» ist und seinem Bekenntnisdrang freien Lauf läßt. Das hängt gewiß damit zusammen, daß ihm die Menschen hier nur als Staffage dienen und keine Sprache gewinnen. Kaum ein Wort fällt über seine Reisebegleiter. Ab und an schildert er Bettler und Hungernde, ohne nach den Ursachen der Not zu fragen, ferner Hirten, Ausflügler, Gastgeber, aber nur ein spartanischer Museumsführer wird am Schluß des Buches näher vorgestellt. Es gibt keine charakterisierenden Gespräche, keine echten menschlichen Beziehungen, keine Arbeit und keine Konflikte. Ein weitgehend isolierter Reisender unterhält sich im wesentlichen mit den Dingen und der Natur ... Hofmiller glossierte: «In der Mitte Gerhart Hauptmann, rechts etwas Grünes, links etwas Grünes, im Hintergrund Athen, fern, ziemlich fern.»[3]

Dabei gewahren wir eine weitere Merkwürdigkeit: Hauptmann entdeckte in Griechenland nichts Exotisches, überraschend Fremdartiges, vielmehr hatte er die «Empfindung des Heimischen»[4]. In Olympia fühlte er sich an Thüringen erinnert; ein Garten in Sparta erschien ihm wie das Gut des Onkels Schubert zu Lohnig, und immer wieder glaubte er im Süden typisch mitteleuropäische Züge zu erkennen, deutsche Eichen, deutsche Alpenfelsen, einen germanischen Menschenschlag. Die Natur mit ihren urtümlichen, mythosbildenden Kräften schenkte ihm das begeisternde Gefühl des Eingebettetseins in einen altvertrauten Lebenskreis.

Das eigentlich Antike, Hellenische erschloß sich dem Dichter damals nur andeutungsweise, ja berühmte Ruinen schienen ihm von «sprödem Charakter» zu sein. Von Kunst und Kultus, philosophischen und politischen Taten und gesellschaftlichen Realitäten nahm er kaum Kenntnis. Nun war freilich auch das klassische Griechenlandbild, in dem die Kunst eine dominierende Rolle spielte, durchaus einseitig. Die Autoren des achtzehnten Jahrhunderts begeisterten sich (aus der Gegenstellung zum deutschen Feudalabsolutismus) für einen durch Freiheit und attische Demokratie «schön» und heroisch gewordenen Menschentypus, in dem sie den Schöpfer vollendeter Bildwerke von «edler Einfalt und stiller Größe» sahen. Obwohl dieses von Winckelmann und Lessing bis zu Hölderlin und Wilhelm Müller verkündete historisch-humanistische Ideal dazu beitrug, die bürgerlichen Revolutionen von 1789 und 1848 vorzubereiten, handelte es sich dabei um eine Verkennung und Verklärung der antiken Sklavenhaltergesellschaft.

Nachdem sich das Großbürgertum im Bismarckreich zum Klassenkompromiß entschlossen hatte, wurde das freiheitsmächtige, apollinische Antikebild allmählich zurückgedrängt, und Nietzsches dionysischer Hellenismus (der sich schon bei Hölderlin angekündigt hatte) konnte eine breitere Wirksamkeit entfalten. Wahrscheinlich blieb Gerhart

Aus dem Manuskript «Griechischer Frühling»,
1907

Hauptmann davon nicht unberührt, denn im *Griechischen Frühling* spürte er ebenfalls dionysischen Elementen in der antiken Mythologie nach. Den Naturgöttern, Dämonen und chthonischen Kräften galt sein besonderes Augenmerk. Über allen Göttern schienen ihm Dionysos und Demeter zu schweben, deren Kultstätten zu Athen und Eleusis er besuchte, wobei sich ihm sogleich die Erinnerung an christliche Mysterien aufdrängte. Die griechischen Götter des Brotes und des Weines und deren Passionen gemahnten ihn an das christliche Abendmahl und die Kreuzigung auf Golgatha.

Aber Hauptmann ergänzte die düsteren Reminiszenzen durch bemerkenswerte Aufhellungen. Das Dionysos-Theater legte ihm weniger die Gedanken an kultische Verzückung und bacchantische Feste nahe als an den «schlichten und phrasenlosen Ausdruck, den hier die Kunst eines Volkes gewonnen hat». Dichter sein hieß ihm fortan «gesteigerter Ausdruck der Volksseele» sein! Alles fand er in diesem Schauspielbereich «gesund und natürlich», hell und heiter, ja, die Heiterkeit feierte er schließlich als «höchste menschliche Lebensform»[5]. – Ebenso berührten ihn die eleusischen Überlieferungen von der Erdmutter Demeter, die Menschenschmerzen um ihr verschwundenes Kind Persephone litt und sich beinahe in die Rolle eines weiblichen Prometheus hineinlebte.

Trotz solcher Darlegungen gelang es Hauptmann nicht, in seinem Reisebuch eine wirkliche «Atmosphäre» zu erzeugen. Zwar trug er den Homer zitatbereit in der Tasche und bezog sich mehrmals gewichtig auf Aristophanes, Diodor, Pausanias und die großen Tragiker, aber die Namen klingen nicht, die beschworenen Gestalten bleiben schemenhaft. Man hat darum von einem etwas geschmacklosen «Wissensprunk»[6] gesprochen und außerdem auf sprachliche Unzulänglichkeiten hingewiesen.

Dennoch bleibt der *Griechische Frühling* als Konfession und autobiographisches Dokument bedeutsam. Immer wieder empfand der Dichter die Berührung mit dem klassischen Boden als ein «rätselhaftes Glück», und in einem Brief an den Freund Otto Brahm sprach er damals von einem «märchenhaften Land», in dem er «am liebsten immer bliebe»[7]. Ivo Hauptmann erzählt allerdings in seinen Erinnerungen, der Vater sei damals meistens mißvergnügt gewesen. Der zeitweilige Verlust einer wertvollen Manuskriptmappe habe ihn sehr aufgebracht und dazu veranlaßt, die ganze Reise oft als «unangebracht und töricht»[8] zu verwünschen. Ohnehin war er infolge «großer Produktivität» schwer zum Aufbruch zu bewegen gewesen, weshalb ihn Freund Hofmann mehrmals «zur Reise ermuntern» mußte[9].

In mehrfacher Hinsicht kündigt sich in Gerhart Hauptmanns Fahrtenbuch eine Neuorientierung an. Einmal erschien ihm das Leben im Lande der Griechen merkwürdig «zeitlos», als eine «große Gegenwart»[10], und er drang auf diese Weise in die Welt des Mythos ein. Sein Schaffen ist künftig ohne mythische Bilder und Tiefendimensionen nicht mehr denkbar. In einigen Fällen knüpfte er direkt an antike Überlieferungen an: So versuchte er eine szenische Neufassung der Homerischen Geschichte vom «Bogen des Odysseus», stellte sich mit der dionysischen Erzählung *Der Ketzer von Soana* in die bukolische Tradition von Longos' «Daphnis und Chloë», führte seinen Till Eulenspiegel nach Griechenland, behandelte in den dreißiger Jahren fragmentarisch das Demeter-Schicksal und dramatisierte im Alter in einem vierteiligen Zyklus die Tragödie des Atridengeschlechts.

Weiterhin bemühte er sich im Anschluß an das «Mimus»-Buch von Hermann Reich, mimische Techniken in seiner eigenen Theaterpraxis fruchtbar zu machen, wie hauptsächlich das *Festspiel in deutschen Reimen* zeigt. Aus der Feder von Reich gibt es übrigens einen materialreichen Aufsatz über «Gerhart Hauptmanns Hellenismus», der neben Felix A. Voigts profunder Monographie «Antike und antikes Lebensgefühl im Werke Gerhart Hauptmanns» die wichtigsten Informationen zu unserem Thema vermittelt. Die Literaturkenntnis des Dichters, der gelegentlich sagte, er sei ein «ganzer Deutscher, ein halber Hellene»[11], war demnach beträchtlich und reichte von Homer und Hesiod über Aischylos, Sophokles, Euripides, Herodot, Aristophanes, Theokrit, Herondas, Plutarch, Longos, Plautus, Cicero und Vergil bis zu Apuleius. Unter den Philosophen liebte er von Jugend auf Platon, dessen «Symposion» er einmal szenisch aufführen wollte. Eifrig studierte er auch die altphilologischen Untersuchungen von Rohde und Wilamowitz und einen Dionysos-Aufsatz von W. Pater, dessen Bemerkung, Dionysos sei gemäß «nur halb verstandener Überlieferung der Sohn oder Bruder der Persephone», er in seinem Bibliotheksexemplar glossierte: «So habe ich ihn in meinen Notizen bereits aufgefaßt, ohne jede Quelle.»[12] Einfühlsam verband er den Demeter- und Dionysoskreis.

Die Beschäftigung mit dem antiken Theater regte Hauptmann zu grundsätzlichen Ausführungen über das Drama an. Vor allem bewegten ihn Probleme der Tragödie und Komödie, denen er «dasselbe Stoffgebiet» zuwies. Andererseits bezeichnete er das Menschenopfer als «blutige Wurzel der Tragödie», in der er leitmotivisch «Feindschaft, Verfolgung, Haß …, Mord, Blutgier, Blutschande, Schlächterei»[13] zu erkennen vermeinte.

Zu den schönsten Passagen des *Griechischen Frühlings* gehört wohl die Beschreibung des Königsgartens zu Korfu, eines felsenumrandeten, verwilderten Parks, durch dessen Baum- und Sträucherpracht das Tosen des Ionischen Meeres drang. Und mit einem Male breitete sich eine Szenerie aus, wie sie genau hundertzwanzig Jahre früher Johann Wolfgang Goethe in einem sizilianischen Garten erschaute: Der gestrandete Odysseus begegnet der Phäakentochter Nausikaa. Verse aus Goethes «Nausikaa»-Fragment klingen an und reizen zur Fortsetzung, doch schließlich entschied sich Gerhart Hauptmann dafür, im Hain zu Korfu ein Telemach-Drama zu beginnen.

Dieses Werk wurde erst im Mai 1912 unter dem Titel *Der Bogen des Odysseus* abgeschlossen. Stoffliche Grundlage bilden die letzten zehn Gesänge der «Odyssee», was man bei der Einschätzung keineswegs vergessen sollte (wie Voigt[14] empfahl). Allerdings darf ein Vergleich nicht zu der Jacobsohnschen Feststellung führen, die Titelgestalt erinnere an Homer «wie ein Gemüsebeet an einen Urwald»[15]!

Die Höhepunkte des Homerischen Epos, die Wiederkehr des seit zwanzig Jahren verschollenen Odysseus in sein Königreich Ithaka, in dem die Fürsten prassen, und seine furchtbare Rachetat, gelangen auch in Hauptmanns Schauspiel zu bedeutender Wirkung. In vielen Einzelheiten weicht das Drama von der Vorlage ab. Es verkürzt gewissermaßen die Perspektive, konzentriert die gesamte Handlung auf einen Tag und einen Ort, nämlich das Gehöft des Sauhirten Eumaios. Dort trifft Odysseus unerkannt und in zerlumpter Bettlergestalt ein; dorthin begibt sich sein Sohn Telemach nach einer gefahrvollen Reise, um seine Geliebte Leukone zu sehen; auf dieses Landgut kommen vier fürstliche Freier Penelopeias, der Gattin des Odysseus, weil sie nach der dirnenhaften Magd Melantho lüstern sind und zudem Telemach abfangen wollen. In der Gaststube des Eumaios, und nicht im prächtigen Saale des Königspalastes, erfüllt sich dann ihr Schicksal durch die tödlichen Pfeile vom Bogen des Odysseus.

Nach zwei Weltkriegen hat das Stück eine ungewöhnliche Aktualität gewonnen, denn es ist weitgehend ein Heimkehrer-Drama. Der Heimkehrer Odysseus findet seinen alten Lebenskreis völlig verändert und sich selbst weitgehend überflüssig. Abweichend von Homer erfüllt der Gedanke an eine mögliche Rückkunft des Vaters den jungen Telemach mit Unbehagen, da er dadurch seinen eigenen Weg zu männlichem Tun und Ruhm verstellt sieht. Eine «Kronprinzen-Tragik»[16] deutet sich an. Ihm graut vor dem Bettler, dessen Geheimnis er zu ahnen beginnt; es kommt ihm so vor, als entmündige ihn dieser dämonische Gaukler, der geradezu den «Wahnwitz» der sippemordenden Atriden heraufzubeschwören droht. Aber Leukone, die Leuchtende, tropfet Mäßigung dem wilden Blute … Willig beugt er sich am Ende unter die Ordnung schaffende Hand.

Mit Leukone ist Hauptmann eine reizvolle Mädchengestalt gelungen, die im antiken Epos kein direktes Vor- oder Ebenbild hat. Sie begegnet dem Odysseus freundlich wie Nausikaa, und wie die Schutzgöttin Pallas Athene hilft sie ihm, nach der langen Irrfahrt das heimatliche Eiland wiederzuerkennen. – Bei ihrem Liebesverhältnis mit dem Sohn handelt es sich um freie Ausdichtung, die dem ursprünglich geplanten Telemach-Drama eine besondere Note zu geben versprach, bei den späteren Akzentverschiebungen freilich ein wenig zu «füllig» blieb.

Hingegen hatte der Dichter die richtige Empfindung, daß Penelopeia in dem Rahmen nicht auftreten durfte. Durch sie wäre das Motivgeflecht überbelastet worden. Sie gewinnt nur durch die Gespräche der anderen eine Kontur. Man redet widersprüchlich über sie, und im Gegensatz zur «braven» Gestaltung bei Homer geht Verführerisches von ihr aus, sie erinnert an Kirke und Kleopatra. Weiterführend nennt Sprengel das Stück geradezu ein «Kirke-Drama», in dem die Heiratskandidaten den «Schweinen» der zauberkundigen Helios-Tochter gleichen.[17] Offenbar bereitet es ihr Vergnügen, jahrelang glühend umworben zu werden, mit den Freiern zu spielen, sie zu reizen, zu täuschen, im Spinnennetz zappeln zu lassen. Ist sie eine «Frevlerin»? Wünscht sie eigentlich noch die Rückkehr ihres Gatten, der ihre kecke Flirterei beenden müßte? Zwar singt sie bisweilen «sein Lob»[18], wie es heißt; doch ist ihr der Entschwundene nicht schon zum Mythos geworden, den sie nicht in der Wirklichkeit profaniert und desillusioniert sehen möchte? Wird ihm ein Platz neben ihr bereitet sein, oder ist sie «eigentliche Gegenspielerin der Titelfigur», wie R. Michaelis vermutet? Das sind Probleme, auf die das Stück (für das «Frage, Konjunktion und Negation»[19] bezeichnend sind) keine Antwort gibt. Penelopeias wahres Wesen bleibt uns verborgen.

Eine geheimnisvolle Natur offenbart sich auch in Odysseus. Anfangs tritt er uns wie ein Umdunkelter entgegen, ein Menschenwrack und Hadesflüchtling, der sich selbst nur noch mühsam zu «identifizieren» vermag. Er ist nicht mehr der «göttliche Dulder» der homerischen Gesänge, sondern ein Zerbrochener, ein ins Meer der Leiden Getauchter, der erneute Bedrohung fürchtet. Aber bald erweist er sich als der Listenreiche, der bei Erregung und Gefahr die Wirrnis des Geistes mimt. In unheimlichen, grotesken Szenen steht dieser Meister der Verstellung vor seinem Sohn Telemach und dem treuen Sauhirten Eumaios, die sich sicher wähnen, den heimkehrenden Odysseus auf den ersten Blick zu erkennen. «Nun? Und du erkennst mich nicht?!»[20] sagt der Vater mit furchtbarem Lächeln zum Sohn. Die Augenbinde hebt sich noch nicht ...

In dem Augenblick verwandelt sich der alte Bettler (vielleicht ein wenig zu sprunghaft) bereits in einen Heros, wächst und wächst, damit ihn künftige Aufgaben bereit finden. Noch immer umgibt ihn freilich eine Unterweltsaura. Er gilt als ein Verschollener, Gestorbener – und er ist es zeitweise. Im vierten Akt geht er wie der Geist in Shakespeares «Hamlet» über die Szene, und wie jener scheint er nur durch Blutgeruch und Menschenopfer besänftigt werden zu können. Gerhart Hauptmann schrieb einmal, sein Odysseus bedeute «das Lebensabenteuer des Starken»[21]. Tatsächlich schuf er damit in seinem Werk einen neuen Heldentypus, einen Mann, der von passivem Leiden zur reinigenden Tat fortschreitet. Beinahe wie der später bedichtete Veland, der schmiedehämmernde Wieland der nordischen Sage, übt dieser Odysseus blutige Rache. Er ergreift seinen Bogen, dem olympischen Schützen Apollon geweiht, und richtet die frevelnden Freier.

Danach wird er sein Königtum zurückerobern – und zugleich darauf verzichten. Telemach soll Herrscher sein. Der weise gewordene Odysseus aber, der durch seine Irrfahrten und sein mächtiges Heimverlangen ein Menschheitssymbol darstellt, will zum Volke gehen, die Scholle umbrechen, säen, hegen und ernten und als schlichter Landmann seine Tage beschließen. Mit diesem schönen, originellen Ausblick entläßt uns der Dichter.

Die Ketzer
von Giersdorf und Soana
Neue Prosadichtungen

Als 1910 der Roman *Der Narr in Christo Emanuel Quint* erschien, waren seit der Veröffentlichung von Gerhart Hauptmanns letzter erzählerischer Arbeit, der *Apostel*-Novelle, genau zwei Jahrzehnte vergangen. In der Zwischenzeit hatte der Dichter fast ausschließlich Schauspiele geschrieben, weshalb sein Hervortreten mit einem umfangreicheren epischen Werk zunächst überraschte und viel diskutiert wurde. Was mochte ihn zu diesem Experiment veranlaßt haben? Überdruß an der dramatischen Form? Künstlerische Notwendigkeiten? Weltanschauliche Wandlungen? Eine bemerkenswerte biographische Erklärung bot P. Sprengel. In dem von ihm herausgegebenen Briefwechsel G. Hauptmann – O. Brahm wies er auf Verstimmungen zwischen den beiden Korrespondenzpartnern hin, auf eine «Kette von Mißerfolgen» seit der *Elga*-Premiere und die seit 1907 zunehmenden Klagen des Dichters über die Geschäfts- und Inszenierungspraktiken des Intendanten; die «Freude am Theatralischen» und die «Lust und Kraft zur Produktion» sei ihm `dadurch genommen.[1] Der Editor meinte, Hauptmann habe infolge der Komplikationen nur die Möglichkeit gehabt, sich entweder auf den «künstlerischen Stil» des Spielleiters einzustellen (wie in den *Ratten*), oder in eine «andere Gattung» auszuweichen. Somit sei die «Hinwendung zur Autobiographie ... und zum Roman» großenteils durch die «Fesselung» an die Brahm-Bühne bedingt gewesen.[2] – Weiterhin fällt auf, wie sich Hauptmann seit dem Ende der neunziger Jahre zunehmend um die Gestaltung «magischer» Realitäten bemühte. Das geschah zweifellos aus einer träumerischen Veranlagung heraus, aber wohl auch in dem Bestreben, seinem Schaffen durch Symbolik, Allegorien, mythische und literarische Anspielungen eine hintergründige Bedeutung zu geben. In der Kritik waren häufig Stimmen laut geworden, die seine erschreckende «geistige Anspruchslosigkeit» beklagt und in seinem Werk Gedankentiefe und intellektuelles Niveau vermißt hatten. Er sei zwar ein Dichter, hieß es, doch «sein Himmel hängt zu niedrig»[3].

Jahrzehntelang rang er nun um neue Aussageformen, um «Substanz», wobei er sich zugleich an modernen Stilrichtungen zu orientieren suchte. Die naturalistische Schule, die ihn getragen und groß gemacht hatte, galt für überwunden. Schon Anfang 1897 verwarf er derartige «Oberflächengebilde» und meinte, man müsse vom «Gegenwärtigen, Zufälligen und Äußeren» fortschreiten «ins Tiefe, Innere, Ewige»[4]. Das Werk des einst verehrten Zola galt ihm jetzt als «Scharlatanshumbug» und Sammelsurium von «geborgten Wissenschaftslappen» – eine spaßige Kennzeichnung, da der Autor selbst bald nach Pseudophilosophie und «Wissenschaftslappen» haschen sollte und nun den Anspruch erhob, ein «intellektueller Künstler» zu sein.[5] Um die Jahrhundertwende waren das symbolistische Theater von Strindberg und Maeterlinck und impressionistische oder neuromantische Poesien (Liliencron, George, Rilke, Hofmannsthal) an der literarischen Tagesordnung. Hauptmann begann sich damit auseinanderzusetzen, indem er, etwa in den Dramen *Schluck und Jau*, *Und Pippa tanzt*, naturalistische, realistische, romantische und symbolische Elemente miteinander verquickte. Dieses Verfahren bewirkte natürlich gewisse Stilbrüche, die sich erst abschliffen, als der Dichter im Mythischen seine «große Heimat» entdeckte. In seinem Spätwerk nahmen die realistischen Züge ab; in verstärktem Maße zog ihn das Irrationale an.

Nun barg das Übersinnliche, Imaginäre freilich nur geringe dramatische Brisanz. Es eignete sich viel mehr zur epischen Darstellung, zur gleichnishaften Ausmalung und persönlichen Konfession. Hinzu kam, daß sich Hauptmanns gesellschaftlicher Erfahrungskreis mit fortschreitendem Alter ausweitete und sich gleichfalls am besten erzählerisch einfangen ließ. Im Drama mußten Personenbeziehungen und Probleme notgedrungen vereinfacht und mit sparsamsten Mitteln vorgeführt werden; der Roman bot die Möglichkeit zu vielschichtiger Entwicklung.

Dabei orientierte er sich an großer angloromanischer Prosaliteratur. Im Diarium erklärte er, schon «als Achtzehnjähriger» habe er den Schöpfer von David Copperfield und Martin Chuzzlewit «genau gekannt», ja «im Realen ist Dickens mein nächster Freund»; ein «deutscher Dickens» zu werden, schien ihm erstrebenswert.[6] Nicht weniger schätzte er den Autor der «Menschlichen Komödie»: «Balzac ist und bleibt unter den Neueren der weitaus Größte, er und Shakespeare, die eine Vergleichsmöglichkeit eigentlich nicht haben, sind die stärksten Phänomene unserer Geisteskultur.»[7] In Briefen an Galsworthy drückte er Bewunderung für die «Forsyte Saga» aus. Diese literarischen Beziehungen wurden bisher ebensowenig erforscht wie die zu Manzoni, den Hauptmann um 1920 im Tagebuch hervorhob: «Alle Romane, mit Ausnahme von Manzonis Verlobten, sind peinlich geschwätzig. Am meisten Dostojevsky.»[8] Die Kritik am Raskolnikow-Dichter überrascht, da er ihn in der Jugend durchaus verehrte.[9]

Schon 1903, nach Abschluß des Poems vom *Armen Heinrich*, begann der Dichter mit der Niederschrift des Prosawerkes *Der Venezianer*. Von rund zehn geplanten «Büchern» oder Hauptkapiteln brachte er aber kaum die Hälfte in vier Abschnitten zu Papier. Es handelt sich dabei im wesentlichen um zwei fiktive biographische Parallelerzählungen, in deren Mittelpunkt der merkwürdige Zeichenlehrer Donatus Lamprecht und die Gestalt eines zaubermächtigen neunzigjährigen Venezianers stehen. In beiden wollte Hauptmann sein «eigenes Wesen objektiviert» sehen, wie er selbst gelegentlich bekannte. Tatsächlich gründen zahlreiche Episoden in seiner eigenen Lebensgeschichte, so etwa die Erwähnung der unglücklichen Ehe Lamprechts und dessen Konflikt mit der preußischen Drillschule. Der Dichter ließ den Lehrer Lamprecht von der «Macht des Widerwärtigen und Häßlichen» im bürgerlichen Bildungssystem berichten, von Pädagogen, die als «grimmige Feinde und Kerkermeister» der Eleven fungieren und der Jugend mit «Geringschätzung und Verachtung» begegnen. Diese Darlegungen entsprechen dem Bild von einem pervertierten Erziehungsmodell, wie es Thomas und Heinrich Mann, Hermann Hesse, Robert Musil und Leonhard Frank etwa gleichzeitig beschrieben haben. Aber Hauptmann ging darüber hinaus, indem er ein positives Schulideal entwarf. Lamprecht spricht von Gymnasien, die «Stätten des festlichen Lebens» sein sollten, erfüllt von «Fröhlichkeit» und dem Bestreben, die Mädchen und Knaben für die Schönheit der Arbeit und den «Eindruck des Großen» empfänglich zu machen. Ja, die Ahnung blitzt auf, daß dafür eine «neue Gesellschaftsordnung»[10] geschaffen werden müßte. – Im Romanfragment wird der wissende Lehrer als «Halbnarr» aus seiner Stellung entlassen. Er wandert ins Gebirge, fällt dort infolge einer «Erscheinung» in Ohnmacht und unterhält sich danach mit seinem Kollegen Siegmund Wann über die unerfreulichen gegenwärtigen Zeitverhältnisse.

Noch stärker treten autobiographische Züge in den mitgeteilten Jugenderinnerungen des Venezianers hervor. Dieser gilt als Sohn eines wilden «Haarmenschen» und einer Italienerin, wächst in einem schlesischen Gebirgsort auf, befreundet sich in einem benachbarten Bad mit dem Sohn des Kurhauspächters und möchte die Armut mit Mitteln der goldschürfenden Walen überwinden. In der folgenden Liebesidylle mit der reichen Bürgertochter Agathe und in einem glückhaften Venedig-Aufenthalt (bei dem er seine verschwundene Mutter zu finden hofft) spiegeln sich ebenso des Dichters Werbejahre um Marie Thienemann wie seine Venedigreise von 1897 mit Margarete Marschalk.

Es war Hauptmanns Absicht, in dem Roman zwei verschiedene Verwirklichungsmöglichkeiten seiner selbst zu gestalten. Aber die erstrebte Kontrastierung gelang ihm nur bedingt, weil er auf beide Hauptfiguren gleichförmig Episoden aus der eigenen Lebensgeschichte übertrug. Es trifft nicht zu, wenn Lamprecht seine Biographie im wesentlichen «grau und erbärmlich» nennt und die des Freundes «goldglänzend und prächtig», vielmehr hat der fiktive Venezianer ebenfalls Schweres durchzustehen. Am Ende betätigen sich beide «Helden» bildkünstlerisch und versagen bei der Formung einer Monumentalplastik. Die Berichte nähern sich einander an, verlieren an innerer Spannung und lösen Konfliktsituationen in «unaussprechliche Harmonien» auf.

Viele Motive der Fragmente sind später in das *Pippa*-Drama und den *Christophorus*-Roman eingegangen. Beispielsweise gibt es in den Berichten des Venezianers schon eine epische Vorstufe der einleitenden Wirtshausszenen des Schauspiels, in dem außerdem der «wilde Haarmensch» (Huhn) und – in anderem Zusammenhang – die Namen Tagliazoni und Wann wiederkehren. Und geheimnisvoll tönt in beiden Werken der Ruf der Gondoliere.

Als Gerhart Hauptmann 1907 in Griechenland das Erlebnis der «Zeitlosigkeit» und Immer-Gegenwart und das Wesen des Mythischen aufgegangen waren, wandte er sich von neuer weltanschaulicher Position aus in verstärktem Maße der Gestaltung vorgeprägter, urtümlicher, «überzeitlicher» Menschenschicksale zu. Es ging ihm darum, überlieferte Werte zu überprüfen und zu aktualisieren.

So griff er nach dem *Griechischen Frühling* auf einen Stoff zurück, der ihn schon seit über zwei Jahrzehnten beunruhigte. Aus dem *Abenteuer meiner Jugend* wissen wir von dem kritischen Religionsunterricht, den er am Breslauer Zwingergymnasium bei dem trefflichen Dr. Karl Schmidt erhalten hatte, und von der folgenden Glaubenskrise des jungen Landwirtschaftseleven. Nach seinem eigenen Bekenntnis brachten ihn damals zisterziensische Wanderprediger durch die Verkündigung des angeblich ganz nahen Weltuntergangs und die Beschwörung des Gespenstes der ewigen Verdammnis bis an den Rand des «religiösen Wahnsinns»[11]. Verzweifelt suchte er Trost im Neuen Testament.

Die nüchterne Atmosphäre des Elternhauses und spätere naturwissenschaftliche Studien halfen ihm schließlich bei der Überwindung der Konflikte, und Mitte der achtziger Jahre ging er dazu über, sich mit bibelexegetischen Schriften zu beschäftigen und kritische Glossen zu den vier Evangelien niederzuschreiben. Dem «echten Christus und seiner Lehre»[12] wollte er auf die Spur kommen. Dabei stützte er sich vor allem auf Albert Dulks «Der Irrgang des Lebens Jesu» (1884), wie Unterstreichungen und Randglossen in seinem Bibliotheksexemplar zeigen, wahrscheinlich auch auf Renans «Leben Jesu» (1863); hingegen vermißt man unter seinen heute zugänglichen Bücherbeständen die Standardwerke von David Friedrich Strauß[13] (1835), Bruno Bauer (1841) und Theodor Keim (1867), die Albert Schweitzer in seinem fundamentalen Buche «Geschichte der Leben-Jesu-Forschung» kritisch gewürdigt hat. Früh gelangte Hauptmann dazu, Wunderglauben und eschatologische Verbrämungen zu verwerfen und Jesus nicht als Messias und Erlöser aufzufassen, sondern als eine große, von den Jüngern tragisch mißverstandene ethische Persönlichkeit.

Zeitgenössische Vorkommnisse wiesen Hauptmanns literarische Pläne in eine bestimmte Richtung. Immer wieder traten damals verwirrte Menschen mit dem Anspruch auf, der wiedergekehrte Heiland zu sein. In Italien machten beispielsweise David Lazzaretti (1834–1878) und Oreste de Amicis (1824–1889) in diesem Sinne von sich reden, ja der letztere wurde sogar in d'Annunzios Roman «Triumph des Todes» verherrlicht. Während eines Aufenthaltes in Zürich

Festspiel

in deutschen Reimen

von

Gerhart Hauptmann

S. Fischer, Verlag

Umschlagblatt der Erstausgabe, 1913

Gerhart Hauptmann mit seinen Söhnen Ivo und Benvenuto
in Santa Margherita bei Rapallo, 1912

Gerhart Hauptmann im Alter von 55 Jahren

Emil Orlik, Gerhart Hauptmann, 1922

Gerhart Hauptmann mit seinen Söhnen während des ersten Weltkrieges
Von links nach rechts: Klaus, Eckart und Ivo

Gerhart Hauptmann im Gespräch
mit Reichsaußenminister Walther Rathenau,
1922

Gerhart Hauptmann zur Zeit
seines Eintritts in die Preußische Dichterakademie,
1927

Max Liebermann, Bildnis Gerhart Hauptmanns, 1922

erlebte Gerhart Hauptmann selbst am Pfingstsonntag 1888 den Auftritt eines derartigen sonderbaren Heiligen und gewöhnte sich zugleich daran, solche Phänomene unter Anleitung von Professor Auguste Forel psychiatrisch zu betrachten.

Lange beschäftigte er sich mit Jesus-Studien, bis gleichsam ein «Hagelschlag» seine «biblischen Saaten» traf.[14] Vom knappen Entwurf einer szenischen Bearbeitung des Christusschicksals (1885/86) über das Projekt eines Tagebuchs des Judas Ischariot und die *Apostel*-Novelle bis zu den Erlöser-Reminiszenzen in *Hanneles Himmelfahrt* und *Michael Kramer* umkreiste der Dichter dennoch wiederholt die überlieferten Worte des Glaubens. Interessant ist in dem Zusammenhang das Fragment *Jesus von Nazareth* aus der Mitte der neunziger Jahre, das den Untertitel «Soziales Drama» trägt und den Nachvollzug eines Teils der biblischen Geschichte durch einen jungen Schreiner namens Martin zum Inhalt hat. Dabei lassen Aufrufe gegen die Bourgeoisie und die Kriegsgefahr aufhorchen. In dem Stück war bereits die Frage aus Dostojewskis berühmter Großinquisitor-Legende – in «Die Brüder Karamasow» – gestellt: Was würde geschehen, wenn Jesus tatsächlich wiederkäme, um an sein Evangelium des Friedens und der Gerechtigkeit zu gemahnen? (Übrigens ein altes Motiv in der Literatur.)

Aus dieser Kernfrage ergab sich wesentlich die Idee zu Hauptmanns Roman *Der Narr in Christo Emanuel Quint*. Das Buch gestaltet im Grunde einen gelebten Mythos. Der Giersdorfer Tischlersohn Emanuel Quint ersetzt den Gedanken an eine demütige Jesus-Nachfolge immer mehr durch ein bewußtes In-Spuren-Wandeln, eine zitatreiche Identifikation und krankhafte Imitatio Christi. Entsprechend den neutestamentlichen Berichten empfängt er eine «johanneische» Wiedertaufe durch Bruder Nathanael, zieht sich vierzig Tage in die «wüstenhafte» Einsamkeit zurück, wo ihn Versuchungen plagen, gewinnt auf seinen Wegen

Anhänger und gebraucht biblische Heilandsworte in erschreckender Direktheit. Die Brüder Scharf, der Schüler Dominik und der böhmische Josef übernehmen in dem aktualisierten Mythos die Rollen der Jünger Petrus, Paulus, Johannes und des Verräters Judas. Bei dem Passionsgang in die Hauptstadt vollbringt Quint andeutungsweise eine «Tempelreinigung», erlebt sein «Gethsemane», wäscht den «Jüngern» die Füße und feiert mit ihnen das «Abendmahl». Schließlich wird er unter dem Verdacht der Kriminalität (und nicht der Messias-«Anmaßung») festgenommen, geschlagen, bespien und eingekerkert. Und was geschieht am Ende? Wird er abermals ans Kreuz geschlagen, oder tritt ein neuer Großinquisitor auf ihn zu mit den flehend-gebieterischen Worten: «Weshalb bist du denn gekommen, uns zu stören? ... Geh! und komm nicht wieder – komm überhaupt nicht mehr, niemals! niemals!»?[15]

Ergeht es so auch dem armen Quint? Nein! Das Opfer dieses Christus-Spielers wird überhaupt nicht angenommen. Obwohl er ein nicht begangenes Verbrechen «eingesteht» und sich nach Martern, Leiden und dem «Erlösungstode» sehnt, um sich «bestätigt» zu sehen, entläßt ihn der Staatsanwalt nach erwiesener Unschuld stillschweigend aus der Haft. Niedergeschlagen tritt der Verschmähte seine letzte Wanderung an und findet bei winterlichem Irrgang im Schweizer Hochgebirge den Tod.

Auf den ersten Blick mag man dieses zitathafte Leben als Anachronismus und eine große Narretei ansehen, wie das ja auch der Titel nahelegt. Im Zeitalter der Elektromotoren und Zeissschen Mikroskope mußte der Versuch, urchristliche Ideale zu verwirklichen und ein intimes Gotteserlebnis «populär» zu machen, einfach lächerlich wirken. Der Erzähler distanziert sich darum auch meistens von Quint, erwähnt ärztliche Gutachten über den leicht schwachsinnigen Sonderling und «Paranoiakranken» und bemüht sich um eine psychologische Deutung. Wir erfahren von einem jungen Menschen, der infolge illegitimer Geburt und Bresthaftigkeit früh benachteiligt und isoliert wird, der sich um «Sublimation einer unbefriedigten Sexualität»[16] bemüht und in der Einsamkeit (ähnlich wie ein bürgerlicher Künstler) mit Traumbildern umgibt, Jesus als Gefährten empfindet und endlich alle Beeinträchtigungen kompensiert durch den Glauben an eine göttliche Erwählung. Ist er deshalb ein Betrüger und Hochstapler vor dem Hintergrund der Christus-Mythe?

Nach Ansicht Gerhart Hauptmanns wohl kaum, denn für ihn stellten auch die biblischen Jesus-Überlieferungen lediglich eine Menschengeschichte dar. Aus der kritischen Literatur wußte er zudem, daß Jesus bereits in der Stilisierung der Evangelien vielfach nur ein Erfüller dessen gewesen war, «was geschrieben stehet», und ihn gemäß alttestamentlicher Verkündung als Messias ausweisen konnte. Bis zuletzt hatte der Meister auf ein «himmlisches Telegramm» und allmächtiges Adoptionsdekret gewartet, bevor er in Verzweiflung starb. – Der Dichter neigte während der Romanvorarbeiten immer mehr dazu, im Sinne einer Publikation seines Freundes Bruno Wille von einer bloßen «Christus-Mythe» zu sprechen oder – bei allem Respekt im einzelnen – im Anschluß an die Jesus-Pathographie von Emil Rasmussen eine paranoide Geistesverrückung anzunehmen. (Beide Bücher besaß er in seiner Bibliothek.) Nun konnte Quint in die Fußstapfen des Heilands treten und stellvertretend für ihn eine moderne Passion erleben.

Freilich, wenn der Roman nur ein merkwürdiges «Heiligen»-Leben böte, vermöchte er uns kaum noch zu fesseln. Die biblische Welt ist dem heutigen Leser ferngerückt. Die neutestamentlichen Anspielungen und Reden wirken darum meistens ermüdend, die ganze religiöse Fragestellung ziemlich antiquiert. Aber der Zeitansatz, die Transponierung des Christusschicksals in das ausklingende neunzehnte Jahrhundert, ermöglichte eine schonungslose Religions- und Gesellschaftskritik und erfüllte Hauptmanns Werk mit Aktualität.

Indem Quint vor unseren Augen einen Mythos zelebriert, entmythisiert er ihn bereits. Es wird sichtbar, auf welche Weise er in den Ruf eines Wundertäters kommt, wie sich natürliche Vorgänge (im Schlesien der Jahrhundertwende ebenso wie einstmals in Palästina) in den Köpfen naiver Menschen oft ins Phantastische steigern. Das Buch zeigt die närrischen Folgen des Aberglaubens, charakterisiert die Einfalt der «Bekenner» und läßt vor allem die offiziellen Vertreter der Kirche als Kerkermeister der verängstigten Seelen, beflissene Diener der weltlichen Obrigkeit und harte, verantwortungslose Richter erscheinen, denen der «Ketzer» moralisch weit überlegen ist.

Es gehört zu den Besonderheiten und Vorzügen von Hauptmanns Roman, daß er den Fall Quint konsequent aus den Zeitverhältnissen heraus erklärt. Nach einer Notiz sollen wir uns das Geschehen «um das Jahr neunzig verwichenen Säkulums» denken, als übrigens noch ein «gewisses Ausnahmegesetz»[17] das verworrene Jesus-Jünger-Treiben als etwas Verdächtiges ahnden konnte. Andererseits wird beiläufig auf ein erst 1890 erschienenes Buch des Herrn von Egidy hingewiesen und eine denkwürdige Zusammenkunft des Kaisers von Rußland und des Präsidenten der Französischen Republik auf einem französischen Kriegsschiff erwähnt, die sogar erst 1897 stattfand. Da Quints Messiaslaufbahn aber kaum mehr als fünfzehn Monate währt, haben wir es mit einer etwas großzügigen Datierung zu tun.

Jedenfalls spielt der Roman in den Jahren, in denen Industrialisierung, Kartellierung und Wirtschaftskrisen zu einer verstärkten Ausbeutung der Arbeiter und zur Massenverelendung führten. In den Hütten der Armen wurde der Traum vom Anderswerden geträumt und jeder Ruf begierig aufgenommen, der eine bessere Zukunft verhieß. Unter diesen Bedingungen gewannen die sozialistischen Ideen mächtig an Boden, zum anderen jedoch waren viele Notleidende, heruntergekommene Handwerker und kleine Geschäftsleute bereit, den durch «Krisenzeichen» sich ankündigenden Anbruch des Tausendjährigen Reiches zu fürchten, nach Wundern auszuschauen und einen wieder-gekehrten Christus als «Erretter» zu begrüßen.

Schon in Hauptmanns *Webern* und *Hanneles Himmelfahrt* erwies sich die Religion als ein willkommenes Narkotikum. Der *Quint* stellt in manchem ein episches Gegenstück zu den genannten Schauspielen dar und erzählt nicht minder eindringlich von der ungeheuren Not der schlesischen Ge-birgsbevölkerung, der Heinrich Ehmsen[18] in dreißig Radie-rungen zu dem Werk bildhaft-anklagenden Ausdruck verlie-hen hat. – Im vierten Kapitel werfen wir mit Emanuel, der seinen Namen wie eine Fahne mit der Aufschrift «Gott mit uns» trägt, einen erschütternden Blick in die Kate der We-berfamilie Schubert und erleben, wie diese Leute nach Ge-rechtigkeit dürsten, Rache und Lohn erwarten und jeden dünnen Strohhalm der Hoffnung ergreifen. Auch später drängen sich immer wieder die Zukurzgekommenen, Ent-täuschten, Leidenden um Quint wie um einen Beichtvater, erzählen von Elend, Ehetragödien und Gemeinheiten.

Zunächst wider den Willen des Predigers lösen seine Worte vom Nahen des Reiches, in dem die Geringen er-wählt werden sollen, eine psychische Epidemie aus. Bei der Schilderung der apokalyptischen Raserei, Berauschung und der chiliastischen Wahnausbrüche in der sogenannten Ge-meinschaft der Talbrüder stützte sich Hauptmann wesent-lich auf Erlebnisse in Lohnig und im Kreise einer Heils-armistengruppe zu Zürich, doch auf den heutigen Leser wirken diese Abschnitte beinahe gespenstisch. Wir müssen unwillkürlich an die Zeit denken, in der breite Volkskreise in Deutschland dem «Messias» Adolf Hitler zujubelten, sei-nen trügerischen Heilsversprechungen vertrauten und sich von ihm und seinen Hintermännern das Hochgefühl der er-wählten Herrenrasse suggerieren ließen. Unter dem Ge-sichtspunkt liest sich Hauptmanns *Quint*-Roman weitge-hend wie eine vorgreifende dichterische Psychologie des Massenwahns.

Ansonsten sind Quint und Hitler freilich nicht miteinander vergleichbar; nur gewisse Auswüchse der «Bewegungen» ähneln sich. Der arme Emanuel wird im Grunde erst durch seine Jünger auf den «Weg der Lüge»[19] gedrängt. Während er in der ersten Hälfte des Buches lediglich als Apostel der christlichen Ethik fungiert, tritt er in der zweiten Hälfte als halluzinatorischer Jesus-Imitator auf.[20] Aus Mitleid und Erbarmen bringt er es nicht übers Herz, die Illusionen seiner Anhänger zu zerstören und sie in die Hoffnungslosigkeit zurückzustoßen. Er ist durchaus von warmer Menschenliebe, Hilfsbereitschaft, Selbstlosigkeit und Güte erfüllt und von einem humanistischen Wollen, das den Gewalthabern seiner Zeit närrisch und sogar gefährlich vorkommen muß. Der Junker von Kellwinkel wittert in den Reden des Ketzers etwas vom Geist eines «Sklavenaufstandes», und mit Entsetzen hört er dann (im neunzehnten Kapitel), wie der Mann seine Stimme erhebt gegen Krieg und Bewaffnung, Privateigentum und Mammon, Klassenjustiz und Kirche und die Mächtigen der Welt. Dennoch bleibt Quint ein unberatener Narr, ganz im Sinne seines Namens, der die fünfte Stufe der musikalischen Skala bezeichnet und als Ton der unbefriedigten Erwartung empfunden wird.

Bei der Gestaltung mancher Ideen scheint Gerhart Hauptmann an das lebende Beispiel Lew Tolstois gedacht zu haben. Auch der russische Schriftsteller und Denker verwarf Privateigentum, Gewalttaten, weltliche Gesetze und Gerichte und tendierte zu einem christlichen Urkommunismus. Als er im Herbst 1910, im Erscheinungsjahr des _Quint_-Romans, in Astapowo starb, schrieb Hauptmann die beziehungsreichen Worte nieder: «Viele haben Tolstoi für einen Narren gehalten. Auch Jesus, den Heiland, hielt man dafür. Er war ein Mensch. Er war unser Bruder. Es brannte in ihm das verzehrende Feuer der Liebe, der Menschlichkeit.»[21]

Die Kräfte, die damals um eine echte Lösung der Zeitprobleme rangen, hat der Dichter in der Endfassung nur angedeutet. Da gelangt beispielsweise das Kommunistische Manifest in die Hände der beiden Weber Scharf, aber das interessante Motiv bleibt unausgeführt. Auch der sozialistische Agitator Kurowski erhält keine rechte Kontur. So vermitteln eigentlich nur die studierenden Brüder Hassenpflug, in denen man Züge der Brüder Hart aus dem Berliner Verein «Durch» wiedererkennen kann, eine gewisse Vorstellung von der Begeisterung der damaligen Jugend für eine «noch zu erobernde Welt», von ihrer Zuversicht auf das Kommen der proletarischen Revolution und die Errichtung des «sozialistischen Zukunftsstaates»[22].

In früheren Entwürfen hingegen war eine «wesentlich schärfere Konfrontation» mit dem herrschenden «Gesellschaftssystem» und der «protestantischen Staatskirche» vorgesehen.[23] Vor allem plante Hauptmann ausführlichere Schilderungen der politischen Verfolgung und ein anderes Finale. Paralipomena verraten: «Den Vereinigten wird unter dem Sozialistengesetz in Breslau der Prozeß gemacht. Die Studenten und Quint kommen in Untersuchungshaft.» Nach dem (biographisch beglaubigten) «Geheimbund»-Gerichtsverfahren und Freispruch sollte der moderne Don Quijote nach Berlin wandern: «Sein Einzug mit den Zwölfen durch das Brandenburger Tor und sein Weg in den großen Dom. Dort predigt er», wobei alles «strotzt von Uniformen und Orden»[24]. Selbstverständlich erregt er Ärgernis bei den versammelten Höflingen und Militärs, gelangt in eine Irrenanstalt und nach der Entlassung in ausweglose Schneelandschaft.

In einem Gespräch mit Thomas Mann äußerte Gerhart Hauptmann gelegentlich, der «hochchristliche ‹Quint› sei eigentlich ein Fragment, etwas Halbes. Eine Fortsetzung sei ihm zugedacht gewesen, eine dionysische Fortsetzung.»[25] Auffälligerweise begann Hauptmann nur wenige Monate nach Abschluß des Romans mit der Niederschrift einer Novelle, die durchaus «dionysischen» Charakter trägt.

Illustration von Gunter Böhmer zu
«Der Ketzer von Soana», 1955

Außerdem ist merkwürdig, daß die Geschichte des Ketzers von Giersdorf just im Schweizer Hochgebirge, nahe dem Gotthardhospiz und unweit eines Ortes zu Ende geht, wo die Erzählung *Der Ketzer von Soana* ihren Anfang nimmt. Sollte Francesco Vela möglicherweise ein veredelter, gesteigerter Quint sein?

Es spricht manches dafür. So erscheinen beide Ketzer in der Darstellung des Chronisten als Sonderlinge und heilige Asketen, die bei abergläubischen Anhängern zeitweise eine Vergöttlichung erfahren, und beider Lebensläufe bedeuten im Grunde eine Abrechnung mit der offiziellen Kirche. In Quints Sonnenandachten und verführerischen Träumen von bocksfüßigen Hirten und einer nackt tanzenden Mänade stecken auch bereits antike Elemente, die sich in den mythischen Rahmen einpassen und in der Vita des Francesco beherrschend werden.

Dennoch unterscheiden sich der naive, zu einem protestantischen Pietismus tendierende, unter grauem Himmel dahinziehende und sterbende Quint und der im sonnigen Süden amtierende hochgebildete katholische Priester Francesco wesentlich voneinander. Der Ketzer von Soana verkörpert einen viel gesünderen, kräftigeren Menschentyp – allerdings nicht sogleich, sondern nach erwanderter Wandlung.

Der Anlaß der Wandlung und die Fabel der Novelle sind denkbar einfach: Der junge Francesco erfährt zu Beginn seiner Seelsorgerlaufbahn in Soana von einem sündigen Geschwisterpaar, das, von der Gemeinde verfemt, mit sieben Kindern im hohen Gebirge wohnt. Als er nun an einem Frühlingstag zum Monte Generoso emporsteigt, um die Frevler zu Bekenntnis, Buße und Gläubigkeit anzuhalten und zu bekehren – wird er selbst bekehrt. Durch ein ekstatisches Natur- und Liebeserlebnis gelangt er zu einem neuen Evangelium. An die Stelle des Christengottes tritt für ihn der heidnisch-antike Eros, und das liebreizende Hirtenmädchen Agata verdrängt Maria.

Ursprünglich sollte die Erzählung «Die syrische Göttin» heißen, denn Agata erscheint als Abbild der blühenden Natur und «verfremdet» sich am Schluß gleichsam in die Dea Syria, die einstmals in Bambyke, Palmyra, Askalon und anderen Orten hochverehrte Fruchtbarkeitsgöttin Atargatis, deren Namen den ihren enthält und auch an Aphrodite-Astarte anklingt. Gegen ihren gnadenlosen Liebesanspruch gibt es keine Waffen. Der Priester Francesco erkennt die Unnatur seines geistlichen Daseins und Zölibats, gerät in den Machtbereich des Eros und Dionysos, wird – wie Daphnis und Chloë in dem gleichnamigen Kurzroman von Longos – liebestrunken und findet das «paradiesische» Glück des ersten Menschenpaares. Die Welt des Mythos tut sich auf.

Drei Leitmotive erzeugen die Illusion mythischer Zeitenthobenheit. Unablässig und monoton rauscht der Wasserfall von Soana; unentwegt kreisen Fischadler in königlichem Schwebeflug über der imposanten Szenerie; starke Marmorquadern eines Dionysos-Sarkophags mit einem Bacchantenfries ragen mitten in der Ortschaft auf und lassen den jungen Priester mit Erregung an ein vergangenes und künftiges Einst denken. Und ewig strömt der Atem der Natur, der mit franziskanischer Inbrunst aufgenommen und zunehmend vergöttlicht wird. Hinter dem christlichen Seelenhirten öffnet sich der Durchblick auf die olympischen Hirten Apollon und Hermes.

Trotz dieser scheinbaren Zeitentrücktheit hat Hauptmann einen chronologischen Hinweis gegeben. Er läßt Francesco einen Neffen des schweizerischen Bildhauers Vincenzo Vela sein, der von 1820 bis 1891 lebte und dessen Atelier im südlichen Tessin er 1897 besuchte und beschrieb. (Damals hörte er auch in Rovio von einem verfemten Paar, von «Bruder Vater» und «Gemahlin Schwester»[26].) Als der erosberührte Jüngling anläßlich eines Beichtbesuches in Ligornetto das verlassene, museale Haus des Oheims betritt und herzpochend die Gipsabgüsse dreier nackter Grazien liebkost, sollen rund zehn Jahre seit dem Ableben des Meisters vergangen sein. Folglich spielt der *Ketzer von Soana* um die Jahrhundertwende. Francesco ist ein würdiger Nachfahr seines Oheims, der 1848/49 am italienischen Freiheitskampf gegen Habsburg teilnahm und seine revolutionären Empfindungen in einer Statue des Spartacus und einer Garibaldi-Büste ausdrückte. Diese Werke werden in der Novelle nicht erwähnt, obwohl sie sich als Symbol geeignet hätten. Auch Francesco Vela erkämpft sich die Freiheit, erlöst sich von Dogma und Unnatur, bekennt sich zu Schönheit und Natur, Liebe und Leben, zu den lebenschaffenden, nicht zu den lebenzerstörenden Kräften. Mit ungeheurer Radikalität wird hier ein Bruch vollzogen. «Aus Rausch erwächst das Bleibende, aus Gefahr Sicherheit»[27], resümiert Usinger in einer Analyse.

Diese Geschichte, die ein Berghirte in einer Rahmenhandlung erzählt, bricht etwas plötzlich ab. Wir erfahren nichts von den Kämpfen und der Bewährung des sich im Verborgenen liebenden Paares. Es heißt nur, der Priester sei schließlich von der Gemeinde «mit Stockschlägen und Steinwürfen» vom Altar gejagt worden. Allerdings darf es fast als Gewißheit gelten, daß der Erzähler Ludovico mit Francesco identisch ist und der Weg des «Ketzers» somit in die einsame Gebirgswelt führte. In dieser «Lösung» liegt freilich viel Resignation. Chronist und Akteur ziehen sich gleichsam aus einer unmenschlichen Welt zurück, überlassen die bürgerliche Gesellschaft sich selbst und bemühen sich, auf fernen Höhen ein freiheitliches, humanistisches Ideal zu verwirklichen und ein persönliches Glück zu finden.

Gewitterwolken am Horizont

1908–1913

Nach Überwindung der Ehekrise, dem Gewinn einer moralischen und sozialen Sicherheit und zunehmenden persönlichen Erfolgen schien Gerhart Hauptmanns Leben in ruhige Bahnen einzumünden. Fast alljährlich reiste er nun für ein paar Monate vom Agnetendorfer Wiesenstein in die schönen oberitalienischen Kurorte Portofino und Sestri Levante, sammelte Freunde um sich und schuf stetig Werk um Werk. Mit unermüdlicher künstlerischer Spielfreudigkeit ließ er dramatische, epische und lyrische Formen hervortreten und durch Buch oder Bühne verbreiten.

Die Welt zollte ihm Achtung. Nach dreimaliger Verleihung des Wiener Grillparzerpreises (1896, 1898, 1905) und der Ehrenpromotion zu Oxford (1905) empfing er 1909 durch die Ernennung zum Ehrendoktor der Universität Leipzig endlich eine offizielle deutsche Auszeichnung. Zur Feier des 50. Geburtstages, bei dem es im Berliner Hotel Adlon ein Festbankett mit mehr als 150 geladenen Gästen gab[1], erreichte seine Popularität einen Höhepunkt. Der S. Fischer Verlag legte zum zweiten Male seit 1906 eine sechsbändige Ausgabe von Hauptmanns Schriften vor; in Berlin, Wien, Prag, Leipzig und anderen Orten fanden Festveranstaltungen und Aufführungen seiner Stücke statt, und wenige Wochen später, im Dezember 1912, verlieh ihm die Schwedische Akademie den Nobelpreis.

Trotz aller Erfolge und äußeren Wohlgegründetheit fühlte sich der Dichter bisweilen beunruhigt. Er sah böse

Zeichen der Zeit, verfolgte mit Besorgnis den Streit des kaiserlichen Deutschlands mit Frankreich um das «Recht» der Ausbeutung der marokkanischen Bodenschätze (Marokkokrise von 1905/06) und das gefährliche Vordringen des deutschen Imperialismus in der Türkei (1903 Beginn des Baus der Bagdadbahn). Das fieberhaft rüstende, aggressionslüsterne, zu einem «Platz an der Sonne» hindrängende Imperium Wilhelms II. machte sich mehr und mehr unbeliebt in der Welt und isolierte sich. Mächtige Militärblöcke entstanden. England, Frankreich und Rußland schlossen sich zur Tripelentente zusammen. Die Arbeiterklasse suchte der Kriegsgefahr durch Manifestationen auf den Internationalen Antikriegskongressen zu Stuttgart und Basel (1907 und 1912) und durch Streikbewegungen zu begegnen; doch würde sie die Militaristen und Bankherren am Ende zügeln können? Würde sie durch Geschlossenheit und entschiedene Kampfmaßnahmen die Gewitterwolken am politischen Horizont vertreiben?

Es war Gerhart Hauptmann nicht gegeben, sich in Essays und scharf geschliffenen Pamphleten mit den aktuellen Ereignissen auseinanderzusetzen. Doch ließ er über seine humanistische Haltung keinen Zweifel. Bei seiner Danksagung anläßlich der Nobelpreisverleihung erklärte er 1912: «Die dem Kriege dienende Kunst und Wissenschaft ist nicht die letzte und echte, die echte und letzte ist die, die der Friede gebiert und die den Frieden gebiert.»[2] Deutlich spiegelte sich sein Unbehagen an den bestehenden gesellschaftlichen Zuständen in nahezu all seinen Dichtungen kurz vor dem ersten Weltkrieg. Ahnungsvoll signalisierte er die nahe Katastrophe.

Die Tragikomödie *Die Ratten* (1911), sein «vielleicht bestes Stück»[3], spielt in einer Berliner Mietskaserne. Teils auf einem Dachboden, der dem ehemaligen Theaterdirektor Harro Hassenreuter als Aufbewahrungsort für seinen Fundus, als Kostümverleih und Schauspiel-Unterrichtsraum dient, teils in der darunterliegenden Wohnung von Hassenreuters Aufwärterin, der Frau des Maurerpoliers John. Die Vorgänge auf den beiden Schauplätzen sind nur locker miteinander verknüpft, illustrieren jedoch gleichermaßen die Titelmetapher. Für den Bismarckverehrer Hassenreuter ähneln Sozialisten, Naturalisten und andere umstürzlerische Elemente den Ratten, die das «herrliche» monarchische Staatsgebäude und die preußische Ordnung zu unterwühlen trachten. Dagegen zieht er, der sich Fürsten und Höflingen verbunden fühlt und der aus dem Theater eine furchtverbreitende, untertanenbildende Anstalt machen möchte, alle Register eherner Kaisertreue.

Im Verlauf des Stückes nimmt das Rattensymbol[4] dann eine viel umfassendere Bedeutung an. Der Maurerpolier John erklärt im letzten Akt: «Horchen Se ma, wie det knackt, wie Putz hinter de Tapete runterjeschoddert kommt! Allens is hier morsch! Allens faulet Holz! Allens unterminiert, von Unjeziefer, von Ratten und Mäuse zerfressen! Allens schwankt! Allens kann jeden Oochenblick bis in Keller durchbrechen.»[5] Das alte Mietshaus wird zu einer Art Gleichnis der spätbürgerlichen Gesellschaft, in der «Ratten» wie der Verbrecher Bruno Mechelke ideale Brutstätten finden. Die großen Gauner, deren Treiben das kapitalistische System sanktioniert, bleiben in dem Drama allerdings unsichtbar.

Gesprächsweise äußerte Hauptmann einmal, daß er nie eine Zeile geschrieben habe, die er «nicht so erlebt oder ähnlich durchlebt habe, die nicht in irgendeiner Beziehung Autobiographie»[6] sei. In vielen Werken konnten wir bereits einen autobiographischen Kern herausschälen, «Modelle» nennen, auf vergleichbare Situationen oder Grunderfahrungen in seinem eigenen Leben hinweisen. Dadurch erreichte er eine außerordentliche Plastizität und Überzeugungskraft bei der Gestaltung. Weil er von früh an mit wachen Augen die Vorgänge in seiner Umgebung beobachtete und in seiner Jugend mit einfachen Leuten Tuchfühlung hielt, konnte er ein feines Gespür für die gespannte Atmosphäre im beginnenden zweiten Jahrzehnt des zwanzigsten Jahrhunderts entwickeln.

Die Tragikomödie *Die Ratten* geht auf persönliche Erlebnisse um 1885 zurück.[7] Damals nahm der junge angehende Schriftsteller bei Alexander Heßler Schauspielunterricht. Heßler war einst Direktor des Straßburger Stadttheaters gewesen, gewann die Stellung später dank hoher Protektion zurück, mußte aber zwischendurch ein paar Jahre lang sein Leben mit Kostüm- und Maskenverleih und Stundengeben fristen. Seine Requisiten hatte er in einer Mietskaserne nahe dem Berliner Alexanderplatz untergebracht, in einem düsteren, morschen «Rattenhaus», auf dessen Stiegen Hauptmann des öfteren emporkraxelte, wobei er Einblicke in das soziale Elend der Hauptstadt gewann.

Damals notierte er sich auch bereits das Motiv von einem Dienstmädchen, das ihr uneheliches Kind in Pflege gibt, es eines Tages zurückverlangt, wodurch, gemäß der Überschrift des frühen Novellenfragments *Der Buchstabe tötet*[8] (das heißt: der Buchstabe des Gesetzes), offenbar ein tragischer Konflikt ausgelöst wird. Als Gerhart Hauptmann im Mai 1910 seinen fünften Sohn Gerhart Erasmus verlor (nur zwei Tage nach der Geburt), mochte sich ihm das Problem der kinderlosen Frau erneut aufdrängen, doch im Notizbuch verriet er auch eine dokumentarische Quelle, die Hans von Brescius[9] wiederentdeckte: «Am 13. Februar 1907 entnahm Hauptmann dem ‹Berliner Lokalanzeiger›, Rubrik ‹Aus den Gerichtssälen›, die Information über den Fall der Elisabeth M.», einem Urbild der Mutter John, deren Gestalt nun Konturen annahm.

Henriette John ist die eigentliche Trägerin der Handlung. In ihrem Umkreis scheint keine Sonne; sie lebt im Verborgenen und hat bald manches zu verbergen. Ihrem Wesen haftet etwas Fürsorgliches an. Sie bemuttert ihren jüngeren Bruder Bruno und die Kinder der liederlichen Nachbarin Knobbe. Leidenschaftlich wünscht sie sich in ihrem freudearmen Dasein ein Kind und verfällt auf den

Gedanken, von dem Dienstmädchen Pauline Piperkarcka ein unerwünschtes, uneheliches Kind zu «übernehmen» und eine Geburtskomödie zu spielen. Aber nach einigen Tagen fordert die Piperkarcka (aus nicht ganz durchsichtigen Motiven) den Säugling zurück.

Damit beginnt die Tragödie der John. Wie eine Löwin stellt sie sich vor «ihr» Junges, das sie mit wahrer Mutterliebe umhegt und viel besser versorgt als die natürliche Mutter. Zunächst stellt sie sich unwissend und leugnet alles; sie trotzt, schreit, schlägt zu, demütigt sich, bittet. In ihrer Angst sucht sie sich danach zu verbergen und so das Kind für sich zu retten – während indessen ihr Bruder Bruno einen Auftrag gar zu wörtlich nimmt und das unbequeme Mädchen Piperkarcka in einer düsteren Stunde vorm Morgenläuten, als der Mond einen so großen, blutigen Hof hat, auf ewig verstummen läßt. Dann bricht er zu Häupten der Toten einen Fliederzweig und bringt ihn mit katzenhaften Tritten der zurückgekehrten Schwester, deren Schicksal sich unerwartet rasch erfüllt.

Vielleicht könnte am Ende noch alles gut werden, wenn ihr Mann im entscheidenden Augenblick zu ihr stünde. Doch Paul John, die letzte einprägsame proletarische Gestalt in Hauptmanns Werken, vermag nicht über den «kitzligen Ehrenpunkt» zu springen. Trotz aller Sympathie für die Anti-Bismarck-Haltung seiner «Jenossen in't Maurerjewerbe», seiner Zuverlässigkeit, Kollegialität und seinem Unwillen gegen die Vorstellung, «sein» Söhnchen womöglich «als Kanonenfutter in Krieg» schicken zu müssen, geht ihm das Verständnis für die menschliche Tragödie in nächster Nähe ab. Sein Denken bewegt sich bereits in starren kleinbürgerlichen Bahnen. Kalt sagt er sich von seiner Frau los und kommt erst zu spät zur Besinnung. Inzwischen ist die Verzweifelte in den Tod gerannt; in früheren Fassungen endet sie in der «Umnachtung»[10]. Das Kind, um das sich zwei Mütter stritten, landet im Waisenhaus.

Diese Vorgänge erfüllen nebenher die Funktion, die

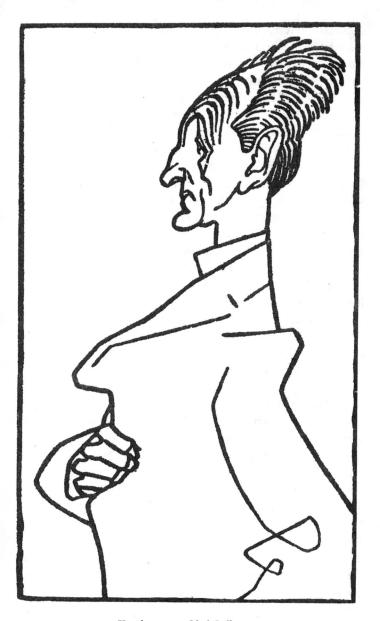

Karikatur von Olaf Gulbransson

theoretischen Erörterungen des Stückes praktisch zu demonstrieren. Ähnlich wie Pirandello in «Sechs Personen suchen einen Autor» und Brecht im «Messingkauf» ergriff Gerhart Hauptmann in den *Ratten* die Möglichkeit, durch verschiedene Personen das Wesen des Dramatischen diskutieren zu lassen. Namentlich im dritten Akt prallen die Meinungen des konservativen, klassizistisch orientierten Direktors Hassenreuter und seines Schülers Erich Spitta hart aufeinander. Wir erleben «bewußt gespieltes und eben damit vom Dichter parodiertes Theater»[11]. Hassenreuter kann sich Tragik nur in einer bewegten, pathoserfüllten Handlung mit hochgestellten Helden wie König Lear, Macbeth oder dem Brüderpaar in der «Braut von Messina» denken, die ihre Schmerzen schön und stilisiert aussprechen. Der junge Spitta hingegen hebt die Fahne des Naturalismus hoch, bestreitet die Bedeutung einer äußeren Handlung, fordert Wahrheit und Lebensechtheit und bekennt die Überzeugung, daß ein tragisches Erleben nur noch unter unverbildeten, einfachen Menschen möglich sei. Lessing, der junge Goethe, der junge Schiller gehören zu seinen Leitbildern, während er gegen den «mumifizierten Unsinn» der Schauspielerregeln des alten Goethe scharf polemisiert (wobei er dem Meister übrigens irrtümlich die Empfehlung zuschiebt, jeder Charakterdarsteller müsse etwas «Menschenfresserartiges in der Physiognomie» zeigen).

Zweifellos spricht Spitta in vielem die Ansichten des Autors Hauptmann aus. Besonders interessant ist eine ausgesonderte Szene, in welcher der Kunsteleve seiner Freundin geschätzte Literatur empfiehlt (wie Turgenjews «Väter und Söhne», Bebel, Fourier, Bellamys «Zukunftsstaat») und die Absicht zur Zeitschriftengründung bekundet. Dabei sollen die «reaktionäre Masse der Junker, Schlotbarone und des verseichten sogenannten liberalen Bürgertums» ebensowenig etwas zu lachen haben wie «Literaturgötzen» von heute, die «Schiller-Epigonen» und «Butzenscheiben-Lyriker».[12] Aber das blieb Episode, und letztlich ironisierte der Dichter sein Geschöpf, weshalb man Spittas Bemerkungen nicht unbedingt als «Hauptmanns Ästhetik interpretieren»[13] darf. – Die *Ratten* geben ein Beispiel dafür, daß deklassierten bürgerlichen Existenzen wie Hassenreuter oder Sidonie Knobbe die Fähigkeit zu echten künstlerischen Empfindungen und menschlicher Tragik längst abgeht. Pralle, gefühlsstarke Lebenswirklichkeit findet sich aber im Volke, und so auch bei der gehetzten Mutter John, deren «tragisches Verhängnis» den jungen Spitta ergreift. Groteskerweise kehrt nun auch Hassenreuter am Schluß seine verstaubte «Ästhetik» um und versichert im Brustton der Überzeugung: «Die Tragik ist nicht an Stände gebunden. Ich habe Ihnen das stets gesagt.»

Ungefähr gleichzeitig mit den *Ratten* begann Gerhart Hauptmann mit der Niederschrift des Romans *Atlantis*, der das Schicksal der bürgerlichen Gesellschaft in ein weiteres Verfallssymbol kleidet. In einem dramatischen Ansatz von 1908 gab es allerdings noch keine Katastrophen-Ahnung, sondern nur Dialoggeplätscher zwischen drei namenlosen Passagieren, einem Arzt und dem Kapitän.[14] Das Prosabuch kam im Frühjahr 1912 heraus, als die Nachricht vom schrecklichen Untergang des Ozeanriesen «Titanic» um die Welt ging; von über zweitausend Passagieren hatte nur ein knappes Drittel gerettet werden können. Die zeitgenössische Kritik bewunderte demzufolge die poetische Prophetie des Werkes. Für uns hat diese ahnungsvolle Schilderung eine viel umfassendere Bedeutung gewonnen. Der Titel-Name der sagenhaften, verschollenen Insel Atlantis erscheint als Synonym für Untergang. So wie Atlantis einstmals (gemäß einer Überlieferung in Platons «Timaios»-Dialog) in den Fluten versank, versinkt in unserer Geschichte der Schnelldampfer «Roland» bei der Überfahrt von Bremen nach New York. Damit gab der Dichter zum Teil eine Vision von der bevorstehenden Weltkrise, die das europäische Bürgertum in den Strudel reißen sollte.

Die «Roland» stellt gleichsam einen schwimmenden

«Zauberberg» dar, ihre Passagiere bilden ein typisches gesellschaftliches Konglomerat. Gestrandete aus allen Schichten haben sich zur Fahrt in ein neues Leben zusammengefunden und die Chance zum sinnvollen Neubeginn erhalten, doch das «Land der unbegrenzten Möglichkeiten» erweist sich als Illusion.

Im Mittelpunkt des Buches steht die Gestalt des Arztes Dr.Friedrich von Kammacher, der Europa im wesentlichen aus zwei Gründen den Rücken kehrt. Einmal treibt ihn eine Leidenschaft zu der verführerischen Tänzerin Ingigerd Hahlström dazu, mit der Geliebten über den Ozean zu reisen und seine geisteskranke Frau (die bald stirbt) und drei Kinder zu verlassen. Zum anderen findet er die deutschen Zustände unerträglich.

Bereits als Jüngling erlitt er auf einer Kadettenanstalt «Strafen wegen Widersetzlichkeit» und nahm den Abschied, weil er sich nicht auf eine «künftige große Schlächterei vorbereiten» lassen wollte. Nachdem er sich als Maler versucht hatte, wählte er demonstrativ den lebenerhaltenden medizinischen Beruf, beschäftigte sich unter Anleitung von Robert Koch mit der bakteriologischen Wissenschaft, mußte allerdings bald erkennen, daß der Kapitalismus auch die ärztliche Kunst zu einem Geschäft herabzuwürdigen sucht. Später, in einem Gespräch an Bord des Schiffes, gelangt er zu einer traurigen «Bilanz der modernen Kultur»[15], in der die Menschen trotz allen technischen Fortschritts in Elend und «Köhlerirrtümern» fortleben und zu Sklaven der Maschinen werden. Verzweifelt ringt er um die Lösung der Widersprüche und sieht sich selbst als ein echtes Kind seiner Zeit; in ihm stünden Papst und Luther, Bismarck und Bebel, Fortschritt und Reaktion in ständigem Kampf. «Jeder einzelne Mensch von Bedeutung ist heut ebenso zerrissen, wie es die Menschheit im ganzen ist.» Aufrüttelnd dringen die Worte der russischen Anarchistin Debora aus dem Zwischendeck der «Roland» in seine Grübeleien …

Gerhart Hauptmann erklärte einmal: «Wieviel Phantasie

hat Amerika gesucht, gefunden, begründet! Wieviel Nüchternheit ist das Resultat!»[16] Diese Erfahrung bleibt seinem Helden Friedrich von Kammacher nicht erspart. Schon auf dem Schiff üben der Artist Stoß und der alte Hahlström schonungslos Kritik an Amerika, in dem der «Gauner, der große Renaissanceidiot» die «sieghafte Lebensform» seien und die «beiden Worte dollar und business» papageienhaft geplappert und fetischisiert würden. Ein dummejungenhafter, rücksichtsloser amerikanischer Dandy kokelt im feuergefährlichen Schiffssalon mit Streichhölzern und würde wohl auch neugierig eine Kriegslunte anzünden. Eine sensationslüsterne Dame lächelt dazu.

Nach der Landung erlebt Kammacher den Amerikanismus in mannigfachen abstoßenden Ausprägungen. Bei dem Streit um die Auftrittserlaubnis für seinen minderjährigen Schützling Ingigerd offenbaren sich erbitterte Konkurrenzinteressen, Puritanismus und Heuchelei. Im Atelier des Bildhauers Bonifazius Ritter bekommt er Einblick in eine oberflächliche «künstlerische» Massenproduktion. Lediglich bei den versprengten Europäern Peter Schmidt, einem befreundeten Arzt, und Eva Burns, einer kameradschaftlichen Bildhauerin, findet er eine natürliche Menschlichkeit, die ihm einen Weg ins Leben öffnet. Vor allem mit Evas Hilfe gelingt es ihm, die Lebenskrise zu überwinden, sich von der «Circe» Ingigerd zu befreien und seinem Dasein durch bildkünstlerische Tätigkeit und junge Liebe wieder einen Sinn zu geben. Mit Recht wies U. Lauterbach darauf hin, daß neben die Schilderung von Schiffbruch und Katastrophe gleichwertig die Darstellung der «geistig-seelischen Erneuerung» des Helden tritt, weshalb das Buch in der zweiten Hälfte als «Entwicklungsroman» zu interpretieren sei.[17]

Das düstere, pessimistische Amerikabild gründet auf Erfahrungen des Dichters vom Frühjahr 1894. Wie wir schon berichteten, war seine Frau Marie mit den drei Kindern – durch die Ehewirren zermürbt – damals zu dem Freunde

Ploetz nach Meriden gefahren, wohin ihr Hauptmann folgte. Während der stürmischen Überfahrt und dem viermonatigen Aufenthalt in den USA begegneten ihm Menschen, die er, nur wenig drapiert, nach «Atlantis» versetzte. Allerdings verlegte er die Handlung um rund zwei Jahre zurück, um den Rummel der Columbus-Feiern von 1892 einblenden zu können. Der historische Dampfer «Elbe»[18] wurde von ihm in «Roland» umbenannt; Kapitän von Gössel verwandelte sich in einen Herrn von Kessel; die Reisenden Küllenberg, Lebling und Unthan in Füllenberg, Liebling und Stoß, der Bildhauer Bitter in einen Herrn Ritter, Bürgermeister Gilroy in Ilroy, Impresario Rosenfeld in Lilienfeld und der Arzt Dr. Ploetz in den Arzt Peter Schmidt. Unverändert blieb der Name des Apothekers Lamping.

Leider wirken die beiden Hauptpersonen in dem Figurenkabinett des Romans recht blaß. Kammacher tritt mit einem geistigen Anspruch auf, den er in keiner Weise erfüllt, und das «Luderchen» Ingigerd (weitgehend Ida Orloff nachgebildet) ist nicht nur dem Helden zeitweilig gleichgültig, sondern auch dem Leser. Aber in den Nebenrollen gibt es einige Gestalten, die Hauptmanns Parteinahme ausdrücken. In dem mitreisenden Studenten Fleischmann schilderte er einen präfaschistischen Typ, einen «Herrenmenschen», der sich gelegentlich damit brüstet, bei der Katastrophe einer hilflosen Frau kaltblütig ein «Ding übern Kopf» gegeben zu haben. Dagegen bewähren sich in der Gefahr das Dienstmädchen Rosa und deren Verlobter Bulcke, zwei lebensvolle, volkstümliche Gestalten, die besonnen zugreifen und selbstlos das Rettungswerk anpakken.

Trotz bemerkenswerter gesellschaftskritischer Akzente und einer grandiosen, keineswegs effekthascherischen Schilderung des von den Elementen berannten Schiffes hinterläßt der Roman insgesamt einen zwiespältigen Eindruck. Schwache Personencharakteristiken, schlechte Motivierungen, kolportagehafte Züge, ein Überhandnehmen der Zufälle und Traumpassagen und ein teilweise recht simpler «Schulstil» beeinträchtigen die künstlerische Wirkung. Das mochte Hauptmann selbst gespürt haben, denn in einer brieflichen Mitteilung äußerte er 1912 in bezug auf den Roman: «Ich habe mich einmal bewußt gehenlassen. Es war ein Experiment, und ich werde es nicht wieder tun.» Im übrigen sei es ihm darum gegangen, «mehr Schicksal als Persönlichkeit»[19] zu geben.

Ein drittes Werk, mit dem sich der Dichter kurz vor dem ersten Weltkrieg an das Gewissen der Welt wandte, entstand auf äußere Anregung. Der Breslauer Magistrat schlug ihm damals vor, zur Hundertjahrfeier der deutschen Erhebung gegen das napoleonische Joch ein Bühnenspiel zu schreiben, wobei man im stillen hoffte, er werde den Breslauer «Aufruf an mein Volk» des preußischen Königs Friedrich Wilhelm III. zu einem Drehpunkt wählen. Hauptmann nahm die Bitte der Stadtväter freundlich auf, zögerte dann und lehnte überraschend wegen technischer Bedenken ab. Nach mannigfachen Rücksprachen erwärmte er sich abermals für das Projekt, ließ sich allerdings bestätigen, daß weder «billiger Hurrapatriotismus»[20] von ihm erwartet würde noch irgend jemand befugt sein solle, an dem Poem «Änderungen» oder Eingriffe vorzunehmen. Nach solchen Sicherungen begann er mit der Arbeit an seinem *Festspiel in deutschen Reimen*.

Er bot darin in Form einer Revue einen Bilderbogen aus bewegter Vergangenheit. Von der Französischen Revolution über den Aufstieg Napoleons und die Organisierung des Freiheitskampfes gegen ihn bis zum Ausblick auf eine friedliche, freundliche Zeit spannt sich der Rahmen. Dabei stehen, entsprechend den historischen Realitäten, große Patrioten wie der Freiherr vom Stein, Scharnhorst, Gneisenau, Turnvater Jahn und der Dichter Heinrich von Kleist im Vordergrund. Sie finden sich zu einem neuen Rütlischwur zusammen und verkünden das Programm, dem Volk zu dienen und die Untertanen aus jahrhundertealten Fesseln loszubinden:

> Statt sie zu beugen und zu knechten,
> wollen wir sie machen zu Aufrechten,

heißt es da in einem etwas holprigen Verspaar.

In ergreifenden Szenen gewinnen Kriegsleid, fackelschwingende Furien und Tyrannenhaß Gestalt. Wir erleben die Anklagen verzagter Mütter, die Vaterlandsbegeisterung studentischer Jugend, vor der der Philosoph Fichte in parodistischer Komprimierung nochmals seine «Reden an die deutsche Nation» hält, den Opportunismus der Bürger. Die Figur John Bulls deutet wirtschaftliche Hintergründe der Weltbegebenheiten an. – Einige Passagen des *Festspiels* wirken allerdings verzeichnet, so etwa die Auftritte jakobinischer Schreckgespenster und die Verunglimpfung Hegels als eines «Phrasenhelden».

Monarchen und Fürsten spielen in Hauptmanns kleinem Poem kaum eine Rolle, ja, das Volk treibt respektlose Fastnachtspossen mit den hohen Herren! Ganz am Rande tritt ein grotesker, radebrechender Alter Fritz auf, und die in Hohenzollernlegenden verherrlichten «Taten» des damals regierenden Preußenkönigs Friedrich Wilhelm III. werden mit keiner Silbe erwähnt. Der Eindruck von der Belanglosigkeit der angeblich Geschichte machenden Männer verstärkt sich noch durch einen technischen Kunstgriff. Die riesigen Ausmaße der zur Premiere vorgesehenen Breslauer Jahrhunderthalle, in der die Darsteller ohnehin verzwergen, legten den Gedanken nahe, das ganze «Welttheater» als Puppenspiel aufzufassen. Alle Handelnden, Kaiser, König und Krieger, werden hier zu Marionetten eines souveränen Theaterdirektors und des mit Hermes-Flügeln ausgestatteten «Conferenciers» Philistiades.

Das eigentliche Wesen dieser Arrangeure bleibt unbestimmt. Nach den Worten des Direktors, «er» habe Napoleon die Freiheit gegeben, «zwanzig Jahr zu ertränken

Das Gerhart Hauptmann-Festspiel verboten.

Die Ausstellungsleitung hat heute beschlossen, die weiteren Aufführungen des Jahrhundert-Festspiels von Gerhart Hauptmann einzustellen, sodaß heute die letzte Aufführung stattfindet.

Ueber die Gründe dieses seltsamen Beschlusses verweigert der Magistrat jede Auskunft.

Zwei Versionen sind im Umlauf.

Nach einer soll der Kaiser gestern der Deputation der Stadt Breslau, die ihm zum Regierungsjubiläum gratulierte, eine abfällige Bemerkung über das Hauptmannsche Festspiel gemacht haben.

Nach einer zweiten soll der Kronprinz, der Protektor der Ausstellung, durch sein abfälliges Urteil den bedauerlichen Beschluß veranlaßt haben.

das Erdreich in Blut und Gloire», könnte man den Sprecher beinahe für eine Personifikation Gottes halten, doch durch ihn reden auch der Autor selbst und ein durchaus menschlicher Bühnenleiter, die sich in ironischer Distanzierung, der Aufhebung jeder Spiel-Illusion und in der Nivellierung historischer «Massive» gefallen.

Gerhart Hauptmanns *Festspiel in deutschen Reimen* erregte 1913 ein unerhörtes Aufsehen, und zwar nicht nur wegen der Ignorierung der bislang postulierten «Führer»-Rolle des preußischen Königshauses im Freiheitskampf («Der König rief, und alle, alle kamen») und einer gewissen Bewunderung Napoleons, sondern vor allem, weil der Dichter am Schluß statt lärmender Schlachtdrommeten die Schalmeien des Friedens erschallen ließ. Diese Passagen nahmen in der Urfassung sogar noch größeren Raum ein. Dort wandten sich die gefeierte «Germania», die Frauen, Bäuerinnen und die Volksmenge wiederholt gegen die «Massenschlächter» und forderten: «Wir wollen den Frieden! den Frieden! den Frieden!» [21] Und im Finale war zu den Klängen der (von Beethoven persönlich dirigierten) IX. Symphonie ein «Demonstrationszug des Weltfriedens» vorgesehen, bestehend aus «deutschen Friedensarbeitern und -arbeiterinnen aller Zeiten, aus Tagelöhnern, Tagelöhnerinnen, Handwerkern aller Art, zum größten Teil aber aus großen Dichtern, Künstlern, Gelehrten und Ärzten», aus «Kriegsprotestanten», zu denen in einem anderen Auftritt Goethe, Kant, Herder, Lessing u. a. zählten. [22] In der Endfassung ließ Hauptmann durch den Mund einer zur Athene Deutschlands erhöhten Mutter als Sinn des Daseins bezeichnen:

Die Tat des Friedens ist es, nicht die Tat des Kriegs!
Die Wohltat ist es! Nimmermehr die Missetat!
Was andres aber ist des Krieges nackter Mord? [23]

Und in symbolischen Bildern ziehen – ähnlich wie in der «Orestie» des Aischylos – die Segnungen des Friedens vorüber und bedeutende Kulturträger der Menschheit. Bertha von Suttner begrüßte diese «Hymnen auf die Weltfriedensidee» [24] und organisierte Vortragsabende in der Wiener Friedensgesellschaft.

Die monarchistische Presse hingegen blies zum Sturm und bezeichnete das *Festspiel* als «Verhöhnung der heiligsten Erinnerungen des deutschen Volkes». Zahlreiche Ortsgruppen Deutscher Kriegervereine und patriotische Verbände sandten Protestresolutionen. Ähnlich wie ein

Jahrhundert zuvor bei der Berliner Premiere von Goethes vergleichbarer Bühnenallegorie «Des Epimenides Erwachen» fragten witzig-unwirsche Theaterbesucher: E, wie meenen Sie des? Der deutsche Kronprinz drohte mit der Zurückziehung seines Protektorats über die Breslauer Feierlichkeiten. Da entschloß sich der Magistrat nach elf von fünfzehn vorgesehenen Aufführungen Ende Juni 1913 das Hauptmannsche *Festspiel* vom Programm abzusetzen. Kurz darauf schrieb der Autor ahnungsvoll: «Wir werden bald ein Volk von Bajonetten und Kanonen sein, das losgeht wie eine Höllenmaschine, wenn man drauf drückt, ... in Kutte und Uniform eingesargt.»[25]

Die Beschäftigung mit dem Jubiläums-Schaustück hatte bemerkenswerte Auswirkungen für den Dichter. Sein Interesse für Probleme der Regie und Bühnentechnik nahm zu. In Zusammenarbeit mit Max Reinhardt war es ihm in der Breslauer Jahrhunderthalle gelungen, über zweitausend Darsteller in einem Ensemble zu vereinen und den Weg zum Volksschauspiel großen Stils aufzuspüren. Wesentliche Anregungen empfing er dabei durch ein Buch von Hermann Reich über den antiken «Mimus», das ihn in der Neigung zu breiten Alltagsszenen, Naturalismen, derben Späßen und spröden Reimen und Rhythmen bestärkte.

Nach dem Tode von Otto Brahm ergriff Hauptmann die Gelegenheit, sich in dessen Berliner Deutschem Künstlertheater zeitweilig als Regisseur[26] zu betätigen. So inszenierte er im Spätsommer 1913 Schillers «Wilhelm Tell» und den «Zerbrochnen Krug» von Kleist, wobei er namentlich die volkstümlichen Elemente und die Realistik betonte und die Vorgänge pantomimisch umspielen ließ. Im «Tell» wunderten sich die Theaterkritiker über «kühnste Kürzungen», und wie hier gleichsam «ein Dichter dem andern so oft ins Wort» fiel; die Hutwächter-Szene entartete zum Rüpelspiel, der Rütlischwur erklang auf nachtdunkler Bühne, und sowohl pathetische wie sentimentale Reden unterblieben.[27] Neben einer minutenlangen wortlosen Begrüßung zwischen Stauffacher und Walter Fürst beanstandete man besonders das Fehlen der berühmten Melchthal-«Bravour»-Arie (1. Aufzug, 4. Auftritt), was der Dichter später damit begründete, daß ein «Sohn unter dem furchtbaren Eindruck der Blendung seines Vaters eine solche Arie niemals singen wird». Es ging ihm also um eine Verstärkung der Lebensechtheit des Stückes. Entsprechend erfaßte er Kleists Komödie als «derbe, saftige niederländische Angelegenheit», wobei das Publikum die zahlreichen Streichungen infolge geringerer Popularität des Originaltextes weniger bemerkte: «Kein Mensch vermißte daher Zitate.»[28]

In den zwanziger Jahren ging Hauptmann dazu über, in die Proben zu seinen eigenen Dramen einzugreifen und zeitweilig selbst Regie zu führen. Beispielsweise beteiligte er sich maßgeblich an der Inszenierung von *Einsame Menschen* in Berlin (1920), von *Indipohdi* und *Pippa* in Dresden (1922), *Veland* in Hamburg (1925), der *Hamlet*-Bearbeitung in Dresden (1927) und von *Schluck und Jau* in Heidelberg (1928). Noch 1942 probte er mit Laienspielern den *Fuhrmann Henschel* in Agnetendorf und gab im gleichen Jahr der Tragödin Virginia Dulon praktische Ratschläge für die Darstellung der Luise Millerin in Schillers «Kabale und Liebe». Auch theoretisch und in dem Roman *Im Wirbel der Berufung* äußerte er sich gelegentlich über dramentechnische Fragen.

Wir besitzen viele Zeugnisse von bekannten Charakterspielern, die sich dankbar an die Proben mit dem Dichter erinnerten und sein dramaturgisches Ingenium rühmten. Bekanntlich besaß er selbst darstellerische Gaben, hatte Mitte der achtziger Jahre sogar die Bühnenlaufbahn einschlagen wollen und bei Alexander Heßler Unterricht genommen. Allerdings notierte er 1936 im Diarium: «Schauspieler bin ich nicht: oder? Nein! nie gewesen, darum schrieb ich Schauspiele. Ich bin kein Theatermann, obgleich ich es besser kann.»[29] Aber es gelang ihm, seine Intentionen sichtbar zu machen, wenn er mit den einzelnen Künstlern die Rollen durchging und «kurze, sehr höfliche Anweisungen in halbausgesprochenen Sätzen» gab. «Hauptmann, du bist ein Hund. Aber du verstehst was von der Sache!»[30] soll Josef Kainz einmal ausgerufen haben, als ihm der Meister den *Armen Heinrich* erläuterte. Von Eduard von Winterstein stammt das Bekenntnis: «Wie er Stimmung, Steigerung und Ausklang einer Szene aufbaute, wie er mit nachtwandlerischer Sicherheit die Schauspieler führte, das wird mir ewig unvergeßlich bleiben.» Allgemein bewunderte man seine Fähigkeit, «durch ein Wort, eine Bewegung, einen Tonfall dem Schauspieler blitzartig zu zeigen, wie er einen Gefühlskomplex auszudrücken hat»[31].

Ähnlich wie Shakespeare, Goethe und Brecht in ihrer Funktion als Regisseur bemühte sich Gerhart Hauptmann darum, seinen Dramen zu echtem Leben zu verhelfen und dichterisches Ideal und Theaterwirklichkeit einander anzunähern.

«Die bitterste Tragödie
der Menschheit»

Erlebnis und Spiegelung
des ersten Weltkrieges

In dem Roman «Abschied» hat Johannes R. Becher ein Bild der wirren, täuschungsreichen Vorkriegszeit entworfen. Seine Generation schwankte zwischen Illusion und Überdruß, Hoffnung und Verzweiflung, Sozialismus und Chauvinismus und sehnte ein großes Anderswerden herbei. Dennoch hielten die meisten Menschen damals aus unterschiedlichen Gründen – im Vertrauen auf die Kraft der Arbeiterbewegung, auf die militärische und wirtschaftliche Macht des Reiches oder die Beschwichtigungsreden der Herrschenden – einen Krieg für unmöglich und lebten sorglos in den Tag hinein.

Gerhart Hauptmann verbrachte die ersten Monate des Jahres 1914, wie schon so oft, in den oberitalienischen Kurorten Sestri und Paraggi, besuchte gelegentlich den Geburtsort Franz von Assisis und unternahm eine Autofahrt durch die französische Provence. Die Kathedrale der alten Paststadt Avignon, die ehemalige burgundische Residenz Lyon und Matthias Grünewalds Isenheimer Altar zu Colmar gehörten zu seinen weiteren Zielen. Nach arbeitsreichen Wochen in Agnetendorf begab er sich Mitte Juli abermals im Kabriolett auf Reisen. Die Bayreuther Wagner-Festspiele zogen ihn an. Schließlich fuhr er durch schöne deutsche Lande bis nach Münster, um am historischen Zentrum der Wiedertäuferbewegung düstere Visionen in dramatische Formen zu bannen. Da erreichte ihn die Nachricht vom Kriegsausbruch.

Sofort eilte er nach Agnetendorf zurück. Noch gab es keine Rundfunkstationen, die Sondermeldungen ausstrahlen konnten, doch Extrablätter und Zeitungsberichte ließen die Wogen der Begeisterung hochschlagen. Mit Pathos versicherten Kaiser, Krupp und Konsorten dem Volke, daß es in einem heiligen Kampf für die Güter der Nation stünde. Hauptmann vermochte den Wall der Lügen nicht zu durchdringen. Vergessen schien plötzlich seine Ablehnung des «Hurrapatriotismus» und was er ein Jahr zuvor im *Festspiel* zum Lobe des Friedens gedichtet hatte. Jetzt reimte er greuliche Schlachtgesänge und bekannte sich zu den demagogischen Phrasen der kaiserlichen Propaganda.

Im traurigsten Kapitel seiner Lyrik schrieb er in den ersten Monaten des Krieges Verse wie:

> Diesen Leib, den halt' ich hin
> Flintenkugeln und Granaten:
> Eh ich nicht durchlöchert bin,
> Kann der Feldzug nicht geraten.[1]

Oder:

> Es kam ein schwarzer Russ' daher. –
> Wer da, wer?
> Deutschland, wir wollen an deine Ehr'!
> Nimmermehr!!![2]

Letztere Zeilen eines Reitermarsches schickte er an den jungen Offizier Fritz von Unruh, und im Anschluß an Gottfried Kellers patriotisches Schweizerlied sang er emphatisch: «O mein Vaterland, heiliges Heimatland – wie erbleichest du mit einem Mal ...»[3]

Entsprechend dieser Gesinnung trat er der sogenannten Deutschen Gesellschaft bei und unterzeichnete Anfang Oktober 1914 das fatale Manifest der «Dreiundneunzig», in dem es unter anderem hieß: «Es ist nicht wahr, daß Deutschland diesen Krieg verschuldet hat ..., daß unsere Kriegführung die Gesetze des Völkerrechts mißachtet ... Ohne den deutschen Militarismus wäre die deutsche Kultur längst vom Erdboden vertilgt.»[4] Außerdem glaubte Gerhart Hauptmann, sich in einem besonderen Artikel «Gegen Unwahrheit»[5] wenden zu müssen, worunter er eine nicht kaisertreue Beurteilung der Kriegsursachen verstand. Dagegen faßte er den Krieg als einen deutschen «Verteidigungskrieg», als Schicksal und Verhängnis auf, attestierte dem Kaiser, dem angeblich «volkstümlichsten Mann der Welt»[6], ehrliche Friedensliebe und behauptete, die Bataillone des obersten Herrn des Reiches stritten für «deutsche Freiheit, deutsches Familienleben, für deutsche Kunst, deutsche Wissenschaft, deutschen Fortschritt»[7].

Bekanntlich bemühten sich die deutschen Armeen gerade, auf Befehl ihres Kaisers «daherzubrausen wie die Hunnen». Sie überfielen das neutrale Belgien, brachen brutal jeden Widerstand, zerstörten unersetzbare Kulturdenkmäler in Löwen, Mecheln und anderen Orten. In flammender Empörung veröffentlichte Romain Rolland Ende August im «Journal de Genève» einen offenen Brief an Gerhart Hauptmann. Um diesem seine «Verehrung» darzubringen, war er (nach brieflicher Mitteilung von Stefan Zweig) schon Anfang des Jahrhunderts nach Berlin «gepilgert» (ohne ihn anzutreffen). Nun rief er zu einem Friedensbund des Geistes auf, verurteilte die Frevler, die «Rubens in Brand» gesteckt hatten, und beschwor den deutschen Dichter, sich dem Protest anzuschließen. «Seid Ihr die Enkel Goethes oder Attilas?» hieß es in dem Schreiben. «Tötet die Menschen, aber achtet die Kunstwerke!»

Bei der humanistisch-pazifistischen Grundhaltung Rollands klang allerdings die letzte Empfehlung recht seltsam, und Gerhart Hauptmann erklärte prompt in seiner Antwort, die am 10. September in der «Vossischen Zeitung» erschien, mit überlegener Geste: «Rubens in Ehren! – ich gehöre zu jenen, denen die zerschossene Brust eines Menschenbruders einen weit tieferen Schmerz abnötigt.» Doch dieses Bekenntnis war mit Ausführungen verbunden, in denen er sich hinter die Regierung stellte, angebliche «deutschfeindliche Lügen» abwehrte und die «heldenmütigen Armeen» pries, die durch die «Gerechtigkeit ihrer Sache unüberwindlich» seien. Naiv legte er Rolland nahe, sich durch einen «Bericht unseres Reichskanzlers» und ein Kaiser-Telegramm den Weg der Wahrheit weisen zu lassen! (Erst acht Monate später bewirkte Stefan Zweig eine gewisse Versöhnung zwischen den beiden Dichtern.)

Der Briefwechsel[8] löste einige weitere Artikel aus, wobei sich Wolfskehl, Eulenberg, Gundolf, Musil, Stefan George und Thomas Mann in ähnlichem Sinne äußerten wie Gerhart Hauptmann, der in einer Weihnachtsbotschaft 1914 nochmals den Krieg als einen deutschen «Verteidigungskrieg» zu rechtfertigen suchte. Nach einer Würdigung der Bundesgenossenschaft mit der Habsburgischen Monarchie sprach er von der «Treibjagd einer beschämenden Überzahl gegen zwei arbeitsame und friedliche Völker»[9] und gab seinem Glauben an den Sieg Ausdruck.

Alma Mahler-Werfel berichtet aus jener Zeit, obwohl die Söhne des Dichters im Feld stünden, brenne er vor Kriegsbegeisterung. «‹Nichts ist häßlicher als ungelüftete Stuben›, sagt er, ‹die Menschen werden frischer, stärker, sie werden sich erneuern.›»[10] Wilhelm II. dotierte die geistige Schützenhilfe mit dem Roten-Adler-Orden IV. Klasse (!), was der Dichter denn doch beinahe als «beleidigend» empfand …

Es gibt ein Foto, das Gerhart Hauptmann im Kreise seiner feldgrau uniformierten Söhne zeigt. Sein Gesichtsausdruck ist ernst, herb, mehr besorgt als stolz. Der Krieg hatte vor seinem Hause nicht haltgemacht und alle drei Söhne aus erster Ehe zum Frontdienst gerufen. Würde er sie unversehrt wiedersehen? Wenn bisweilen die Post ausblieb, mochte er manche bange Stunde erleben und in Gedanken die knapp drei Jahrzehnte durchwandern, in denen er die hoffnungsvolle Entwicklung seiner Kinder beobachten konnte. Skizzenhaft wollen wir hier ein paar biographische Daten einfügen.

Der älteste Sohn, Ivo (1886–1973), hatte schon als Knabe

beschlossen, «Maler zu werden». Nach kurzer Lehrzeit in Paris und bei Lovis Corinth in Berlin besuchte er von 1904 bis 1908 die Kunstschule in Weimar, wurde (gemeinsam mit Hans Arp) Meisterschüler bei Ludwig von Hofmann, dem Freund seines Vaters, und trat dann eine Bildungsreise nach Paris an, wo er vier Jahre lang lebte und die spätimpressionistischen Techniken von Paul Signac und Henri Matisse studierte. Mit außerordentlicher Sorgfalt und Phantasie pflegte er bald selbst die pointillistische Malweise, brachte durch die Gestaltung mit farbigen Punkten oft erstaunliche Effekte hervor und schuf Bilder, die für uns unter einem bestimmten Gesichtspunkt besondere Bedeutung haben. Sie stellen teilweise eine gemalte Biographie Gerhart Hauptmanns dar, zeigen den Dichter auf verschiedenen Lebensstufen, halten Landschaften und Orte fest, die ihm teuer waren, die ihn anregten und anzogen (Agnetendorf, Hiddensee, Hamburg, Paris). Auf dem Wiesenstein hingen später mehr als dreißig Gemälde von Ivo Hauptmann, wobei der Vater mit dem «Pointillismus keineswegs einverstanden» war; er legte dem jungen Künstler nahe, «wie Frans Hals zu malen»[11].

In einer autobiographischen Skizze erzählt Ivo Hauptmann von einem Besuch seiner Mutter im Hochsommer 1914: «Sie war Mitglied der Confédération zur Erhaltung der Menschenrechte in Paris, einer pazifistischen Organisation. Sie starb bei Beginn des ersten Weltkrieges bei mir in Hamburg-Dockenhude.» Die Trennung von ihrem Mann, die Sorge um die kriegsverpflichteten Kinder und die düsteren Ereignisse der Zeit hatten ihr das Herz gebrochen. «Der Vater kam. Vater und Sohn gingen nach Sülldorf in die sehr kleine Kapelle, wo die Mutter aufgebahrt lag. Sie tranken am Abend Wein. Der Sohn erzählte dem Vater vom geheimnisvollen Rollen und Dröhnen in der Tiefe als Zeichen des begonnenen Krieges.»[12] Diese Stunde beschwor der Dichter bald im ersten Gesang des Terzinenepos *Der große Traum* herauf.

Ivo Hauptmann, der später auch werktätiges Leben bild-schöpferisch einfing (z. B. «Makrelenfischer», «Eisen und Stahl»), war von 1946 bis 1951 Dozent an der Hamburger Landeskunstschule und lange Zeit gemeinsam mit Hans Henny Jahnn stellvertretender Präsident der Freien Akademie der Künste zu Hamburg (danach Ehrenmitglied). Sein eminent persönliches, lebensfreundliches Schaffen und seine Bedeutung für die deutsche Malerei der Gegenwart sind noch viel zuwenig bekannt. Postum erschien sein Buch «Bilder und Erinnerungen», das außer einer auf-schlußreichen Lebenserzählung Reproduktionen von acht-undvierzig repräsentativen Ölgemälden, Aquarellen und Zeichnungen enthält.

Der zweite Sohn, Eckart (1887–1980), betätigte sich nach einer kaufmännischen Lehre in verschiedenen Stellungen bei der Allgemeinen Elektricitäts-Gesellschaft, deren holländische Tochtergesellschaft in Amsterdam er von 1919 bis 1944 kaufmännisch leitete. Am ersten Weltkrieg nahm er als Reserveoffizier und Feldartillerist teil, wurde verwundet und diente von 1915 bis zum Kriegsende als Feldluftschiffer an der Westfront und in der Türkei. Seit 1948 wirkte er als Industrievertreter in Frankfurt, später in Wiesbaden.

Nach einer Ausbildungszeit auf landwirtschaftlichen Hochschulen in Berlin und Jena und auf einem schlesischen Gut wirkte der dritte Sohn, Klaus (1889–1967), als Mayor domo von 1911 bis 1914 auf einer argentinischen Estancia. Im ersten Weltkrieg kam er zunächst, wie der Bruder Eckart, zur Feldartillerie und dann zur Luftwaffe; aus einem abstürzenden Fesselballon konnte er sich einmal nur mit Mühe retten. Später versuchte er sich schriftstellerisch; 1923 übernahm er eine Bürotätigkeit in der Schiffahrt und gab sie erst 1948 in leitender Stellung auf. Seit 1919 war er mit der Geigerin Eva Bernstein verheiratet, der Tochter des bekannten Münchener Rechtsanwalts und Lustspielverfassers Max Bernstein.

Über Benvenuto (1900–1965)[13], den jüngsten Sohn Gerhart Hauptmanns und Frau Margaretes, sei bemerkt, daß er gleichsam «wie ein Prinz» aufwuchs und keine öffentliche Schule besuchte, weil ihn die Eltern auf den «alljährlichen Reiseturnus» mitnahmen. Nach einer Privaterziehung durch Hauslehrer erhielt er das «Einjährige» und ging 1918 als Kriegsfreiwilliger und Reserve-Offiziersanwärter zur Marine. 1922 holte er in Liegnitz das Abitur nach, studierte anschließend in Heidelberg Nationalökonomie und promovierte dort 1924 bei Alfred Weber mit einer Arbeit über «Internationale Verschiebungen in der Ölfrage seit Beendigung des Weltkrieges». Eine Ausbildung als Attaché in Stresemanns Außenministerium (1926/27) brach er nach knapp zwei Jahren ab. Fortan lebte er relativ ungezwungen, betätigte sich als literarischer Übersetzer (J. Conrads «Almayers Folly», R. Kiplings «Dschungelbuch») und in den vierziger Jahren als Regisseur in Wien. Er heiratete viermal, zuletzt (1941) Barbara Hauptmann (1908–1982), die Tochter eines Arztes und der Sängerin Barbara Kemp von Schillings. Seine Kinder Anja und Arne sind heute «Inhaber der Urheberrechte und Wahrer des Andenkens» des Dichters. Im Februar 1945 sah Benvenuto in Dresden nochmals seinen Vater, dessen Archiv er im Dezember 1945 von Schloß Kaibitz nach Garmisch-Partenkirchen bringen ließ, später nach Ronco (Schweiz).

In einem Gespräch mit Behl äußerte Gerhart Hauptmann: «Ich habe eine mehr als vierzigjährige Friedenszeit erlebt. Den Sinn des Friedens haben wir alle gekannt, ... den Sinn des Krieges hat wohl niemand begriffen.»[14] Obwohl der Autor zu Beginn des Totentanzes (im «holden dichterischen Schwachsinn», wie Karl Kraus[15] glossierte) einige Schlachtgesänge und Pamphlete veröffentlichte; obwohl er in journalistischen Beiträgen die «heilige Pflicht» zum Waffengang in der «diszipliniertesten Armee der Welt»[16] pries und sich über «Räubergeschichten» gegen den «angeblichen» deutschen Militarismus mokierte; obwohl er eine «gemäßigte Expansionspolitik»[17] und den Kampf «bis zum letzten Blutstropfen» befürwortete[18], erklärte er 1923 in einem amerikanischen Journal, er gehöre nicht zu denen, die während des Krieges ihren «gesunden Menschenverstand verloren» hätten. Die «Delirien jener Zeiten sind an mir vorübergegangen»[19]. Dabei scheint eine Selbsttäuschung vorzuliegen, aber die Durchsicht seines Tagebuches bietet Überraschungen. Gewiß finden sich darin viele «patriotische» Parolen; neben die offiziellen Verlautbarungen und Bekundungen «allgemeiner Siegeszuversicht»[20] treten jedoch schon früh kritische Notizen. So heißt es am 16.8.14: «Steht denn unsre Niederlage ganz außer Möglichkeit? Sicherlich nicht.»[21] Zwei Tage später: «Wir müssen siegen! oder untergehen», wird mit rotem Fragezeichen versehen. Es folgen der Ausdruck «schmerzlicher», «banger Befürchtungen» und am 26.8. der Stoßseufzer: «Wieder um einen Tag dem Frieden näher.»[22] In der ersten Septemberhälfte, als der Dichter gegen Rolland polemisierte, erklärte er im Diarium: «Nur die Idee des Friedens, nicht die des Krieges ist steigerungsfähig» und: «Krieg: absoluter Gegensatz zur Civilisation ..., Feind der Menschheit.»[23] Diese Aufzeichnungen und zwei literarische Fragmente deuten darauf hin, daß Hauptmanns Begeisterungsstimmung bereits 1914/15 bisweilen einer skeptischen Ernüchterung wich.

Der General, eine um 1915 geschriebene Szenenfolge, enthält passagenweise eine heftige, wenngleich widersprüchliche Kritik des Preußentums und des Militarismus. Den biographischen Hintergrund des Werkes klärte Ivo Hauptmann in einer brieflichen Mitteilung, derzufolge sich der Dichter gern mit dem General der Infanterie Heinrich Scheel unterhielt (Ivos Schwiegervater), zuletzt Präses der Obermilitärexaminations-Kommission, einem entschiedenen Tadler der Politik Wilhelms II. In Hauptmanns Stück ist der ehemalige Korpskommandeur Exzellenz von Hamig wegen Rechthaberei und schroffer Eigenwilligkeit aus dem Dienst entlassen worden. Obgleich der General darunter leidet und zudem die Tragik des Alternden erfährt, bemüht er sich, ganz als Zivilist zu leben. Er beginnt wissenschaftliche Studien und sieht sein früheres Dasein weitgehend als Zeitvergeudung an. Rückblickend verurteilt er preußische «Lakaienmoral», «Dünkelhaftigkeit» und «Armeeklatsch». Andererseits hält er Kriege für unvermeidlich wie Naturkatastrophen und verteidigt das brutale Vorgehen der Soldateska in der berüchtigten Zabern-Affäre.

Konsequenter als er ist sein Sohn Winfried (oder Friedrich), der Bertha von Suttners «Die Waffen nieder!» schätzt und aus diesem Geiste heraus in einem erregten Disput mit dem säbelrasselnden Bruder Botho jede Militärdiktatur ablehnt und erbittert ausruft: «Du bist überzeugt, daß Preußen der Nabel der Erde ist, der Militarismus die überhaupt höchste Kulturerrungenschaft, und zählst jeden, der nicht bei jeder passenden oder unpassenden Gelegenheit hurra schreit, zum vaterlandslosen Gesindel.»[24] Der Rittmeister aber wendet sich gegen die «jüdischen Zeitungskläffer» und Volksverhetzer und bedauert das Entschwinden des «guten altpreußischen Geistes» aus dem Vaterhaus. Bei alledem sind die Sympathien des Dichters auf der Seite des freimütigen, nonkonformistischen Generals und des antimilitaristischen Winfried.

Nahezu unverhüllt schilderte Hauptmann seine Eindrücke beim Kriegsausbruch von 1914 im fragmentarischen *Berliner Kriegs-Roman*. Nun ist es freilich kaum zulässig, künstlerische Ausformungen und Wirklichkeit absolut gleichzusetzen. Der Schriftsteller selbst warnte einmal davor, als er nach Aufzählung der Vorbilder für seine *Einsamen Menschen* feststellte: «Nicht eine Gestalt deckte sich mit den von mir genannten Modellen»[25]; immer gab es Synthesen und Erfindungen. Aber in den vorliegenden Romankapiteln stimmen die Lebensumstände und Familienverhältnisse des Geheimrats Schwarz und seines literarischen Schöpfers doch weitgehend überein. Ebenso wie der Dichter kehrt die Hauptfigur von einer «Rundfahrt durch die deutschen Gaue» in die Reichsmetropole zurück und befindet sich bei Doktor Wilhelm Schlohoff (= Walther Rathenau), als Kriegsnachrichten eintreffen. Die «Identifizierung» Schlohoffs fällt nicht schwer, denn die Vorgänge werden in der Rathenau-Gedächtnisrede[26] von 1927 ganz ähnlich berichtet. Nach Verabschiedung des «zum Opfer» geschmückten Sohnes Erich (Eckart) fährt Berthold Schwarz (der nicht ohne Ironie nach einem mönchischen Namensvetter heißt, dem man die Entdeckung des Schießpulvers zuschreibt) gemeinsam mit Frau Manon (Margarete) von Berlin-Grunewald zum Bergfried (Wiesenstein), wo er die aufwühlenden Ereignisse u. a. mit Professor Bonplant (Werner Sombart) bespricht.

Derartige Anklänge erlauben es, manche Äußerungen und Gedanken des Geheimrats als Selbstaussagen Hauptmanns zu verstehen. Offenbar kannte er im Spätsommer 1914 auch Stunden, wie er sie seinem Helden «beschert», dem das militärische Abenteuer katastrophal erscheint. Jener wendet sich gegen das kulturzerstörende «Kriegsfieber», gegen die In-Frage-Stellung von Schätzen der «Wissenschaft, Kunst, Religion, Menschenliebe, ja Menschlichkeit» und das Treiben der «Profitmachergilde»[27]. Abscheu bekundet er vor dem «rohen Drill» und der Entwürdigung beim preußischen Militär. Allerdings ist seine Abwehr nicht konsequent und mit Abkehr von den Weltereignissen verbunden. Er sucht die Kriegsrealität aus seinem Hause auszusperren, deutet Irrationales in die nationale Bedrängnis hinein, resigniert angesichts des «natürlichen» Vernichtungswillens und meditiert über eine notwendige «Wiedergeburt der Seelen». Die Not des Volkes ergreift ihn, doch das Wesen imperialistischer Eroberungsfeldzüge begreift er nicht.

In der Antwort auf eine Zeitungsrundfrage sprach der Dichter im Sommer 1916 von seiner Erschütterung darüber, «daß dieser Krieg unvermeidlich heranwuchs, zugleich mit einer beispiellos hohen, weltumfassenden Zivilisation»[28]. Im Tagebuch nannte er nun den Krieg «stumpfsinnig» und

ein «Narren- und Eselsfest», die Deutschen das «miß-
brauchteste Volk» und Angriffswaffen hassenswert.[29] Immer wieder warfen ihm nationalistische Kreise mangelnden
Patriotismus vor, ja 1916 stand in Albert Espeys Buch «Gerhart Hauptmann und wir Deutschen» die massive Anklage
zu lesen: «Du bist kein deutscher Dichter, ... kein treuer
Sohn deines Vaterlandes!»[30] Über so viel Unverstand und
Anmaßung mochte der Meister nur den Kopf schütteln. Er
zog sich nun aus dem Kampfgetümmel gänzlich zurück,
floh in vergangene und ferne Welten, doch auch in ihnen
spiegelte er auf unheimliche Weise den Ausbruch blinder
Leidenschaften und das Wüten der Inhumanität.

Das Schauspiel *Magnus Garbe* entstand im ersten Kriegs-
jahr, wurde aber erst 1942 veröffentlicht und 1956 in Düsseldorf und (etwas später) in Rostock uraufgeführt. Hauptmann selbst nannte das Stück in dem Entwurf zu einem
Titelblatt die «bitterste Tragödie der Menschheit», und in
der Tat wurde das Werk aus tiefer Ratlosigkeit, Entmutigung und Schicksalsfurcht geboren. Wesentliche Impulse
zur Niederschrift empfing der Dichter durch eine «schwere
Krankheit Margaretes»[31] und das Kesseltreiben gegen ihn
«wegen des Breslauer Festspiels», doch zugleich wirkte das
Kriegserlebnis ein, die für ihn rätselhafte Entfesselung
dunkler Mächte.

Die Handlung spielt im 16. Jahrhundert in einer «reichs-
freien Stadt». Ein historischer Ansatzpunkt ergibt sich
durch das Auftreten des holländischen Malers Jan Gossaert[32], der etwa von 1478 bis 1533 lebte und unter dem Namen
Mabuse berühmte Madonnenbildnisse schuf. Auch im
Drama finden wir ihn damit beschäftigt, die junge Felicia
Garbe, die Gattin der Titelgestalt, als Madonna zu malen.
Die um 1530 anzusetzenden Inquisitionsgreuel scheinen auf
den ersten Blick etwas spät zu liegen, doch Hauptmann
dachte sich als Schauplatz wahrscheinlich Rothenburg, wo
die Reformation erst 1544 zum Durchbruch gelangte.[33]

Von Anfang an herrscht in dem Werk eine bedrückende

Atmosphäre. Die Menschen fühlen sich von «Schatten» umstellt und glauben die Welt am «hellen Tage vom Satan verfinstert». Als satanisch entpuppt sich hier ein päpstliches Tribunal, das in die Stadt kommt, um im Namen Gottes teuflische Taten und Ketzergerichte zu vollziehen. Magnus Garbe, der verdienstvolle Bürgermeister des Gemeinwesens, empört sich zwar gegen diese «frommen» Schergen, die auf Grund der «Lüge eines heimlichen Denunzianten» jedermann der Gefahr aussetzen, «ohne Beweis, ohne Verteidigung gemartert und gerichtet zu werden», doch sein Widerstand gegen Willkür und Gesetzlosigkeit ist nicht entschlossen genug, er unterschätzt die heimliche Drohung. Sorglos und fröhlich ergeht er sich in seinem Weinberg. So gelingt es den rachsüchtigen Häschern, während seiner Abwesenheit die schwangere Frau Felicia mit Hilfe einer erpreßten Bezichtigung als «Wetterhexe» zu verketzern, einzukerkern, zu foltern und schließlich zum Verbrennungstod zu verurteilen. Nun tragen Felicia, die Glückliche, und Magnus, der Große, ihre Namen nur noch zum Hohn; die blutige Ironie der Ereignisse läßt aus der «angeborenen» Segenskraft ein furchtbares Stigma aufflammen. Das Schicksal der beiden schuldlos Leidenden weitet sich aus zu einer Leidensgeschichte schlechthin, einer beziehungsvollen «Parabel vom Opfer des Menschen»[34].

Bezeichnenderweise verboten die Nazis 1939 eine geplante Aufführung von *Magnus Garbe* – und sie wußten, warum! Es wirkt heute beinahe gespenstisch, wie Gerhart Hauptmann in seinem Stück fast zwei Jahrzehnte vor der Errichtung der faschistischen Diktatur die Realität des Bestialischen erschaute, weshalb ein unkundiger Kritiker[35] eine aktuelle Auseinandersetzung mit den Nazis annahm. Die Visionen des Dramatikers sind von einer beklemmenden Dichte und lassen uns vergleichbare spätere Inquisitionstragödien wie Bernard Shaws «Heilige Johanna» und Arthur Millers «Hexenjagd» geradezu als «zahm» empfinden. Man möchte die Bilder wie einen bösen Alptraum hin wegwischen, aber die braune Wirklichkeit bestätigte die unbewußt prophetische Dichtung.

Die päpstlichen Legaten und Vollzugsbeamten des fanatischen Dominikanerpaters Paulus Gislandus appellieren (wie die Nazis) an die niedrigsten Instinkte und bedienen sich finstersten Aberglaubens, um die Humanität zu erwürgen. Sie wiegeln das Volk gegen «Religionsfrevler» und «Ketzer» auf, denen sie (ähnlich wie die Nazis den Juden) die Schuld an Trockenheit, Mißernte, Hungersnot, Viehsterben, Krankheit, Unwetter und allem Unglück zuschieben. Und ganz unchristlich fordern sie die Versöhnung einer beleidigten «höheren Ordnung» durch Menschenopfer.

Zu Beginn von Hauptmanns Stück sieht es so aus, als werde Bürgermeister Magnus Garbe den Verderbern Einhalt gebieten. Hinter ihm steht das Volk; mit Männern wie dem schlichten Weingärtner Eckart pflegt er sich auszusprechen und zu beraten. Doch obwohl er zunächst noch die Macht zur Errettung der Freiheit und Menschenwürde hätte (wie die Regenten der Weimarer Republik), obwohl die Stadtsoldaten auf seinen Befehl warten, die Feinde auszusperren, liefert er die Bewohner seiner Stadt leichtfertig den Verderbern aus, denn er ist davon überzeugt: sie werden es nicht wagen.

Welch grausame Ernüchterung wird ihm dann bereitet! Die Henker reißen sein hochschwangeres Weib auf die Straße, stoßen sie in den Kerker. Während die schreiende Felicia über den Marktplatz gezerrt wird, stehen die Ratsherren und Senatoren mit gefalteten Händen in den gotischen Fenstern und tun nichts. Sie und alle Bürger hören die verzweifelten Schmerzensrufe eines gequälten Menschen und schlagen die Augen nieder. Sie sehen Foltern und das Leiden der Unschuld, aber sie bleiben inmitten der Herrschaft des Schreckens «stumm wie Fische». Ängstlich und feige wenden sie sich ab, fühlen sich gar nicht verantwortlich, fürchten das Kommende, ja sie verfallen dem

Massenwahn und rufen ihr Anathema über den personifizierten Adel des Geistes.

Nun ist es nur noch ein Schritt, bis die Folterknechte die Szene beherrschen, behaglich und lüstern der peinlichen Befragung der Felicia gedenken, eine stumpfe Henkersrechnung aufmachen und sich rühmen, für ein paar Silberlinge auch Christus aufs Rad flechten zu wollen. – Die Gemarterte, unschuldig Verurteilte wird am Ende von einem milden Wahn umhüllt, der Reminiszenzen an Ophelia und Gretchen aufklingen läßt; und dem zerbrochenen Magnus Garbe, der den Mächten der Finsternis nicht rechtzeitig und im Bunde mit allen Guten entgegentrat, bleibt nur das düstere Fazit: «Es ist kein Gott, es ist nur der Teufel.»

Gerhart Hauptmann hat mit dem Nachtstück *Magnus Garbe* eine ergreifende, entschiedene Anklage gegen Menschenverhetzung und Menschenverfolgung geschrieben. In dieser Tragödie werden bereits ahnungsvoll die Schreie der Kriegsopfer, der Geängstigten und unschuldig Verfolgten und das Rollen der Totenkarren in unserem Jahrhundert vernehmbar. Ein Angsttraum zieht an uns vorüber wie in gleichzeitig entstandenen Werken Franz Kafkas. Am Schluß des Dramas gellen die Glocken und künden vom Fieberrausch, der eine ganze Stadt ergriffen hat.

Zwei weitere Schauspiele aus jenen Jahren legen Zeugnis ab von der fortschreitenden Verdüsterung in Hauptmanns Weltbild. In tiefer Verzweiflung an der europäischen Kultur schritt er aus dem Deutschland des 16. Jahrhunderts fort in das exotische Mexiko der gleichen Zeit, wo damals im Zeichen des Kreuzes ähnliche Greuel geschahen. Andeutungsweise setzte er dabei den aktuellen imperialistischen Eroberungskrieg mit den frühkapitalistischen Eroberungszügen der Spanier in Vergleich. Das elfteilige dramatische Phantasiestück *Der weiße Heiland* gestaltet in vierfüßigen Trochäen die merkwürdige Passion des vorletzten Aztekenkaisers Montezuma (richtiger: Motecuhzoma), dem Aberglaube, Gotteswahn und Vertrauensseligkeit zum Verhängnis werden. Er hält den spanischen Eroberer und Feldherrn Cortez und dessen Mannschaft für Götter, begrüßt in ihnen, gemäß alter priesterlicher Weissagung, Emanationen und «Söhne» des wiedergekehrten Quetzalcoatl. Sein religiöser Wahn läßt ihn alle politische Umsicht vergessen, Religion verstellt ihm den Blick für die Realität.

Bei Gerhart Hauptmann ist Montezuma von warnenden Ratgebern umringt. Der Bruder, der Sohn, Gelehrte und später sogar die Priester mahnen, rufen zum Kampf gegen die Aggressoren auf, ziehen sich vom Hof zurück, aber der Kaiser ist in Selbstverblendung überzeugt von seiner höheren Einsicht. Ihn beirren nicht Ausschreitungen, heimtückische Anschläge, irdische Goldsucht, Heuchelei und die erwiesene Sterblichkeit der «Göttlichen»; er hat eine unendliche Sehnsucht nach dem Ebenbürtigen, ein Verlangen nach geistiger Vermählung mit den «Himmelsboten». Gemäß dem Willen des Dichters beherrschen ihn «Versöhnungsidee» und «Suchen nach Harmonie»[36]. Wie häufig in der spätbürgerlichen Literatur, repräsentiert er einen leicht degenerierten Endzeit-Typus. Ähnlich wie für Pharao Echnaton in Thomas Manns Josephstetralogie sind für Montezuma Einsamkeit, Melancholie, Verträumtheit, Hochmut, Friedfertigkeit und hochgespannte Reformpläne bezeichnend.

Um so schrecklicher ist für ihn das Erwachen. Seine Passion offenbart sich als Tragödie des mißbrauchten Vertrauens. Er, der den Spaniern freundlich, brüderlich und verehrungswillig entgegentrat und ihnen aus freien Stücken Tribute spendete, wird maßlos enttäuscht.

> Dieser unzivilisierte,
> Abergläubisch blinde Heide
> Glaubte noch an Treu und Ehre
> Und an Heiligkeit des Gastrechts,

sang Heinrich Heine im Vitzliputzli-Zyklus des «Romanzero», und Egon Erwin Kisch erzählte in seinem Mexiko-

Buch viel Fabelhaftes vom feuerzündenden «Nibelungenhort» der Indianer. Bei Hauptmann fordert Cortez, der zunächst zielbewußt «mit dem Heiligsten Montezumas sein Spiel»[37] treibt, unnachgiebig den Tod des getreuen, tapferen Aztekenfürsten Qualpopoca (richtiger: Cuauhpopoca) und läßt den widersetzlichen Kaiser in dessen eigenem Palast fangen, fesseln und abführen. Damit hat sich der «weiße Gott» selbst entthront. Ergreifend hallt Montezumas Ruf an den längst klarblickenden Sohn Guatemotzin in einer viermaligen dringlichen Beschwörung durch den Raum: Bleibe bei mir!

Und dann zeigt eine Bilderfolge, wie die Spanier den Kaiser Montezuma zum christlichen Glauben bekehren wollen, wobei jener immer mehr in eine Christusrolle hineinwächst, während die Proselytenmacher im Namen ihres Gottes heidnische Greuel vollziehen. Der Heide Montezuma denkt im Grunde christlicher als die christlichen Heiden. «Der Mensch hat die göttliche Fähigkeit, Gutes zu tun»[38], vermerkt das Diarium. Der Kaiser verkörpert das höhere ethische Prinzip, erweist sich den Europäern noch als Unterlegener überlegen. Auf spanischer Seite findet er nur in dem Humanisten Las Casas (der mit den Indianern sympathisierte, mit Cortez' Kriegszügen aber historisch nichts zu tun hatte) einen verständnisvollen Gesprächspartner. Am Ende wird Montezuma geopfert und gleichsam von Menschenfressern «genossen». Dies sei der «eigentliche Sinn des Krieges», stellt der Tagebuchschreiber im Mai 1913 fest, und er fügt resignierend hinzu: «Antilopen bekämpfen einander nicht. Daher das gesteigerte Grauen der Menschen untereinander.»[39]

Obwohl Hauptmann für sein Stück die authentischen Berichte von Cortez und auch die zeitgenössischen Aufzeichnungen von Bernal Diaz und Gomara und kulturgeschichtliche Arbeiten (etwa die Monographien von S. Basch, E. Seler und Prescott) gelesen haben dürfte, wich er in manchem von den historischen Überlieferungen ab.[40] Zufällig berührt er sich bisweilen mit dem gleichzeitig entstandenen Roman «Die weißen Götter» von E. Stucken. Motecuhzoma, dessen Name «zorniger Fürst» bedeutet, war keineswegs ein zarter Menschenfreund und Schwächling, sondern ein prunkliebender Despot und kriegerischer Regent, unter dessen Herrschaft die kultischen Menschenopfer zur angeblichen Stärkung des Sonnengottes Huitzilopochtli erschreckend überhandnahmen. Auch fand die geschilderte Schiffsparade der Spanier viel später statt, und Cuauthémoc (von Hauptmann als Sohn Montezumas vorgestellt) war in der historischen Wirklichkeit ein Hohepriester, der den zaudernden, kollaborierenden Kaiser schließlich entthronte und den erbittertsten Widerstand gegen die Spanier organisierte. Zu solchen Veränderungen der geschichtlichen Details ist der Dichter, zumal der Dramatiker, nicht nur berechtigt, sondern oft gezwungen, will er mehr als einen historischen Bilderbogen bieten. Die Tatsache, daß der Dichter aber mehrmals Tolteken und Azteken miteinander verwechselte, scheint auf keine umfassenden wissenschaftlichen Vorarbeiten hinzudeuten. Das Toltekenreich verging schon Ende des 11. Jahrhunderts und wurde Mitte des 14. Jahrhunderts von der Aztekenherrschaft abgelöst. Der historische Montezuma sah in den «weißen Göttern» zeitweise sogar Rächer der einheimischen, unterdrückten Tolteken. Ferner simplifizierte Hauptmann das Wesen der indianischen Bewegung von 1519/20, die keineswegs einheitlich war; viele Stämme (Totonaken) verbündeten sich mit den Spaniern und verhalfen ihnen zum Sieg. Dennoch konnte sich Cortez nach dem Tode Montezumas nur mit wenigen Söldnern nach Veracruz retten, von wo er später abermals zur Eroberung Mexikos ausziehen mußte.

Das kurz vor dem ersten Weltkrieg begonnene und kurz danach abgeschlossene Schauspiel *Indipohdi* bietet in vielem eine positive Umkehr des Motivs vom weißen Heiland. Auch hier wird ein weißer Ankömmling von gläubigen Indianern auf einer ozeanischen Insel als Gott verehrt – aber er verdient es. Der alte europaflüchtige Prospero trägt zur Kultivierung des Gastlandes bei, lehrt die Ausbeutung von Bodenschätzen, verbietet barbarische Menschenopfer und regiert das kleine Gemeinwesen unaufdringlich und weise wie ein platonischer Königs-Philosoph. Erst allmählich entschleiert sich die Tragödie des Herrschers. Der Dichter knüpft bewußt an ein großes Vorbild an.

Ursprünglich wollte Gerhart Hauptmann nur eine «Paraphrase zu Shakespeares ‹Sturm›» schreiben – so steht es auf einem erhaltenen Notizzettel[41]. Die Ausgangssituation erinnert denn auch stark an diesen Plan. (G. Erdmann[42] weist in dem Zusammenhang auch auf interessante Parallelen zu Paul Gauguins «Noa Noa» hin.) So wie bei Shakespeare König Prospero von Mailand zusammen mit seiner Tochter Miranda vor dem Bruder Antonio auf eine entlegene Zauberinsel fliehen muß, wird Gerhart Hauptmanns Prospero von dem eigenen Sohn Ormann vom Thron vertrieben und zur Emigration auf ein fernes Eiland gezwungen. Aber während der Held bei Shakespeare seine weltliche Macht später wiedergewinnt, erleidet der Prospero des deutschen Dichters ein völlig anderes Schicksal. Der Vater-Sohn-Konflikt und die Idee des Opfers rücken in den Vordergrund.

In *Indipohdi* wird der Sohn Ormann mit einigen abenteuerlichen, goldsuchenden Gesellen zufällig auf die Insel verschlagen, auf der sein Vater seit zehn Jahren lebt. Durch den indianischen Empörer Amaru aufgestachelt, trachtet Ormann abermals, diesmal unwissentlich, nach des Vaters Herrschaft.

Ungestüm und in der Maskierung eines Rachedämons dringt er zum Palastbezirk vor, doch bei dem plötzlichen Zusammenprall wirft Prospero verächtlich und mit furchtbarer Gebärde die königlichen Insignien fort, lähmt auf magische Weise den Eindringling, den die Indianer nun zum Menschenopfer ausersehen.

Unterdessen rüstet sich der weise Prospero zur letzten

Höhenwanderung. Er verzeiht dem Sohn und verfügt dessen Freilassung und Einsetzung als Priesterkönig. Wie Goethes Iphigenie will er den Kindern der Natur auf den Weg zur Gesittung und Humanität verhelfen. Dann steigt er, wie Hölderlins Empedokles, zu einem rauchenden Vulkankegel empor, um den letzten Dingen auf den Grund zu gehen. Ihm folgt der geläuterte Sohn, der sich jetzt des Vaters würdig erweisen möchte. Es beginnt ein symbolischer Wettlauf zum Gipfel. Die Motivierung der Schlußszenen (Ormanns Wandlung, Prosperos Freitod) scheint dabei nicht recht überzeugend.

Michael Kramer fragte: «Was wird wohl sein am Ende?» Prospero umkreist das Problem auf höherer Stufe, erlebt die «schmerzlichste Tragödie alles Menschlichen», den Gang «in die Einsamkeit und das Nichts»[43]. Das Fazit seines Lebens ist geheimnisumwittert und voller Resignation. Wie steht es um Gut und Böse, Schuld und Sühne, Leben und Tod? Die Antwort lautet: Indipohdi! Das heißt: Niemand weiß es ...

Gerhart Hauptmann bekundete für die tiefen Gedankenmonologe des weisen Prospero, die er schon in den Reden des alten Wann vorgebildet hatte, stets eine besondere Vorliebe. Mit *Indipohdi* wollte er gleichsam aus der Welt gehen.[44] Er betrachtete das Werk als sein geistiges Testament.

Künstlerleben auf Hiddensee, um 1924. Auf dem Bild u.a.:
Thomas Mann (1), Max von Schillings (2), Max Kruse (3), Maria Kruse (4),
Gerhart Hauptmann (5) und Hermann Haußmann (6)

Gerhart-Hauptmann-Abend im Verein Berliner Künstler

Haus Wiesenstein in Agnetendorf. Die große Halle
nach der Renovierung, 1967

Die Wandmalereien im Haus Wiesenstein

Gerhart Hauptmann und sein Verleger Samuel Fischer
bei einem Spaziergang auf dem Semmering

Gerhart Hauptmann in Portofino, 1927. Von links nach rechts:
Meier-Graefe, Hauptmann, Frau Meier-Graefe, Leo v. König,
Nikolaus v. Seebach, Margarete Hauptmann, Samuel Fischer,
Stefan Grossmann und Hedwig Fischer

Gerhart Hauptmann, um 1939

Gerhart Hauptmann und Hans von Hülsen

Gerhart Hauptmanns
Weltanschauung

Wir sind in unseren biographischen und werkge-
schichtlichen Darstellungen an einem Punkt angelangt, wo
wir den Versuch wagen wollen, die geistigen Grundlagen
von Hauptmanns Schaffen zusammenhängend zu erfassen.
Unsere Frage gilt der Weltanschauung.

Gerhart Hauptmann hat einmal erklärt, er wolle und
könne «keine allgültige Weltanschauung schaffen»[1]. Dazu
sah er sich um so weniger in der Lage, als ihm die Fähigkeit
zur philosophischen Abstraktion und Systematisierung nur
in geringem Maße gegeben war. «Scharfes logisches Durchdringen ist für mich Mühsal»[2], bekannte er schon 1892 im
Diarium. Gefühlsmäßig und spontan reagierte er auf verschiedene Eindrücke, bezog bald diese, bald jene Position,
da er viele Möglichkeiten in sich trug. Er meinte es gewiß
autobiographisch, als er dem Arzt Friedrich von Kammacher in *Atlantis* die bereits zitierten Worte in den Mund
legte: «In mir steckt der Papst und Luther, Wilhelm der
Zweite und Robespierre, Bismarck und Bebel, der Geist
eines amerikanischen Multimillionärs und die Armuts-
schwärmerei, die der Ruhm des heiligen Franz von Assisi
ist. Ich bin der wildeste Fortschrittler meiner Zeit und der
allerwildeste Reaktionär und Rückschrittler.»[3]

Wiederholt wies Hauptmann auf die besondere Bedeutung einiger persönlicher Jugenderfahrungen für sein Dichten und Denken hin. Erlebnisse seines ersten Vierteljahrhunderts wirkten das ganze Leben lang nach. Wir be-

richteten schon eingangs von der eigentümlich «gemischten» Atmosphäre in seinem Elternhaus.

Loyalität und Lakaientum der mütterlichen Familie gingen hier eine wunderliche Verbindung ein mit stolzer, auf-
lehnungsbereiter Haltung der väterlichen Seite und ergaben ein seltsames Widerspiel von Bourgeoisgesinnung und
Plebejerstolz. Der Sohn fand es reizvoll, ins Volkselement
einzutauchen und wissender in die wohlgeordnete bürgerliche «Sicherheit» zurückzukehren. Im Zeichen der Kompromisse begann sein Dasein.

Unter den frühen, fortdauernden Einwirkungen fällt des
Vaters Bismarckverehrung auf, die der angehende Dichter
übernahm. Nicht nur faßte er in ersten poetischen Versuchen den Cheruskerfürsten Hermann als einen germanischen Bismarck auf, sondern er exerpierte beim Tode des
Eisernen Kanzlers (1898) zustimmend Pascoli-Gedichte und
bezeichnete dessen «Gedanken und Erinnerungen» als
«deutsches Fundamentalbuch», «ein Lehrbuch, ein Grund-
buch».[4] Noch 1921, zum 50. Jahrestag der Reichsgründung,
bekannte sich Hauptmann ausdrücklich zu Bismarcks
Werk.[5]

Ein weiterer Fragenkomplex, mit dem sich der Dichter
jahrzehntelang beschäftigte, bedrängte ihn schon in der Jugendzeit, nämlich die Auseinandersetzung mit religiösen
Problemen. Es war um 1878 zu Lohnig, als ihn die Weltunter-
gangsvisionen und Mahnreden zisterziensischer Wanderprediger, die ihren Zuhörern schwere moralische Schuld
suggerierten, tief beunruhigten und, nach seinem eigenen
Bekenntnis, bis an den Rand des «religiösen Wahnsinns»
brachten. Nach qualvoller Befreiung von den Irrlehren
durch naturwissenschaftliche und bibelkritische Studien
und durch Erfahrungen des praktischen Lebens begegnete
er Kirche und Geistlichkeit fortan mit heftiger Ablehnung
und gewahrte sogar zeitweise bei sich ein «gut Teil Heidentum».[6]

Immer wieder zeichnete er in seinen Werken negative

Pfaffengestalten, immer wieder stellte er dar, wie Freude, Heiterkeit und natürliche Weltbejahung durch sie erstickt werden. Wir erinnern nur an die unheilvolle Rolle des Klerus in *Helios, Die versunkene Glocke* und *Emanuel Quint,* an die mutige Dogmenzertrümmerung durch den *Ketzer von Soana* und an die Abrechnung mit Inquisition, Aberglauben und religiösem Fanatismus in *Magnus Garbe, Der weiße Heiland, Die Tochter der Kathedrale* und im *Großen Traum.*

Trotz allem erklärte Gerhart Hauptmann 1926 in einem Brief: «Ich glaube, Christ zu sein und Protestant.»[7] Seine Kritik richtete sich stets gegen Auswüchse und inhumane Aktionen der katholischen Kirche und Geistlichkeit, doch zeitlebens fühlte er sich als Homo religiosus und bekannte sich dankbar zu einer religiösen Verinnerlichung herrnhutischer Prägung und zu Martin Luther, dessen «Sämtliche Werke» er besaß. Obwohl er ihm in den neunziger Jahren (im Anschluß an J. Janssen) noch «Pathologisches» und den «Verfall des Christentums» anlastete[8], bemerkte er später, der evangelische Glaubensstifter sei der «größte Deutsche, ohne Chauvinismus»[9], ja ein «gewaltiger deutscher Politiker: vielleicht der einzige, trotz Bismarck»[10]. 1932 notierte er im Tagebuch: «Immer wieder, manchmal zu meinem Schrecken, fühle ich mich als Lutheraner, nicht im Sinne irgendeines Dogmas, sondern der Person und seiner Sinnlichkeit, Wahrhaftigkeit, Einseitigkeit und Deutschheit.»[11] Er pries seine Bibelübersetzung als «machtvollste Emanation deutscher Sprache»[12] und bemühte sich gedanklich und sprachlich wiederholt um eine Annäherung an ihn. Auf die Vielzahl seiner Stücke aus dem Reformationszeitalter und die maßvolle Luther-Kritik im *Florian Geyer* (der eine vorbehaltlose Luther-Würdigung im *Dom* gegenübersteht) haben wir bereits hingewiesen.

Grundsätzlich war Hauptmann der Ansicht: «Religion ist Poesie»[13] oder: «Wahre Religion ist Gesundheit in ihrem Wesen und hat mit Pfafferei nichts gemein.»[14] Im Sinne die-

ses Wortes versuchte er, die wichtigsten metaphysischen Fragen zu lösen und eine Lebenshilfe daraus zu gewinnen, denn Liebe zum Leben bestimmte seine Konfession. Dabei glaubte er an einen liebenden, allmächtigen Gott, was er merkwürdigerweise nicht als Widerspruch empfand zur Beschreibung des unschuldigen Leidens der Kreatur, das er in Dramen und Erzählungen immer wieder heraufbeschwor. Das Theodizee-Problem kümmerte ihn dabei offenbar wenig, oder er fand keine Lösung dafür. Er betrachtete die Menschen im allgemeinen als treibende Wracks im Meer der Leidenschaften, der Dämonie, Einsamkeit und Not und bestritt die Möglichkeit einer «freien Willensbestimmung»[15], da alles Leben «ohne seinen Willen auf die Welt gekommen» sei. Demzufolge schuf er überwiegend Gestalten, denen «es» geschieht, die hilflos im Raum taumeln und einem gnadenlosen, blind waltenden Schicksal überantwortet sind. Die einzige «freie» Entscheidung, die diesen unglückseligen Geschöpfen von Helene Krause über Johannes Vockerat, Hannele Mattern, Fuhrmann Henschel, Arnold Kramer, Gabriel Schilling, Mutter John, Dorothea Angermann, Herbert Engelmann und Matthias Clausen bis zur Iphigenie in Delphi bleibt, ist der Tod von eigener Hand. Das Dasein besteht nur aus «Schmerzreaktionen» und verglimmt, als wäre es nicht gewesen ...

Aus alledem spricht eine tiefe Ratlosigkeit, das «Weltweh» des Dichters, der denn auch mehrmals seinen «Fatalismus» und die Neigung zum «Amor fati» eingestand; für ihn gab es keine wirkliche Wahrheit, nur eine partielle «Aufdeckung von Irrtümern».[16] In die Erkennbarkeit des Seins setzte er tiefe Zweifel. Er mochte die Menschen sehen wie die Symbolfigur der Synagoge am Bamberger Dom: mit einer Augenbinde und in Gottes Gewittern ohne Schutz. Und es schien ihm, als könne man in der Drangsal nur gefaßt ausharren und der Stimme des Mitleids Gehör geben. In seinem eigenen Schaffen wollte er «etwas vom Geiste der Bergpredigt» ausdrücken und lehren, daß Duldsamkeit das «größte Gut der Menschheit», ja die «Religion der Zukunft»[17] sei. So human diese Toleranzidee auch gedacht sein mochte – bei Gerhart Hauptmann äußerte sie sich im wesentlichen als Passivität und Kompromißbereitschaft und mußte in zugespitzten gesellschaftlichen Situationen zu einer Kapitulation vor der Inhumanität führen. Von den Auswirkungen auf Hauptmanns politische Haltung werden wir noch zu reden haben.

In einem Brief an Boisserée erzählte Goethe einmal von der «Sekte der Hypsistarier, welche, zwischen Heiden, Juden und Christen geklemmt, sich erklärten, das Beste, Vollkommenste, was zu ihrer Kenntnis käme, zu schätzen, zu bewundern, zu verehren und, insofern es also mit der Gottheit im nahen Verhältnis stehen müsse, anzubeten»[18]. Da sei es ihm so vorgekommen, als habe er zeitlebens danach getrachtet, sich «zum Hypsistarier zu qualifizieren». – An diese Worte wird man erinnert, wenn man gewahrt, wie auch Hauptmann in späteren Jahren sich darum bemühte, das Schätzenswerte aus den verschiedensten Lehren aufzunehmen. Doch gelang es ihm nicht in gleichem Maße wie Goethe, sie wirklich zu verarbeiten und eine geschlossene Weltanschauung daraus zu formen.

Mehr und mehr hat Hauptmann, besonders seit den zwanziger Jahren, mythisches Gedankengut aufgenommen und es in seine Dichtungen eingefügt.

Bei vielen bürgerlichen Schriftstellern unseres Jahrhunderts läßt sich eine Wendung zum Mythos beobachten. Mythen entstehen meist in der Weise, daß auf den frühen Entwicklungsstufen der Völker durch die schöpferische Volksphantasie bestimmte Erfahrungstatsachen, Naturphänomene, weit zurückliegende historische Ereignisse oder Helden einer fernen Vergangenheit auf eine naivkünstlerische, bildhafte Art verarbeitet und verdichtet werden.

Entscheidend ist nun, in welcher Weise sich der einzelne Dichter mit dem überlieferten Mythos auseinandersetzt. So kann er (wie es in unserer Zeit bei den neu entstehenden afrikanischen Nationen der Fall ist) mit progressivem Gedankengut verschmelzen. Hölderlin gab seiner Sehnsucht nach einer idealen Welt bisweilen mythologisches Gepräge. Thomas Manns Josephstetralogie, Hermann Hesses «Glasperlenspiel» und Lion Feuchtwangers «Jefta und seine Tochter» bemühten sich um eine psychologische Durchdringung, Säkularisierung und intellektuelle Erhellung des

Mythischen. In Rilkes «Sonetten an Orpheus» oder Hofmannsthals «Jedermann»-Spiel erscheint es als poetische Flucht ins historische Niemandsland. Thomas Mann setzte Mythos gelegentlich einfach mit Tradition gleich und betonte ganz profane Aspekte in ihm: eine Neigung zum bedeutungsschweren Symbol, eine Orientierung auf etwas Vorbildliches (das an die Stelle antiquierter «Götter» tritt).

Im Frühwerk Gerhart Hauptmanns spielt mythisches Gedankengut nur eine geringe Rolle. Sein Übergang von einer vorwiegend naturwissenschaftlichen zur mythischen Betrachtungsweise vollzog sich erst nach der Jahrhundertwende. Wenn er in einem Jugendpoem den Götterkrieg zwischen Amor und Hermes schilderte oder etwas später kultische Gepflogenheiten der Germanen und Römer erwähnte, handelte es sich im wesentlichen um Bildungsreminiszenzen. Auch das *Helios*-Fragment geht über die Andeutung eines allegorischen Hintergrundgeschehens nicht hinaus, obwohl er sich seit *Hannele* durch die «Vermischung von Traum und Wirklichkeit» bisweilen einem «vorwissenschaftlichen Denken» annäherte und Jacob Grimms «Deutsche Mythologie» damals sein «zentrales Bildungserlebnis» war.[19] Ein wirklich enges Verhältnis zum Mythischen gewann der Dichter erst während der Griechenlandreise von 1907. Man hat diese Feststellung bezweifelt mit Hinweis auf eine angebliche Bachofen-Rezeption in *Bahnwärter Thiel*[20], doch vermögen die Argumente nicht zu überzeugen. Im Lande Homers gewahrte er mit Erstaunen das Zusammenrücken von Zeit und Raum, die scheinbare «Wiederkehr» von typischen Hirten- und Bettlergestalten der antiken Epen und spürte in alten Bauwerken und Kultbezirken das Atmen der olympischen Götter. Was einst war, glaubte er mit lebhaften Sinnen als mythische Realität zu erfahren, er fühlte sich in die Zone der Zeitlosigkeit und einer «großen Gegenwart»[21] versetzt. Vor seinem geistigen Auge warfen die trinkfrohen, heiter-wehrhaften Leute des

Peloponnes bisweilen den Schattenriß eines vertrauten Germanenkriegers.

Mit Hilfe eines Kunstgriffes gelang es Hauptmann kurz darauf, in dem Roman *Der Narr in Christo Emanuel Quint* eine Art Fleischwerdung eines Mythos zu gestalten. Dieser Quint bedient sich nach anfänglichem Sträuben immer bewußter, getreuer, kühner des Neuen Testaments als «Textbuch» für seine Rolle, für eine Imitatio des Heilands, den er bald so überzeugt spielt, daß er Überlieferung, gelebte Wirklichkeit und Wahn nicht mehr zu scheiden vermag. Während eines Gefängnisaufenthaltes träumt er, wie die Gestalt Jesu in ihn eingeht, sich in ihm auflöst und völlig identisch mit ihm wird. Und so zieht der arme Narr denn am Ende des 19. Jahrhunderts durch Deutschland wie Christus einstens durch Galiläa, ignoriert den Zeitenwandel, läßt Gläubige vor dem Gedanken der hohen «Wiederkehr» erschauern und zu Figuranten in einem gelebten Mythos aufsteigen. Quint sucht zu erfüllen, was «geschrieben steht». Zugleich bewirkt seine Zelebration des Mythos freilich eine Entmythisierung, denn der Autor entschleiert die natürlichen Ursachen der «Wunder», hält den Leser zu Kritik und Distanz an.

Seit den zwanziger Jahren räumte Gerhart Hauptmann dem Mythischen eine dominierende Stellung in seinem Weltbild ein. Immer deutlicher geht damit ein Hang zum Irrationalismus einher. In den folgenden Kapiteln werden wir noch sehen, wie besonders im *Eulenspiegel*-Epos und in dem Roman *Die Insel der Großen Mutter* die Ideen der Zeitaufhebung, der mythischen Wiederholung und der individuellen Entgrenzung mächtig zum Durchbruch kamen. Vielleicht fühlte er sich darin durch Nietzsche bestärkt, der da lehrte: «Alles ist unzählige Male dagewesen, insofern die Gesamtlage aller Kräfte wiederkehrt ... [Dieser Augenblick] war schon einmal da und viele Male und wird ebenso wiederkehren ... Mensch! Dein ganzes Leben wird wie eine Sanduhr immer wieder umgedreht werden und immer wieder auslaufen.»[22] Das historische und kosmische Sein glich danach einem Karussell ... Hauptmann empfand die neue Betrachtungsweise als ihm durchaus gemäß, er gefiel sich in einer (mißverstandenen) Goethe-Nachfolge und suchte auf magische Weise Fühlung mit den Menschen und Bildern der Antike.

Die Grenzen zwischen Wirklichkeit und Vision, Vorstellung, Wahrnehmung und Gefühl, zwischen Wesentlichem und Unwesentlichem verwischten sich bei ihm. «Naiv» verschmolz er alte Mythen und formte daraus neue. Seine Christus-Dionysos-Verbrüderung, die Umdeutung des Phaeton-Mythos, die eigenwilligen Versifizierungen von Episoden um den Knaben Herakles, den Heros Achill oder die Schmerzensmutter Demeter gehören zu den frappierendsten Mythendichtungen der neueren Literatur. Hauptmann selbst sah im Mythos immer mehr seine «große Heimat»[23] und bekannte später im *Neuen Christophorus* durch den Mund des Bergpaters: «Ich glaube, der Mythos und seine Schöpfung ist das Höchste, was Menschen gegeben ist.»[24] Obwohl er ebenda den «Mythos aus dem Geiste der größten Nüchternheit» erklärte[25], war mythisches Denken für ihn nicht nur «stärkste Macht im Menschen», sondern in «seinen höchsten Auswirkungen Gottes Wort». Die alten Mythen bedeuteten ihm nichts Fremdes, Erklärungsbedürftiges oder gar Primitives. Sie waren für ihn nicht nur ein Mittel der Poetisierung, sondern schienen ihm eine Brücke zur intuitiven Erkenntnis. In vielen Fällen führte das zu einer Verschleierung und Dämonisierung der Wirklichkeit, etwa in *Veland, Spuk* und (teilweise) im *Meerwunder*, aber auch in Passagen von *Till Eulenspiegel, Der große Traum* und in der Atriden-Tetralogie. Seine mythische Verrätselung des Daseins erschwerte Hauptmann später die Orientierung, als die Faschisten den grobschlächtigen, machtvergötzenden «Mythos des 20.Jahrhunderts» kreierten und Führer und Herrenrasse mythisch beweihräucherten.

Auch seinen Vorstellungen von der poetischen Produktion haften stark irrationalistische Züge an. Er faßte sie als etwas «universell Ausstrahlendes»[26] und als eine «metaphysische Tätigkeit» auf und sah sich selbst gern im Bilde eines «dogmenfreien Priesters», als Verwalter eines «Urmysteriums»[27] und Gefäß göttlicher Eingebung. Wiederholt betonte er den Anteil von Traumelementen, Visionen und Unterbewußtem am künstlerischen Schaffensprozeß. Geniekult und die Vorstellung vom Dichter als Medium und göttlich inspiriertem Wesen verkündete er mit einer Aufdringlichkeit, die zu der Fülle seiner Vorbilder und Vorlagen in einem seltsamen Gegensatz steht.

Er selbst wähnte sich in schöpferischen Augenblicken mit Gott in mystischer Einheit verbunden, in der Ekstase glaubte er höchster Einsichten teilhaftig zu werden. Überhaupt verspürte er eine Neigung zum Ideengut der Mystik, das seinem Bedürfnis nach Harmonie und gefühlsmäßiger Seinsschau entgegenkam. Zwar griff Hauptmann auch auf die dualistische Lehre der Bogomilen von den zwei Söhnen Gottes zurück, aber er deutete Satanael weniger als Höllenfürsten und Antipoden Jesu denn als Seelenführer und Lichtbringer. Gut und Böse, poetische und mystische «Begnadigung» rannen ihm ineinander.

Bei vielen Anschauungen Hauptmanns stand ohne Zweifel die Theosophie Jakob Böhmes Pate. Von Böhme, den er als «deutschen Sokrates» im schlesischen «Attika» auffaßte und in Theologie und Kosmologie «unendlich weit über Luther» stehend[28], hat er zeitlebens mit Hochachtung gesprochen und ihn im *Neuen Christophorus* zu seinen «Geliebten» und den «allergrößten Menschen» gezählt.[29] Er galt ihm als «tief fühlender, qualvoller Denker», «größter christlicher Dichter» und «wahrer Faust», der «Alchimie mit Religion» verbinde.[30] Mit ihm berührte er sich nicht nur in pantheistischen Vorstellungen und in einer Neigung zur visionären Schau, sondern vor allem in seinem Humanismus. Der Mensch steht in Böhmes poetisch-mystischer Philosophie, die sich unter anderem im «Mysterium magnum» zur Genesis niederschlug, höher als Engel und Teufel, er wird beinahe Gott gleichgestellt, obwohl er wesenhaft leidend und duldend seinen Weg gehen müsse. Im übrigen dachte der Görlitzer Naturphilosoph zu Anfang des 17. Jahrhunderts vorwiegend dualistisch und traute im Gegensatz zu Hauptmann den «sich quälenden» Menschen die Kraft zur freien Willensentscheidung und Läuterung zu.

Eine verwandte visionäre Weltschau entdeckte Gerhart Hauptmann schon in seinem Studienjahr (1882/83) bei Platon, zu dem er sich ebenfalls ein Leben lang bekannte. Zunächst zog ihn die Platonische Staatsutopie an, die ihn an die Weltverbesserungspläne aus seiner Zeit als Kunstschüler gemahnen konnte. Später studierte er in Schleiermachers Ausgabe von 1855 die wichtigsten Werke des Philosophen[31], versah besonders die Dialoge «Phaidros», «Politeia» und «Symposion» mit vielen Randbemerkungen und Unterstreichungen, faßte den Plan zur szenischen Darstellung des «Symposion» an einem Berliner Theater und bekundete 1912 ausdrücklich: «Ich huldige der Ideenlehre Platons.»[32]

Dieser antike Denker schenkte ihm bei dem Ringen um Erkenntnis Trost. Auch wenn sich nach seiner Meinung die absolute Wahrheit verborgen hielt, konnte der ekstatische, träumende oder mystisch entrückte Mensch doch die ideal und latent angelegten Möglichkeiten der Dinge ahnen, seine Vollkommenheitssehnsucht in Eros ergießen und sich in Gedanken eine ungeborene Wirklichkeit aufbauen. Es waren wohl vor allem diese Vorstellungen und die große Rolle des Eros, die Hauptmann bei der idealistischen, mit mystischen Spekulationen durchsetzten Philosophie Platons anzogen. Der Platonische Eros herrscht in vielen seiner Spätwerke (etwa im *Winckelmann*), aber auch den Sokratisch-Platonischen Daimon ließ er im Hetairos des *Eulenspiegel*-Epos aufleben.

Über weitere Beziehungen des Dichters zur Philosophie ist nicht viel zu sagen, denn er war vorwiegend ein «Gefühlsdenker» und schreckte vor Abstraktion und allem Theoretisieren zurück. Gewiß hat er sich bemüht, in einige philosophische Systeme einzudringen, aber da sich in seinen Werken keine nennenswerten Spuren davon finden, dürfte die Einwirkung nicht tief gewesen sein. Gesprächsweise äußerte er einmal, ihm sei «Pascal lieber als Kant, Herder näher als Leibniz und Goethe verwandter als Spinoza, obwohl von allen Systemphilosophen»[33] Spinoza ihm am nächsten stehe. Die Äußerung ist bezeichnend, weil sie wiederum Lehren mit mystischen Einschlägen an die Spitze stellt. Pascals Erschauern vor dem durch Wissen paradoxerweise sich ausweitenden Kosmos des Ungewußten, seine Altersgläubigkeit und Hinwendung zur «Logik» des menschlichen Herzens beeindruckten Gerhart Hauptmann ebenso wie Spinozas mystischer Rationalismus, der den «Intuitionstypus» in höchste Rechte einsetzte und in pantheistischer Schau eine Identität von Subjekt und Objekt annahm. Mehrmals zitierte er den Verfasser der «Ethik», dessen Darlegungen er wohl «im Kopf» hatte wie Clausens Privatsekretär Wuttke im *Sonnenuntergangs*-Drama. Brieflich bezeichnete er auch den Geist des Erasmus als seiner «Wesenheit im tiefsten verwandt»[34]. Ferner fühlte sich Hauptmann durch Herder stark angesprochen. 1926 nannte er sich einen «sehr alten Herderianer»[35]; er wollte die Humanitätslehre des klassischen Wegbereiters (dessen «Ideen» ihn begeisterten) am liebsten «täglich eine Stunde»[36] in allen Schulen verbreitet wissen. Bisweilen erschien ihm sogar Goethe vergleichsweise «schwach», wenngleich er Herder später (trotz «Verehrung») neben Goethe als etwas «steril» empfand.

Obwohl Hauptmann die Werke der beiden bedeutendsten Philosophen und Klassiker des transzendentalen und objektiven Idealismus in seiner Bibliothek in repräsentativen Ausgaben besaß, vermochte er sich nicht mit ihnen zu befreunden. Von Kant, den er in der Lebenschronik und in der Erzählung *Die Spitzhacke*[37] beiläufig erwähnte, schätzte er vor allem den Traktat «Zum ewigen Frieden»[38]. Die Bücher dieses Denkers könne man lesen, gab er zu, aber Hegel zu lesen sei ihm unmöglich.[39] Warum eigentlich? Hätte er nicht gerade in Hegels «Ästhetik»-Vorlesungen eine erfreuliche Bestätigung seiner eigenen Auffassung vom Drama als der «höchsten Stufe der Poesie und der Kunst überhaupt»[40] finden können? Infolge seiner gefühlsmäßigen, weitgehend mystischen Grundhaltung und philosophischen Ungeschultheit gelang es Hauptmann nicht, zu den «weltzermalmenden Gedanken»[41] Kants, des Scharfrichters des Deismus, zum kritisch-dialektischen Panlogismus von Hegel, der ihm lediglich als «der größte neuere Ideensteinbruch»[42] erschien, Zugang zu finden.

Ein engeres Verhältnis hatte Hauptmann zu Schopenhauer, den er ausdrücklich zu den «großen», wenn auch «spießigsten»[43] deutschen Philosophen rechnete. Es mußte ihn faszinieren, bei diesem die Weltflucht verklärenden pessimistischen Interpreten des Daseins einigen Vorstellungen zu begegnen, die er selbst wiederholt dichterisch umkreist hatte, so der Idee von der angeblichen Sinnlosigkeit des menschlichen Wollens und der Schicksalsbestimmtheit der Charaktere sowie vom Mitleid mit dem Passionsweg unglücklicher Kreaturen (wie Hauptmann sie in Bahnwärter Thiel, Fuhrmann Henschel, Rose Bernd, Magnus Garbe, Prospero, Cardenio darstellte). Eine direkte Bezugnahme findet sich in *Atlantis*[44]. Von Beeinflussungen und einem durchdachten «erhabenen Pessimismus»[45] kann wohl erst ab 1906 die Rede sein. Tagebuchnotizen über den «Rausch der Erkenntis», das «unsinnliche» philosophische Hauptwerk und in Zusammenhang mit *Gabriel Schilling* geben darüber Auskunft.[46] 1918 ließ er Exzerpte[47] aus «Die Welt als Wille und Vorstellung» anfertigen und versah sie mit gelegentlichen Unterstreichungen. Immerhin faßte er nun mit Schopenhauerschen Worten das «blinde, vernunftlose Leben»[48] als synonym mit Erleiden auf, ließ sich von Mitleid ergreifen, das ihm gleichbedeutend schien mit Hu-

manität und liebender Teilhaberschaft am «Urschmerz» der
Welt, distanzierte sich (etwa in *Indipohdi*) von gewissenlo-
sem Tun. In der Spätzeit sprach er von Schopenhauers
«Philosophie der Verbitterung», die «tief menschlich, durch
und durch religiös» sei.[49]

Irgendwelche Anregungen durch Nietzsche, den antide-
mokratischen spätbürgerlichen Philosophen der Dekadenz,
empfangen zu haben, stellte Hauptmann in Abrede. Er
sprach etwas abschätzig vom «Journalistischen» und «Stroh-
feuer»[50] bei diesem Umwerter aller Werte, der in keiner
Weise zu seinen «Vordermännern»[51] gehöre. So ganz richtig
ist das nicht, denn nach Anregungen durch den dänischen
Literarhistoriker G. Brandes[52] beschäftigte er sich schon im
Herbst 1889 mit dem «fröhlichen Wissenschaftler», von dem
er damals «Jenseits von Gut und Böse», «Zur Genealogie
der Moral» und «Götzendämmerung» kennengelernt haben
dürfte.[53] Im Sommer 1897 notierte er dann: «Ich habe mein
Lebtag keine Leidenschaft für Philosophie empfunden ...
Seit einigen Wochen freilich habe ich einen Zug zu Nietzsche.»[54] Im gleichen Tagebuch würdigte er die «Geburt der
Tragödie» als «epochales Buch», die «Unzeitgemäßen Betrachtungen» als «in hohem Grade produktive Polemik»,
und er wies auch auf «Zarathustra» und den «Fall Wagner»
hin. Bisweilen kritisierte er die «sterile Liebe» jenes Denkers, der die Philosophie im Grunde «ad absurdum» geführt
habe, doch er fühlte sich mit dem «Suchenden», dem Anti-
christen und dessen «Liebe zum Absoluten» verbunden.
Einmal träumte er sogar vom Empfang eines Nietzsche-
Briefes, der selbstverständlich, in Hinblick auf den erlauch-
ten Träumer, die «tiefsten, erstaunlichsten Wahrheiten»[55]
verkündete. Auf jeden Fall sympathisierte er in den neunziger Jahren mit Übermenschenmoral und einigen Lehren
des Philosophen. In vorbereitenden Notizen zu *Helios* und
Die versunkene Glocke finden sich Zitate aus Nietzsches
«Morgenröte» und «Götzendämmerung», und in den Schauspielen selbst werden ein sonnentrunkenes Heidentum und

der Kult der freien, rücksichtslosen Persönlichkeit gegen die christlichen Sklavengebote und die dienstbaren Geister ausgespielt.

In späterer Zeit war Hauptmanns Verhältnis zu Nietzsche widersprüchlich. Einerseits lehnte er ihn schroff ab, wie Gesprächsüberlieferungen von Behl und Voigt zeigen, verlieh auch den schwachen Individuen einen höheren Rang als den starken. Andererseits stand er ihm doch in der mythischen Weltsicht und «dionysischen» Antike-Auffassung nahe, zitierte ihn mehrmals zustimmend und zählte ihn zu den «Befreiern» des Theaters.[56] In späten Tagebuchnotizen bezeichnete er «Wille zur Macht» als «Fibel für Ungebildete» und den Autor als «schwächlichen, scholastischen Psychoanalytiker»[57]. Im Sommer 1937 erklärte er: «Der Mensch Nietzsche scheint wohl der Liebenswerteste, Verehrungswürdigste gewesen zu sein. Sein Werk ist sein Werk, eins mit ihm und so zu verehren. Aber die Folgerungen ... dieses Werks, einschließlich Spengler, hole der Teufel.»[58] Beide Eintragungen erinnern an ähnliche Äußerungen von Thomas Mann. Bei der Auseinandersetzung mit dem «Affen Nietzsches» erreichte er jedoch nicht die kritische Schärfe und sachliche Prägnanz wie der «Zauberberg»-Romancier oder Robert Musil. In Hauptmanns Notizen von 1920/22 lesen wir seitenweise von «ungeheuerster Großmäuligkeit», «Wortwassersucht», einem «krebsgeschwülstigen», «leichenwäßrigen Lesekürbis», genannt «Untergang des Abendlandes» und viel Schimpf-Blabla.[59] Die an sich richtige Abwertung Spenglers führte ihn Anfang 1933 dazu, von «Bestialität, Roheit, die er vertritt», zu sprechen, einem «wahrhaft mageren Kompilator»[60] und absurden Verfechter der Ansicht, «daß der Mensch ein Raubtier»[61] sei.

Auch über Sigmund Freud (der nach Meinung Arnold Zweigs die Erfüllung dessen brachte, «was Nietzsche intuitiv als Aufgabe empfand»[62]) sprach sich Hauptmann überwiegend negativ aus. Er kritisierte, wie in der Psychoanalyse eine «chirurgische Methode auf den Geist angewandt»[63] und Träume seziert, «entehrt, banalisiert, sterilisiert» werden. Der «Freudianismus» erschien ihm als «unelementar» und (z. B. im indischen Denken) «längst überholte Arbeit»[64]. In seiner Bibliothek befinden sich mehrere Bücher von S. Freud («Traumdeutung», «Jenseits des Lustprinzips», «Das Ich und das Es») und C. G. Jung («Beziehungen zwischen dem Ich und dem Unbewußten», «Seelenprobleme der Gegenwart» u. a.), die sämtlich Lesespuren aufweisen. Nach der Lektüre von «Unbehagen in der Kultur» reagierte der Dichter heftig im Tagebuch von 1930: «Scheiße und Urin sind die Dinge, mit denen Freud spielt. Prosit kann ich nur sagen! – und ‹Erkenntnisse› auf diesem Gebiet mögen sogar möglich sein, aber sie sind schrecklich leer, nichtssagend.»[65] Obwohl er «Pißnarrheit, Scheißnarrheit» verurteilte und Freud einen «Seelenmörder» nannte[66], gibt es in Hauptmanns literarischer Darstellung pathologischer Fälle, in Traumerzählungen und Selbstanalysen des *Buches der Leidenschaft* dennoch gewisse Berührungspunkte und dazu seine vereinzelte merkwürdige Feststellung: «Ich komme von Freud.»[67] Aus den hier skizzierten religiösen und philosophischen Orientierungen Gerhart Hauptmanns erklärt sich großenteils sein problematisches Verhalten zu den ideologischen und politischen Strömungen seiner Epoche. Ebenso wie er in der Kunst zwischen Realismus, Romantik und Symbolismus schwankte, derbe Wirklichkeit und Volkstümlichkeit mit Mythos und Mystik durchsetzte, vermochte er sich auch im Politischen nur schwer zu entscheiden. Er wünschte Harmonie und blieb zeitlebens ein Mann der Kompromisse.

Bezeichnend für ihn ist bereits seine Unentschlossenheit in den achtziger und neunziger Jahren, in denen man vielfach eine offene Parteinahme des Dichters für die Sache des Proletariats erwartete. Damals liebte er es, mit einfachen Leuten zu verkehren und die Hütten der Armen aufzusuchen. Damals beschäftigte er sich mit dem Materialismus, las Büchners «Kraft und Stoff», F. A. Langes

«Geschichte des Materialismus», die Schriften von Darwin, von Haeckel, der seinen «Schüler» später in Briefen als «Anthropologen» und «monistischen Psychologen» bezeichnete. Namentlich der Darwinismus begünstigte eine «Verwissenschaftlichung des literarischen Menschenbildes»[68]. Damals abonnierte er die sozialdemokratische «Neue Zeit», kannte Schriften von Lassalle, Kautsky, Bernstein, Bebel und bemühte sich schließlich, in «Das Kapital» von Karl Marx einzudringen. Ein Bekannter erhielt 1888 den Eindruck: «Darwin und Marx waren seine Führer.»[69]

Obwohl Hauptmann sich zweifellos durch die mutigen Aktionen der Arbeiterbewegung gegen das Sozialistengesetz beflügelt fühlte, sich selbst einen «Spielverderber»[70] des Wilhelminischen Deutschlands nannte, 1895 eine Petition gegen die sogenannte «Umsturzvorlage»[71] des Preußischen Landtags aktiv unterstützte und in den *Webern*, im *Biberpelz* und einigen anderen Dramen Schützenhilfe für den Sieg der proletarischen Ideen leistete, hielt er sich letztlich außerhalb der politischen Schußlinie. Durch eine reiche Heirat war er ins besitzende Bürgertum aufgestiegen und konnte sich der Denkweise dieser Klasse nicht entziehen.

Als der Dichter 1894 von einem Reporter gefragt wurde, ob er «Sozialist» sei, verneinte er mit der Begründung, er wolle sich allgemein frei halten von «jedweden vorgefaßten, beengenden und schablonisierenden theoretischen Überzeugungen»[72]. Andernorts fügte er später hinzu, daß «Parteipolitik» seinem Wesen völlig fremd sei. Gewiß dürfe und müsse jeder irgendwie einmal Partei nehmen, nur könne seiner Meinung nach dieses «Parteiergreifen bei einem selbständigen Geist nie einer Parteipolitik entspringen»[73]. Eine normierende Weltanschauung, von der aus alle Dinge beurteilt würden, lehne er ab. Der «Begriff des Richters» sei ohnehin die «höchste menschliche Anmaßung». Kunst habe darum «parteilos» zu sein, ja als Sinn seines eigenen Lebenswerkes bezeichnete er die Absicht, «durch

Verstehen zu versöhnen»[74]. Wenn man gelegentlich unsicher sei, ob man etwas zu tun oder zu unterlassen habe, solle man sich an Zoroasters Rat erinnern und lieber nichts tun. Duldsamkeit galt Hauptmann als wichtigstes Gebot, und offen bekannte er: «Ich bin für Kompromisse, weil ich die äußere Bequemlichkeit brauche.»[75]

Diese Grundüberlegungen spiegeln sich in seinen meisten Werken und persönlichen Handlungsweisen. Infolge seines Fatalismus, seiner unkritischen Toleranzgesinnung, des Unglaubens an die Freiheit des Willens, der mythisch orientierten Ewigkeitsgewißheit betrachtete er die sozialen Zustände und gesellschaftlichen Kräfte wie Naturerscheinungen, die man eben hinnehmen müsse. Selten schuf er aktive Helden, vielmehr warten seine Menschen (wie der Autor selbst) unschlüssig und passiv alle «Schicksalsschläge» ab und setzen sich auch gegen das Böse und Verderbliche nicht entschlossen zur Wehr.

Trotz allem sprach sich der Humanist Gerhart Hauptmann über wichtige Lebensfragen durchaus positiv aus und durchleuchtete kritisch die Verelendungs- und Demoralisierungserscheinungen der spätbürgerlichen Gesellschaft. Es wurde schon ausführlich dargelegt, wie er namentlich in seinen frühen Dramen die Verkommenheit, Trunksucht, doppelte Moral, Ausbeutung und den Verfall der Familienbeziehungen im Kapitalismus an den Pranger stellte, wie er sich immer wieder mit der unwürdigen Stellung des Künstlers in der Klassengesellschaft auseinandersetzte, deren unausbleibliche Katastrophe und Unterhöhlung er kurz vor dem ersten Weltkrieg mehrmals ahnungsvoll signalisierte.

Aber wie die meisten spätbürgerlichen Schriftsteller konnte er nur Zersetzungssymptome darstellen, seinem Unbehagen Ausdruck verleihen, Kritik üben, ohne einen Ausweg aus der Krise zu zeigen. Darum ließ er auch in seinen Werken so oft Gestalten auftreten, die sich gleichsam im Kreise drehen, in der inhumanen Welt grenzenlos vereinsamt dastehen und schließlich das Leben verzweifelt von sich werfen. Der bedrängte Mensch kapituliert hier vor den bösen Schicksalsmächten, flieht in den Tod.

Über Entwicklung und Zukunft der Menschheit hat sich Hauptmann widersprüchlich geäußert. Unter dem Eindruck der faschistischen Gewaltherrschaft verfiel er überwiegend einem Geschichtspessimismus und bezweifelte, «daß es in den nächsten hundert Jahren besser wird auf der Welt»[76]. Andererseits konnte ihn das Staunen über die Schöpfungen der «denkenden Hand» doch gelegentlich dazu bestimmen, an künftige «unvergleichlich höhere Dinge» zu glauben, «wozu das Erreichte nur eine Stufe» darstelle, und emphatisch auszurufen: «Die Menschheit muß weiter, weiter empor!»[77] Im hohen Alter sprach er dann sogar in erleuchteter Stunde von den «großen Umwälzungen der Zeit und von einer ‹Weltrevolution im weitesten Sinne›, die sich noch lange nicht überschauen lasse, die er aber von Anfang an im Blute gehabt habe und die schon in den ersten Zeilen seines Werkes vibriere»[78].

Natürlich beinhalten diese Worte keine Bejahung einer kommunistischen Revolution. Eine Besserung der sozialen Zustände konnte nach Hauptmanns Vorstellung nur durch die Einsicht und Wohltätigkeit der Besitzenden vor sich gehen. Gewiß notierte er im Dezember 1918: «Wir sind Sozialisten, wollen alle auf diesem Boden stehen und wirken»[79]; gewiß erschien ihm «gerecht verteilter Besitz»[80] erstrebenswert, aber seine Ansichten vom Sozialismus waren immer utopisch, stimmten weitgehend mit denen von Saint-Simon und Fourier überein und orientierten sich zudem im poetischen Bereich an urchristlichen und mutterrechtlichen Idealen wie im *Quint* oder der *Insel der Großen Mutter*. Obwohl er in seinem frühen Schaffen viele proletarische Gestalten auftreten ließ und romanhaft bemerkte, im Menschlichen stehe «ein Arbeiter meist höher als ein Bürger, Aristokrat oder Fürst»[81], bekannte er 1938 gleichsam selbstkritisch: «Ich habe niemals eigentlich den deutschen Arbeiter geschildert»; beschwichtigend fügte er hinzu: «Im übrigen aber hat es in Deutschland noch nie einen Dichter von gleicher Volksverbundenheit gegeben.»[82] Grundsätzlich lehnte er Gewaltlösungen ab, vertraute auf eine stetige Entwicklung und einen Wandel durch «Menschenachtung», durch «Humanität» und betonte: «Nicht Revolutionen bringen die Fortschritte, aber eine immerwährende, wie das Leben selber gegenwärtige, stille Reformation.»[83]

Abgesehen von der seiner ganzen Natur wenig gemäßen Entgleisung der Schlachtgesänge und verworrenen Streitschriften, die Hauptmann im ersten Weltkrieg verfaßte, verhielt er sich in der Frage Militarismus, Krieg, Inhumanität sonst immer konsequent ablehnend. Er sah später im Militarismus ein «Gespenst, das durch das Licht der Vernunft in seine Abgrundhöhle gescheucht»[84] werden müsse, und verurteilte im *Buch der Leidenschaft* die «dünkelhafte, herausfordernde, ganz und gar schwachköpfige, säbelrasselnde Militärdiktatur»[85] des kaiserlichen Deutschlands. Vom *Festspiel in deutschen Reimen* über das *Eulenspiegel*-Epos und *Engelmann*-Drama bis zum *Großen Traum* und der Atriden-Tetralogie hat er sich immer wieder den schnauzbärtigen Krakeelern und den Kriegskräften entgegengeworfen, vor einem «Weltbrand» gewarnt und die «Idee des Friedens»[86] verherrlicht, die allein «steigerungsfähig» sei. «Jeder Schwertstreich entehrt und verwundet irgendwie die ganze Menschheit, jeder Spatenstich bereichert sie»[87], erklärte er, und mit gewaltiger Geste fügte er hinzu: «Will Gott den Frieden nicht – ich will ihn!»[88]

Es ist interessant, daß Hauptmann kurz vor dem Ende des ersten Weltkrieges mit dem Gedanken spielte, «sein ganzes Wirken in den Dienst der Politik zu stellen» und die oben skizzierten Grundanschauungen in die Praxis umzusetzen. Da die «Unfähigkeit der Regierenden» nach seiner Ansicht wesentlich dazu beigetragen hatte, das Vaterland in Not und Drangsal zu bringen, mochte er sich an die Platonische Staatsutopie und Prophezeiung erinnern, der zufolge erst unter der Regentschaft von Philosophen, will sagen, von Freunden der Weisheit und Kultur, die Humanität in der Welt zum Sieg geführt werden könne. Von hier aus schien ein Ruf an ihn zu ergehen; Platon bestärkte ihn in der Planung einer Politik, die «politische Fragen vom kulturellen Standpunkt aus stellt und löst»[89].

Zugleich orientierte sich der Dichter an einem «Humanitätsideal im Herderschen Sinne» und maß besonders der Persönlichkeitsbildung hohe Bedeutung zu. In einer Notiz umschrieb er als Ziel: «Das Volk der Einzelnen. Der Staat der Individuen. Die Geselligkeit der Einsamen. Die Herrschaft der Duldenden.»[90] Dabei glaubte er an eine stetige Entwicklung durch einzelne geistverbundene, einsichtige und friedfertige Charaktere. Bei einer Ansprache über den «Weg zur Humanität» konfrontierte er das «blutige, das unfruchtbare Einerlei» des Krieges mit dem «Füllhorn des Segens»[91] einer humanistischen Kunst und Wissenschaft.

Nun war Hauptmann in seinen Ansichten freilich stets widerspruchsvoll. Als er sich nach dem ersten Weltkrieg bei öffentlichen Anlässen über aktuelle Fragen äußerte, trug er teilweise Ansichten vor, die mit seinem Pazifismus keineswegs in Einklang standen. Ob er sich dessen bewußt war, daß er 1920/21 mit seinen Aufrufen[92] für «ein deutsches Oberschlesien», für «Grenzspenden» und die Unterstützung des «abgesprengten Teils unseres Volkstums» in Österreich einem aggressionslüsternen Nationalismus beisprang und mit Reden über die «ausgestoßenen, mutterfremden, bedrängten Auslandsdeutschen» den faschistischen Heim-ins-Reich-Parolen Vorschub leistete? In «heiligem Zorn» verurteilte er den Friedensvertrag von Versailles, klagte die Engländer als Kriegsschuldige an, befürwortete die «Vereinigten Staaten von Europa» und lobte Stinnes und die «hochehrenwerten Landjunker»[93], von deren Entmachtung er nichts wissen wollte. Hier zeigen sich immer wieder Verworrenheit und Naivität im politischen Denken dieses Dichters, der von sich als von einem «besorgten Weltfriedensfreund» zu sprechen liebte und doch die «Wiedergeburt» der Bismarck-Herrlichkeit ersehnte und vormals beim Ausscheiden des Reichskanzlers Bernhard von Bülow (1909), eines berüchtigten imperialistischen Schrittmachers zum «Platz an der Sonne», seiner Empfindung von der «bitteren Größe des Augenblicks» telegraphischen Ausdruck verlieh.

Hauptmann sagte einmal, er habe dem Politiker in sich «jeden Tag mit einem Hammer den Schädel einschlagen müssen, um zu leben»[94]. Besonders zu Beginn der zwanziger Jahre nahm er großen Anteil an den Geschicken der jungen Weimarer Republik, als deren bedeutendster kultureller Repräsentant er bald galt. Eindringlich beschwor er damals die Nation: «Das Trennende darf das Gemeinsame nicht verdunkeln.» Geboten seien: «Innerer Friede! Äußerer Friede. Arbeit an uns! Arbeit für uns! Arbeit für den menschlichen Fortschritt überhaupt!»[95]

Mit Reichspräsident Friedrich Ebert, der den Dichter bei der Feier von dessen sechzigstem Geburtstag in einer Ansprache ehrte, und mit Außenminister Walther Rathenau, dem Mitschöpfer des deutsch-sowjetischen Vertrags von Rapallo, war er freundschaftlich verbunden. Die Ermordung Rathenaus (Juni 1922) versetzte ihm einen schweren Schlag und lähmte seine politische Energie; noch in der Gestalt des Sir Walther huldigte er im *Großen Traum* dem verehrten Schöngeist, den Robert Musil übrigens im «Mann ohne Eigenschaften» als «Großschriftsteller» Arnheim weitaus negativer porträtierte.

Infolge der außerordentlichen Popularität Gerhart Hauptmanns kam im Herbst 1921 das Gerücht auf, er wolle demnächst für das Amt des Reichspräsidenten kandidieren. In der Tat hat er – nach dem Zeugnis von Freunden – mit dem Gedanken geliebäugelt, ein «Napoleon des Friedens» zu werden, aber als ihn Pressemeldungen in die Enge trieben, erklärte er: «Ich werde niemals die mir angemessene literarische Wirksamkeit aufgeben.»[96] Dennoch wog sein Wort viel in der politischen Arena der Weimarer Republik.

AN GERHART HAUPTMANN

Deinen Namen schreibe ich auf die erste Seite dieses Buches. Du weißt, ich habe gezögert, es zu veröffentlichen, weil zweierlei mir fehlt: die Ausführlichkeit, die der Leser von Betrachtungen verlangt, und die Überredungskunst des dialektischen Beweises, die ich nicht respektiere. Ich glaube, daß jeder klare Gedanke den Stempel der Wahrheit oder des Irrtums auf der Stirn trägt. Dir, Gerhart, habe ich stets geglaubt, ohne Beweis und ohne Umschweif. Nimm dies Buch als Zeichen der Dankbarkeit, die ich als Deutscher dem Dichter unseres Zeitalters schulde, und als Gabe herzlicher Freundschaft.

In Treue

Walther Rathenau.

12. 1. 12.

Widmung Walther Rathenaus für Gerhart Hauptmann
in seinem Buch «Zur Kritik der Zeit», 1912

Thomas Mann feierte ihn als «Volkskönig»[97], und Heinrich Mann (der Hauptmann unter dem Namen Hummel 1925 in dem Roman «Der Kopf» abkonterfeit hatte) prägte den Ausdruck: «Er waltet neben dem politischen Reichshaupt als Präsident des Herzens.»[98] Unbestreitbar stellte er einen moralischen Machtfaktor dar, der auf dem Vertrauen großer Teile des Volkes basierte. Leider erklärte er sich später, nach einem Wort Johannes R. Bechers, in entscheidenden

Stunden «allzuoft als unpolitisch und neutral und entmachtete sich dadurch selbst»[99]. Es gelang ihm nicht immer, aus der Wirrnis der Zeit herauszufinden.

Bemerkenswerterweise zählte man Gerhart Hauptmann auch im Ausland stets zu den bedeutendsten und mächtigsten Repräsentanten des deutschen Geisteslebens. Ihm traute man Einfluß zu (wie etwa Romain Rollands Friedensappell von 1914 zeigt). Werke von ihm waren in fast alle Kultursprachen übersetzt worden; man kannte den Autor in Norwegen, Schweden, Dänemark, England, Holland, Frankreich, Italien, Spanien, Griechenland, Bulgarien, Rumänien, Ungarn, der Tschechoslowakei, Polen, in den USA, in Mexiko, Japan, China, Indien und Rußland.

Seine Beziehungen zu Rußland gestalteten sich besonders freundlich. Wir berichteten schon von seiner frühen Beschäftigung mit dem Schaffen von Tolstoi, Turgenjew, Gogol, Dostojewski und Tschechow. Auf den letzteren hatte er wiederum einzuwirken vermocht. Seit 1902 erschienen dann in Rußland die ersten Gesamtausgaben von Hauptmanns Schriften.[100]

Von gegenseitiger Hochachtung getragen war das Verhältnis zwischen Hauptmann und Maxim Gorki. Als der russische Dichter 1905 in der Peter-Pauls-Festung eingekerkert war, setzte sich sein deutscher Kollege für die Freilassung ein, und 1912 empfing er einen Geburtstagsgruß von Gorki, in dem es hieß: «Hauptmann hat viel getan für das hehre Werk der Vereinigung der Menschheit zu einer großen Familie. Sein fein empfindendes und tiefes Talent hat den Menschen viel Gutes gegeben, er hat ihren Geist und ihr Herz mit bezaubernder Schönheit bereichert.»[101] In den Kriegsjahren trat eine gewisse Entfremdung ein, doch im Sommer 1921 kam es zu neuen Kontakten im Zeichen der Humanität.

Bekanntlich hatte die Sowjetmacht vom Zarismus ein in vieler Hinsicht rückständiges und verarmtes Land übernommen. Die Interventionskriege der Entente und der mit ihr verbündeten weißgardistischen Generale hatten das russische Volk ins Elend gestürzt. Erst in langen Kämpfen konnte die Rote Armee die äußeren und inneren Feinde niederringen. Mitten in dieser schweren Zeit brach infolge einer Mißernte im Wolgadistrikt, in Armenien und Georgien eine furchtbare Hungersnot aus. Tausende Menschen starben auf der Flucht aus ihren verödeten Dörfern; Millionen waren dem Tod durch Hunger und Kälte ausgeliefert, wenn nicht rasche Hilfe geleistet wurde.

Appelle gingen in die Welt hinaus, und damals wandte sich auch Maxim Gorki direkt an Hauptmann und rief zur Unterstützung des geprüften Volkes auf. Nun hatte der deutsche Dichter freilich nur geringes Verständnis für die Oktoberrevolution und die kommunistischen Zielsetzungen der Sowjetunion. Obwohl er Lenins «Staat und Revolution» (Ausgabe von 1918) in seiner Bibliothek besaß und sich auch später immer wieder über das gigantische Land zu informieren suchte, behandelte er im 14. Abenteuer seines *Eulenspiegel*-Epos den Bolschewismus mit Ironie, unterstellte ihm naiv «Mechanik», Seelen- und Geistlosigkeit und glossierte marxistische Erkenntnisse mit den Worten: die revolutionäre «Gewalt sei der beste Rhabarber für die Krankheit der Welt»[102]. Seine Sympathie für Rußland, das er um seiner Kultur willen liebte, vermochte er nicht auf den Staat der Sowjetunion zu übertragen.

Als ihn Gorkis Telegramm erreichte, stellte er jedoch alle Bedenken zurück. Der Freund Hans von Hülsen, der ihm den französischen Text übersetzte, erzählt in seinem Erinnerungsbuch, Hauptmann habe erschüttert ausgerufen: «Bedenken Sie doch nur, was das heißt: Rußland hungert! ... Es ist entsetzlich.» Und dann sei das Wort von seinen Lippen gekommen: «Wo die Menschlichkeit angerufen wird, hat die politische Sympathie und Antipathie zu verstummen.»[103] Danach handelte er. In seiner Antwort an Gorki gab er im Juli 1921 der Hoffnung Ausdruck, daß der «übergrelle Strahl»[104] des Notrufs dazu beitragen möge, Humanität zu erzeugen und etwas «aus der blutgetränkten armen Erde hervorzulocken», was Gorki die schöpferische Kraft und die Menschlichkeit der Völker nenne. Sofort setzte er sich mit Freund Rathenau in Verbindung, warb für eine entspannte, «große, warme, von Menschenliebe getragene Aktion von Volk zu Volk»[105] und unterstützte tatkräftig die Entsendung eines Sanitätsschiffes nach der Sowjetunion (die er zwei Jahre später zu besuchen gedachte).

1922 schrieb Hauptmann ferner ein Geleitwort für die Broschüre «Rußland und die Welt», deren Erlös gleichfalls den Hilfsaktionen zugute kam. In dem Bändchen berichtete der norwegische Polarforscher und Nobelpreisträger Fridtjof Nansen von Fahrten durch die Hungergebiete, entwarf ein Bild von der ungeheuren Not und klagte über die «Entfremdung unter den Menschen» und die bestialische Rechnung imperialistischer Kreise, denen es offenbar lieber sei, «10 Millionen Russen verhungern zu lassen, als zu riskieren, Lenins Regime zu unterstützen». Gegen diese Inhumanität und Gleichgültigkeit suchte er, im Bunde mit Hauptmann und mit Maxim Gorki, der dem Büchlein ein paar abschließende Bemerkungen beigab, die Weltöffentlichkeit zu mobilisieren – und die drei großen Humanisten hatten Erfolg damit.

In einem Beitrag zu einer Geburtstagsfestschrift (1922) erklärte Gorki bald darauf, er habe stets für Hauptmann und seine Werke «die größte Verehrung empfunden»[106], um so mehr, als seine Bedeutung für das russische Kulturleben so groß sei, und habe namentlich den *Fuhrmann Henschel* liebgewonnen. Hauptmann seinerseits sah in Gorkis «Nachtasyl» das «kolossalste epische Bild des Elends, das je auf der Bühne gezeigt wurde»[107], und in der «Mutter» die «künstlerisch vorweggenommene Revolution». Er fühlte sich dem Werk des russischen Dichters «tief verbunden». Bewegt nahm er 1936 die Nachricht von Gorkis Tod auf[108] und bedauerte, daß es nie zu einer persönlichen «näheren Berührung von Mensch zu Mensch»[109] gekommen sei.

So steht Gerhart Hauptmann vor uns als Humanist und Friedensfreund, als Repräsentant und Kritiker der spätbürgerlichen Gesellschaft, zugleich aber auch als Fatalist und Zauderer, ein Mann der Mitte, der auf dem Irrweg der Nation mitschritt.

Strandgut des Krieges

«Herbert Engelmann»
und «Till Eulenspiegel»

Obwohl Gerhart Hauptmann niemals Soldat war und keine grauenhafte «Erziehung vor Verdun» erlebte, wie etwa Arnold Zweig, bedeutete der erste Weltkrieg für ihn eine Zäsur. Wie wir schon darlegten, floh er zunächst aus der Gegenwart in einen düsteren Kulturpessimismus, beschwor makabre Bilder des 16. Jahrhunderts (*Magnus Garbe*; *Winterballade* – nach Selma Lagerlöfs Erzählung «Herrn Arnes Schatz») und Transatlantisches (*Der weiße Heiland*; *Indipohdi*), doch bald drängte es ihn dazu, unmittelbar die seelisch-geistigen Verwüstungen zu zeigen, die eine infernalische Materialschlacht hervorgerufen hatte.

Mit *Herbert Engelmann* gelang ihm wohl die «bedeutendste dramatische Schöpfung aus den zwanziger Jahren»[1]. Selten hat Hauptmann so unerbittlich mit Militarismus, Blut-und-Eisen-Politik und Präfaschismus abgerechnet wie in diesem Stück. Er gestaltete darin das Schicksal eines begabten jungen Mannes und Justizratssohnes, der begeistert und freiwillig dem Generalmarsch folgte, das Eiserne Kreuz erhielt, zweimal verschüttet wurde, eine Kopfverletzung erlitt und schließlich nach mancherlei Höllenfahrten in französische Gefangenschaft geriet. Kühn wagte Engelmann die Flucht, fiel jedoch nach unmenschlichen Anstrengungen Häschern in die Hände, kam nach Sibirien, von wo er ein Jahr nach Kriegsschluß heimkehrte – ohne eine Heimat zu finden. Seine Eltern lebten nicht mehr. Das Vaterland wußte ihm keinen Dank. Obdachlos streunte er in Berlin umher, geriet in Not und Verzweiflung, ermordete in wahnhafter Anwandlung einen Geldbriefträger und konnte endlich mit Hilfe eines liebenden Mädchens in die Pension Kurnick einziehen. Formulierungen in einem Tagebuchentwurf vom Januar 1923 deuten auf Anregungen durch den damals aktuellen «Fall des Geldbriefträger-Mörders Wilhelm Blume» hin.[2]

Das ist die Vorgeschichte. Im Verlauf der Handlung zeigt der Dichter nun, wie die Titelgestalt von all «diesen Sachen» und Schrecknissen nicht mehr loskommt. Hatte Lawrence Sterne im «Tristram Shandy» noch mit Humor von dem spleenigen Landsersteckenpferd des Onkel Toby berichten können, so wird der Krieg als beherrschende Idee für Engelmann zu einem Alpdruck. Träume werfen ihn immer wieder auf das Schlachtfeld, zwingen ihn zu Sturmangriffen mit Handgranaten, verursachen ihm Schüttelfrost und reißen ihn in einen Strudel von Angst. Wachen Auges sieht er die Zerrüttung menschlicher Beziehungen durch das Fortwirken der «gewohnheitsmäßigen» kriegerischen Mordgesinnung bei den Rückkehrern (und auch bei sich selbst), und entschlossen nimmt er Stellung gegen die Advokaten des Heldentodes und die Rezeptur des «sittigenden», «verjüngenden» Stahlbades im Interesse der Kuponabschneider. «Nie wieder Krieg!» ruft er den ewigen Marschierern im Titel seines ersten schriftstellerischen Werkes entgegen. Ungehemmt gibt er seinem Abscheu gegen die Etappenhengste und feigen Nutznießer der Waffengänge Ausdruck. Die Majore Kohlrausch und Riedel, zwei Mitpensionäre, sind ihm von vornherein zuwider.

Er weiß, warum er diesen verschlagenen Militaristen in Zivil mißtraut. Zynisch glossieren sie seine Devise «Nie wieder Krieg» mit den Worten: «Ach, du lieber Gott! Sie könnten ebensogut ‹Nie wieder ein Kalbsschnitzel› sagen.»[3] Sie belauern ihn, suchen sein Bemühen, auf den rechten Weg zu gelangen, zu hintertreiben, gehen seiner seltsamen Briefträgerfurcht nach und veranstalten ein Kesseltreiben gegen ihn. Hier weitet sich das Drama zu einem Kriminalstück aus. Engelmann wird des Raubmordes angeklagt, verhaftet, vor Gericht gestellt – und mangels Beweisen freigesprochen.

Obwohl ihm in Christa Kurnick eine verstehende, aufopferungsbereite Kameradin zur Seite steht, vermag er das Leben schließlich nicht mehr zu ertragen. Das Liebesverhältnis zwischen den beiden jungen Menschen malte Hauptmann mit zartem Pinsel. Anfangs blendete er das naturalistische Vererbungsmotiv ein, die Furcht des Mädchens und des kranken Mannes vor ehelicher Bindung, doch als das Paar den Schritt wagt und die Ringe wechselt, scheint alles gut zu gehen. Erst nach dem Prozeß brechen die Abgründe auf. In einer kunstvoll gestalteten Szene gesteht Engelmann, innerlich zerbrochen und wie beiläufig, seine Schuld, räumt die Lebenslüge hinweg und erfährt, daß Christa seine «blutige Last auf dem Gewissen» von Anfang an ahnte, ja um sie wußte. Und wie eine Hohepriesterin der Liebe neigt sie sich zu ihm hinab, um ihn zu entsühnen. Die Mordtat an dem Briefträger geschah ja in dem Geiste, zu dem der Krieg Tausende erzog. Halb wahnsinnig, blindlings, werkzeughaft fiel Engelmann über sein Opfer her, selbst ein Opfer des Krieges, dem aller Fluch gilt.

Diese Antikriegsmanifestation und die psychologische Problematik der Titelgestalt hat der Dichter in ein anschauliches Gesellschaftspanorama eingebettet. Nach seinen eigenen Worten wollte er eine Art «Seitenstück»[4] zu der Berliner Tragikomödie *Die Ratten* geben, die ebenfalls aus «gesicherter» Alltäglichkeit in Angst und Verzweiflung führt und typische Zeiterscheinungen erfaßt.

Das *Engelmann*-Drama spielt um 1923, auf dem Höhepunkt der Inflation, die ein wirres Durcheinander von «Errettungsideen» hervorbrachte. Am Ende des ersten Aktes schwirren an der Pensionstafel die Schlagworte des Jahrzehnts durch den Raum. Spiritismus, Hypnotismus, Agnostizismus, Freimaurertum, Geheimbündelei üben eine faszinierende Wirkung aus. Eine Klavierlehrerin prophezeit für 1925 den sicheren Weltuntergang. Ein spintisierender Baron und ein schizophrener Tierarzt, der sich für einen Prinzen hält, zelebrieren ihren maltesischen Hokuspokus. Der Student Rübsamen eifert in faschistischer Phraseologie

Emil Orlik. Während einer Probe zur «Winterballade», 1917.
Von links nach rechts: Max Reinhardt, Gerhart Hauptmann,
Rainer Maria Rilke, Margarete Hauptmann

gegen Engelmanns «schlappen und schwachen Pazifismus», gegen das unnordische Christentum und spricht renommistisch von seiner Einsatzbereitschaft im künftigen «Krieg gegen den Erbfeind».

Gerhart Hauptmanns Stück entstand im wesentlichen 1924 und 1928, wurde abgeschlossen, doch nicht vollendet. Der Autor konnte sich nie dazu entschließen, das Werk nochmals gründlich durchzuarbeiten, in der Motivierung zu verstärken, sprachliche Ungeschicklichkeiten und Wiederholungen zu tilgen, gewisse schwerfällige Dialoge über Dinge, die die Gesprächspartner längst wissen und die lediglich der Information des Zuschauers dienen, auszufeilen und dadurch dem Drama die erforderliche Durchschlagskraft zu geben. So erlebte *Herbert Engelmann* erst 1952 – in bearbeiteter Form – die Uraufführung in Wien. (Die Premiere der Originalfassung fand sogar erst 1962 in Putbus statt.)

Interessanterweise versuchte Carl Zuckmayer, das Hauptmannsche Stück flüssiger und bühnenwirksamer zu machen. Dazu legitimierte ihn die Hochschätzung durch den älteren Dichter, der in Zuckmayers Werken viel von sich selbst «weiterwachsen»[5] sah. In einem Brief zog Hauptmann zudem den biographisch und literarhistorisch bemerkenswerten Vergleich zwischen Zuckmayer und Dauthendey: «Sie sind sein berechtigter, ganz anders gearteter, im Elementaren ihm überlegener Fortsetzer. Sie müssen wissen, daß ich mich fast am stärksten unter den Dichtern meiner Generation von Dauthendey angezogen fühle und ihn schätze als eine der höchsten Erscheinungen überhaupt.»[6] Über den «Hauptmann von Köpenick» bemerkte er 1931 im Diarium: «Zuckmayer – starkes, fettes, sinnliches Leben: vielleicht nicht genügend gelüftet? Und das Epische dabei überwiegt ... Die Perlen werden an einer Schnur aufgereiht ... Eigentlich kein Drama.» Andernorts rühmte er «Saft und Kraft» in dem Stück[7].

Hauptmann und Zuckmayer kannten sich bereits seit Sommer 1926.[8] 1932 hielt der Erfolgsautor des «Hauptmanns von Köpenick» in Berlin zu Hauptmanns 70. Geburtstag eine Rede, auf die er 1962 in der Gedenkansprache «Ein voller Erdentag» Bezug nahm; darin brachte er Aufschlußreiches über Kunst und Sprache des verstorbenen Freundes zu Gehör. Außerdem verfaßte er das Hauptmann-Kapitel für die von H. Heimpel u. a. herausgegebene Sammlung «Die großen Deutschen».

Zuckmayers Experiment der Bearbeitung des *Engelmann*-Dramas stellt natürlich ein Wagnis dar. In einem Nachwort zu seiner Ausgabe betonte er das Grundmotiv der «Verzweiflung am Sinn und Wert des Menschenlebens. mit dem gleichen instinkthaften Antrieb, das eigene zu erhalten», und den Versuch des Helden zur «Flucht in die Liebe». Im einzelnen legte er die Handlung straffer, effektvoller, klarer und auch optimistischer an und spitzte den Kriminalfall zu (dabei führte er als neue Figur die Briefträgerwitwe ein, über die bei Hauptmann nur gesprochen wird). Er verstand es, Engelmann mehr ringen als klagen zu lassen, den Ausdruck «verknappt und gehärtet» darzubieten und besonders die Reden der Majore zu pointieren, schnoddriger und witziger zu gestalten. Das Ganze erhielt eine kabarettistische Note, die das eigentümliche Timbre von Hauptmanns Vorlage freilich stark zurückdrängt.

Für Hauptmann waren gerade die Kunst der Andeutung, die Umkreisung des Geheimnis- und Ahnungsvollen und die psychologische Tiefenlotung bezeichnend. Das Engelmann-Schicksal neigte zur Tragik und verlangte eine behutsame Behandlung. Die Bearbeitung setzt sich über solche Bedenken originell hinweg. Bei aller Vorsicht gegen verallgemeinernde Stilkategorien kann man den Vorgang im wesentlichen dadurch verdeutlichen, daß man sagt, eine spätnaturalistische Szenenfolge wurde hier in faszinierender Weise in ein «Bühnenstück der späten Neuen Sachlichkeit»[9] verwandelt.

Ähnlich wie Engelmann gehört auch Gerhart Hauptmanns Till Eulenspiegel zum Strandgut des Krieges, aber er hat sich, «um am Ernst nicht zu sterben, ins Lachen gerettet»[10]. Dieses Versepos diente dem Dichter selbst als «Notwehr gegen die Trübsal und die albhafte Problematik der Gegenwart»[11]. Die Mischung von Phantastik und Realistik ermöglichte es ihm, in der Entstehungszeit (1920–1927) den Kopf oben zu behalten, und sie half ihm bei dem Versuch, mit Lachen die Wahrheit zu sagen. Trotz des skurrilen

Titels *Des großen Kampffliegers, Landfahrers, Gauklers und Magiers Till Eulenspiegel Abenteuer, Streiche, Gaukeleien, Gesichte und Träume* gibt es übrigens nur eine geringe Berührung mit der Eulenspiegel-Tradition, die vom alten Volksbuch (1515) über Murner, Fischart, Kotzebue, Nestroy bis zu Charles de Coster und Klabund («Bracke») reicht. Der Hauptmannsche Schelm erhält sein Gesicht durch die unmittelbare Gegenwart der zwanziger Jahre. Reale Anregung bot ein Fliegerleutnant Krafft Tesdorpf, den der Schriftsteller bald als seinen «fünften Sohn» betrachtete.[12] Bisweilen lebt der Held in geheimer Personalunion mit Faust, Hermes, Don Quijote und Hamlet, dem Prinzen aus Genieland ...

Dieser Eulenspiegel ist kein plebejisch-oppositioneller Vagabund und «Freiheitsritter» wie seine Vorläufer, sondern er stammt aus adligem Hause, genoß eine humanistische Erziehung und gelangte im Krieg als Offizier rasch zu Ruhm, weil er in rund fünfzig Luftkämpfen siegreich war. Dafür erhielt er den Pour le mérite. Nach den Waffengängen empfand er jedoch heftigen «Ekel an der Welt, an sich selbst», da er so viele unschuldige Menschen mordete. Immerfort muß er nun in Gedanken «den gewaltigen Weltsturm» wiederkäuen, von Gespenstern umstellt. Die Gefallenen und armen Opfer, die «wimmelnden Toten»[13] und furchtbaren Bilder des Kampfes bedrängen ihn wie Engelmann und lassen ihn – wie jenen – zum Pazifisten und Gesellschaftskritiker werden.

Einst glaubte Till an die «Größe der Zeit» und die «Wunder» des Weltenbrandes. Jetzt (im Jahre 1920) hat er keine Illusionen mehr; er zeigt den Menschen im foppenden Reflektor die Fratze ihrer eigenen kriegsrohen Unmenschlichkeit. Sein Zelt birgt den Spiegel, das Symbol der Selbsterkenntnis, und die Eule, den Vogel des Todes und der Weisheit. Mit diesen Attributen versehen, fährt er im Planwagen durch die Lande, gezogen von den Pferden Gift und Galle (auch Nous und Logos oder, nicht recht zutreffend,

Hippokampen = mythische Seepferde genannt). Gemäß Tagebuch verläßt er «Weib und Kind ... Diese Frau hatte volles Vertrauen zu ihm. Die Heilige.» Bisweilen «verhängte er den Spiegel zum Zeichen, daß Deutschland tot sei»[14]. Mit ihm gehen die Bilder der Vergangenheit, ordnen sich zu einem unheimlichen Protestzug.

Er träumt von Hekatomben von Kriegsopfern, überfüllten Eisenbahnen mit bresthaften Menschen und singt grotesk-sarkastisch eine Galgen-Humoritat von dem «frischfröhlichen Krieg» und «frisch-fröhlich zerrissenen Bauchfell»[15]. Alle Mordwaffen sind ihm verhaßt. Er bekreuzigt sich vor den Pfaffen, die Kanonen und Gewehre segneten, sucht wie Diogenes am hellen Tage mit der Laterne den echten Menschen und beschwört in einem Aristokratenkreis den Blutdunst herauf und eine Vision von der unheimlichen Rache der sinnlos Gestorbenen. Wohl inspiriert durch Byrons Gedicht «Finsternis», entwirft Till im achten Abenteuer das Schreckensbild von der plötzlich ausbleibenden Sonne. Die Toten, die für immer um das freundliche Gestirn Betrogenen, halten das Licht gefangen und verbreiten kimmerische Nacht in der Welt. Für Millionen gibt es ein gespenstisches Erwachen. Mit mächtigen Worten beschreibt der Dichter die Furcht der Kreatur, die Wirrnis und Not, das Bangen und Fordern, schließlich den Ausbruch apokalyptischer Raserei. Laternen werden zu Galgen, wahllos fällt das Richtbeil auf jeden, den ein Scheelblick trifft, der Henker erlebt seine große Stunde und Vergöttlichung. Der Rest ist Schweigen ...

Dieses Epos ordnet sich in eine breite Literaturbewegung ein. Etwa gleichzeitig erschienen viele andere Antikriegsdichtungen, so Johannes R. Bechers «Der Bankier reitet über das Schlachtfeld» (1926), Arnold Zweigs «Der Streit um den Sergeanten Grischa» (1928), Ludwig Renns «Krieg» (1928), Erich Maria Remarques «Im Westen nichts Neues» (1929), Adam Scharrers «Vaterlandslose Gesellen» (1929). Obwohl das Kriegserlebnis bei Gerhart Hauptmann nur am

Rande eine Rolle spielt, war sein Werk doch partiell eine achtbare antimilitaristische Kundgabe.

Bei dem Zug durch Deutschland hat Eulenspiegel mehrere Begegnungen, in denen zeitgenössische Vorkommnisse durchscheinen. Im dritten Abenteuer findet er beispielsweise einen halbnackten Schloßherrn als Angler am Teich, wobei ein symbolischer Durchblick freigegeben wird auf den Amfortas der Gralssage. Aber das Bild ist nicht glücklich gewählt: Von welcher Qual sucht dieser Mann Erlösung? Wie könnte der letztlich unwandelbare Till ein Parzival sein? Gesprächsweise erzählt der Angler, wie er im Kriege als Kapitän auf einem meuternden Schlachtschiff die «Flagge der Freiheit» hissen ließ und die passive Gewalt empfahl. Er pflege nun mit dem Gesinde likedeelerisch das Mahl einzunehmen und trachte seine Güter gerecht zu verteilen. Das macht ihn als Kommunisten verdächtig, und wir sind Zeuge seiner hinterhältigen Ermordung durch nationalistische Freischärler.

Ein solches Femegericht vollzog sich tatsächlich im Mai 1920 auf dem pommerschen Gut Waldfrieden an dem Kapitänleutnant a. D. Hans Paasche, der während der Novemberrevolution im Ausschuß der Arbeiter- und Soldatenräte und später als «Lebensreformer» und pazifistischer Literat hervorgetreten war. Das Epos zeigt die Gewissensnot des Mörders, eines jungen Soldaten, der ernüchtert zu den Fahnen der Humanität eilt und sich nicht mehr zu Krieg und «Totschlag mißbrauchen» lassen will.[16]

Die im sechsten Abenteuer geschilderten Vorgänge trugen sich in der Realität eigentlich vor denen des dritten zu. Auf dem Wege nach Laubaum (gemeint ist wohl die östlich von Görlitz gelegene schlesische Kreisstadt Lauban) gerät Till in einen «Hexenkessel», in den Kapp-Putsch, hinein. Dieses Ereignis mit der «Amtsenthebung» des «Sattlers»[17] und damaligen Reichspräsidenten Friedrich Ebert dauerte bekanntlich nur fünf Tage und ereignete sich im März 1920; ein Generalstreik und entschlossene Aktionen der Arbeiterklasse bereiteten dem Spuk ein rasches Ende. Davon erwähnt Hauptmann in seinem Epos nichts. Bei ihm erlebt Till lediglich vor dem Rathaus zu Laubaum eine aufgebrachte, empörte Menschenmenge, die Ermordung einer kühn vorstürmenden Mutter. Doch im Grunde galt ihm Ebert (dessen opportunistische, arbeiterfeindliche Rolle er nicht durchschaute) als «Retter Deutschlands in schwerster Not»[18] und als Mann, der Geschichte macht. Die Absicht des Dichters, in dem Zusammenhang die «Liebknecht-Rosa Luxemburg-Tragödie» zu gestalten[19], blieb unausgeführt.

Auch das siebente und achte Abenteuer spielen noch in jenen erregenden, für die Republik gefahrvollen Tagen. Am Hofe des Königs Abalus, wo Till Eingang findet, schwelgt man in der Nachricht von der Flucht des «Sattlers» (tatsächlich mußte sich Ebert zeitweilig aus Berlin nach Dresden und Stuttgart zurückziehen) und verhöhnt die «Spottgeburt der Regierung». Die Junker geben ihren Mordgelüsten freien Lauf, wollen aus dem revolutionären «Geschmeiß ... Seife kochen» und lassen mit Maschinengewehren auf das Volk schießen, weil es rebelliert und angeblich im Kriege dem heroisch kämpfenden Heer den «Dolchstoß» versetzte. So konnte man die Niederlage kompensieren durch die Legende: Im Felde unbesiegt ...

Obwohl in den Gaukeleien Tills vor dem Monarchen zweifellos Reminiszenzen an Fausts Taten am Kaiserhof mitschwingen, läßt sich in den Episoden auch ein historisches Vorbild erkennen. So wie Abalus lebte der ehemalige sächsische König Friedrich August III. nach seiner Entthronung durch die Novemberrevolution von 1918 bis zu seinem Tode (1932) auf dem englisch-gotischen Lustschloß Sibyllenort nordöstlich von Breslau. Reaktionäre aller Schattierungen sammelten sich um den gestürzten Fürsten, wobei sie verzweifelt nach einem Comeback Ausschau hielten. Einem Eulenspiegel konnten Ex-Potentaten und Prinzlein nur «schnurrig» erscheinen; er erschreckt sie durch schaurige Kriegs- und Revolutions-Visionen.

Nach der Begegnung mit einer saturnhaften, gleisnerischen Persönlichkeit (bei der an Ludendorff zu denken wäre), die sich auf dem Wege zur «schutzlosen Hauptstadt» befindet, hört Till im zwölften Abenteuer allerlei Weltverbesserern zu, einem Bußprediger und Kohlrabi-Apostel, einem Exjesuiten und einer Exzellenz, die demagogisch «Jesuiten und Juden» für den Krieg und die nationale Katastrophe verantwortlich machen will. Und im nächsten Abenteuer zieht der Landstreicher dann traumhaft als Kaiser in Wittenberg ein, wo ein «Weltkonzil» stattfinden soll. Wiederum werden Möglichkeiten des Auswegs diskutiert. Phantastischerweise treten auf dem Marktplatz der Lutherstadt Mahatma Gandhi, Fausts fabelhafter Sohn Justus und – im vierzehnten Abenteuer – ein grotesker russischer Agitator auf, der ankündigt, daß Lenins Sarg vorbeigetragen wird. In dem Zusammenhang fallen naive, verständnislose Bemerkungen über den Kommunismus und die jüngste rote «weltgeschichtliche Mode»[20].

So wie das parodistische «Heldengedicht»[21] hier auf der politischen Ebene immer mehr aus der Wirklichkeit ins Unwirkliche und Geträumte, vom Realen zum Mythischen fortschreitet, geschieht das auch in Tills privaten Bereichen. Den lebenskräftigen Liebesepisoden mit der Kuhmagd Lene, mit der einstmaligen Freundin und nunmehr in «glänzendem Elend» dahintrauernden Prinzgemahlin Stella und der derb-dirnenhaften, gutmütigen Gule folgt im sechzehnten Abenteuer ein wunderbares tausendjähriges Zusammenleben mit der Göttin (und Hekate-Personifikation) Baubo auf Taygetons Höhen. Im antiken Mythos war Baubo kaum mehr als eine naive Possenreißerin, die der Erdmutter Demeter im Gram um die verschwundene Tochter Persephone durch frivole Späße Erheiterung zu schaffen suchte. Goethe ließ sie entsprechend in der Walpurgisnacht des «Faust» als alte Hexe auf einem trächtigen Mutterschwein einherreiten.

Bei Hauptmann ist die Baubo ebenfalls derb und dumm,

doch jugendlich, und sie entwickelt sich zur liebevollen Traumgefährtin Tills, zu einer Art ins «Göttliche gesteigerter Gule»[22]. Heiter bauen sich die beiden eine Wohnstätte, vollbringen «Arbeit, die Wert schafft», führen ein freies Hirtendasein. Die Göttin wird wieder ganz Mensch und erscheint als «edel, hilfreich und gut». Eros und Apoll kommen oft vom Olymp zum peloponnesischen Gebirge herüber, aber als der Göttervater einmal in Stiergestalt der Kuh Jo nachstellt, begibt sich ein Kuriosum, denn mit einem Kiefernknüttel bewaffnet stürmt die Herrin dazwischen, und «es hallet die Schwarte des Zeus von den Schlägen der Baubo».

Es ist bemerkenswert, wie unbekümmert Gerhart Hauptmann in seinem Epos die alten Mythen schöpferisch verarbeitete. Ebenso wie er der überlieferten Baubo- und Jo-Episode heitere Varianten abgewann, vollzog er erstaunliche Synthesen, setzte Till mit dem schalkhaften Hermes und Dionysos-Platon in Beziehung[23], wagte Kopulationen wie Dionysos-Christus, Herakles-Luther. Die eigenartigste Neuinterpretierung gelang ihm jedoch bei der Umdeutung der jüdisch-christlichen Teufelsauffassung. Bei Begegnungen mit dem Leibhaftigen erfährt Eulenspiegel zu seiner höchsten Verwunderung, daß Satan an seinem «Galeerenberuf» leidet! Er ist es müde, das böse Prinzip zu verkörpern, hat Gott wiederholt flehentlich gebeten, ihm die Abdankung vom Thron der Verdammnis zu gewähren, ihn auszulöschen ins Nichts. Damit würde die Menschheit buchstäblich vom «Teufel» erlöst, verstummen müßten die Lügen über den Dämon der Wahrheit, doch Gott hat die Schließung der Höllenpforten verweigert – wahrscheinlich weil er sonst für alles Böse in der Welt eine Verantwortung übernehmen müßte. Von hier aus bahnt sich ein Verständnis der positiven Satanael-Darstellungen des alten Dichters an. – Es gibt noch viele hintergründige Auftritte in dem Epos. Zu erinnern wäre an eine Prophezeiung der Wiedergeburt Deutschlands, die im vierten Abenteuer der imposanten Erscheinung des musikalischen «Wolkenversammlers» und «Großsiegelbewahrers der Tonkunst», Johann Sebastian Bach, in den Mund gelegt wird, oder an Tills Traumausflug in Helenas Reich und die griechische Burg des Admetos, in der paradiesische Eintracht herrscht wie in der vierten Ekloge des Vergil[24]. Wenn Admetos, der Alkestis-Gemahl und «Alte vom Berge», auf die Sphäre der «seligen Knaben» anspielt, offenbart sich momentweise seine Wesenseinheit mit Faust-Goethe.

So rollt in achtzehn Abenteuern eine bunte, für Hauptmanns Denken höchst aufschlußreiche, wenngleich bisweilen verwirrende Bilderfolge an uns vorüber. Dieser Eulenspiegel ist ein Kriegsopfer, ein Verzweifelter, der mit rabelaisschem Humor und durch die «Andacht des Lachens» ein Überwinder werden möchte. Aber immerdar taumelt er von der Qual zum Genuß, tut mit Hilfe einer kosmischen Phantasie auf dem Rücken des Kentauren Cheiron (des weisheitsvollen Erziehers zahlreicher antiker Sagenhelden) fabelhafte Blicke vom «Diesseits ins Jenseits», um schließlich steigend zu versinken. Es ist sein schopenhauerischer Wunsch, «nicht mehr wollen zu müssen». Wie Michael Hellriegel, Emanuel Quint und Prospero begibt er sich in die Einsamkeit der Berggipfel und springt in den Abgrund. «Vom ‹Nichts› ist er ausgegangen. Ins Nichts geht er wieder ein: das ist sein Kreis.»[25]

Trotz der Bedeutung als Weltanschauungsgedicht und vieler Schönheiten im einzelnen können wir Hauptmanns *Till Eulenspiegel* nicht zu den wirklichen Meisterwerken unserer Nationalliteratur zählen. Abgesehen von einer etwas aufdringlichen Bildungsschaustellung und einer nachlässigen Komposition, in der die Abenteuer lediglich gereiht, kaum verbunden und dadurch leicht «entbehrlich» werden, ergeben sich formale Bedenken. Zwar haben U. Lauterbach und P. Sprengel von der «regelgetreuen, zugleich … barockbeschwingten Versarchitektur», ja der «Kühnheit und Modernität» dieses Hexameterepos gesprochen[26], aber letztlich

tönt es wie Leierkastenklang. Zudem: «O schwülstig schau-
dervolles Barock!»[27] Für ein neuzeitliches Stilgefühl, das
sich im Umgang mit variations- und experimentierfreudi-
ger Dichtung herausbildete, ist ein rhythmisches «Klimpe-
rimpim» über dreihundert Seiten kaum mehr erträglich. Somit erweist sich Hauptmanns Versuch, im 20. Jahrhundert
die Hexameterdichtung zu beleben, als Eulenspiegelei.

Mynheer Peeperkorn

Die zwanziger Jahre und Begegnungen
mit Thomas Mann

Trotz mancher Sorge, Wirrnis und Problematik war das siebente Lebensjahrzehnt vielleicht Gerhart Hauptmanns glücklichste Zeit. Mit den Idealen und Zielen der Weimarer Republik fühlte sich der Dichter im wesentlichen in Einklang. Die bürgerlich-demokratische Orientierung, die Kompromißbereitschaft und zögernde Reformwilligkeit der neuen Regierung entsprachen weitgehend seiner eigenen Grundhaltung.

Anläßlich seines sechzigsten Geburtstages im November 1922 empfing er vielfache Ehrungen. Schon im August fanden in Breslau Hauptmann-Festspiele statt, bei denen vierzehn Stücke aufgeführt wurden und Reichspräsident Friedrich Ebert und der Literaturkritiker Alfred Kerr Huldigungsansprachen hielten. Im September folgten Gedenkveranstaltungen in Hamburg. Im November nahm der Dichter während der offiziellen Geburtstagsfeier in Berlin die höchste Auszeichnung der Republik in Empfang, den Adlerschild des Deutschen Reiches. – Große Beachtung schenkten Verlagswelt und Leser dem Jubilar. Bei S. Fischer erschien eine zwölfbändige Gesamtausgabe, und in größerer Zahl bemühten sich Literaturwissenschaftler wie Arthur Eloesser, Walter Heynen, Ludwig Marcuse, Horst Engert, Paul Fechter, Max Freyhan um eine Würdigung.

Im Gedenkjahr erhielt auch das Haus des Dichters zu Agnetendorf in doppeltem Sinne das Ansehen, das wir aus vielen Beschreibungen kennen. Bekanntlich bewohnte

Hauptmann das burgartige, nach Entwürfen des Architekten Grisebach aufgetürmte Gebäude des Wiesensteins bereits seit 1901. Schon damals dachte er daran, «mehrere Wände und leere Glasfenster» durch Ludwig von Hofmann kolorieren zu lassen; vielleicht in der Art, wie es separierte Seiten im *Buch der Leidenschaft* andeuten: «Salomo mit den Sprüchen der Weisheit müßte zu sehen sein, Sokrates im Gespräch mit seinen Jüngern, Hiob umgeben von seinen Aussprüchen, gegen die der Trotz des Prometheus eine zahme Sache ist.»[1] Doch erst 1922 brachte Johannes Maximilian Avenarius in der geräumigen Halle die «Atmosphäre» schaffenden farbigen Wandfresken an. Nach der Vorstellung des Künstlers sollte die Bemalung ähnlich wirken wie eine «kostbare Tapete»[2], und so gestaltete er unter dem Motto «Das schlesische Paradies» eine Bilderfolge mit Illustrationen zu Werken des Hausherrn (vor allem zu *Hanneles Himmelfahrt*), mit Musenköpfen, denen er Züge von Verwandten und Freundinnen des Heimes lieh und einer Huldigung der Elemente an die Ewigkeit. Durch ornamentalschnörkelhafte Verbindungen und das Vorherrschen gelber und blauer Farbtöne entstand der Eindruck eines kunstvollen Gewebes, über das der Goethespruch hinweglief: «Wen du nicht verlässest, Genius!»

Nach Augenzeugenberichten muß die kamindurchwärmte Halle etwas Museales gehabt haben. Mächtige Renaissanceschränke standen an den Seitenwänden, der Goethekopf von d'Angers, Skulpturen und eine lebensgroße Kopie des Wagenlenkers von Delphi zogen die Blicke auf sich, von der Decke hing ein gotischer Bronzeleuchter herab. All das und die Schaustellung von Erinnerungsstükken und Gemälden war freilich mehr prunk- als stilvoll, es fehlte jede «sogenannte Gemütlichkeit»[3].

Von der Halle gelangte man in den eichegetäfelten Speiseraum, auf dessen Wandborden zinnerne und silberne Becher standen. Auf einem Sockel befand sich die von Gerhart Hauptmann gefertigte kleine Wachsplastik seines zwölfjährigen Sohnes Benvenuto. Schließlich sei noch die reichhaltige Bibliothek mit über zehntausend Bänden und mit kleinen bildnerischen Kostbarkeiten erwähnt, etwa einem schwebenden Negerboot, einem Sokrateskopf, Masken von Goethe, Napoleon und dem ehemals mit Hauptmann befreundeten Schauspieler Josef Kainz.

Mit nahezu allen bedeutenden Geistern Deutschlands stand Hauptmann in den zwanziger Jahren in Kontakt. Im Briefnachlaß findet man unter den Adressaten und Absendern Namen wie Albert Einstein, Max Liebermann, Käthe Kollwitz, Heinrich Mann, Hermann Hesse, Franz Werfel, Stefan Zweig, Alfred Döblin, Bertolt Brecht und besonders umfangreiche Korrespondenzen mit Otto Brahm, Herbert Eulenberg, Ludwig von Hofmann, Hans von Hülsen, Fritz Klimsch, Emil Ludwig, Walther Rathenau, Hermann Stehr. Auch Thomas Mann gehörte zu dem Kreis.

Von gewissen Berührungspunkten zwischen dem Autor der *Weber* und dem Autor der «Buddenbrooks» haben wir schon gelegentlich gesprochen; wir wollen uns nun an dieser Stelle ausführlicher und zusammenhängend mit den beiden Dichtern beschäftigen, deren persönliche Beziehungen sich seit 1922 enger gestalteten und ein Stück Kulturgeschichte spiegeln.

Über das erste Zusammentreffen erfand ein Spaßvogel die Anekdote, Gerhart Hauptmann habe Thomas Mann vom Bahnhof abholen wollen, ihn erst nach längerem Suchen entdeckt und bei der Begrüßung ausgeplaudert: «Denken Sie sich, schon zwei Leute habe ich gefragt, ob sie Thomas Mann seien, aber der eine rief: ‹Um Gottes willen, ich nicht.› Der andere: ‹Ich wollte, ich wär's!›»

«Ei, das beweist doch», konstatierte Thomas Mann erfreut, «daß wenigstens einer meine Bücher gelesen hat.»

Hauptmann darauf: «Schon recht, aber welcher von beiden?»

Die kleine Geschichte, in der offenbar ein Rollentausch vorgenommen und Hauptmann eine gewisse Witzigkeit zu-

*Federzeichnung von Ivo Hauptmann zum 60. Geburtstag
seines Vaters*

365

geschrieben wird, hat sich natürlich niemals zugetragen. Aus einem Brief Thomas Manns vom 29. Oktober 1903 an S. Fischer geht hervor, daß um diese Zeit der Verleger der beiden namhaften Schriftsteller ihre erste Bekanntschaft vermittelte. Der jüngere Autor sah darin «ein Erlebnis ersten Ranges»[4], das jedoch zunächst keine Folgen hatte.

Eigentlich ist das verwunderlich, denn beide Dichter gingen von ähnlichen Bildungsmächten und geistigen Grundlagen aus. Sowohl Hauptmann wie Thomas Mann bekannten sich stets voller Verehrung zu Lew Tolstoi, behandelten in ihrem Frühwerk mit naturalistischem Exaktheitsdrang und Wahrheitsfanatismus Generationsprobleme, den Verfall von Familien und die Schicksale pathologischer Naturen. – Ferner huldigten sie zeitlebens gleichermaßen dem Genie Richard Wagners, das sich beim jungen Thomas Mann mit Schopenhauer und Nietzsche zum beherrschenden «Dreigestirn» verband, was bei Hauptmann nicht in dem Maße der Fall war, obwohl auch er vorübergehend den Einfluß des Übermenschen-Philosophen und später den des pessimistischen Ethikers des Mitleids erfuhr. Davon war bereits die Rede.

Trotzdem kam es vorerst zu keiner Annäherung zwischen dem Herrn des Wiesensteins und seinem dreizehn Jahre jüngeren Kollegen; immerhin sandte dieser 1912 «ehrerbietige Glückwünsche» zur Nobelpreisverleihung[5]. Zeitgenossen empfanden die beiden als Antipoden, als extreme Repräsentanten von Geist und Natur, kritischer, ironiegesättigter Bewußtheit und traumschwerem, naivem Gefühlsdenken, als schreibenden «Musiker» und dichtenden «Plastiker», als ein sprachmächtiges episches und ein urwüchsiges dramatisches Hochtalent. – Thomas Mann selbst äußerte sich 1895 brieflich sehr despektierlich über das «Webergeheul des Herrn Hauptmann» und verhielt sich in ersten Essays zurückhaltend. In dem «Versuch über das Theater» bekannte er 1908, einzig Wagners Kunst verbinde ihn mit der Schaubühne, während man bei Hauptmann, Wedekind, Hofmannsthal «in der Regel» besser tue, «sie zu lesen». In seiner Würdigung des «Alten Fontane» erwähnte Thomas Mann die Zustimmung des Meisters zu den *Webern* lediglich in drei Druckzeilen.

Es war ein russischer Kritiker, der im Februar 1921 in einem Vortrag im Petersburger «Haus der Künste» erstmals die beiden deutschen Dichter nebeneinanderstellte, obwohl es um diese Zeit wahrlich noch nicht viel miteinander zu «vergleichen» gab. Wußte Andrej Lewinson, der seinen Hörern unter anderem das Hexameterepos «Gesang vom Kindchen» erläuterte, daß Hauptmann gerade in Agnetendorf die stimmungsmäßig ähnliche Hexameter-Idylle *Anna* zu Ende schrieb? Auf jeden Fall bewies er eine «Witterung» für literarische Phänomene …

Genau ein Jahr später, Ende Februar 1922, führte ein bedeutungsvolles Ereignis Gerhart Hauptmann und Thomas Mann zusammen. Beide legten anläßlich einer Festwoche zur Unterstützung des berühmten Hauses am Hirschgraben zu Frankfurt am Main ein erstes öffentliches Bekenntnis zu Goethe ab, und zwar versuchte sich Hauptmann an dem Thema *Goethe und die Volksseele*, während Thomas Mann seine (kurz zuvor für eine Lübecker Veranstaltung konzipierte) Betrachtung über «Goethe und Tolstoi» vortrug. Obwohl Hauptmann damals mit der Betonung des «durch und durch volkstümlichen» Charakters von Goethes Werk im Grunde Wesentlicheres erfaßte als Thomas Mann, der dem verehrten Vorbild noch stark aristokratische und dämonische Züge zuschrieb, wirkt sein Beitrag vergleichsweise belanglos. Es war ihm nicht gegeben, seine Gedanken zum formvollendeten Essay zu verarbeiten und tiefe Erkenntnisse auszusprechen.

Die gemeinsame Goetheverehrung förderte fraglos die Annäherung der beiden Dichter. Es ist beinahe erheiternd, zu sehen, wie sie sich im folgenden – jeder auf eine ihm eigentümliche Weise – eifrig um eine «Imitatio» Goethes bemühten, wie sie durch ihre Erscheinung bei den Zeitgenossen die «Assoziation Goethe»[6] hervorzurufen suchten und spielerisch biographische und werkgeschichtliche «Entsprechungen» konstruierten. Auf Hauptmanns Goethe-«Nachfolge», die besonders im Gedenkjahr 1932 offenkundig wurde, werden wir im nächsten Kapitel zusammenhängend eingehen.

Übrigens war es nicht nur die Liebe zu Goethe, in der sich Thomas Mann und Hauptmann 1922 buchstäblich fanden, sondern auch ihre Verbundenheit mit Demokratie und Republik. Beide erkannten nach dem ersten Weltkrieg die Notwendigkeit, ihre früheren «unpolitischen» oder nationalistischen Anschauungen zu korrigieren, die «Deutsche Wiedergeburt» zu fördern und für den Sieg der Humanität zu streiten. Von beiden wissen wir, daß sie mit Außenminister Walther Rathenau und Reichspräsident Friedrich Ebert gut bekannt waren. Rückblickend auf die Tage von Frankfurt bemerkte Thomas Mann später: «Ich hatte eine Mahlzeit mit ihm und Hauptmann.»

Die Zusammenstellung des höchsten Repräsentanten der Weimarer Republik, Friedrich Ebert, mit dem poetischen Repräsentanten Deutschlands, Gerhart Hauptmann, findet sich zu Beginn einer Ansprache wieder, in der sich Thomas Mann im Herbst 1922 demonstrativ zu «Deutscher Republik» bekannte. Zweifellos mit Zustimmung des Jubilars widmete er die aufsehenerregenden Darlegungen dem sechzigjährigen Hauptmann, dem er ferner in einer Festschrift den Geburtstagsgruß entbot: «Ich liebe und bewundere Gerhart Hauptmann von jeher … Er steht für uns alle, ein deutscher Meister und nachgerade etwas wie ein Vater des Volkes.»[7] Das waren Manifestationen der Sympathie, Huldigungen auf der Grundlage gemeinsamer politischer Auffassungen. 1923 schickte der Verfasser der gerade erschienenen ersten Krull-Fragmente ein Exemplar an den Kollegen, schalk- und «zaghaft, denn es ist loses Zeug, aber in der Hoffnung, es möge ihm ein heiteres Stündchen gewähren»[8].

Knapp ein Jahr später wurde die Beziehung der beiden Autoren einer vielberedeten Belastungsprobe ausgesetzt. Es ist schon oft erzählt worden, wie Gerhart Hauptmann und Thomas Mann im Oktober 1923 zu Bozen-Gries durch Zufall gleichzeitig im «Hotel Austria» wohnten. Gemäß dem erst 1955 veröffentlichten Bericht eines Augenzeugen, des Kunsthistorikers Johannes Guthmann, überschaute Thomas Mann bei der Vorstellung der «Haupt-, Guth-, Zimmer- und Thomas-Männer» mit Vergnügen diese «ganz männliche Angelegenheit»[9]. Am Abend schwammen ihm jedoch bald die Felle weg, als Hauptmann für die Tafelrunde große rundbauchige Zweiliterfiaschi roten Chianti-Weins bestellte, danach zusehends aufblühte und sich in seinem «Behagen» nicht stören ließ. Nach Lokalschluß führte er die kleine Gesellschaft (trotz des «sanften Einspruchs» des jüngeren Kollegen) noch in ein Nachtcafé und präsidierte dort unumschränkt, während Thomas Mann, übermüdet, sichtlich «verfiel» und ganz und gar nicht mehr durch geistreiches «Blitzen» zu bezaubern vermochte.

War es im bacchusgesegneten Zustande «herabgesetzter menschlicher Zurechnungsfähigkeit»[10] oder im Augenblick kritischer Kompensationslust an der Ruhestatt des zeitweilig bettlägerigen gestenreichen Dionysiers, daß in Thomas Mann die «Vision» des Mynheer Peeperkorn erstand? Kurzum, zu einem Zeitpunkt, da eine für den «Zauberberg» vorgesehene Romanfigur noch konzipiert werden mußte, in «erzählerischer Not», verdichtete sich das Erlebnis der Hauptmannschen Persönlichkeit zur Gestalt des imposanten malariakranken Kaffeehändlers Pieter Peeperkorn.

Davon wußte der alte Dichter zunächst nichts, sondern verbrachte im Sommer 1924 abermals und arglos gemeinsam mit Thomas Mann Ferienwochen auf der Insel Hiddensee. Bekanntlich faßte Hauptmann schon nach der ersten Landung im Jahre 1885 eine Vorliebe für das «söte Länneken»[11] (das süße Ländchen). Er besuchte es seit 1916 fast in jedem

Sommer, wohnte bei dem befreundeten Maler Oskar Kruse auf der Lietzenburg und dann mehrmals in Frau von Sydows Hotelpension «Haus am Meer». Erst 1926 entdeckte er in Kloster das Haus «Seedorn» für sich. Er mietete es, erwarb es 1930 und ließ es durch den Dresdner Architekten Schelcher ausbauen.

Auf Hiddensee fühlte sich der Dichter ungemein wohl. Wilhelm Herzog erzählte gelegentlich von diesem nordischen Ascona: «Viele Maler, Schriftsteller, Schauspieler, junge Mädchen und junge Frauen tummelten sich hier am Strand und hinter den Dünen. Arme Bohemiens neben reichen Taugenichtsen, fleißige geistige Arbeiter neben faulenzenden Snobs. Eine bunte, amüsante, lebenslustige, zu jedem Unfug aufgelegte Gesellschaft.»[12] – Ein solcher «Unfug» wurde im Sommer 1923 mit der Gründung der «Souveränen Kunstfischer-Republik»[13] inszeniert, die der Dirigent Max von Schillings unter Parodierung der rheinischen Separatisten von Anno neunzehn als «Präsident» leitete. Mit zur Partie gehörten die Sängerin Barbara Kemp, die Tänzerin Magda Bauer, der Maler Hanns G. Haas, der Architekt Hermann Muthesius, der Bildhauer Max Kruse, viele junge Leute und auch Gerhart Hauptmann, der sich den Scherz gefallen ließ, wegen «Majestätsbeleidigung» in seinem Schauspiel *Gabriel Schillings Flucht* zum «Schutzhäftling» erklärt zu werden. Als eines Tages Regierungspräsident Haußmann aus Stralsund zur Insel herüberkam, erhielt er die «alarmierende» Nachricht von der Inhaftierung des Dichters durch eine «revolutionäre» Junta. Dieweil schwamm Schillings' «Geisel» unter Ehrenbewachung mit roter Dreiecksbadehose ganz munter in der Ostsee, schnaufend und unentwegt tauchend wie ein fabelhafter Triton …

In der zweiten Julihälfte 1924 beherbergte das «Haus am Meer» in Kloster außer Hauptmann auch Thomas Mann, der sich an diese Zeit häufig und gern erinnerte. Damals empfing er, am Strand und im Quartier, rührende Zeichen der Großherzigkeit, Gutmütigkeit und Fürsorge des verehr-

ten Kollegen, hörte aus dessen Mund Passagen aus dem *Eulenspiegel*-Epos und aus dem Roman *Die Insel der Großen Mutter* und las selbst, nach entwaffnendem Zureden, ein Kapitel aus der Hörselberg-Geschichte des verzauberten Hans Castorp.[14] – Einer Anekdote zufolge, die der Hiddenseer Pastor Arnold Gustavs mitteilte, soll es gelegentlich zu spaßigen Rivalitäten gekommen sein: Nach dem Gesang einer Gruppe von jungen Gewerkschaftern oder Wandervögeln vor der Hotelpension habe Hauptmann (der Gabe des freien Sprechens nicht mächtig) vom Balkon aus ein paar eilig diktierte Worte des Dankes verlesen, während kurz darauf von dem darüberliegenden Altan eine brillante, improvisierte Grußadresse Thomas Manns zu hören gewesen sei.[15] Das ist möglicherweise nur eine possenhafte Ortsfama. Nach Hans von Hülsens Mitteilung[16] fand eine derartige Huldigung auf der Wiese vor dem «Haus am Meer» statt – doch Mann sagte dabei kein einziges Wort.

Im Herbst 1924 erschien der «Zauberberg». Nach der Lektüre des ersten Drittels nannte Gerhart Hauptmann den Roman brieflich einen «Wurf» und ein «Meisterwerk»[17]. Dieses Urteil hat er später nicht revidiert, obwohl er sich beim Lesen der Peeperkorn-Kapitel «sichtlich verletzt»[18] fühlte. Gewiß, auch er selbst hatte in seinen Dichtungen oftmals Menschen nachgezeichnet und «Modelle» verärgert (beispielsweise den «Apostel» Guttzeit, Frank Wedekind durch das *Friedensfest*, die Mutter Heinze durch den *Biberpelz*). Gewiß hatte er 1890 einem «Kläger» erklärt: «Es liegt etwas Kleines in diesem Sich-getroffen-fühlen»[19], aber die weitgehend lächerliche «Personifizierung» auf dem wunderlichen Berghof schien ihm zu weit zu gehen. Unverkennbar parodierte ja der Schöpfer des javanisch-holländischen Mynheers romanhaft seine eigene unbeholfene Sprechweise und seine robuste Gestalt mit der etwas altväterischen Kleidung. Aus Brief- und Tagebuchnotizen, die Hans von Brescius schon teilweise auswertete[20], wissen wir Genaueres über Hauptmanns Empfindungen bei der Lektüre. Am 14.12.1924 bemerkte er unvermittelt: «Meine Äußerungen im Gespräch sind intuitiver Art, nicht compilatorischer Art wie die Manns, z. B. im ‹Zauberberg›», und zwei Seiten später heißt es: «Die ganze Angelegenheit ist unbrauchbar».[21] Am 19.12. empörte er sich darüber, daß Thomas Mann, dem er «offen und vertrauend entgegengekommen» sei, «gleichsam lange Finger gemacht» habe, «das verdirbt mir sein Bild»[22]. Im folgenden kritisierte er das Fehlen des «Elementaren» im Roman, allzuviele «Reflexionen», die «neben die Sache» griffen, und die «nicht bewiesene» Ansicht über das Sanatorium, das «Gesunde krank macht» und «moralisch ruiniert». Andernorts behauptete Hauptmann, der «Zauberberg» enthalte nur Ideen, die «längst ‹abgewirtschaftet›»[23] hätten. Unter den Figuren seien allenfalls «Joachim, der Chefarzt, der Secundararzt, Settembrini – eindrucksvollst –, der Jesuit Naphta» erwähnenswert. «Um diese 5 Gestalten zu geben, sind höchstens 105 Seiten notwendig ... Wir wissen es! Wir haben unzählige Male bei der großen Konfusion geblättert.»[24] Vorübergehend «scherzte» der Dichter über Peeperkorns «Besoffenheit» mit dem Zusatz: «Da ich nicht ersaufen will, entscheide ich mich für P.», doch das Buch blieb ihm «unappetitliche Kunst».[25] Als der Verleger S. Fischer am Jahresanfang 1925 zu beschwichtigen versuchte, schrieb Hauptmann im ersten Briefentwurf: «Thomas Mann hat mir ‹recht und echt› niemals etwas bedeutet: er konnte mir nichts sagen ..., hat mich nie interessiert.» Im zweiten Entwurf erinnerte er sich jedoch an die gemeinsamen Tage in Bozen: «Der College gewann meine wirkliche Sympathie.» Um so bedauerlicher, wie er «einem Säufer, einem Giftmischer, einem Selbstmörder, einer intellektuellen Ruine, von einem Luderleben zerstört ..., meine Kleider» anzog.[26] Mitte Januar wünschte Hauptmann, die «Akten zu schließen», und er tat es souverän im Diarium mit der Feststellung: «Thomas Mann – bedeutendes Werk: endlich etwas Diskutables in Deutschland. (‹Zauberberg›).»[27]

Thomas Mann stellte sich «betroffen» und ahnungslos, als ihm jemand nach einer Vorlesung sagte, man könne bei der Gestalt Peeperkorns bisweilen an Hauptmann denken. Es war eine Flunkerei, und vorsichtig bat er den gemeinsamen Bekannten Herbert Eulenberg um Vermittlung. Schließlich schrieb er am 11. April 1925 einen klugen, erklärenden, leicht schalkhaften Brief an den Meister, bekannte seine «Künstlersünde», erzählte die Genesis der «wirklichkeitsfernen Riesenpuppe» Peeperkorn, die das reale Ehrfurchtsverhältnis zum Modell doch in keiner Weise berühre, und bat für den «Streich»[28] in aller Form um Verzeihung.

Gerhart Hauptmann bemühte sich, die leidige «Angelegenheit» ins «Unpersönliche» abzuleiten. Als Anfang Mai bei der Eröffnung des Deutschen Museums in München eine Wiederbegegnung unvermeidbar schien, telegraphierte er aus Lugano: «Fern allem Groll begrüße ich Sie in alter Herzlichkeit. Brief folgt.»[29] Er dachte nicht daran, dem Geklatsche neue Nahrung zu geben, und wahrte das Gesicht. Im Juni sandte er dem fünfzigjährigen Thomas Mann sogar einen öffentlichen Geburtstagsgruß, in dem er die «Gewissenhaftigkeit und Genauigkeit» des Jubilars rühmte und mit Objektivität und Gelassenheit erklärte: «Auch im Dichterischen steht mir der ‹Zauberberg› am höchsten.»[30]

Allmählich mochte er den «Streich» verwinden, ja, er hatte Humor genug, sich später auf Peeperkorns Schnaps-«Labung», «Kapitänshand» und «Geliebte» zu berufen. Thomas Mann warb weiterhin um Hauptmanns Freundschaft, hielt 1926 in München eine sympathieerfüllte Begrüßungsansprache und erwies Gastlichkeit. Klaus Mann berichtete belustigt, die «seltenen Besuche» des imposanten Mannes hätten – schon durch den «ungewöhnlich großen Konsum von Rotwein und Champagner» – stets den «Charakter solenner Staatsvisiten»[31] gehabt. – Als Hauptmann 1928 nach längerem Zögern der Sektion für Dichtkunst in der Preußischen Akademie der Künste beitrat, entschloß er sich, nach

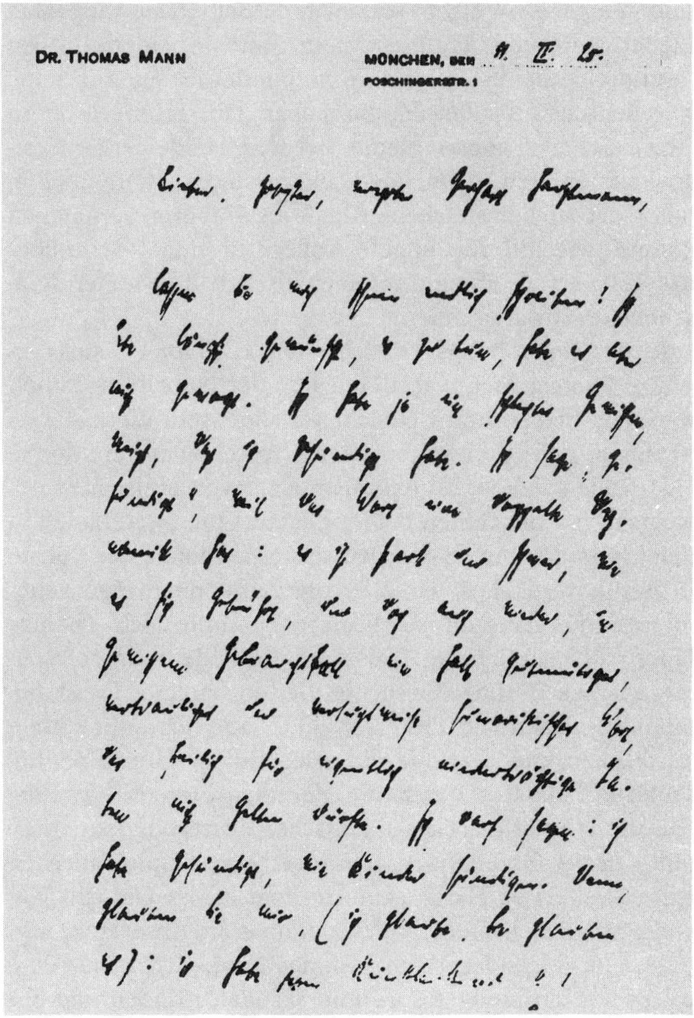

DR. THOMAS MANN

MÜNCHEN, DEN 11. II. 25.
POSCHINGERSTR. 1

Thomas Manns Bitte um Verzeihung

seinen eigenen Worten, vor allem deshalb dazu, weil «Max Liebermann und Thomas Mann, denen beiden» er «in freundschaftlicher Verehrung verbunden»[32] sei, für seine Mitgliedschaft plädierten. Im selben Jahr referierte er in Anwesenheit Thomas Manns bei den Heidelberger Festspielen über den «Baum von Gallowayshire», während er im Jahre darauf bei gleichem Anlaß als Zuhörer vernehmen konnte, wie ihn der jüngere Kollege in einer «Rede über das Theater» als «Ersten im dramatischen Reiche der deutschen Gegenwart»[33] feierte.

In der Entstehungsgeschichte des «Doktor Faustus» erzählte Thomas Mann: «Daß mir 1929 der Nobelpreis zufiel, war nicht zuletzt und vielleicht vor allem sein Werk.»[34] Das ist fraglos richtig, obwohl dabei die verschiedensten Motive eine Rolle spielten. Mitteilungen Hans von Hülsens (eines langjährigen Bekannten beider Dichter) und Materialien in den Literaturarchiven der Deutschen Akademie der Künste in Berlin verdanken wir über die Zusammenhänge neue, interessante Aufschlüsse. Danach bemühte sich Thomas Mann auf mannigfache Weise um die bedeutungsvolle internationale Ehrung. Er suchte die Stockholmer Preiskommission, namentlich Professor Böök, auf sich aufmerksam zu machen und begrüßte die gelegentliche Unterstützung seiner Kandidatur durch die Zeitung «Dagens Nyheter» (für die Hülsen damals als deutscher Korrespondent arbeitete). Am 15. Oktober 1929 schrieb er einen diplomatischen Brief an Gerhart Hauptmann, in dem er das Gerücht von einer möglichen Nobelpreisverleihung an Arno Holz mitteilte und folgendermaßen kommentierte: «Ich würde eine solche Preiskrönung absurd und skandalös finden und bin überzeugt, daß ganz Europa sich in voller Verständnislosigkeit an den Kopf greifen würde.»[35] Es gäbe doch noch würdigere Kandidaten, Ricarda Huch «zum Beispiel» oder –?

Hauptmann hatte seinen Spaß an dem Schreiben, weil er die Absicht des Verfassers natürlich durchschaute. Andererseits war er schon 1922 «empört» gewesen über das Gerücht von einer möglichen Auszeichnung des «Dafnis»-Liedermachers, dem er groteskerweise «Hochstapelei in Kunsttheorie, Hochstapelei im Drama, Hochstapelei in lyrischen Folianten» vorwarf.[36] Am 19. Oktober antwortete er nach München, einen Protest gegen die forcierte Schilderhebung Holzens würde man ihm als «nackte Mißgunst» auslegen, aber «mein Nobelpreis-Kandidat waren bereits vor 5 Jahren Sie, und ich habe das in Stockholm schriftlich vertreten; Sie sind es heute wieder. Für Ricarda Huch würde ich ebenfalls stimmen.»[37] (Nach Lektüre in Prosa von Hermann Hesse, der 1917 brieflich «Verehrung» bekundet hatte, erklärte er übrigens im Februar 1933: «Mein Nobelpreiskandidat sei dieser Steppenwolf.»[38]) Nun ergriff er eine Initiative bei der Schwedischen Akademie (um indirekt einer Anwartschaft von Holz entgegenzuwirken, die ihn arg schockieren mußte), während Hülsen in «Dagens Nyheter» ebenfalls für Thomas Mann, Huch oder George eintrat.

Am 12. November 1929 erhielt Thomas Mann die telegraphische Nachricht von seiner Auszeichnung mit dem Nobelpreis (übrigens nur für «Buddenbrooks»!). Einen Tag später erschien in den Zeitungen ein merkwürdiges Kurzinterview. Der Geehrte erklärte darin gegenüber dem Reporter Karl Jundt, er empfinde «natürlich eine große Freude und Genugtuung». Andererseits habe er sich zu fragen: «Ist die Wahl recht getroffen? Es gibt in Deutschland eine ganze Reihe von erlesenen Dichtern, die den Nobelpreis mindestens ebensogut verdient hätten ... Hatte nicht gerade Arno Holz ein Recht auf die Auszeichnung?»[39] Man traut seinen Augen nicht! Wie denn, erst contra, dann pro Holz? Wie die Worte auf den alten Hauptmann in Agnetendorf wirkten, kann man sich denken. Er hatte in solcher Situation absolut keinen Sinn für Bagatellen oder «Ironie», und äußerte gegenüber Hülsen: «Das ist doch –! Er schreibt mir ... er will mich gegen Holz benutzen, mich vor seinen Karren spannen. Und dann sagt er, Holz sei der Würdigere gewesen! Das ist doch –! Na, so ein Charakter!»[40]

Im Tagebuch rügte er im November/Dezember 1929 «niedrige Heuchelei» und einen «Fall krasser, schamloser öffentlicher Lügenhaftigkeit: Th. M.»[41]. Das Verhältnis der beiden Dichter zueinander dürfte problematischer, ambivalenter, gespannter gewesen sein, als man das bisher annahm. Die Erfahrung von 1929 hat Gerhart Hauptmann jedenfalls «nie vergessen und nie verziehen». Er spürte das eingestandene «Gran Ironie»[42] und argwöhnte eine gewisse Berechnung im Verhalten seines Kollegen, dessen Huldigungen zwar seiner naiven Lobbegierde entgegenkamen, ihm aber dennoch ein wenig «auf die Nerven» gingen, weil er darin bedachte Schmeicheleien zu erkennen vermeinte. Äußerlich blieb man in gutem Einvernehmen miteinander, ließ die Öffentlichkeit nichts merken; in seinen vier Wänden mochte Hauptmann mit imposanter Peeperkorn-Geste sagen: «Er-ledigt!»

An seinem siebzigsten Geburtstag (1932) konnte er noch einen «herzlichen Glückwunsch»[43] Thomas Manns empfangen und dessen Festansprache im Münchener Nationaltheater beiwohnen. Thomas Mann ließ sich über den Naturalismus vernehmen, der eigentlich ein «Moralismus des Häßlichen» sei und bei Hauptmann einmünde in eine «modern-soziale und gemüthafte, eine erschütternd wirkliche und dabei kunsthaft klingende, heimlich balladeske Volkskunst». Und kühn rühmte der Redner am Vorabend der faschistischen Machtübernahme die sozialistischen Tendenzen im Schaffen des Dichters. Danach begann die Entfremdung.

Gewiß schrieb Hauptmann 1935 noch Geburtstagsgrüße für Thomas Mann[44], aber dieser hielt sich zurück, zumal er mehrmals «Trostloses» über den alten Kollegen hörte und dessen angebliche Meinung, der zweite Josephsroman sei ein «fünftrangiges Buch». Am 22. 3. 37 berichtete Thomas Mann im Diarium vom Besuch eines Zürcher Geschäfts: «Meldung des Besitzers, daß unten G. Hauptmann einen Einkauf mache. Gegenseitige Ablehnung – von seiner

Seite mit der Einschränkung, ‹bis andere Zeiten kommen›, – worin er sich irrt.»[45] Man wich sich aus. Im Jahre 1939 galt der Autor von «Lotte in Weimar» dem Autor der *Mignon*-Novelle nur noch als «kleiner, in seine Feder verliebter Scribent (auf politischem Gebiet) – ohne alle Größe»[46].

Erst nach Hauptmanns Tod erklärte Thomas Mann gesprächsweise mit einer gewissen stolzen Resignation: «Der war doch eigentlich der einzige Pair, der einzige Ebenbürtige.»[47]

Kehren wir noch einmal in die Mitte der zwanziger Jahre zurück. Aus einer ähnlichen geistigen Grundorientierung heraus ergaben sich in den Motiven beider Schriftsteller immer wieder frappierende Berührungspunkte. So bemühten sie sich nach dem ersten Weltkrieg darum, mythisches Bildungsgut für die symbolische Darstellung zu verwenden. Man braucht nur die 1924 veröffentlichten Romane «Der Zauberberg» und *Die Insel der Großen Mutter oder Das Wunder von Île des Dames* miteinander zu vergleichen, um zu erkennen, daß sich die Autoren eigentlich nie gedanklich näher waren als damals – obwohl gerade «Der Zauberberg» mit der Gestalt Peeperkorns eine Kluft zwischen ihnen aufriß.

Aber hat diese «Persönlichkeit» nicht durchaus Hauptmannsches Format und Timbre? Offenbart sie nicht sogar noch in ihrer närrischen Verkleidung Großartigkeit, Güte, Vitalität und eine Herrschernatur, vor der die «intellektuellen Schwätzer» Naphta und Settembrini verzwergen? Thomas Mann selbst betrachtete das Phantasie-Porträt jedenfalls als eine Huldigung und erhöhte den Reiz durch manche feine Anspielung. Es sieht so aus, als habe er vor allem im Hinblick auf die Mütter-Insel mit ihren Kaffeefeldern in einem «utopischen Archipelagus» den Mynheer Peeperkorn als Kaffeehändler von dem «benachbarten» Java herkommen lassen. Auch stellte er dem mythischen Geschehen an einem von Hauptmann wortschwelgerisch beschriebenen Wasserfall des tropischen Eilandes just in den Peeperkorn-Kapiteln eine nicht minder beziehungsvolle, übermächtige Szene gegenüber, die sich beim Donnern der Kaskade im Schweizer Hochgebirge abspielt. Und weiter: Ist nicht die Ausgangssituation, hier wie dort, ganz ähnlich? In beiden Romanen lebt eine Menschengruppe in einer abgeschlossenen «pädagogischen Provinz» und experimentiert – auf der Insel praktisch, auf dem Zauberberg theoretisch – mit den verschiedensten Gesellschaftsformen.

Ferner fällt die (in Hauptmanns Büchern sonst nur spärlich vorhandene) ironische Grundhaltung der beiden Erzähler auf, ihre humoristische Gestimmtheit und ihre Vorliebe für umfangreiche «Lehrgespräche» und mythologische Sinnbilder. Wir gewahren auch bereits in Phaon Stradmanns Robinsonade Hinweise auf Urzeugung und Okkultismus und den visionären Ausblick auf eine von «Leben, Liebe, Selbstlosigkeit und Schöpferkraft»[48] erfüllte Welt, Motive, ohne die Hans Castorps «Erziehung» kaum denkbar wäre. Bisweilen dichten die Gestalten ihr Schicksal bewußt aus, und Herr Settembrini im «Zauberberg» führt ebensogern Faust-Zitate im Munde wie die durch eine überquellende «Lust am Mythos» hervorragende Theosophin Laurence Hobbema in der *Insel der Großen Mutter*. Aber natürlich kann nicht übersehen werden, wie auf dem Zauberberg letztlich alles in ein großes Sterben mündet, während auf der Mütter-Insel ein prächtiges Lebendigwerden anhebt und der ordnende Kronos die Zügel in der Hand behält.

Einen Mythos charakterisieren nach Thomas Manns Worten «Wiederkehr, Zeitlosigkeit, Immer-Gegenwart»[49], eine temporale Entgrenzung und Entrückung also, die Hans Castorp in der Monotonie des Zauberberges erlebt. Wie auf einem Strandspaziergang vermag er keine Fixpunkte mehr zu entdecken. Zeit und Raum ertrinken in der einförmigen Weite der Dünenlandschaft ebenso wie in dem Einerlei des Patienten-Alltags. Uhr und Kalender werden überflüssig, das Gestern kehrt im Heute wieder und das Heute im Morgen. In den Maßen des Mythos gilt ein Jahr nicht mehr als ein Tag.

Auf der Mütter-Insel hingegen wird auf «genaue Einhaltung des Kalenders» und tägliche Chronikaufzeichnungen Wert gelegt. Nach der merkwürdigen Landung mehrerer Boote mit über hundert schiffbrüchigen Frauen und dem zwölfjährigen Knaben Phaon am Strande eines Orplid im Stillen Ozean bemühen sich die drei tatkräftigsten Damen, nämlich die zierliche Präsidentin und Malerin Anni Prächtel, die in den Künsten und in philosophisch-religiösen Problemen bewanderte Laurence Hobbema und die Schriftstellerin Rodberte Kalb, das Leben der Gemeinschaft sinnvoll zu gestalten und die «Dämonen der Langeweile, des Müßigganges und der Trübsal» zu verscheuchen. Konsequent feiern sie Sonn- und Geburtstage, ermuntern jede Begabung zur Produktion und Unterhaltung, lassen Wohn- und Versammlungspavillons bauen und den Segen der Arbeit wirken.

Dennoch schreitet die Mythisierung unaufhaltsam fort. Es gibt einen interessanten, wohl unbeabsichtigten chronologischen Ansatzpunkt in dem Roman. Rodberte spricht gelegentlich von den Revolutionen des Abendlandes, erwähnt «die Befreiung des dritten Standes und die neuerliche des vierten»[50]. Sie hat also Kunde von der Sozialistischen Oktoberrevolution. Danach hätte man den Beginn der Handlung etwa um 1920 anzusetzen. Da das Geschehen rund zwei Jahrzehnte währt, reicht es, «real» gesehen, bis in eine Zeit, die vor dem schreibenden Dichter noch im weltgeschichtlichen Dunkel lag.

Eine andere Zeit-Zählung findet sich im Band II der Centenar-Ausgabe in nachgelassenen Fragmenten. Daraus geht hervor, daß Hauptmann schon Anfang der zwanziger Jahre die Thematik seiner späteren Novelle *Das Meerwunder* umkreiste. Er plante einen Zyklus *Lichtstümpfe* und versuchte, erste Notizen dazu als «Rahmen» für den «Mütter»-Roman zu nutzen. In zwei vorliegenden Prosaentwürfen schildert der Verfasser seine (fiktive) Begegnung mit einem Kustos (hier Renzo, im *Meerwunder* Otonieri genannt), die Tagungen jener kuriosen «einfachen Leute», die «Stanzen von Tasso prächtig aus dem Kopf» zu deklamieren vermochten, und die Entstehung der «Fraueninsel-Phantasmagorie». Im Unterschied zu der Spätfassung waltet in den frühen Skizzen kein unheimlicher Ernst, sondern etwas Komödiantisches, mit «Flunkereien» vermischt, aber auch Utopien zur «Rettung der Welt» entfalten sich. Außerdem bemerken wir in der realistischen (und weniger symbolischen) Vorform klare Datierungen: Das Treffen mit den Gewährsmännern ist noch vor dem ersten «sogenannten Weltkrieg» zu denken, und die Mütter-Robinsonade auf dem Kirke-Eiland «um das Jahr 1850 ..., um die gleiche Zeit, als die Romanzoffsche Expedition mit unserem herrlichen Adelbert von Chamisso an Bord ihre Weltreise unternahm»[51]. Obwohl bei dem letzten chronologischen Ansatz ein Irrtum unterlief, da die betreffende Erdumseglung von 1815 bis 1818 durchgeführt und mit der Entdeckung von rund 400 Südsee-Inseln einträglich wurde, erhält Hauptmanns Roman durch den Hinweis auf Chamissos Abenteuer und Fahrtenbuch einen beachtlichen Bezugspunkt und «Wirklichkeitszuwachs». Aber die Datierungen sind letztlich ohne Belang, weil die Geschichte jederzeit spielen könnte und, mittels eines Kunstgriffes, ganze Etappen der Menschheitsentwicklung rekapituliert.

Abgesehen von einigen phantastischen Vorbedingungen (die Rettungsboote enthalten in Fülle Werkzeuge, Getreidesaat, Artikel des täglichen Bedarfs, eine Kaffeemaschine, eine Geige – aber kein Funkgerät!) findet sich die Hundertschaft der Damen nach dem Schiffbruch buchstäblich auf frühgeschichtlicher mutterrechtlicher Stufe wieder und macht gleichsam einen Bachofenschen Kursus durch. Gerhart Hauptmann selbst bekannte gesprächsweise, *Die Insel der Großen Mutter* wäre wohl nie geschrieben worden, hätte er nicht «jahrelang auf Hiddensee die vielen schönen, oft ganz nackten Frauenkörper»[52] gesehen und zum anderen die Schriften von Johann Jakob Bachofen kennengelernt und mit künstlerischer Phantasie umwoben. Der «Urkommunismus» auf dem romanhaften Archipelagus entbehrt freilich zunächst der Bachofenschen Prämissen, denn die unumschränkte Gynaikokratie ergibt sich ganz von selbst, weil keine Männer gerettet wurden.

So können die Frauen einen absoluten Neubeginn wagen, eine Idealgesellschaft gründen, die Freiheit, Gleichheit und die Entfaltung schöpferischer Möglichkeiten garantiert. Als später in großer Zahl Kinder geboren werden, weigern sich die Mütter aus «Selbstachtung», einen natürlichen Erzeuger anzunehmen. Sie schaffen sich eine Religion, die das «Wunder» erklärt und den Glauben an eine übernatürliche Begattung durch den indischen Schlangengott Makulinda zum Dogma erhebt. Tatsächlich ist freilich der heranwachsende Jüngling Phaon der Urheber aller Fruchtbarkeit, doch die Damen finden es würdiger, eine Welt ohne Mann zu postulieren, ein Zeitalter des weiblichen Selbsthelfertums einzuläuten und sich in förderlichen Illusionen zu wiegen (auch um den Eifersuchtskomplex auszuschalten). Aus diesem Untergrund wächst eine tiefe, mutterrechtlich bestimmte Geisteskultur hervor.

Das Mutterrecht kann sich hier kampflos behaupten, weil es unter utopischen, von Bachofens Schilderungen durchaus abweichenden Bedingungen entsteht. Die Frauen in Hauptmanns Roman leben ja im Grunde monogam, bilden einen geheimen Harem des «Leuchtenden», des schönen Epheben Phaon, der Gefallen an den vielfältigen «Spielen» findet und kein «Recht» anmeldet. Aber die scheinbare Harmonie kann nicht hinwegtäuschen über die befremdliche Unterdrückung «aller Regungen der Menschlichkeit», wie schon Ernst Weiß in einer frühen Rezension[53] bemerkte. Die gestrandeten Insulanerinnen leben in spannungsarmer «Wohlzufriedenheit», zwar auf Rettung bedacht, doch ohne Trauer über verlorene Angehörige, ohne Eifersucht und Gewissensskrupel. Ein Konflikt braut sich erst zusammen, als das männliche Element auf der Insel durch die Geburten zunimmt. Ein fanatischer Mütterrat verbannt alle fünfjährigen Knaben in einen entlegenen Teil des Eilandes, wo sie aufwachsen und ihrerseits ein autarkes Gemeinwesen bilden. Die Jünglinge gehen allmählich dazu über, Makulinda nur als einen Schutzpatron unter vielen zu verehren, sich ihrer eigenen Kraft bewußt zu werden und die «denkende Hand» zum höchsten Symbol zu erklären. So entwickelt sich in «Wildermannsland» eine Zivilisation, die später eine Mütterkommission in Erstaunen versetzt. Gezähmte Zeburinder, Segelboote, Musikinstrumente künden von Fertigkeiten und Begabungen, die den aufsässigen Bianor zum Hohn auf alle Tradition bestimmen.

Aber die beiden extremen Gesellschaftsformen haben keinen Bestand. Die Existenz der Frauenrepublik gerät in Gefahr, als die zwölf erkorenen «Himmelssöhne» aus dem Mannland den Tempelschlaf und heiligen Begattungsdienst verweigern. Eigensinnig suchen die Frauen an ihrem Dogmengebäude festzuhalten, doch ihre Religion erweist sich als anachronistisch und verstärkt die Widersprüche. Hauptmann karikierte hier eine übertriebene Frauenemanzipation und meinte einmal: «Ein Mann und tausend Frauen (könnten) die Welt weiter fortpflanzen, aber niemals eine Frau und tausend Männer.»[54] Die Forderungen der Natur lassen sich nicht verachten. Darum sprengt Eros am Ende allgewaltig sowohl den künstlichen Amazonenstaat wie das südländische Athos. Anarchie bricht aus. In einem turbulenten Bacchanal heben die Jünglinge und Jungfrauen die unnatürlichen Schranken auf und eröffnen ein neues, vermutlich patriarchalisches Zeitalter. Stammvater Phaon emigriert unterdessen in einem kleinen Boot, zieht sich auf eine polynesische Insel zurück, wo er (gemäß einem «Epilog»[55] Hauptmanns) als «Dichter-Genius» und Erzähler die fiktive Roman-Welt schafft. Möglicherweise lassen sich in der utopischen Story einige autobiographische Anklänge entdecken. So verglich U. Lauterbach die hoheitsvolle Laurence Hobbema mit Frau Marie, die kunstvolle Dagmar-Diodata mit Frau Margarete, die hübsche Iphis mit Ida Orloff und Phaon mit dem Dichter selbst.[56] Einschränkend sei freilich auf das reale «Modell» der vielgereisten niederländisch-englischen Künstlerin Lawrence Alma-Tadema hingewiesen.[57]

Trotz der scheinbaren Abseitigkeit des Stoffes gab Gerhart Hauptmann in dem Roman *Die Insel der Großen Mutter* außerdem seine Antwort auf Zeitfragen. Er begann das Buch bekanntlich mitten im ersten Weltkrieg, als die Nachrichten von der Somme-Schlacht durch die Zeitungen gingen. Diesem sinnlosen, mörderischen «Krieg der weißen Männer» setzte er das Bild von der lebenerhaltenden Kraft der Mütter entgegen und verkündete durch den Mund Phaons: «Gewalttat ist aber kein manneswürdiges Handeln, sage ich euch, überhaupt kein menschenwürdiges Handeln. Gewalttat ist ein tierisches Handeln ... Durch Gewalttat wird das Handeln der heiligen Hand entweiht.»[58]

Wortreich beschrieb er dagegen den segensreichen Geist der Versöhnung und Synthese. Im Weltbild der bedeutendsten Frauen, vor allem Laurence Hobbemas, verschmelzen brahmanisch-buddhistische Weisheiten mit griechischen und christlichen Elementen zu einer Art humanistischer Universalreligion, wie sie schon der Orientalist Friedrich Max Müller anstrebte. Und mächtig sind die Mythen von Helios, Dionysos und den Hesperiden in den Bekenntnissen der schönen Seelen, die eine Erlösung der Welt von Bluttat und Leiden erträumen, eine Läuterung durch Kultur und Heiterkeit.

Vor Sonnenuntergang

Ahnung, Gegenwart
und Goethe-Nachfolge

In einem Memoirenwerk von L. Marcuse heißt es über die zwanziger Jahre: «Die Bücher, die man pries, waren durchaus nicht die, welche man las.»[1] So gehörten Gerhart Hauptmanns Werke zur «Bildungsliteratur», obwohl die junge Generation vielfach meinte, solche Lektüre schicke sich eigentlich «nicht für Avantgardisten». Besonders als Dramatiker geriet der Dichter allmählich ins Hintertreffen. Man spielte zwar unentwegt seine großen realistischen Stücke, verfilmte auch *Atlantis* (1913), *Rose Bernd* (1919), *Die Ratten* (1921), *Hanneles Himmelfahrt* (1922), *Phantom* (1922), *Die Weber* (1927), *Der Biberpelz* (1928), aber mit neuen Bühnenwerken errang er meist nur Achtungserfolge.

Das Publikum wußte mit Szenenfolgen wie *Veland* oder *Spuk* wenig anzufangen. Entgegen seinen sonstigen Bemühungen, keinen «sogenannten Bösewicht»[2] vorzustellen, häufte Hauptmann in seiner Bearbeitung des Wielandstoffes der eddischen Völundharkvidha viele Scheußlichkeiten, so daß der Held zum Ungeheuer und furchtbaren Rachedämon entartet. Dieser *Veland*, den ein goldgieriger König verstümmelte und zum schätzeschaffenden Schmiededienst zwang, entfesselt in dem Spiel von der vergewaltigten Unschuld unheimliche Kräfte, er foltert, demütigt, hext und mordet und weist dennoch alle Schuld von sich. Wahrscheinlich wollte der Dichter einen Rebellen und Nietzscheschen Übermenschen zeichnen, ein Symbol für die Zähmung und latente Gefährlichkeit des Feuers geben.

P. Sprengel sprach von einem «germanischen Prometheus»[3]. Auch das bisweilen «absurde Theater» im *Spuk* vermochte die Zuschauer von 1929 nicht zu packen.

Es gehört zu den Eigentümlichkeiten der Schaffensweise von Gerhart Hauptmann, daß er immer wieder auf Episoden und Gestaltungsprinzipien seiner Frühzeit zurückgriff. Sicher spielte dabei gelegentlich der Wunsch eine Rolle, mit erprobten Mitteln wiederum die Bühnen der Welt zu erobern, aber inzwischen hatten Georg Kaiser, Carl Sternheim und Bertolt Brecht einen neuen und, wie es schien, «zeitgemäßeren» Ton gefunden. «Naturalismen» ließen kaum noch aufhorchen.

In *Dorothea Angermann* (1926) variierte der Dichter die Motivskala von *Fuhrmann Henschel* über *Rose Bernd* bis zu *Atlantis*. Ähnlich wie die Fuhrmannstragödie beginnt das Schauspiel im Gasthof eines schlesischen Badeorts. Wie Rose Bernd wird Dorothea von einem Taugenichts verführt, erwartet von ihm ein uneheliches Kind, wird durch einen hartherzigen Vater verdammt (zu dem im vorliegenden Fall der Breslauer Gefängnisgeistliche Gauda Modell stand). Aber die Katastrophe des Mädchens verzögert sich infolge der vom Vater erzwungenen Heirat mit dem schurkischen Koch Mario und der Auswanderung nach Amerika, wo sich eine «Atlantis»-Welt vor uns auftut, wie sie Hauptmann 1894 erlebte. Die Legende vom Land der unbegrenzten Möglichkeiten erweist hier erneut ihren illusionären Charakter.

Man kann nur darüber staunen, mit welcher Unbekümmertheit sich der Dichter beim Aufbau der Handlung über alle Wahrscheinlichkeiten hinwegsetzte. In Dorothea verband er ein praktisches, modernes Streben nach Selbständigkeit mit pathologischen Zügen. Gänzlich unmotiviert läßt er den inhaftierten Dr. Weiß gegenüber dem «gefallenen» Mädchen einen Heiratsantrag vorbringen, den sie aber ebenso ausschlägt wie jenen des ihr sympathischen Dr. Herbert Pfannschmidt, der nichts von ihrem Zustand ahnt. Bei-

Gerhart Hauptmann wird wieder Bildhauer
und modelliert das Gerhart-Hauptmann-Denkmal.
Prophezeiungen für das Jahr 1925 von Th. Th. Heine
im «Simplicissimus»

nahe märchenhaft ist das ein Jahr später in einem amerikanischen Provinznest stattfindende Zusammentreffen mit dem
Abgewiesenen, der «zufällig» seinen Bruder Hubert besucht
und ihm heimatliche Glücksgüter bringt. Und wiederum
«zufällig» sind die Brüder Pfannschmidt und Dr. Weiß
zur Stelle, als Dorothea acht Monate darauf in Hamburg
strandet (gleichsam in Georg Hauptmanns Kreis zu Reinbek aufgenommen wird) und, nach einer anklagenden Aussprache mit ihrem herzlosen Vater, in den Freitod geht.

Trotz der kompositorischen Schwächen der Handlung verdient Hauptmanns Schauspiel in Einzelheiten Beachtung. Erregend wirken Dorotheas verzweiflungsvolle Worte über die «Welt des Bürgertums», die geradezu in einer «Sumpfjauche» schwimme. Fast visionär schildert sie die Gesetz- und Rechtlosigkeit im kapitalistischen Dschungel, die tiefe Erniedrigung der leidenden Kreatur: «Man wird geschlagen, zertreten, mißbraucht», und es geschehen Dinge und viehische Mordtaten, die man «bis zum röchelnden, kotigen, blutüberströmten Ende mit ansehen»[4] müsse. Es ist wie eine düstere Ankündigung der Greuel faschistischer Schlägerhorden.

Dorothea duldet, erstarrt vor Entsetzen, kann sich von dem Bösen nicht lösen. Wie Rose Bernd, die in letzter sterbenselender Ratlosigkeit klagt: «Ma is zu sehr alleene hier uf dr Erde!», erlebt auch die verstoßene, gehetzte Tochter des Pastors Angermann die Tragödie grenzenloser Verlassenheit: «So allein! – so allein! – so allein!» Obwohl die Brüder Pfannschmidt sie von jeder Verantwortung zu entheben trachten und hinter allem Unheil das Wirken von «Zufall» und «Vorsehung» sehen möchten, lodert in ihr nur noch eine «brünstige Sehnsucht nach Vernichtung».

Auch der Geheimrat Matthias Clausen in *Vor Sonnenuntergang* (1932) ist am Ende psychisch zerbrochen, «dürstet nach Untergang»[5] und trinkt den Giftbecher. Er wählt den von seinem philosophischen Patron Mark Aurel und von dessen Lehrer Seneca gewiesenen Weg «in die Freiheit». Dabei scheint bei ihm zunächst alles zum besten zu stehen. Als Unternehmer, reicher Wohltäter, Schriftsteller und Büchersammler genießt er überall hohes Ansehen, empfängt am 70. Geburtstag die Ehrenbürgerwürde seiner Heimatstadt und wird durch einen Fackelzug geehrt. Aber gerade seine in einem langen Leben angehäuften materiellen Besitztümer lösen den Konflikt aus, als der alte Mann seine Liebe dem jungen Mädchen Inken Peters schenkt.

Bisher heuchelten seine Kinder und Anverwandten Demut, Fürsorge, Liebe, nun entlarven sie sich als verlogene Erbschleicher, die aufgeregt an die «reinsten väterlichen Absichten» und Gefühle appellieren, die verstorbene Mutter als Eideshelferin aufrufen, Religion, Recht, Anstand und Sitte bemühen und doch nur Geld, Geld, Geld meinen. «Du bist unser allerhöchster Schatz», ruft die Tochter Bettina emphatisch aus und fügt doppeldeutig hinzu: «Nun wollen wir diesen Schatz nicht einbüßen.»

Wie in Hauptmanns frühen Dramen schreitet auch hier der Verfall einer Familie unaufhaltsam fort. Die verwandtschaftlichen Bindungen erweisen sich als nackte Geldinteressen. Ursprünglich sollte das Werk «Der neue Lear» heißen und in einer Paraphrasierung der bekannten Shakespeareschen Tragödie ein modernes Schauspiel über den Kindes-Undank gestalten. Clausen selbst fragt einmal, wer wohl in einer aktualisierten Tragödie von jenem «alten törichten König» die «Cordelia», die einzig Getreue, wäre. Doch der Dichter verknüpfte dieses Motiv mit einem anderen, das er schon in *Pippa*, *Kaiser Karl* und *Indipohdi* umkreist hatte: die Neigung eines alten Mannes zu einer jugendlichen Geliebten (ursprünglich als Ärztin, Malerin oder Stenotypistin vorgestellt, in der Endfassung als Kindergärtnerin und unverbildetes Mädchen aus dem Volke).

Mit Hilfe von Inken Peters hofft Matthias Clausen – von seiner Familie furchtbar enttäuscht – ein neues Leben beginnen zu können. Sie wird sein erfrischender, hilfsbereiter, «blonder Kamerad». Tapfer bekennt er sich zu August Weismanns Spekulation, daß der Tod (infolge der Kontinuität des Keimplasmas) keineswegs die «notwendige Unterbrechung» zur Fortsetzung und Erneuerung des Daseins bedeuten müsse. Aber die Natur macht keine Sprünge. Durch den (juristisch übrigens kaum haltbaren) Antrag der Kinder auf seine Entmündigung am Lebensnerv getroffen und verletzt, bringt er letztlich nicht mehr die Kraft auf für eine geplante Emigration in einen Schlupfwinkel jenseits der Grenzen. Er bleibt ein Gefangener seines Umkreises.

In dem Stück, dessen «Aufzüge im alten Theatersinn stark zusammengehalten»[6] werden, herrscht eine unheimliche Atmosphäre. Von allen Seiten bläst die Familie zum Haberfeldtreiben gegen das Mädchen Inken, versucht, sie und ihre Mutter durch Bestechung, durch Verleumdung und anonyme Drohung zum «Verschwinden» zu veranlassen. Mit Schrecken erkennt Clausen, wie sein geistiges Lebenswerk unter den Händen seines profitgierigen Schwiegersohnes Erich Klamroth sich in lauter «garstigen Ungeist» verwandelt. In einem frühen Entwurf hieß es über den unangenehmen Kommissär drastisch, er habe die Verlagspublikationen «amerikanisch» aufgezogen; «je banaler, je platter und ... verschmutzter» die Blätter wurden, desto mehr Geld scheffelte man; ein Familienmitglied gilt zeitweilig als «Nationalsozialist»[7]. Notizbuchentwürfe besagen in dem Zusammenhang: «Wir leben vom Wegsehen. Gestern noch Liebe, heut die absolute Fremdheit, morgen Feindschaft. Heut Umarmung, morgen Zurückgestoßenheit, übermorgen Kampf bis aufs Messer.»[8] So reißt eine unüberbrückbare Kluft auf zwischen Geist und Macht. Clausen sieht sich einer ähnlichen Problematik gegenüber wie Konsul Thomas Buddenbrook oder der liberale Bürger Buck im «Untertan», die ebenfalls gegen den bedenkenlosen Geschäftsegoismus des beginnenden Imperialismus unter den Hagenströms und Heßlings ankämpfen. Die «chaotischpeinliche Zeit» mit den kalt rechnenden Wirtschaftskapitänen und «Steuermännern» stößt ihn ab. In der eigenen Familie kann er den Triumph der Niedertracht in der Gestalt des Monopolkapitalisten Klamroth und der verarmten Adligen Paula Clothilde, geborenen von Rübsamen (sichtlich einer Geistes-Schwester des Präfaschisten Rübsamen aus *Herbert Engelmann*), nicht mehr wehren. Er sieht die groteske Umwertung aller Werte, die Welt «vor Sonnenuntergang», vor Anbruch der faschistischen Finsternis.

In Matthias Clausen hat Gerhart Hauptmann zwei Freunden ein Denkmal gesetzt: einmal dem praktischen Ideali-

sten, Großunternehmer, Politiker und Publizisten Walther
Rathenau, zum anderen und vor allem dem Fabrikanten,
Kunstmäzen und Büchersammler Max Pinkus, der 1920 eine
vergleichbare Krise erlebte und 1934 (von der Heimatstadt
wegen seines Judentums verfemt) einsam starb.[9] Weiterhin
spielen in die Handlung das König-Lear-Motiv und die
selbsterfahrene Sehnsucht nach Jugend, die Trauer um Ver-
lorenes hinein, die sich schließlich mit klassisch Vorgeleb-
tem mischen.

Häufig wurden in *Vor Sonnenuntergang* «Beziehungslinien
zu Goethe» aufgewiesen und das Stück als «bedeutender
Beitrag zum Goethejahr» bezeichnet.[10] Das ist sicher übertrieben. Paralipomena zeigen, daß Hauptmann noch ein
halbes Jahr vor Abschluß des Manuskripts vom «Lear-» oder
«Entmündigungsdrama» sprach und kaum an «klassische»
Anspielungen dachte. Abgesehen von Sohn Wolfgang er-
hielten Clausens Kinder erst danach Namen aus dem Goe-
thekreis: Egmont, Bettina, Ottilie – denen sie sich dann so
wenig würdig erweisen. Kurze direkte Klassikerzitate gibt
es lediglich vier, und bei dem üblichen Vergleich von Goethes produktiver Altersliebe zu Ulrike mit der «katastropha-
len» Neigung des Geheimrats Clausen zu Inken handelt es
sich um äußerliche Ähnlichkeiten. Obwohl man den Helden als Träger großer humanistischer Traditionen bezeichnen kann, gilt M. Machatzkes Feststellung: «Es ist nicht
Goethe, der als ‹Hausheiliger› das Familienleben bestimmt,
sondern kaltes wirtschaftliches Macht- und Besitzstre-
ben.»[11] – Das Werk verdeutlicht das Ende einer Kulturepo-
che. Am Vorabend der faschistischen Machtübernahme
mußte es desillusionierend wirken. Man begriff den Titel
Vor Sonnenuntergang allmählich als Symbol für die historische Situation … Ein letztes Mal ging am 16. Februar 1932
ein Werk Gerhart Hauptmanns über die Bühne des Deutschen Theaters in Berlin. Dann kam die Nacht.

Die Beschwörung von Goethes Schatten geschah in dem
Drama nicht erstmalig und nicht von ungefähr in Haupt-

manns Schaffen. Schon mehrmals wiesen wir in unseren Darlegungen auf Beziehungen zwischen dem klassischen und dem spätbürgerlichen Dichter hin. Offenkundig bemühte sich Gerhart Hauptmann bewußt darum, «Anklänge» zu wecken und sogar Werk-Parallelen[12] zu konstruieren. Es hatte für ihn einen Reiz, Verbindungslinien von «Götz von Berlichingen», «Faust», «Epimenides» und «Hermann und Dorothea» zu *Florian Geyer, Versunkene Glocke, Festspiel in deutschen Reimen* und *Anna* zu ziehen und später mit *Das Abenteuer meiner Jugend* und *Im Wirbel der Berufung* in die Fußstapfen von «Dichtung und Wahrheit» und «Wilhelm Meister» zu treten. Mitte der zwanziger Jahre schrieb er den Text für einen geplanten «Faust»-Film.

Als Hermann Reich 1932 ein Manuskript über den «Hellenismus» des Meisters zur Durchsicht nach Agnetendorf schickte und darin vom «deutschen Genius» sprach, fügte der Dichter mit großartiger Naivität handschriftlich hinzu: «Der Nachfolger Goethes»[13]. Ein andermal nannte er sich einen «Sohn von Goethe», den er auch als «Onkel» apostrophierte.[14] Mit Erstaunen oder Erheiterung gewahrten schon die Zeitgenossen, wie Hauptmann äußerlich eine Goethe-Ähnlichkeit zu unterstreichen suchte. Seine Kleidung und Haartracht (mit hervortretender hoher Stirn) waren sichtlich dem Vorbild angepaßt, und Fotos und Bilder gefielen ihm dann besonders, wenn sie an Goethe-Gemälde erinnerten. – Allerdings reagierte er empfindlich auf «veralbernde» Anekdoten[15] über Spaziergänge oder -ritte auf verbotenen Territorien. Einmal hatte ihn ein Wärter angeblich zur Rede gestellt und die leutselige Antwort erhalten: «Aber, guter Mann, wissen Sie denn nicht, wer ich bin?» Darauf der Flurhüter: «Ick weeß, Jöte, aber deshalb dürfen Se noch lange nich uff'm Rasen rumtrampeln!»

Das Spiel wirkt spaßig, weil kaum eine echte Ähnlichkeit bestand. Boshafte Zungen witzelten: «Er wollte wohl, doch goeth' es nicht!» Die beherrschenden großen, dunklen Augen Goethes finden sich bei Hauptmann ebensowenig wie die feinen Gesichtszüge (Hauptmann hatte bekanntlich kleine, blaßblaue Augen, einen beinahe konturenlosen Mund und machte einen viel robusteren Eindruck). Beträchtliche Unterschiede ergaben sich ferner in den Anschauungen der beiden Künstler zu den wichtigsten weltanschaulichen Fragen. Goethes Weltsicht war unvergleichlich universeller, optimistischer, zukunftsgerechter, wissenschaftlicher, er hatte ein ganz anderes Verhältnis zur Antike, dem Mythischen und Sozialen.

Die Annäherung geschah allmählich. Gewiß verehrte Hauptmann schon in seiner Frühzeit Goethe als «Musterbild der Lebenskunst»[16] und natürlichen, echten «Selbstbekenner» und «Held seiner Werke»[17], als «Hohepriester der Deutschen» mit gewaltiger «Prometheushand» und «höchste Erhebung auf dem Boden der Kultur»[18], aber in ausgesonderten Passagen des *Buches der Leidenschaft* heißt es: «In meiner Jugend las ich mich sozusagen um Goethe herum. Tappend ergriff ich Hölderlin, Bürger, seinen sinnlich rustikalen Gegensatz. Ich kam zu Jean Paul und dann mit einem Sprunge zum Käthchen von Heilbronn und von da über Chamisso zu Novalis.»[19]

Seit den zwanziger Jahren hat sich Hauptmann in Reden, Gesprächen und Aufsätzen gern und leidenschaftlich zu Goethe bekannt, wobei er treuherzig eingestand: «Ich habe ihn weder durch Analyse im einzelnen zu verstehen noch synthetisch im ganzen zu begreifen versucht.»[20] So fielen seine Konfessionen mehr rührend als bedeutend aus. Es gelang ihm nicht, seine Liebe in produktive Erkenntnisse umzusetzen und sich geistreich über die gewaltige Thematik auszusprechen. Außer mit zwei kurzen Einführungen zu Werkausgaben Goethes (Pandora-Klassiker, Berlin 1923, und Volksausgabe des Knaur-Verlags, Berlin 1931) trat er vor allem mit drei Gedenkansprachen hervor.

In dem Vortrag «Goethe und die Volksseele», den er 1922 zur Unterstützung des Hauses am Hirschgraben hielt, betonte er, wie schon erwähnt, der Genius loci sei «durch und durch volkstümlich». – Diesen Gedanken steigerte er 1928 in den Darlegungen über «Goethe auf dem Theater». Weitsichtig prophezeite er eine kommende Verbindung der Klassik mit der Arbeiterbewegung. Man werfe dem Großen von Weimar bisweilen Konzessionen an die herrschenden Mächte vor: «Aber Goethe war niemals ein Fürstenknecht. Knechtschaft zeigt sich vor allem im Geistigen. Und wer besaß je hierin eine größere Kühnheit, Freiheit und Unabhängigkeit!» Der Meister sei selbst ein Arbeiter gewesen mit einem tiefen «praktischen Verstehen» und Interesse für Bergbau, Industrie, Technik, und er war auch einer der «besten Erzieher der Deutschen».

Schließlich ergriff Hauptmann am 1. März 1932 in der New-Yorker Columbia-Universität nochmals das Wort zu seiner umfangreichsten, persönlichsten Rede auf Goethe, die er in Cambridge, Washington und Baltimore wiederholte. Er berichtete von intimen Kindheitsbeziehungen, frühen Wallfahrten nach Jena und Weimar (1883) und der wundersamen Atmosphäre des Hauses am Frauenplan. Den bürgerlichen Geist der deutschen Klassik habe er als verwandt empfunden. Nach etwas abwegigen Bemerkungen über das Dämonische und «Irrationale» im «Faust», an dem er auch noch seine Theorie vom «Urdrama» zu exemplifizieren suchte, feierte er nachdrücklich Goethes Humanismus und Fortschrittsgläubigkeit. Der Dichter habe die unvollendete Schöpfung titanenhaft vollenden wollen. «All sein Dichten und Denken ist Arbeit am Menschen» und eine «Bejahung des Lebens» gewesen, und darum könne er gegenwärtig eine hohe Mission erfüllen. Während Hitlers Kolonnen schon zum letzten Sturm trommelten, rief der Redner aus, die Welt werde niemals durch «Gewalttat» erlöst, sondern durch «Menschlichkeit, durch Menschenachtung, durch Humanität».

Da sowohl die Festlichkeiten zu Goethes 100. Todestag wie die zu Hauptmanns 70. Geburtstag in dasselbe Jahr, 1932, fielen, verband sich, nach einem Wort Hauptmanns, mit der «Feier Goethes das warme und freundliche Bekenntnis» zu seinem «eigenen Wesen und Sein»[21]. Er errang nochmals eine unglaubliche Popularität und wurde auf ausgedehnten Jubiläums- und Vortragsreisen[22] mit Ehrungen überhäuft. Zunächst fuhr Hauptmann im Frühjahr nach Amerika, hielt vor vier Universitäten und über alle achtundvierzig Sender der Vereinigten Staaten eine Goetherede und erlebte (ein ehemals «schwacher Sextaner!») in New York seine vierte Promotion zum Ehrendoktor. Der amerikanische Präsident Hoover empfing ihn im Weißen Haus, anregende Begegnungen gab es mit Sinclair Lewis, Theodore Dreiser, Eugene O'Neill, Helen Keller und anderen Künstlern. In Dankansprachen und Gesprächen korrigierte er trübe Jugendeindrücke, pries den «freien Fortschrittsgeist» der Vereinigten Staaten und erklärte emphatisch: «Wenn ich nicht Deutscher wäre, möchte ich Amerikaner sein.»[23]

Nach der Rückkehr gestalteten sich die Fahrten durch Deutschland zu einem Triumphzug. Ende April erhielt Hauptmann die Berliner Goethemedaille. Am 8. Mai sprach er in Heidelberg über Goethe. Im Sommer ernannten ihn die Heimatgemeinden Bad Salzbrunn und Schreiberhau zum Ehrenbürger. Bei der Jahrhundertfeier in Frankfurt nahm er am 28. August den Goethepreis in Empfang und dankte vor Zuhörern in der Paulskirche mit einigen Ausführungen über den «Geist der Kultur». Goethe werde den deutschen Namen stets hoch- und wachhalten, der Menschheit von seinem «geistigen Reichtum» spenden und eine Mission als «Friedensherold» erfüllen. – Von Oktober an besuchte Hauptmann nahezu alle Großstädte des Reiches, überall brachte man ihm Ovationen dar. Als er im Dezember nach München aufbrach, konnte man sagen, er fahre zum zwanzigsten Jubiläum seines siebzigsten Geburtstages ...

Bisweilen gab es dabei kuriose Vorfälle. Während der Berliner Festlichkeiten überreichte Kultusminister Grimme

Gerhart Hauptmann als Religionsstifter.
Karikatur von A. Paul Weber, 1929

am Morgen des 15. November im Namen der «verfassungs-
mäßigen», abgesetzten Regierung Braun im «Adlon» die
Preußische Staatsmedaille in Gold. Am Abend vollzog die
«kommissarische» Regierung Papen, zwei Tage vor ihrem
Sturz, ebenfalls diesen «Hoheitsakt» und verlieh die gleiche
Auszeichnung nach einer Theateraufführung. In dem Gedicht «Die Staatsmedaille» glossierte Erich Weinert das viel-
belachte Souveränitätsspiel des Braunschen Schattenkabi-
netts:

Das macht doch Laune, das macht doch Mut!
Man wird schon wieder gedeihen.
Wenn auch das Geschäft der Regierung ruht,
Zu etwas ist sie doch immer noch gut:
Zum Ordenverleihen![24]

Gerhart Hauptmann ließ all den Trubel gutmütig und launig über sich ergehen, sah seinen Namen aufprangen an Schule, Theater, Gedenkstein und in einem Hiddenseer Waldgebiet, besuchte Ausstellungen, Dramenaufführungen und Bankette. Dabei mochten sich ihm manchmal die literarhistorischen Größenordnungen verschieben, und aus einem Gemisch von Naivität und Einbildung fragte er wohl einmal in Champagnerstimmung: «Es ist ja rührend, wie das deutsche Volk mich gefeiert hat, aber sagen Sie – warum eigentlich?» Darauf pries der Freund W. Haas das große dramatische Œuvre, das sich nur mit dem Schillers vergleichen lasse. Nun kam eine verblüffende Antwort: «Ach, Schiller!» sagte Hauptmann behaglich. «Friedrich Schiller. Sehr begabt, sehr begabt. Da habe ich doch ein Drama gesehen, mit einem alten Flötenspieler, nein – nicht mit einem Flötenspieler, mit einem Baßgeigenspieler und mit einer vergifteten Limonade ...» – «‹Kabale und Liebe›», soufflierte Frau Hauptmann nervös. – «Richtig, ‹Kabale und Liebe›», fuhr Hauptmann völlig ungerührt mit derselben Würde fort. «‹Kabale und Liebe›. Wirklich ... wirklich sehr begabt. Ja.»[25] So klopfte er dem klassischen Kollegen in Gedanken leutselig und anerkennend auf die Schulter.

Man hat Bezugnahmen auf diese amüsante Anekdote als «töricht» bezeichnet[26]; das wären sie nur, wenn sie zu dem Trugschluß verführten, Hauptmann habe sich aus Schiller «nicht viel gemacht»[27]. Tatsächlich gehörten «Wallenstein» und «Fiesco» zu seinen frühesten Theatererlebnissen. Später bezeichnete er «Bühnenwirkungen, Stimmungswirkungen wie im ‹Tell›, wie am Schluß des ‹Wallenstein›» als «unerreicht»[28]. «Wilhelm Tell» schätzte er überdies als das «weitaus volkstümlichste aller neueren Dramen»[29] und den Dichter wegen seiner «hymnischen Feierlichkeit, Innerlichkeit»[30], obwohl er diese als Regisseur und in den *Ratten* karikierte und kritisierte. In den dreißiger, vierziger Jahren vermerkte er in Diarien mehrmals sein «großes Wiederbegegnen mit Schiller», der «hochverehrt sein» müsse[31], der ihm «immer deutlicher und größer» werde und bisweilen «näher als Goethe» stehe.[32] Im September 1940 erklärte er über seine Iphigenie-Dichtung: «In diesem Werk ist Schiller mein Pate: irgendwie! Wie sonst nie. Das Pathos.»[33] – Noch enger blieb Gerhart Hauptmann freilich bis zum Lebensende mit Goethe verbunden. Nicht nur variierte er in der Atriden-Tetralogie den Iphigenie-Stoff, sondern er setzte sich auch in zwei Erzählungen mit Werken des Dichters auseinander, und zwar mit dem «Märchen» und dem «Wilhelm Meister». Davon sei hier vorwegnehmend die Rede.

Das 1941 in wenigen Tagen geschriebene *Märchen*[34] knüpft unmittelbar an Goethes gleichnamiges Prosastück in den «Unterhaltungen deutscher Ausgewanderten» an. Anfangs wird die gleiche Situation beschworen: Ein alter Fährmann setzt zwei Irrlichter über einen Strom; auch die Schlange kommt bald (wie in der Vorlage) ins Spiel. Aber im übrigen schuf Hauptmann ein Gebilde mit einem ganz anderen Symbolgehalt.

Während Goethe eine echte, überquellend phantasiefreudige Märchenatmosphäre ausbreitete, in den Gestalten des Riesen und des «gemischten Königs» eine heiter-tiefsinnige Auseinandersetzung mit der Französischen Revolution und dem Feudalabsolutismus gab und eine optimistische Zukunftsvision vom «gegenseitigen Hülfeleisten» in einer humanistischen Welt entwarf, erzählte Hauptmann, umständlich und konstruierend, eine Geschichte von extremer Individualisierung. Bei ihm steigt der Pilger Theophrast zu dem Fährmann und den Irrlichtern in den Kahn und läßt sich in ein irreales Dämmerreich übersetzen, in dem er sich um letzte Erkenntnisse bemüht.

Auf diesem Gange nehmen Lebens- und Denkkraft des Wanderers in Löwe und Schlange sichtbare Gestalt an. Den Hadeskömmling Operin erwählt Theophrast zeitweilig zum Führer. Damit kehrt sich ein «historisches» Verhältnis um, denn Johann Operin war einstmals Famulus bei dem faustischen Naturforscher und mystischen Philosophen Theophrastus Paracelsus (1493–1541), mit dem der Pilger geheimnisvoll verbunden ist, ohne aber wohl mit ihm identisch zu sein. Sonst müßte er sich nicht durch Operin ein verschleiertes Kolleg aus seinen eigenen Schriften anhören. Theophrast erscheint vielmehr, in den Worten der Schlange, auch als ein «Göttlein» (will sagen: Goethlein) und als Personifikation Hauptmanns selbst, der aus dem unfreundlichgegenwärtigen «eisernen Zeitalter» traumhaft in ein Zwischenreich emigrierte und unter der Schirmherrschaft des «Alten vom Berge» (Gott-Goethe, gemäß «Eulenspiegel») aus dem Hadesmeer des «Kosmos» tröstliche Werte zu fischen suchte. Paracelsische «Umbraten» (Schattenbilder) verdüsterten Zukunft und Licht.

Während Gerhart Hauptmann im *Märchen* bewußt an eine Vorlage anknüpfte und beiläufig die Vermutung äußerte, der alte Fährmann sei «wohl irgendwie mit dem Weimarer identisch», ließ er Goethe in der Novelle *Mignon* (1938/1944) leibhaftig auferstehen. In der Ich-Form berichtet er von einem merkwürdigen Erlebnis, das ihm im Oktober 1937 in Stresa am Lago Maggiore tatsächlich widerfahren war: Damals hatte er auf der Terrasse eines Restaurants einen Mann gesehen, der haargenau wie der sechzigjährige Goethe aussah (es handelte sich um die Scherzrolle eines Schauspielers).

Natürlich gewahrte der Dichter den Auftritt mit Betroffenheit, und obwohl er sogleich nüchterne, der Wahrheit entsprechende Erwägungen anstellte, die er novellistisch wiederholte, umgab er sich in Stresa auf «magische» Weise

Der achtzigjährige Dichter

Margarete und Gerhart Hauptmann auf dem Wiesenstein,
Herbst 1945

Otto Linnekogel, Gerhart Hauptmann, 1946

Gerhart Hauptmanns Totenmaske, abgenommen von Ernst Rülke

Wilhelm Pieck auf der Beisetzung Gerhart Hauptmanns
am 28. Juli 1946

Margarete Hauptmann und Johannes R. Becher
nach der Beisetzung auf Hiddensee

*Thomas Mann nach seiner Gedenkrede
zum 90. Geburtstag Hauptmanns in Frankfurt. Links Katia Mann,
rechts stehend Benvenuto und Margarete Hauptmann*

Die Söhne Gerhart Hauptmanns aus erster Ehe, Juli 1960
Von links: Eckart, Klaus, Ivo

mit klassischer Atmosphäre. Ursprünglich ausgezogen, um in jean-paulischer «Titan»-Welt Verjüngung zu finden, bereiten ihn nun die zufällige Lektüre des «Ur-Faust» und ein unbestimmtes Erwartungsgefühl darauf vor, Vergangenheit zu vergegenwärtigen. So glaubt er eines Abends, auf der Piazza zu Stresa in einer kleinen Artistengruppe die Mignon aus «Wilhelm Meister» zu entdecken ...

Hauptmanns Geschichte handelt nun davon, wie der Autor (ähnlich wie Thomas Mann im «Tod in Venedig») in Liebe zu dem fremdartigen knabenhaften Geschöpf entbrennt, einem rätselhaften Zwang gehorchen muß und in Rausch und Krankheit fällt. Diese Steigerung aller seelischen und geistigen Kräfte öffnet seine Sinne für Über-Sinnliches. Auf der Suche nach Mignon gerät er eines Tages in die Gesellschaft eines Cavaliere Graupe, in der ein Afrikaforscher (in dem man unschwer ein Porträt von Leo Frobenius erkennt) seine Paideuma-Lehre entwickelt, die den Herderschen Humanitätsgedanken nahesteht. Kultur sei etwas «Seelenhaftes», behauptet er, und Dichtung als höchste Ausprägung der Kultur müsse man als wesentlich «immateriell» ansprechen. Somit könnten Gestalten der Dichtung wandern und wiederkehren.

Von diesen zentralen Gesprächen aus werden die Erscheinungen Goethes, Mignons und des Harfners «verständlich». Der Autor steht im Banne der fixen Idee der ewigen Wiederkunft und wird Zeuge, wie sich im Schicksal der jungen Aga über ein Jahrhundert später wiederum der Mignon-Mythos «ereignet». Wie im «Wilhelm Meister» braucht und findet dieses unerlöste, triebhafte, fast sprachlose (bisweilen an Pippa erinnernde) Mädchen einen Beschützer. Und Goethe (hier ein romantischer Herold) verläßt sein poetisches Geschöpf nicht. Viermal wird er «sichtbar», ähnlich schemenhaft wie im *Neuen Christophorus*, ermahnt den Erzähler durch bedeutsames Blicken an eine Verantwortung, bleibt dabei allerdings stumm. Der Autor aber begreift den Auftrag, durchstreift reale und irreale Bereiche, bis er der vom Tod gezeichneten Aga-Mignon am Ende die letzten Wohltaten erweisen kann.

Diese Reiseschilderung wird immer wieder von Assoziationen und Reflexionen unterbrochen. Sie bemüht sich vorgeblich um Deutung – diese jedoch verschleiert mehr, als daß sie klärt – und enthält manche autobiographische Anspielung. Nicht nur die Ausgangssituation spiegelt ein «reales» Erlebnis wider, sondern auch die Begegnungen mit Frobenius (der damals am Lago Maggiore wohnte), mit dem Dresdener Intendanten S. (Seebach) und dem Arzt Plarre (dem Jugendfreund Ploetz) haben sich ähnlich zugetragen. In Hauptmanns Besitz befand sich zudem eine echte Visitenkarte Goethes.

Von Mignon und Goethe heißt es, über ihnen habe eine «unendliche» oder «erhabene Traurigkeit» gelegen. Auch in der Erzählung selbst spricht sich eine gewisse Verzagtheit und Niedergeschlagenheit aus. Die erhoffte Vita nuova war nicht mehr zu vollziehen. Gerhart Hauptmann schrieb ein Werk des Abschieds, gedacht als «Flucht aus der Zeit»[35].

Faschistische Finsternisse

1933–1945

Rückblickend auf die Hitler-Ära erklärte Thomas Mann 1947 in einem Gespräch mit seinem Bruder Viktor: «Niemals habe ich einem deutschen Künstler sein Verbleiben daheim verübelt, wenn ihm nicht sein Bekanntsein in der Welt auch draußen die Existenz gesichert hätte. War er aber weltbekannt, so mußte er wissen, daß er mit seinem Bleiben und Schaffen in Deutschland der geistigen Propaganda des Bösen diente. Darüber kommt man mit dem Argument Heimatliebe nicht hinweg.»[1] Das scheint wesentlich auf Gerhart Hauptmann gemünzt zu sein, und in ähnlicher Weise haben andere Kollegen und Kritiker das Verhalten des Dichters der *Weber* während der Nazizeit befremdlich, ja charakterlos gefunden.

Es gab damals heftige Angriffe und Sarkasmen von Alfred Kerr, Fritz von Unruh, Balder Olden, Anton Kuh u. a., denen nach dem zweiten Weltkrieg apologetische Schriften von Behl, Voigt, Hülsen, Ebermayer und Bab entgegenzuwirken suchten. Aber bis heute gehört diese Periode zu den umstrittensten im Leben Hauptmanns. Neuere Biographen bezeichneten ihn als «Quisling der ‹Inneren Emigration›»[2] oder ließen ihn gar «Arm in Arm mit Goebbels»[3] paradieren. 1976 teilte Hans von Brescius bis dahin unpublizierte Tagebuchnotizen und private Äußerungen des Schriftstellers zum «Zeitgeschehen» mit, wobei er grundsätzlich feststellte: «Eine einseitig referierende Auswahl könnte Hauptmann jeweils zum schweigenden Märtyrer, zum mehr oder minder ahnungslosen Mitläufer oder zum sympathisierenden Opportunisten stilisieren.»[4] Obwohl der Autor manche Texte einseitig und anfechtbar zitierte und interpretierte, darf sein Buch als wichtiges Quellenwerk zur Thematik gelten.[5]

Eigene Archivstudien ermöglichten in vielem eine Neubewertung. Da die meisten Manuskripte ungedruckt sind und es kaum jemals zur Veröffentlichung sämtlicher 774 Konvolute des handschriftlichen Nachlasses kommen dürfte, wollen wir im folgenden wichtige Belege auswählen und mitteilen. Zunächst seien Bemerkungen aus der Erstauflage unserer Monographie wiederholt, die auf Hauptmanns problematische Aussprüche und Auftritte in jenen düsteren Jahren hinwiesen und konstatierten: Wenn wir uns an seine widerspruchsvollen Bekenntnisse erinnern, die im «Weltanschauungs»-Kapitel skizziert wurden, gibt es eigentlich kaum Überraschungen. Von einem Manne, der die Möglichkeit freier Willensbestimmung bestritt, der Kompromisse befürwortete, das Irrationale und Rauschhafte bejahte und sich passiv und fatalistisch ins «rätselhafte» Schicksal zu fügen pflegte, der keine historischen Gesetzmäßigkeiten im Weltgeschehen zu erkennen vermochte, konnte man in den Grundfragen der Nation kaum entschiedene Stellungnahmen erwarten. Jedes politische Engagement lehnte er ab, da ein Dichter «ein für allemal kein Nutztier» sei und niemals «Parteiungen Genüge tun» solle.[6] Als Tagebuchschreiber behauptete er: «Es kann sich immer nur aus dem Chaos etwas bilden ... Auch die ‹Gesellschaft› (nämlich die menschliche) muß ein Chaos sein und bleiben. Sie zu entchaotisieren würde ihr Ende sein»[7]; oder er bezog sich auf Goethes «unverbrüchliche Maxime», «durchaus und unter jeder Bedingung in Frieden zu leben. Ich möchte um keinen Preis bei irgendeiner Kontestation, sie habe einen politischen, literarischen, moralischen Anlaß, tätig mitwirkend erscheinen.»[8]

Schon in den zwanziger Jahren übertrug Hauptmann

seine «Toleranzgesinnung» auf das heraufgeisternde Faschistengelichter. Als man ihm 1926 in der ausländischen Presse eine antifaschistische Haltung nachsagte, beeilte er sich mit der öffentlichen Versicherung, daß er niemals, «sei es in Wort oder Schrift, irgendeine Meinung gegen oder für den Faschismus zum Ausdruck gebracht habe»[9]. – Er fand auch nichts dabei, sich im April 1929 in Rom von Mussolini empfangen zu lassen[10], dessen Broschüre «Der Faschismus» er las und dann empfahl: «Ich würde seine Methode modifiziert auf Deutschland anwenden.»[11] Bald plante er eine «Huldigung» für den «Duce», dem er im Sommer 1933 zum fünfzigsten Geburtstag telegraphierte: «Der immer dankbare Gast Italiens sendet dem großen Führer seines Volkes in Verehrung viele Glückwünsche.»[12]

Anläßlich des alarmierenden faschistischen Stimmenzuwachses bei den Reichstagswahlen von Mitte September 1930 bemerkte Hauptmann lakonisch: «Nationalsozialistischer Erfolg: Das Steuer wird unmerklich langsam gedreht», und naiv verkündete er: «Wollt ihr nicht nachdenken? In meiner Jugend war ich National-Sozialist.»[13] – Kurz darauf empfing er den Entwurf eines Appells «an die Reichsregierung», der eine Warnung vor jeglichem «Paktieren und Konspirieren mit den Schnorrern und Verschwörern des sogenannten Nationalsozialismus» enthielt und zur «Verteidigung der Republik um jeden Preis» aufrief. In einem Begleitbrief erläuterte Thomas Mann die Absicht, politische «sozialistische Arbeit durch eine Aktion von bürgerlicher und intellektueller Seite» zu unterstützen und drohende «Pöbelherrschaft» abzuwenden. Als der Adressat die Unterzeichnung des Schriftstücks ablehnte, antwortete Thomas Mann beschwichtigend, er habe lediglich «im Auftrag einer Berliner Gruppe» gehandelt und namentlich dem Verfasser, seinem Bruder Heinrich, «einen Gefallen tun» wollen.[14] Ein Dreivierteljahr später signierte Hauptmann jedoch eine von John Galsworthy initiierte allgemeine Menschenrechts-Deklaration des Internationalen PEN-Clubs, einen Protest gegen «Mißhandlungen» von Leuten, die wegen ihrer «politischen oder religiösen Gesinnung» inhaftiert seien, nebst Ermahnung zur Beachtung der «Gesetze der Humanität»[15].

Obwohl Gerhart Hauptmann im November 1930 notierte: «Auch einen Hitler braucht ihr nicht», in der Schweiz wäre dieser Demagoge «lächerlich»[16]; obwohl er zwei Jahre später zu Julius Bab «böse Dinge über den Mann» sagte und Richard Katz anvertraute, daß Goebbels ihm seinerzeit mit zackigem Heil-Gruß eine «frohe Botschaft» des «Führers» in spe überbracht habe, eine Einladung, die er arglos und «undiplomatisch» nicht annahm[17], bekundete er im Diarium mehrmals Verständnis für die faschistische Jugend, die «Kraft», «Dichtung, Romantik, Schwärmerei, Glauben mehr als Wissen»[18] wolle.

In den Wochen der «völkischen Bewegung» und der Gründung des «Dritten Reiches» befand sich der Dichter außerhalb der Landesgrenzen in Rapallo am Golf von Genua. Über die Alpen kamen Nachrichten von der makabren Reichskanzler-Ernennung und spektakulären Reichstagseröffnung in der Potsdamer Garnisonskirche, von den ersten Ausbürgerungen und Verfolgungen von Juden, Kommunisten und streitbaren Demokraten, vom Reichstagsbrand und dem «Ermächtigungsgesetz» für Adolf Hitler. Der Kunsthistoriker Julius Meier-Graefe[19] beschwor den alten Freund im Süden, ähnlich wie Ricarda Huch gegen Heinrich Manns Ausschluß aus der Akademie der Künste zu protestieren und die Greuel zu verurteilen. Die Welt warte darauf.

Hauptmann antwortete nicht. Im Tagebuch äußerte er sich zurückhaltend und mit Bezugnahmen auf den Titel seines vorerst letzten Dramas: «Stimmung vor Sonnenuntergang ... Neue, völlig unberechenbare Ereignisse scheinen ein neues großes Ereignis einzuleiten. Das Geistige steht nicht mehr im Vordergrund. Es ist in Gefahr zu verschwinden ... Eine Eremitage für stille Arbeit ist heute mein einziges Ziel ... Alle ... Ereignisse der Welt ... stoßen mich ab. Und ich habe das scheußliche Vorrecht bekommen, in diesen Dingen nichts weiter zu sehen als ein grauslich-ekelhaftes Gemisch von Kot, Blut und Tränen.» Wenig später: «Mit dem Brande des Reichstagsgebäudes, in der Nacht vom 26. zum 27. Februar, schließt das Deutschland ab, in dem ich seit 1862 gelebt habe»; der «neuen Epoche» wünsche er jedoch als «unentwegter Patriot» «Fortgang im Guten und Überwindung des Mangelhaften»[20]. Schließlich (Nietzsches Zarathustra parodierend): «Vor Sonnenuntergang. Mein Volk, meine Freunde, meine lieben Brüder und Schwestern, Ihr werdet zu leiden haben ... Depression.»[21]

Dennoch entschloß er sich zum Verbleiben in der Akademie der Künste, der neben bürgerlichen Schriftstellern wie Benn, Carossa, Halbe, Loerke, Mell und Molo inzwischen «völkisch-nationalistische» Autoren angehörten wie Beumelburg, Blunck, Johst und Grimm. Beiläufig kritisierte er im Frühling 1933 die «Haßpflicht» sozialdemokratischer «Klassenkämpfer» und meinte, «daß mit Hitler ... ein Zurechtrücken eingetreten ist»[22]. Forsche Aktionen faschistischer Trupps kommentierte er mit den Worten: «Ich gebe mir Mühe zu verstehen, ihnen herzlich und voll zuzustimmen im Interesse meines Vaterlandes – aber, aber, aber?» Ein paar Seiten danach folgt der charakteristische Satz: «Ich bitte mich zu beeinflussen!»[23]

Mitte Mai 1933 kehrte Hauptmann nach Deutschland zurück. Dort bemühte er sich, sein gewohntes Leben «unpolitisch» weiterzuleben, als sei nichts geschehen. Im Sommer reiste er wie bisher nach Hiddensee, im Winter nach Italien, und sonst wohnte er in Agnetendorf. – Wiederholt versuchte er, Freunden sein Verharren im Nazireich zu erklären. Er habe als alter Mann sich der «Möglichkeit nicht berauben» wollen, in der «Heimaterde begraben zu werden»[24], heißt es da. Niemals sei er vom Regime «belästigt» worden, während man ihn im Ausland vermutlich zu Äußerungen gegen «Deutschland» (!) gedrängt hätte.[25] Überdies entspringe der Quell seiner Produktivität dem Heimatboden, nur hier könne er schaffen, und es sei wohl auch gar nicht so wichtig, «wer das Schiff Deutschlands übers Meer führt»[26]. Freilich: «Sobald man auch nur eins meiner Werke verböte oder mich nicht das schreiben ließe, was ich schreiben muß, dann allerdings müßte ich die Heimat verlassen.»[27]

Diese Argumentation ist aus verschiedenen Gründen nicht recht stichhaltig. Gewiß entfaltete Hauptmann in dem traurigen Jahrzwölft eine außerordentliche Produktivität, doch es bleibt zu bezweifeln, ob seine schöpferischen Kräfte im Exil versiegt wären. Immerhin hat er zeitlebens viele Dichtungen in Italien (wo er insgesamt zehn Jahre weilte), in der Schweiz, in Amerika und Griechenland konzipiert und zu Papier gebracht. Was hätte ihn etwa daran gehindert, bei mehrfachen Aufenthalten in Lugano zu bleiben? Altersgebrechlichkeit? Wohl kaum (zumal er damals ausdrücklich «greisentümliche Gefühle» bestritt[28]). Seine Generationsgenossen Sigmund Freud, Richard Beer-Hofmann, Julius Meier-Graefe, Alfred Kerr (als Juden allerdings unmittelbar gefährdet) gingen in die Fremde.

Hauptmann stellte seine «Heimat»-Legende selbst in Frage. In einem Brief an Ferdinand Sauerbruch bemerkte er im Herbst 1933, seine literarische Arbeit liege daheim infolge «Atemnot» und anderer Beschwerden gewöhnlich «während der Monate November, Dezember, Januar, Februar und März völlig danieder, während sie im milden Rapallo-Klima oder aber im südlichen Schweizerischen Tessin sofort auflebt. Die meisten meiner Werke verdanken diesem Klima ihre Entstehung.»[29] Kurz darauf berichtete er einem Korrespondenzpartner von einer London-Visite des Sohnes Benvenuto: «Wäre ich jung und beherrschte das Englisch so wie er, würde ich dort mein Fortkommen suchen.»[30] Demnach stand eine Emigration für ihn durchaus im Bereich des Denkbaren und Möglichen, aber er schreckte davor zurück, angeblich mit dem Eingeständnis: «Weil ich feige bin.»[31]

Derartige Widersprüche und Ungereimtheiten sind fortan für Gerhart Hauptmann bezeichnend. Auszüge aus seinen Tage- und Notizbüchern zu aktuellen Fragen ließen sich nahezu in jedem Falle nach dem Prinzip des «einerseits …, andererseits …» ordnen. Grundsätzlich hatte er schon 1901 erklärt: «Liegt denn eine Notwendigkeit vor, alles, was man denkt, empfindet oder weiß, auch auszusprechen? Und wenn ihr mich nun nach dem Ausgesprochenen beurteilt: beurteilt ihr mich nicht vielleicht falsch?» Im Dezember 1932 präzisierte er: «Nicht alles, was ich behaupte, möchte ich vertreten.»[32] Das gilt es zu beachten, damit einzelne Aussagen nicht überschätzt werden. Um zur Klärung strittiger Probleme beizutragen und die Diskussionsbasis zu verbreitern, sei nun ausführlicher aus unpublizierten Manuskripten und privaten Aufzeichnungen des Dichters zitiert.

Die Lektüre in den Diarien des «Heimgekehrten» bietet mancherlei Betrübliches. Nachdem er bereits kurz vor dem ersten Weltkrieg vom «Reiz der Bücherverbrennung und des Bildersturms» gesprochen hatte, erschien ihm im faschistischen «Wonnemond» die Einäscherung humanistischer Literatur auf dem Berliner Opernplatz als «reine Albernheit» mit «brenzlichem» Gestank.[33] Am 18. Mai 1933 notierte er: «Die gestern gehaltene Rede des deutschen Reichskanzlers wird man noch nach einigen hundert Jahren hören», und im Juni las er (weitgehend zustimmend) «Mein Kampf», die «sehr bedeutsame Hitler-Bibel»[34]. Im Oktober lobte er in einem Briefentwurf frühere Ausführungen Moeller van den Brucks (des «Visionärs» des «dritten Reiches») über *Florian Geyer* und bemerkte: «Am meisten würde mich stolz machen, wenn seine Meinung zu Recht bestünde, wonach ich dem Drama der Völker das ‹Drama der Deutschen› angereiht hätte.» Bald darauf empfing er von dem «völkisch» gesinnten Kollegen Kyser die wahrhaft «schmeichelhafte» (wenngleich trügerische) Versicherung, Ministerialrat Laubinger habe «den Minister Dr. Goebbels wie auch den Führer» für ihn gewonnen.[35]

Als Hitler am 11. November 1933 eine Volksabstimmung über Deutschlands Austritt aus dem Völkerbund anordnete, verfaßte Hauptmann einen Artikel, der u. a. im «Berliner Tageblatt» erschien und von den Redaktionen «Ich sage ⟨Ja⟩» überschrieben wurde. Darin stellte sich der Dichter ganz hinter eine demagogische Hitler-Rede, die bei einer «universellen Erfassung ihres Gegenstandes vollkommene Überzeugungskraft» besitze und den Austritt zur «Befriedung Europas» und zur Erlangung der «Gleichberechtigung» als unumgänglich erscheinen lasse. Diese Maßnahme müsse «einmütig gebilligt» werden.[36] – Die Wahlzettel stellten nun freilich gar nicht die Frage nach Verbleib oder Nichtverbleib im Völkerbund, sondern trugen den Aufdruck: «Billigst Du, deutscher Mann, und Du, deutsche Frau, diese Politik Deiner Reichsregierung?» Hauptmanns «Ja» wurde demzufolge überall als Anerkennung der faschistischen Realitäten gedeutet, zumal er drei Tage später an der Eröffnung der Reichskulturkammer und einem «Defilee» vor Hitler teilnahm. (Angeblich soll er danach zu seinem Sohn Ivo gesagt haben: «Ich glaube, dieser Mann ist wahnsinnig.»)

Vor allem diese Vorgänge erbitterten viele ehemalige Freunde und Kollegen. Entgegen der üblichen Annahme[37] publizierte Alfred Kerr seine berühmte Absage und Verfluchung jedoch schon vorher, nämlich am 30. 10. 1933 im «Prager Mittag». Darin hieß es: «Ich kenne diesen Feigling nicht. Dornen sollen wachsen, wo er noch hinwankt. Und das Bewußtsein der Schande soll ihn würgen in jedem Augenblick … Sein Andenken soll verscharrt sein unter Disteln; sein Bild begraben in Staub.»[38] – Thomas Mann, der noch im Juni Verständnis für den passiven Schweiger bekundet hatte («Was soll er sich um Habe und Vaterland reden?»), begrüßte nun «Kerrs zweifellos gerechten Angriff auf Hauptmann»[39]. Weiterhin schrieben Balder Olden über den «Verräter an sich selbst»[40], Fritz von Unruh über den «großen Mann», der aus seiner «Freundschaft und Liebe»[41] ging, und Anton Kuh spöttisch über den «un-emigrierten» Geist und dessen gleichsam verstohlene Bitte, ihn in «heimischen Ergebenheiten nicht zu stören»[42]. Auch Becher und Arnold Zweig äußerten sich kritisch.

Gerhart Hauptmann hielt es für angebracht, sich ausgerechnet beim «Blubo»-Blunck (dazumal Präsident der NS-«Reichsschrifttumskammer») für dessen Bekundung von «Sympathie angesichts eines gewissen Pamphlet-Schreibers allerniedrigster Art»[43] zu bedanken. Im übrigen reagierte er keineswegs «gelassen»[44], sondern sudelte seitenweise Beschimpfungen ins Diarium, nannte Kerr einen «peinlichen Burschen», «Lumpenhund», «Ghettojuden», eine «Schmeißfliege» und «Bestie» in «sittlicher Häßlichkeit»[45].

Bisweilen versuchten alte Weggefährten ein Rettungswerk für den offensichtlich Verblendeten einzuleiten. Julius Meier-Graefe fuhr im Frühling 1934 in einem kleinen Wagen nach Rapallo, gleichsam in voller Rüstung und mit beredter Zunge. Erschüttert kehrte er nach Sanary-sur-mer zurück, niedergeschlagen von einem «unvorstellbaren Ausmaß an Unempfänglichkeit». Hauptmann hatte alle Beschwörungen einfach abgewiesen und mit «überlegenem Wohlwollen» erklärt: «Das ist ein Natur-Geschehen. Kannst du gegen einen Wasserfall anschwimmen?»[46] Das entspricht ungefähr der Tagebuchnotiz: «Ich könne eine Weltbewegung, die Italien, Deutschland, Rußland, China … ergriffen hat, durch mein Wort aufhalten? Narren, Kinder, Dummköpfe! Was sind einzelne Menschen in diesem Spiel!»[47] Da war nichts zu machen, jedes Wort verschwendet. Es tritt das Kernmotiv von des Dichters Wehrlosigkeit zutage: Als Fatalist glaubte er, es bei dem scheinbar unaufhaltsamen Aufstieg Adolf Hitlers mit einem «elementaren Ereignis» zu tun zu haben.

Auch in der Folgezeit verhielt sich Gerhart Hauptmann

zwiespältig. Einerseits entbot er Hitlers Steigbügelhalter, dem «tief geliebten» Reichspräsidenten von Hindenburg[48], den «unwahrscheinlich albernen, konfusen und impotenten ‹Grabspruch›»[49]: «Über Deutschland liegt eine atemlose Stille. Die Weltuhr tickt vernehmlich. Sie hat ausgehoben, man erwartet die Glockenschläge, aber sie schlägt nicht ... In diesem Mann war Gott.»[50] Gegenüber Erich Ebermayer brachte er es sogar fertig, die angeblichen Segnungen der Faschisierung zu rühmen und die Propagandaphrasen von der «Überwindung» der Arbeitslosigkeit und der deutschen Zwietracht, von wirtschaftlichen und außenpolitischen «Erfolgen» zu wiederholen. Im übrigen sei er kein «politischer Dichter» und denke nicht daran, «wegen Politik sich in die Ecke zu stellen» und «beese» zu sein.[51]

Andererseits bedachte er im Sommer 1933, was «man tun» könne für Gemaßregelte wie Eloesser und (damals noch) Kerr, und er bekundete «Liebe zu den betreffenden Freunden»[52]. Anfang 1934 verwandte er sich bei Blunck für den (vorübergehend inhaftierten) «mit dem Schillerpreis gekrönten Dichter» Ernst Hardt, den er für einen «ehrenhaften Menschen»[53] halte, doch bald gestand er bei ähnlichen Hilfsgesuchen «Einflußlosigkeit» ein. Im selben Jahr der «völkischen Erhebung» schrieb Hauptmann ins Diarium: «Die Deutschen können keine Revolution machen, es wird immer eine Albernheit» und: «Pfui über eine Zeit, wo Denunziation, also Angeberei, dominierend sein würde.»[54] Trotzig bezog er sich auf Beethovens «Ich will dem Schicksal in den Rachen greifen»[55] und auf Schillers «Worte des Glaubens»: «Der Mensch ist freigeboren, ist frei.»[56] Ende 1935 gab er der Überzeugung Ausdruck: «Das Volk ist viel stärker als alle nur denkbaren Demagogen.»[57]

Zu Hauptmanns Ehre sei es gesagt, daß er in jener Zeit alten jüdischen Freunden die Treue hielt und sich häufig gegen den faschistischen Rassewahn aussprach. Schon 1929 hatte er gesprächsweise den Juden gedankt und davon gesprochen, sie hätten ihn «gefördert, ermutigt», ihm ihren «hilfreichen Arm geboten», «Steine aus dem Weg geräumt … Deutsche Juden sind Deutsche im besten Sinne des Wortes. Im Dienste am Vaterland und am deutschen Geist stehen sie uns Ariern in keiner Weise nach.»[58] Später erinnerte er sich gern an Rathenau, Brahm und Reinhardt; 1934/35 geleitete er Max Pinkus und Max Liebermann zu

Silhouette Gerhart Hauptmanns, 1939

Grabe, auch seinen Verleger, den entschiedensten literarischen «Förderer dieser Epoche», über den er noch 1940 schrieb: «Ich kann nicht umhin, meinen Jugendgenossen und Freund Fischer zu verehren: er war Jude.»[59] Andernorts heißt es: «Gustav Mahler ist und bleibt ein großer Musiker. Und so viele Juden.» Oder Hauptmann bekannte sich im Mai 1933 zu Max Liebermann: «Sie sind aus der Akademie ausgeschieden. Länger als fünf Jahrzehnte waren Sie ein Stolz der deutschen Kunst und werden es bleiben als einer ihrer Unsterblichen. Daß ich so denken muß, wissen

413

Sie von mir, aber man kann so etwas nicht oft genug aussprechen.»[60] Die Verbindung zu jüdischen Emigranten wie Franz Werfel, Emil Ludwig, Stefan Zweig, zu Chapiro und Bab hielt er aufrecht.

Mit Betroffenheit äußerte er sich über die Judenverfolgungen: «Warum lebe ich das Leid andrer so niederdrückend stark, z. B. das der Juden im gegenwärtigen Augenblick? ... Sie müssen weinen, wo wir uns freuen ... Die Juden werden aber von weiterem Wachstum ausgeschlossen. Was ist ein Mensch, von seiner sozialen Gemeinschaft ausgestoßen?»[61] Bei der Beerdigung von Pinkus sah er ein «Trauerspiel», wobei ihm schien, daß die Tragik des Judentums «unter allen Völkerschicksalen das erhabenste, das größte und furchtbarste ist»[62]; drei Jahre später versuchte er eine szenische Gestaltung im Requiem *Die Finsternisse.* Als Julius Bab Ende 1934 um Genehmigung für geplante Aufführungen des *Hirtenliedes* im «Kulturbund deutscher Juden» bat, stimmte Hauptmann zu.[63] Und immer wieder spottete er über «Rassemustermenschen», die sich von andersblütigen verführerischen Weibern abwenden müßten; über «geistige Schweinezucht» und die «Sackgasse» puristischer Vererbungshüter, denn «Rassenmischung» sei «überall das Wesentliche»[64]. Zu den bedeutsamsten Dokumenten gehört eine Eintragung in Dresden vom 8. 10. 1941: «Ich sah einen sauber gekleideten stillen Mann ... Er trug auf der Brust einen großen, gelben Stern, darauf stand: Jude! Sind wir Deutschen wirklich so weit gekommen, das ohne Scham anzusehen?»[65]

Leider verhielt sich der Dichter in der «Judenfrage» nicht immer konsequent. Obwohl er grundsätzlich erklärte: «Antisemitismus ist reiner Blödsinn»[66], ließ er sich im persönlichen Bereich mehrmals dazu hinreißen. Beispielsweise hatte ihm Alfred Döblin ursprünglich Zeichen der «Sympathie» und «Ergebenheit» gesandt und ihn 1927 (zusammen mit Hofmannsthal, Musil und Kerr) für ein «Rilke-Komitee» gewonnen[67], doch als er etwas später Glossen machte und sich Arno Holz annäherte, füllte Hauptmann viele Tagebuchseiten mit Schimpfereien über den «kleinen jüdischen Dummkopf» und die «Ludereien» des «stupiden Juden Döblin», in dessen Fall er «ausgesprochener Antisemit» sei.[68] Ähnlich verunglimpfte er (nach dem Bruch) den «Ghettojuden» Kerr. – Bisweilen «vergaß» er seine Hochschätzung Spinozas und das Wissen um Maimonides, Mendelssohn, Marx u. a., wenn er behauptete: «Das Judentum hat in der Tat keinen echten Philosophen hervorgebracht.»[69] Ab und an distanzierte er sich in schlimmer Zeit von den Juden, erschreckend in Worten vom März 1938: «Ich muß endlich diese sentimentale ⟨Judenfrage⟩ für mich ganz und gar abtun; es stehen wichtigere, höhere deutsche Dinge auf dem Spiel»[70] und in der Empfehlung von 1942, «keine Angst vor Verschickung» und «Kolonisation»[71] zu haben.

Auch sonst gab Gerhart Hauptmann, privat und publizistisch, immer wieder bedauerliche Erklärungen ab. So erschienen ihm die antifaschistischen «Herren Emigranten» als «albern», Carl von Ossietzky als «ziemlich gegenstandsloser Name» und der Freiheitskampf gegen das Franco-Regime als der «verfluchte spanische Unsinn hinter den Pyrenäen»[72]. Andererseits fand er die Eindeutschung des Saargebiets «herrlich»[73]. Anläßlich der Reichstagswahlen von 1936 versicherte er, daß er sich «in diesem weltgeschichtlichen Augenblick mit dem geschlossenen Willen von Führer und Volk durchaus einig fühle»[74]. Gleichzeitig verfaßte er die (später durchgestrichene) Eloge: «Was der Führer verfügt, war rechtens in jedem Betrachte», und naiv fragte er, warum Hitler nicht «in großartiger Güte, nachdem er alles durchgesetzt, die Arbeit der Reformation statt der Revolution»[75] vornehme. Dennoch bezeichnete der Autor 1938 die Okkupation Österreichs als «unabwendbar folgerichtige Verwirklichung einer geschichtlichen Notwendigkeit», vollzogen von einem «Sohn Deutsch-Österreichs, dessen eisernen Willen die Mächte hinter den Sternen ausersahen»[76]. Im Herbst feierte er das sogenannte Münchener Abkommen und die Besetzung des Sudetenlandes als «große Wende zum Frieden». In derselben Agenda steht zuvor (mit Bezug auf Schillers «Don Carlos») der aufschlußreiche Satz: «‹Sire, ‚geben Sie Gedankenfreiheit›. Aber wenn man keine Gedanken hat noch denken kann oder will, wozu bedarf man der Gedankenfreiheit? Und das ist die Lage der meisten, auch der meisten Deutschen.»[77]

Trotz mannigfacher Sympathie-Bekundungen blieben die Nazis voller Argwohn gegenüber dem Dichter der *Weber*. In der biographischen Literatur ist zumeist die Rede von Hauptmanns kulturpolitischer Isolierung, von einem «halboffiziell über ihn verhängten Bann» oder dem «ideologischen Verdikt» des «Gewerkschafts-Goethe», der zwar geduldet, jedoch «nicht gefördert werden» sollte.[78] Zu den bevorzugten Belegstellen gehört ein Passus aus Alfred Rosenbergs «Mythus des 20.Jahrhunderts» (1930): «Ein Gerhart Hauptmann nagte doch bloß an den morschen Wurzeln des Bürgertums des 19. Jahrhunderts, konstruierte Theaterstücke nach Zeitungsmeldungen, ‹bildete› sich dann, verließ die ringende soziale Bewegung, ästhetisierte sich im galizischen Dunstkreis des ‹Berliner Tageblatts› … Innerlich wertlos, sind Hauptmann und sein Kreis unfruchtbare Zersetzer einer Zeit, zu der sie selbst innerlich gehören.»[79]

Aus dem engeren Bekanntenkreis verlautete Weiteres über Differenzen und Behinderungen. Demnach wandte sich Goebbels gegen geplante Verfilmungen von *Rose Bernd* («Deutsche Mütter haben freudig zu gebären») und *Schluck und Jau* (dieses Elaborat über zwei «notorische Trinker», die er seinem «Freunde Himmler zur Einweisung in ein KZ übergeben würde») und setzte den «depressiven» *Fuhrmann Henschel* herab. Dennoch wechselte Hauptmann mehrmals Grüße mit der «Exzellenz», dem «werktätigen Freunde des deutschen Theaters»[80]. Eine Aufführung von *Magnus Garbe* kam 1939 nicht zustande, und für eine Neuauflage der «rassenschänderischen» Erzählung *Der Schuß im Park* verweigerte man das Papier. – Über finanzielle Auswirkungen bemerkte Max Pinkus Ende 1933 in einem Brief: «Es ist gar still geworden um unseren verehrten Herrn Doktor ... Man spielt keine Hauptmannschen Stücke, man kauft seine Bücher nicht mehr. Von was wird er leben?»[81] Gemäß Felix A. Voigt «gingen die Auflagen seiner Werke und die Aufführungen auf deutschen Bühnen um mehr als 80% zurück», ja im allgemeinen sei Hauptmann «von 1933 bis 1940 offiziell einfach ignoriert» worden, wenn auch «hie und da noch ein Stück von ihm» im Spielplan stand.[82] All diese Angaben über den «halb Verfemten» wurden häufig wiederholt. Auch in mehreren Auflagen dieses Buches hieß es, daß die Werke des Dichters damals nur noch «ein bescheidenes Provinzdasein» führten und seine Einnahmen «rapide» zurückgingen.

Wir müssen das korrigieren. Die Behauptungen der alten Freunde und entsprechende «Repressions»-Legenden in der gesamten Sekundärliteratur sind in der Form nicht mehr aufrechtzuerhalten. Hier einige Fakten: Im Oktober 1933 hatte die *Goldene Harfe* in München Premiere auf ausdrücklichen «Befehl des Führers». Im angeblichen «Boykott»-Jahr 1934[83] spielte man «in 25 Theatern des Reiches dreizehn seiner Werke»[84], mit besonderem Erfolg *Kollege Crampton*; gleichzeitig kam ein *Hannele*-Film heraus. 1935 machte der *Biberpelz* Furore, zudem die Komödie *Jungfern vom Bischofsberg* (in Anwesenheit von Göring); und 1936 konnte man in Berlin *Michael Kramer, Die Ratten* und *Schluck und Jau* sehen.[85]

Völlig absurd ist die Feststellung, man habe Hauptmanns 75. Geburtstag «in geradezu jämmerlicher Weise» übergangen und «im Inland mit offiziellem Schweigen bedacht»[86]. Tatsächlich sandten Blunck und Johst (sowohl der alte wie der neue Präsident der Reichsschrifttumskammer) offizielle «freundschaftliche Glückwünsche» an den «großen Dichter» und Jubilar, und Goebbels gratulierte dem «deutschen

Dichter, der sich mit seinem vielgestaltigen Werk zu seiner Heimat und den schaffenden Menschen unseres Volks bekannt hat»[87]. In Berlin brachte das Schauspielhaus zum festlichen Anlaß *Michael Kramer* heraus (im Beisein des «Promis»), die Volksbühne *Rose Bernd* (Überreichung von Lorbeerkranz mit Hakenkreuzschleife an den Autor!) und das Rose-Theater *Vor Sonnenaufgang* (zuvor den *Biberpelz*). Die Publikationsorgane («Berliner Morgenpost», «Lokalanzeiger», «Nachtausgabe», «8-Uhr-Blatt», «Deutsche Allgemeine Zeitung», «Frankfurter Zeitung», «Der Angriff» u. a.) nahmen nicht nur von allen Aufführungen in extenso Notiz, sondern würdigten Hauptmann als «volkstümlichen, volkhaften, völkischen Dramatiker» und resümierten: «Fast alle seine Stücke konnten sich auf dem Spielplan auch des Theaters von heute erhalten, immer wieder erschienen *Michael Kramer, Kollege Crampton* und die von den Männern gehetzte *Rose Bernd* auf der Bühne, und gerade in den letzten Jahren erlebte man eine Renaissance dieser Rollen und Stücke.»[88] Es gab Nachfeiern in Frankfurt, Köln, Wien und Premieren der Filme *Herrscher* (nach *Vor Sonnenuntergang*) und *Biberpelz*, 1943 eine Verfilmung der *Jungfern vom Bischofsberg*.

Auch in den Folgejahren gehörten Hauptmanns Dramen zum Repertoire der deutschen Schauspielhäuser (mit Wiederentdeckungen von *Versunkene Glocke* und *Bogen des Odysseus* und Berliner Uraufführung der *Tochter der Kathedrale*, in Anwesenheit von Goebbels). – Einen neuen Höhepunkt erreichte die Popularität des Dichters beim nächsten Jubiläum, seinem achtzigsten Geburtstag. Allerdings kam es zuvor zu einem bemerkenswerten Schriftwechsel zwischen Rosenberg und Goebbels, wobei der «Reichsphilosoph» empfahl, möglichst nur «persönliche Ehrungen» vorzunehmen, die «Zahl der Aufführungen und Auswahl der Werke doch noch einmal zu überprüfen und rechtzeitig die Presse darauf aufmerksam zu machen, nicht etwa Gerhart Hauptmann als einen Dichter unserer Form» zu würdigen. Obwohl das Propagandaministerium gewisse Einschränkungen verfügte, gestattete man immerhin jedem Theater «eine Neuinszenierung». Somit ist es unsinnig, lediglich von provinziellen, privaten Feiern zu sprechen und vom Verbot «aller geplanten Aufführungen» in der Hauptstadt.[89] Jedenfalls konnte man während der Festwoche in Breslau vier Stücke sehen *(Biberpelz, Kramer, Pippa, Tochter der Kathedrale)*, in Wien sogar sieben *(Geyer, Griselda, Jungfern, Kramer, Elga, Rose Bernd, Iphigenie in Delphi)*, in Berlin zumindest *Florian Geyer, Veland* und *Armer Heinrich*, Weiteres in Frankfurt am Main, München, Hamburg u. a. – Journale veröffentlichten Rezensionen und Geburtstagsartikel über den «größten deutschen Dichter der Gegenwart» und hoben den «Glanz des schlichten herrlichen Menschentums» in seinen Dramen hervor.[90] Dank der Initiative von Freunden erschien im S. Fischer Verlag eine große siebzehnbändige Gesamtausgabe seiner Werke.

Selbstverständlich handelte es sich dabei, jetzt und früher, niemals um Zeichen der «Liberalität» oder eines neuen humanistischen Kulturverständnisses der Nazis. Neben Huldigungen gab es stets gehässige publizistische Angriffe auf den «gehorsamen Schleppenträger Sami Fischers», auf einen Autor, der nur «halbe Helden» «ohne gesunde Lebenskraft» geschaffen habe und keine «überragenden Führergestalten». In seinen *Webern* (die nur erwähnt, nicht gespielt werden durften) gebe es lediglich «Masse» und nicht «Volk», und dem von ihm bevorzugten Menschentypus sei das «notwendige Auslöschen» bestimmt. Aber in Hinblick auf das «europäische Ansehen» Hauptmanns hielten es die faschistischen Machthaber bisweilen für sinnvoll, ihn als «Aushängeschild» zu benutzen – und der erfolggewohnte Dichter ließ sich die «Ehrenerweisungen» naiv und gern gefallen. Überall nahm er an «Empfängen» teil, empfing zahlreiche Auszeichnungen und Grußbotschaften, darunter (wie die «Berliner Morgenpost» meldete) nicht nur Glückwunschtelegramme von «Reichsminister Dr. Goebbels und

Reichsleiter Rosenberg», sondern auch vom «Führer» nebst «Ehrengabe» einer Vase der Berliner Porzellan-Manufaktur mit Staatsinsignien.[91] Wie Hülsen berichtete, wies ihm der Jubilar das Gefäß unter vier Augen lachend vor und sagte: «Er unterschätzt den Umfang meiner Blase.»[92] Freilich dürfte gegenüber Gesprächsüberlieferungen der «Freunde» Skepsis geboten sein, falls sie sich nicht durch Tagebuchnotizen absichern lassen.

In einer Ansprache bedankte sich der Schriftsteller beim «Sternenschicksalsträger des Deutschtums», jener «großen Willenskraft, auf der heute unser gesamtes deutsches Schicksal ruht und die inmitten ungeheurer Aufgaben Zeit gefunden hat, meiner durch Wort und Gabe gütig zu gedenken». Das klingt nicht nach «Haß» und «verbissenem Trotz» gegen die Hitler-Herrschaft![93] Vielmehr entspricht es den verehrungsvollen Bemerkungen im Diarium über das «Weltgenie» Adolf Hitler, den «großen Einsamen», der «tatsächlich seit Menschengedenken das größte politische Ereignis Deutschlands» sei und auf den wohl «allerlei in dem nächsten Jahrtausend zurückgeführt werden» müsse.[94] Noch im September 1944 versicherte Hauptmann: «Der Führer kennt meine Achtung vor seiner gewaltigen schicksalhaften Persönlichkeit.»[95] Damit verbunden waren beinahe freundschaftliche Kontakte mit dem schlesischen Gauleiter K. Hanke und dem Wiener «Reichsstatthalter» Baldur von Schirach; außerdem Begeisterung für die «Zeit des größten deutschen Krieges und bisher größten Sieges», für «Deutschlands größte Machtentfaltung» und ein «Europa unter deutscher Führung»[96]. Auf kulturellem Gebiet begrüßte der Autor in arger Geschmacksverirrung den unerhörten Hochstand der deutschen Bildhauerei ... Kolbe, Klimsch, Breker, Thorak, Wamper»[97].

Bereits in der 3. Auflage dieses Buches wurde festgestellt, daß Hauptmann mit den Faschisten mehr sympathisierte, als man das bisher zu vermuten wagte; offenbar sagte er zur «völkischen» Bewegung mehr ja als nein. Aber letztlich

Gerhart Hauptmann vom Hannele.
Zeichnung von Olaf Gulbransson,
1942

421

müssen seine Selbstachtung und poetisch-humanistische Ausdruckskraft zu stark und seine politische Anpassungswilligkeit zu gering gewesen sein, weshalb ihn die Heil-Schreier nicht als Künstler ihrer «Form» betrachten konnten. Seine Weltanschauung blieb ein wirres Gebilde. Neben Loyalitätserklärungen finden wir doch immer wieder kritische, ja ergreifende Notizen. So schrieb er Ende 1938: «Leider aber trage ich eine Zentnerlast, Schmerzen und Sorgenlast um mein Vaterland und mein Volk»[98]; ein Jahr später: «Nach dem Aufwachen drücken die Schrecken des Krieges auf meine Brust. Polen. Wieviel Haß hat er dort entfesselt. Wie ungeheuer wird der Deutsche dort gehaßt? ... Wo ist ein echtes humanes Ziel, das sich nicht als Teufelsfalle entpuppt?»[99] Mehrmals äußerte er sich gegenüber Else Eckersberg anteilnehmend über die «beruhigendtiefe Natur» ihres «hochverehrten Gatten», des Grafen Yorck von Wartenburg, bis er sich nach dem Attentat auf Hitler im Juli 1944 zu der Eintragung entschloß: «Die hochbedeutsame, schwebende, fliegende Schauspielerin ist, wie ich unterrichtet wurde, in Not ihres Gatten wegen.»[100]

Gewiß kann man Gerhart Hauptmanns schwankende Haltung und sein «Mitläufertum» bedauern, aber aus dem Abstand von einem halben Jahrhundert sollten wir ihm, trotz allem, als hervorragendem Repräsentanten unserer Nationalliteratur Gerechtigkeit widerfahren lassen. In einer Gedenkansprache von 1952 bemerkte Thomas Mann, dieser «Dichtermensch» habe wohl die «Bluthistorie der Menschheit ... gequälter, leibhaftig leidender als irgendein anderer» in sich getragen und Deutschland geliebt «bis in seine düsterste Verirrung hinein»[101]. In der Tat teilte Hauptmann das Schicksal eines großen Teils unseres Volkes. Er erlag Verführungen, verharrte in Passivität und wurde eine Art Symbolfigur für die Wehrlosigkeit des deutschen Bildungsbürgertums gegenüber dem Faschismus.

In späten Jahren durchschritt der Greis eine Zone der Einsamkeit. Die alten Freunde «seiner» Epoche, soweit sie noch lebten, befanden sich im Exil. Daheim pflegte er gelegentlich Gedankenaustausch mit «unangepaßten» Künstlern wie Herbert Eulenberg, Ricarda Huch, Käthe Kollwitz, Bernhard Kellermann, Oskar Loerke, Eduard von Winterstein.[102] Näher standen ihm einfühlsame «Hausgenossen» und Kollegen wie C. F. W. Behl, Felix A. Voigt, Erhart Kästner und Hans von Hülsen.

In seinem dichterischen Werk hielt sich Gerhart Hauptmann (im Gegensatz etwa zu Knut Hamsun) frei von Zugeständnissen an die Nazi-Ideologie. Nur wenige belletristische Bücher, die damals in Deutschland erschienen, gehören heute zur gültigen Literatur. Für die meisten Publikationen im «Dritten Reich» waren die inhumane Verherrlichung von Nationalismus, Militarismus und Blut-und-Boden-Mythos bezeichnend oder ein Abgleiten ins Idyllische, Provinzielle und Unverbindlich-Unterhaltsame. Hauptmann hingegen gelangen in jenem trüben Jahrzwölft manche bewundernswerten Leistungen, die indirekt einen Protest gegen die Barbarei darstellen.

Wir wollen uns hier noch einmal bewußt machen, daß der Dichter in seiner Spätzeit namentlich als Prosaschriftsteller hervortrat. Seit dem *Quint*-Roman von 1910 hatte es ihn immer wieder gereizt, sein Weltbild auch erzählerisch auszudrücken, so in *Atlantis, Der Ketzer von Soana, Die Insel der Großen Mutter, Buch der Leidenschaft*. Davon war schon die Rede. Nach 1933 beschäftigte ihn hauptsächlich die breit angelegte Autobiographie *Das Abenteuer meiner Jugend* (1935), die wir bereits im zweiten Kapitel würdigten, dann der Hamlet-Roman *Im Wirbel der Berufung*, die Erzählungen *Das Meerwunder, Das Märchen, Mignon*, schließlich das weitschichtige, leider Fragment gebliebene Romanunternehmen *Der neue Christophorus*.

Im ersten Jahr nach dem faschistischen Staatsstreich schrieb er die Erzählung *Das Meerwunder*. Es ist die Geschichte von einer beängstigenden geistigen Verwirrung, die der Autor in Form eines autobiographischen Erlebnisberichtes mitteilt. Vor langer Zeit, so bemerkt er, als er noch ein «junger Literat» gewesen, habe er in einer italienischen Hafenstadt einen ehemaligen Priesterzögling, Antiquitätenliebhaber und Kustos Otonieri kennengelernt, durch den er in einen merkwürdigen «Klub der Lichtstümpfe» eingeführt worden sei. In diesem Kreis habe er dann aus dem Munde des gespenstischen Seefahrers Mausehund-Cardenio eine unheimliche, bewahrenswerte Story gehört.

Durch den «Rahmen» schuf sich Hauptmann die Möglichkeit, das Geschehen auf mehreren Ebenen spielen zu lassen. Cardenio berichtet von drei Jahrzehnte zurückliegenden Vorfällen, die in der Gegenwart ihren Abschluß finden sollen, und zwar tut er das auf so phantastische Weise, daß sich der Autor und der Versammlungsleiter Otonieri wiederholt kritisch, distanzierend oder kommentierend einschalten. Der gesunde Menschenverstand möchte den Vortragenden zu einem «ausgemachten Narren» erklären, einen «Geisteskranken» und halluzinationsgeplagten Tollhäusler in ihm sehen, aber hinter einem scheinbaren Unsinn offenbart sich allmählich ein furchtbarer Sinn.

Äußerlich folgt Cardenio vielfach den Spuren von Gryphius' und Immermanns Dramengestalten «Cardenio und Celinde»: Auch er nimmt einem anderen die Frau weg, gerät in den Zauberbann der gespenstischen Geliebten und wird vom Phantom eines Totengerippes umarmt. Doch der geheimnisumwitterte Tod des Mädchens, das er Chimaera oder Seekatze nennt, bedeutet für Hauptmanns hoheitsvollen Globetrotter keinen Abschluß. Er schnitzt nach dem Bilde der Entschwundenen eine Galionsfigur, nagelt sie an den Bugspriet eines Schiffes, mit dem er bis zum Stillen Ozean vorstößt. Dort erleidet er Havarie und muß auf einer entlegenen Insel im Tropenfieber die qualvolle Wiederauferstehung der unerlösten Chimaera erleben.

Es will ihm so scheinen, als sei die Geliebte mit Undine,

Melusine und anderen sagenhaften Wassergeistern oder Dämonen verwandt (auch mit Rautendelein), die sich nach Menschtum sehnen – und sich darin verzehren. Auch Chimaera sucht Veredelung und Irdisch-Göttliches, erlebt aber nur tiefste Enttäuschung und Not. Die Unschuld des Elementaren hatte sie dahingegeben und dafür die «Furchtbarkeit des Daseins», die «grenzenlosen Höllen»[103] einer angeblichen Vergeistigung erfahren. Angewidert bemüht sie sich darum, ihre menschliche Metamorphose rückgängig zu machen, und sie schreit die erschütternden Worte in die Nacht hinaus: «Ich will kein Mensch sein!»

In dieser Verfluchung des Menschseins spiegelt sich die Krise der Humanität. Nach dem Sieg des Faschismus in Deutschland hat Gerhart Hauptmann bisweilen resigniert. Wie vor Belsazar begannen die Wände zu reden und kündeten: «Es lohnt nicht mehr.» Durch den Mund Cardenios sprach er aus, wie ihm sein «früheres Leben unter Menschen» beinahe «fratzenhaft» vorkam. Es ist gewiß autobiographisch gemeint, wenn es heißt: «Ich sah nur das Häßliche, Widerwärtige, und daß ich je etwas für schön gehalten hatte in dieser allseitig grausigen Welt und Menschenwelt, konnte ich, so verwandelt, nicht mehr begreifen … Den hellen, heitergläubigen Wimpel des Menschheitsschiffes sah ich nicht mehr, dafür einen schwarzen, in Blut gefärbten.»[104] Hier steht nicht nur etwas zwischen den Zeilen. Der Zeitbezug ist offenbar.

Cardenio möchte das Menschtum hinwerfen wie Chimaera und ins Elementare, unbeschwert Animalische eintauchen. Die «Verwandlung» ins Tierische erlebt er keineswegs alptraumartig wie Kafkas Handlungsreisender. Der Capitano der Novelle *Das Meerwunder* behauptet, er habe höchstes Glück und eine geradezu «göttliche Gesundheit» erfahren, als ihm im magischen Kreis die Gestalt eines Tritons verliehen ward, mit der Nereide Astlik auf dem Rükken. (Zu dieser Szene regte sicher Böcklins Gemälde «Triton und Nereide» an.)

Schon vorher läßt der Dichter durch den – zusammen mit Cardenio gestrandeten – Koch Sarrazin die Lehre entwickeln, daß der Mensch eigentlich eine Entartung sei. Angesichts der faschistischen Bestialitäten schien sich der Mensch als ein Fehlprodukt zu erweisen. Sarrazin philosophiert, die Natur habe einen falschen Weg eingeschlagen; sie hätte lieber ein «Universaltier»[105] ausbilden sollen mit dem Geruchssinn eines Hundes, der Schnelligkeit einer Gazelle, den scharfen Augen eines Adlers und der Fähigkeit, in Luft, Wasser und auf dem Lande gleichermaßen zu Hause zu sein. Die klassische Menschheitsgläubigkeit und Gorkis Wort vom «stolzen» Klang des Wortes «Mensch» erfahren hier eine Zurücknahme.

Hauptmanns Erzählung gibt somit auf die Frage nach dem «Sinn der Welt» eine tief pessimistische Antwort. Leben ist kaum mehr als ein Warten auf den Tod. Nach Ansicht der Gemeinschaft der «Lichtstümpfe» ist das Dasein nur zu bestehen mittels einer kynischen Philosophie (allerdings sind die von ihnen genannten Schutzpatrone mehr Platoniker und Scholastiker als Kyniker). Sie folgen dem ungenannten Leitspruch des Antisthenes: Eher will ich verrückt sein als genießen. Und Cardenios «kynischer» Weg zur Natur gipfelt im «Meerwunder», jener (an die Walpurgisnacht im «Faust II» gemahnenden) Vermählung des Organischen mit dem Neptunischen. Nach den Wahngebilden der Chimaera vollzieht sich das «Wunder» freilich in einem heiteren, beinahe parodistischen, märchenhaften Element. Die Nixe Astlik wirkt geradezu sportlich: Eine «sehr schöne Schwedin, die in der Südsee filmt»[106].

Bei aller Trostlosigkeit der Aussage stellt Hauptmanns Erzählung ein erschütterndes, meisterhaft gestaltetes Dokument seiner Zeit dar. Selten gelang dem Dichter eine so gedankenreiche, magische Bilderflucht, selten hat er Reminiszenzen an seine Jugendzeit (an das Italienerlebnis von 1883 und den Besuch der Blauen Grotte in Capri) in eine derart unheimliche, durchaus poetische Atmosphäre eingehüllt. Chimaera geistert durch die Geschichte wie eine «ins Mythische gesteigerte Hanna Elias»[107].

Dem epischen Nachtstück stellte Gerhart Hauptmann im Februar 1937 ein szenisches Nachtstück zur Seite, das insgeheim geschriebene Requiem *Die Finsternisse*. Damit setzte er bekanntlich seinem 1934 verstorbenen jüdischen Freund Max Pinkus ein literarisches Denkmal. Als einzige «Arier» hatten seinerzeit der Dichter und dessen Gattin an dem Begräbnis teilgenommen, worauf in dem kleinen Werk ebenso angespielt wird wie auf manche biographischen Einzelheiten und Verdienste von Pinkus.[108] Die Heimatgemeinde Neustadt war dem Verewigten tief verpflichtet und blickte bei seinem Tode dennoch furchtsam, auf eine beschämende Weise, hinweg. Durch ihn bekam der Ort ein modernes Krankenhaus, ein Altersheim, einen Erholungspark, eine Badeanstalt. Als Leiter der Tischzeug- und Leinewand-Fabrik S. Fränkel bemühte er sich um soziale Verbesserungen für seine rund viertausend Arbeiter, für die er einen Pensionsfonds schuf. Vor allem aber legte er eine einzigartige Bibliothek an, die über siebzehntausend Bände enthielt (hauptsächlich Erstausgaben und bibliophile Kostbarkeiten).

Seine besondere Vorliebe galt dem Werk von Hauptmann, das er lückenlos besaß, und er finanzierte auch großzügig die Herausgabe einer Hauptmann-Bibliographie und beteiligte sich an den Kosten zur Ausmalung der Paradieshalle auf dem Wiesenstein. Zu seinem siebzigsten Geburtstag, an dem er den Ehrenbürgerbrief von Neustadt erhielt (1927), schrieb ihm der Dichter ein kleines Huldigungsgedicht und porträtierte ihn kurz darauf als Löwel Perl in *Die schwarze Maske* und als Matthias Clausen in *Vor Sonnenuntergang*. Auch nach Hitlers Machtübernahme war Pinkus ein gern gesehener Gast in Agnetendorf.

Die Finsternisse des Faschismus bilden buchstäblich den Hintergrund der im szenischen Requiem geschilderten Totenfeier für den alten Freund. Das Begräbnis des hochver-

Illustration von Alfred Kubin
zur Novelle «Das Meerwunder»,
1934

dienten Kommerzienrates Joel (hinter dem sich Pinkus ver-
birgt) muß in aller Stille und ohne jede Ehrenbezeigung
erfolgen, weil der «Wandel der Zeiten» halt «schlecht Wet-
ter» für die Juden gebracht hat. Der Bruder seiner Schwiegertochter wird wegen jüdischer Abkunft als Arzt an der
Berliner Charité für «untragbar» angesehen, muß emigrie-
ren, und gespenstisch ertönt der Ruf: «Juda, verrecke!» Es
erfolgt eine Verbindung von «Todesmysterium» und der jüdischen «mythischen Leidensthematik»[109].

Zudem beschwören die Teilnehmer des Abschiedsmah-
les immer wieder makabre Endzeitvisionen herauf. In den
Hinterlassenschaften des Verstorbenen fand sich ein Zitat
aus dem Buche des biblischen Propheten Habakuk: «Herr,
wie lange soll ich schreien, und du willst nicht hören? Wie
lange soll ich zu dir rufen über Frevel, und du willst nicht
helfen?» In der vierten Szene wird nicht nur ein weiteres
Wort dieses Propheten angeführt («Wehe dem, der die
Stadt mit Blut baut und zurichtet die Stadt mit Unrecht!»),
sondern auch Bezug genommen auf die Klagelieder des Jeremias und die Greuelschilderungen in den alttestamentlichen Makkabäerbüchern und dem «Jüdischen Krieg» des
Josephus. Der Zeitanklang, die Auseinandersetzung mit
dem faschistischen Rassenwahn und die Klage über die
Rechtlosigkeit und grausame Verfolgung unschuldiger
Menschen sind deutlich.

Auch hören wir von der erbärmlichen Feigheit der «arischen Freunde» (beispielsweise hatte Hermann Stehr abge-
sagt). Nur der Dichter von Herdberg nebst Frau, denen
Hauptmann Züge seiner selbst und der Gattin Margarete
verlieh, wohnen dem düsteren Champagner-Diner bei. –
Ohne Änderung des Namens tritt in den *Finsternissen* ferner
der Bildhauer Kroner auf, der bekannte Porträtplastiken
von Einstein, Toller, Dehmel, Sombart, Hindenburg und
auch von Gerhart Hauptmann geschaffen hatte, aber schon
1929 gestorben war. Die in der vierten Szene erwähnte
kleine «Trauer»-Bronze befand sich im Besitz des Dichters.

Eine Totenmaske von Pinkus gibt es nicht, bei der in den *Finsternissen* enthaltenen Beschreibung wirkte offensichtlich die Erinnerung an die Maske von Samuel Fischer nach.

Außer im *Meerwunder* und in den *Finsternissen* flocht Hauptmann in nahezu all seine Spätwerke verhüllte zeitkritische Bemerkungen ein. Hinzuweisen wäre etwa auf die Attacken gegen den deutschen Militarismus und Chauvinismus und die sympathieerfüllte Schilderung der sozialdemokratischen Bewegung in dem Memoirenbuch *Das Abenteuer meiner Jugend* (1937) oder auf die Erzählung *Der Schuß im Park* (1939), die von der «rassenschänderischen» Doppel-Ehe eines nichtswürdigen «arischen» Barons mit einer ihn liebenden Mulattin und einer tatkräftigen, fast Stifterschen Edeldame handelt, die ihm beide in jeder Beziehung haushoch überlegen sind. Im *Dom* (1942) finden sich Verse gegen das «Denunziantenwesen», das faschistische «Geschmeiß» und «des Menschen Henker», und *Die Tochter der Kathedrale* (1939) schildert metaphorisch die Albingenser-Greuel.

Von weiteren Anspielungen, die besonders im *Großen Traum* und in der Atriden-Tetralogie enthalten sind, soll im folgenden die Rede sein.

Und immer wieder drängen sich Thomas Manns Worte auf, immer wieder muß man daran denken, wie dieser einst so begnadete «Segensmensch» und humanistische Dichter gelitten haben mag «in der Stickluft, dem Blutdunst des Dritten Reiches, unsäglich sich gegrämt über das Verderben des Landes und Volks seiner Liebe. Seine späten Bilder zeigen die Züge des Märtyrers, der er nicht hatte sein wollen.»[110]

«Mein Leben ward Magie ...»

Im Banne Shakespeares
und Große Träume

Es fällt auf, welche bedeutende Rolle das Irrationale, Traumhafte, «Zeitferne», Mythische in den Spätwerken Gerhart Hauptmanns spielt, und viele Leser und Kritiker wurden dadurch abgeschreckt. Der Dichter liebte es in zunehmendem Maße, Realität und Imagination miteinander zu vermischen und ein poetisches «Zwischenreich» aufzubauen, in dem ihm (nach den Worten der *Mignon*-Novelle) auch «wirkliche» Menschen bisweilen nicht mehr als sinnlich wahrnehmbar, sondern nur in der «Einbildung»[1] existent erschienen. Zugleich traten «die Toten beinahe gleichwertig neben die Lebenden». Immer mehr trafen auf Hauptmann die Verse zu, die er einst den Prospero in *Indipohdi* hatte sprechen lassen:

> Mein Leben ward Magie. Ich ward zum Magier.
> Es lag bei mir, Gestalten aufzurufen,
> gastlich sie zu bewirten oder sie
> mit einem Wink zu scheuchen in das Nichts.[2]

Unter der Herrschaft des Faschismus verstärkte sich die Neigung des greisen Meisters, aus der Gegenwart in Träume und frühere Jahrhunderte auszuweichen. So schrieb er im ersten Halbjahr 1933 die lyrisch-sentimentale Szenenfolge *Die goldene Harfe* nieder, die von der tragischen Liebe zweier gräflicher Brüder zu einer Komteß handelt. 1937/38 vollendete er seine letzte Komödie, einen Vierakter um den Minnesänger Ulrich von Lichtenstein, und dramati-

431

sierte die mittelalterliche Versnovelle über Frène, die *Tochter der Kathedrale*[3]. Wie schon dargelegt, demonstrierte er etwas später in *Das Märchen* und *Mignon* eine temporale Entrückung.

Kurz vor Kriegsausbruch arbeitete Hauptmann (unter einem Hamlet-Motto) an einer *Winckelmann*-Erzählung, die – nach seinen eigenen Worten – «die rätselhaften letzten Jahre und die mysteriöse Deutschlandreise mit dem allermysteriösesten Tode»[4] des Gelehrten zu erfassen suchte. Die beiden überlieferten Fragmente lesen sich beinahe wie eine Kriminalstory und bemühen sich darum, Motive für die Fahrt von Rom nach München und Wien sowie für den Raubmord aufzudecken. Dabei glückten dem Autor packende Abenteuer-Schilderungen und großartige Zeitbilder, die gelegentlich Empfindungen der antifaschistischen Emigration zu reflektieren scheinen. Das Land der Deutschen wird mit der Seele gesucht und als ernüchternde Wirklichkeit dargestellt, die «Widerwillen und Ekel» erzeugt. Bemerkungen über die kunsthistorische Position des Wissenschaftlers befriedigen nicht; gerade dessen berühmtes Wort von der «edlen Einfalt, stillen Größe» trifft auf antike Plastiken kaum zu, was der Tagebuchverfasser Hauptmann später bestätigte: «Daß Winckelmann die Begriffe ‹Einfalt und stille Größe› gerade auf Laokoon bezieht, will mir nicht einleuchten.»[5] Trotz umfangreicher Studienlektüre (Werke, Briefe, Lebensbeschreibungen von Justi und Eiselein) vermittelte der Dichter vom Forschertum des Archäologen keine rechte Vorstellung, vielmehr gestaltete er hauptsächlich die geselligen Kreise um ihn und tragische Schicksalsstunden der Zeit von 1767/68. Bisweilen anachronistisch[6], erleben wir ihn im Umgang mit den Künstlerfreunden Mengs und Cavaceppi, mit Angelika Kauffmann (die ihn 1764 porträtierte), auf Festlichkeiten und in dunklen Spelunken. Dabei erscheint Winckelmann, bei dessen Darstellung Hauptmann an A. Heßler und seine eigenen Romfahrten dachte, in dionysischer, gelegentlich dämonischer Beleuchtung, als Gehetzter, Zaudernder, Umdunkelter, auch als «ein Schwärmer, ein Begeisterter, wie noch Schiller einer war»[7]; Bildkunst- und Angstvisionen bedrängen ihn und zugleich die merkwürdige Neigung zu einem Knaben. Zu diesen Abschnitten über den schönen Epheben Desiderio standen, ebenso wie zu Thomas Manns Tadzio im «Tod in Venedig», Platon-Dialoge und die antike Statue des Dornausziehers Pate; in beiden Novellen handelt es sich um eine geheimnisvolle Verführung zum Tode.

Während Hauptmann das Geschehen in der Erstfassung meist unmittelbar aufrollte, geriet er bei der Umarbeitung in ein psychologisches Referieren hinein. Er zitierte Biographien, Briefe, Gewährsmänner und vollzog weitgehend eine Umwandlung des Erzählerischen ins Essayistische. Mit diesem Trend folgte er einer Tendenz in der spätbürgerlichen Literatur überhaupt. Dennoch ist es reizvoll, poetisch-psychologische Methoden auf eine Persönlichkeit angewendet zu sehen, die das Psychische (bei der Beurteilung von Kunstwerken) geringachtete. Leider blieb der *Winckelmann* ein Torso. Die von Frank Thieß «vollendete» und 1954 (unter dem Titel «Winckelmann. Das Verhängnis») «herausgegebene» Fassung bietet einen «in den Formulierungen ihm gehörigen Roman unter Verwendung des nachgelassenen Fragments», wie M. Machatzke in einer Spezialstudie feststellte.[8]

Mitte der dreißiger Jahre befaßte sich Hauptmann eingehend mit dem Schaffen von William Shakespeare. Die Verehrung für den «großen William» begleitete ihn sein ganzes Leben hindurch, wie aus der grundlegenden Monographie «Hauptmann und Shakespeare» von F. A. Voigt und W. A. Reichart und einer Studie von H. Razinger[9] hervorgeht. Schon in der Jugend hatte er sich für «Hamlet», «Julius Caesar» und «Macbeth» begeistert, deren Autor er als «ewig unbegreifliches Wunder»[10] pries. In der Nachfolge Shakespeares, Kleists und Tolstois begann er selbst zu dichten. Später knüpfte er in *Schluck und Jau* und *Indipohdi* unmittelbar an «Der Widerspenstigen Zähmung» und «Sturm» an, besuchte 1905 die Shakespearestätten in Stratford und bezog sich fortan in zahlreichen Reden und Aufsätzen auf den genialen Briten. Namentlich 1927 huldigte er ihm in einer Ansprache, und gleichzeitig bemerkte er im Tagebuch: «Herrlichkeit der Tradition: das Wissen einer lebendigen Geistesverwandtschaft. Am köstlichsten in der Kunst ... Was bedeutet die alberne Frage der Abhängigkeit gegen die viel wichtigere des Zusammenhangs.»[11]

Am intensivsten beschäftigte sich Hauptmann mit der Tragödie des Prinzen von Dänemark, des meditierenden Melancholikers und Geistersehers, von dem er gelegentlich bekannte: «Ich habe Hamlet ein langes Leben hindurch zum unsterblichen, nahen Freunde gehabt.»[12] In ihm mochte er sich zuzeiten wiedererkennen. Auch in Hamlet rangen Vergangenheit und Zukunft miteinander; sein Geist war gleichsam «zweier Zeiten Schlachtgebiet» und von Gesichten schwer, erlebte eine «aus den Fugen» geratene Welt und wußte keinen Rat.

Die Auseinandersetzung mit der Hamlet-Dichtung führte Gerhart Hauptmann zu merkwürdigen Experimenten. 1927 inszenierte er eine eigene recht problematische «Bühnenbearbeitung» von Shakespeares Werk (sie trägt den Titel *Shakespeares tragische Geschichte von Hamlet, Prinzen von Dänemark. In deutscher Nachdichtung und neu eingerichtet*), die er zugleich in einem längeren Aufsatz zu erläutern versuchte. Er behauptet darin[13], die überlieferten «Hamlet»-Texte seien sämtlich «entstellt», lücken- und fehlerhaft, weil sie auf flüchtige «stenographische Aufnahmen während der Vorstellung» zurückgingen und ohnehin in der Theaterpraxis den mannigfachsten Eingriffen unterlegen seien. Daraus leitete er die Berechtigung ab, die Vorgänge in dem Schauspiel besser zu motivieren, «Widersprüche» zu beheben, das offenbar «Vergessene und Verlorengegangene» zu rekonstruieren und die Handlung wieder der vermuteten Ur-Form anzunähern.

(denn diese Seite der bekannten Welt
hielt ihn dafür) schlug diesen Fortinbras,
der laut dem untersiegelten Vertrag,
bekräftiget durch Recht und Rittersitte,
mit seinem Leben alle Länderein,
so er besass, verwirkte an den Sieger;
wogegen auch ein angemessnes Teil
von unserm König ward zum Pfand gesetzt,
das Fortinbras anheimgefallen wäre,
hätt er gesiegt; wie durch denselben Handel
und Inhalt der besprochnen Punkte sein
an Hamlet fiel. Der junge Fortinbras
hat nun, von wildem Feuer heiss und voll,
an Norweg's Ecken hier und da ein Heer
landloser Abenteurer aufgerafft,
für Brot und Kost zu einem Unternehmen
das Herz hat: welches denn kein andres ist,
(wie unser Staat das auch gar wohl erkennt)
als durch die starke Hand und Zwang der Waffen
die vorbesagten Land uns abzunehmen,
die so sein Vater eingebüsst: und dies
scheint mir der Antrieb unsrer Zurüstungen,
die Quelle unsrer Wachen und der Grund
von diesem Treiben und Gewühl im Lande.

Bernardo: Nichts anders, denk ich, ist's, als oben dies.
Wohl trifft es zu, dass diese Schreckgestalt
in Waffen unsre Wacht besucht, so ähnlich
dem König, der der Anlass dieses Kriegs.

Horatio: Ein Stäubchen ist's, des Geistes Aug zu trüben.
Im höchsten palmenreichsten Stande Roms,
kurz vor dem Fall des grossen Julius, standen
die Gräber leer, verhüllte Tote schrien
und wimmerten die Röm'schen Gassen durch.
Dann feu'rgeschweifte Sterne, blut'ger Tau,
die Sonne fleckig; und der feuchte Stern,
dess Einfluss waltet in Neptuns
krank an Verfinst'rung, wie zum jüngsten Tag.
Und eben solche Zeichen grau
(als Boten, die den Schicksal vorgehn,
und Vorspiel der Entscheidung)
hat Erd' und Himmel insgemein
an unsern Himmelstrich und Land

(Der Geist kommt wieder)

Doch still! Schaut, wie's da wieder kommt. Ich
kreuz'es und sollt' es mich verderben. –Steh ,
Phantom!
Hast Du Gebrauch der Stimm und einen Laut:
sprich zu mir!
Ist irgend eine gute Tat zu tun,
die Ruh Dir bringen kann und Ehre mir:
sprich zu mir!
Bist Du vertraut mit Deines Landes Schicksal,
das etwa noch Voraussicht wenden kann:
o sprich!
Und hast Du aufgehäuft in Deinem Leben
erpresste Schätze in der Erde Schoss,
wofür Ihr Geister, sagt man, oft im Tode
umhergeht: sprich davon! verweil und sprich!

(Der Hahn kräht)

Halt es doch auf, Marcellus!

Marcellus: Soll ich nach ihm mit der Hellbarde schlagen?

Horatio: Tu's , wenn's nicht stehn will

Bernardo: 's ist hier.

Typoskript der Hamlet-Neufassung
von Gerhart Hauptmann, 1927

435

Für Hauptmanns «Ergänzungsversuch» sind folgende Änderungen bezeichnend: Er zog die ersten fünf Szenen des 4. Aufzuges in einen Auftritt zusammen, übertrug die Rebellion des Laertes gegen den unrechtmäßigen König Claudius auf Hamlet und betonte die «Haupt- und Staatsaktion» in dem Stück. Dadurch ergab sich die Notwendigkeit, den vielumrätselten Hamlet-Charakter aktiver aufzufassen, als das bisher in den bekannten Deutungen von Goethe, Hegel, Schlegel, Tieck, Ludwig, Gervinus und anderen üblich war. Ein anfechtbares Verfahren, das sich mit den überlieferten «Monologen kaum in Einklang» bringen ließ, wenngleich voll «poetischer Erfindungskraft»[14]. Endlich nahm der Dichter intime Beziehungen zwischen Hamlet und Ophelia an und verlieh dem Liebesverhältnis eine neue Funktion.

Bekanntlich haben sich viele Autoren um die Verbesserung der Bühnenwirksamkeit klassischer Vorlagen bemüht. Schon 1772 versuchte bemerkenswerterweise der Schauspieler Garrick eine Neueinrichtung des «Hamlet», die allerdings arge Entstellungen enthält. Andererseits bearbeiteten Schiller den «Egmont» von Goethe, Kleist kongenial den «Amphytrion» von Molière, Brecht den Shakespeareschen «Coriolan». Wenn auch Hauptmanns «Hamlet»-Neufassung durchaus nicht uninteressant ist, muten uns seine Bemühungen dennoch fast wie die unfreiwillige Parodie einer pseudo-wissenschaftlichen Konjekturalkritik an. Aber für ihn war es tiefster Ernst, ein Aufspüren von Dingen, die noch «kein Forscher» sah! Meistens ging er von falschen Voraussetzungen aus. Bereits Voigt und Reichart bedauerten in ihrer Monographie[15], daß der Dichter sich nur mit veralteten Studien und nicht mit der modernen Shakespeareforschung (vor allem von L. L. Schücking) auseinandergesetzt habe. Führende Anglisten unserer Zeit sprechen jedenfalls von der «textlich guten zweiten Quarto»[16] von 1604, nehmen als Vorlagen kaum noch Stenogramme an, sondern ein authentisches Manuskript Shakespeares oder ein vollständiges Soufflierbuch[17], sind auch bei der Motivvergleichung mit «Quellenwerken» (die wir für «Hamlet» keineswegs sicher kennen) vorsichtiger als Hauptmann, der in seinem Eifer wesentliche Stileigentümlichkeiten und Grundzüge dieses Dramas übersah.

Paradoxe, Kontraste, eine «doppelte Zeitrechnung», spontane Bühnenwirklichkeit gehören einfach zum Wesen dieses Werkes, und mögen auch manche Passagen problematisch und die Handlungsbegründung im 4. Akt «eigentümlich sorglos»[18] sein, so besteht doch weder eine Nötigung zur «Mäßigung» des als Vergleichsfigur angelegten, impulsiven Laertes noch zur Umformung des Hamlet, den man auch in der überlieferten Gestalt auf seine Weise «tätig» fand. Gerade neuerdings hat man Hamlets «Denken und Tun» als «unlösbare Einheit»[19] aufgefaßt und seine Simulierung des Wahns, das Überführungsspiel im Spiel und die Abrechnung mit der Mutter als «Handlungen» betrachtet. Hauptmann hingegen veräußerlichte die Person des eindrucksvoll reflektierenden «Prinzen aus Genieland» und vermag mit seiner Bearbeitung in keiner Weise zu überzeugen.

Wir haben diese Fragen hier ausführlicher behandelt, weil der Dichter seine Versuche um eine «Verbesserung» des «Hamlet» fortsetzte und daraus sogar eine Romanhandlung entwickelte. Zunächst veröffentlichte er 1928 eine geglättete, sprachlich nüchterne Übersetzung des Stückes, dem er 1935 eine szenische Vorgeschichte *Hamlet in Wittenberg* zugesellte. Er trat damit in die Fußstapfen von Gutzkow, schilderte ein turbulentes Studentenleben in der Lutherstadt und eine Liebesepisode des Dänenprinzen und «Romeo»-Bruders[20] mit der Zigeunerin Hamida. Insgesamt: «Ein geschmackloser Schmarren.»[21]

Ebenfalls 1935 vollendete Gerhart Hauptmann den Komödiantenroman *Im Wirbel der Berufung*, der gewissermaßen aus einer endlosen Gesprächs- und Spielfolge um Shakespeares «Hamlet» besteht. Wir erleben, wie der angehende

Schriftsteller Dr. Erasmus Gotter im Jahre 1885 der Einladung eines Schauspielerfreundes nach dem Residenzstädtchen Granitz folgt, dort in die merkwürdigsten Verwicklungen hineingerät und zum Geburtstag des regierenden Fürsten Aloysius mit einer Theatertruppe den «Hamlet» einstudiert – und zwar in bearbeiteter Form! Hauptmann schenkte dem Helden gleichsam seinen eigenen «Ergänzungsversuch» und ließ den jungen Mann in Vortrag, Diskussion und Brief all die fragwürdigen Argumente wiederholen, die wir aus dem oben zitierten Aufsatz bereits kennen. Nur an einer Stelle ist (in einem Ansatz von Selbstkritik) vom «vermeintlichen Hamlet-Torso» und von «angeblich fehlenden Szenen»[22] die Rede.

Durch Darlegungen des Rektors Trautvetter hat der Dichter übrigens ein Moment der Interpretation verstärkt: Neben und über den beiden Antipoden König Claudius und Prinz Hamlet gewinnt der Geist des ermordeten Regenten an Bedeutung. Recht besehen, stellt er nur die «objektive Form von Hamlets innerer Ahnung» dar[23], aber der Sohn empfindet ihn immer mehr als furchtbaren Rachedämon, der zur Besänftigung ein Blut- und Totenopfer fordert. Hamlet ist jedoch kein Orest. Während dem antiken Helden der Befehl zur Vernichtung des Vatermörders noch als blind zu befolgendes göttliches Gebot und Forderung des Sittengesetzes galt, gibt es für den Infanten von Dänemark keine Notwendigkeit zur Überschreitung geltender Moralnormen, zur Tötung der Mutter. Er denkt und handelt vielmehr als «moderner» Mensch und aus der Erkenntnis, daß eine anachronistisch-feudale Blutrache die «aus den Fugen» geratene Welt nicht einrücken kann. Außerdem: «Liebt aber Hamlet nicht auch seine Mutter? Und muß er sich nicht fürchten, sie zu entlarven wie seinen Onkel, ihren Geliebten? Kann er ohne Schaudern den Gedanken fassen, sie, seine Mutter, der öffentlichen Schande preiszugeben?»[24]

Die leidenschaftliche Beschäftigung mit Shakespeares

Holzschnitt von E. G. Craig
zu einer Buchausgabe von Hauptmanns Hamlet-Bearbeitung,
1928

Tragödie bewirkt bei dem jungen Erasmus Gotter in Hauptmanns Roman eine geradezu krankhafte Vermischung von Realität und Poesie. Ursprünglich nach Granitz gekommen, um sich von aufreibenden Ehewirren und Berufungskrisen zu erholen, wird der Jüngling (ähnlich wie Hamlet) in die kompliziertesten seelischen Konflikte verstrickt. In der Ophelia-Maske der Dichtung tragen ihm die Schauspielerin Irina Bell und die Prinzessin Ditta ihre Liebe an, verdrängen zeitweilig die Gattin Kitty aus seinem Herzen und stürzen ihn in Ratlosigkeit. Das Quartier bei der Witwe Herbst, in dessen Dämmerung alle Farben sterben, verstärkt seine Empfänglichkeit für magische Anklänge, denn in dem Hause herrscht der Geist des rätselhaft verstorbenen Gärtners, erzwingt die mythische Wiederholung einiger dramatisch vorgegebener Episoden. Als der Darsteller des Laertes seine Rolle in Gotters Bearbeitung eingeengt sieht, sucht er wenigstens in der Wirklichkeit bei einem handfesten Krawall den «Aufstand» nachzuholen. Kurzum, in dem Roman wird «jede nur mögliche menschliche Situation auf Hamlet»[25] bezogen.

Daneben fallen manche Beziehungen[26] zu Goethes «Wilhelm Meisters Lehrjahre» auf, wo im 3. Buch der Besuch einer Schauspielertruppe auf einem Schloß und in den beiden folgenden Büchern eine bunte Theaterwelt und Diskussionen um «Hamlet» geschildert werden. Hauptmann läßt in seinem Roman gelegentlich auf das Vorbild hinweisen, und fraglos stand bei der Gestaltung des Verhältnisses zwischen Irina und Erasmus jenes von Philine und Wilhelm Pate.

Nicht unerwähnt bleiben soll Balder Oldens sarkastischer Vergleich der beiden Werke und die Folgerung, der Autor sei offenbar in eine «SA-Haut gefahren» bei der Schilderung jenes «Fürstenhände küssenden, den Namen Revolutionär fürchtenden»[27] Helden. Auch Lauterbach wies auf Gotters mühelose Metamorphosen und «Harmonisierungs»-Tendenzen hin und eine gewisse Annäherung an das «vom Nationalsozialismus propagierte Lebensgefühl»[28], was bedenkenswert erscheint. Vor allem ist der Roman künstlerisch wenig gelungen.[29] Die Liebesepisoden wirken einfallslos und banal, die klassische Bildungs- und Entwicklungsidee kommt lediglich am Schluß zum Ausdruck, und zwar ist sie in ein plumpes Briefungeheuer verpackt. Selten verlor sich der Dichter so sehr in Weitschweifigkeiten, Ungereimtheiten und ein sprachliches Steppengebiet wie hier.

Jedoch verdient das Buch unter einem biographischen Aspekt unser Interesse. Wie G. Erdmann[30] in einer Studie zeigen konnte, übertrug Hauptmann (mit zeitlichen Verschiebungen) viele Erfahrungen und Lebenstatsachen, hauptsächlich aus den achtziger Jahren, auf den jungen Erasmus Gotter. Er selbst weilte im Sommer 1886 auf Anregung des Schauspielers Reitzenstein (der vielleicht als Jetro porträtiert ist) in Putbus (dem romanhaften Granitz) auf Rügen und verkehrte mit Komödianten, die am dortigen Fürstlichen Theater gastierten. Wenn es von Gotter heißt, er sei drei Jahre verheiratet und seine Frau Kitty sehe der Geburt des dritten Kindes entgegen, entspricht das des Dichters Situation gegen Ende 1888. Erinnert Kitty an die Gattin Marie, so standen für Irina sichtlich Ida Orloff und für Prinzessin Ditta vielleicht die 1928 mit dem Sohne Benvenuto für kurze Zeit vermählte Elisabeth von Schaumburg-Lippe Modell.

Aufschlußreich sind ferner einige politische Standortbestimmungen und gesellschaftskritische Passagen.[31] Die Bemerkungen über Gotters Hochschätzung der Arbeiter, die ihm angetane Kränkung durch Aristokratenhochmut, die Sehnsucht nach dem «einfach Menschlichen, nach dem menschlich Einfachen» und seine Schaffenstendenz «ins Volk ... hinauf» sagen über den Helden wohl ebensoviel aus wie über seinen Schöpfer. Und natürlich spiegeln sich auch in Dittas Ironie über «degenerierte Trottel» und über «Beschränktheiten» des Adels eigene Auffassungen Hauptmanns, der ähnlich wie Hamlet nach Auswegen suchen mochte.

Gesprächsweise betonte der Dichter, er habe den Roman *Im Wirbel der Berufung* namentlich «für die deutschen Schauspieler»[32] geschrieben, und fraglos kann das Buch dazu beitragen, das gegenseitige Verständnis zwischen Dramatiker,

Regisseur und Darsteller zu fördern. Hauptmann bewies nicht nur eine intime Kenntnis der Theaterwelt, sondern er teilte seine vielfältigen praktischen Beobachtungen und Einsichten mit, die er bei der eigenen Inszenierungsarbeit gewonnen hatte. Energisch wandte er sich in Gotters Gestalt gegen eine «süßliche und geschraubte Sprechweise», gegen pathetisches «Schreien» und forderte von den Schauspielern den «beseelten Ausdruck des ganzen Körpers».[33] (Durch stärkere Beachtung des Pantomimischen wird dem heute mehr Rechnung getragen als einst.) Vor allem aber unterstrich er immer wieder die Notwendigkeit des Ensemblespiels, verlangte die Zurückdrängung persönlicher Eitelkeiten und «Rampenlichtbaderei» zugunsten einer ausgewogenen kollektiven Leistung.

Die im Roman angedeutete, von ihm selbst einst durchlebte Ehekrise und Erinnerungen an die ehemalige Gattin beschäftigten Gerhart Hauptmann in späteren Jahren noch häufig. Hinzuweisen wäre auf das *Buch der Leidenschaft*, das Memoirenwerk *Abenteuer meiner Jugend* und das Epyllion *Mary*, die sämtlich Rückblick halten und in den zwanziger, dreißiger Jahren zum Abschluß kamen. Es verwundert daher nicht, wenn auch das im wesentlichen in dieser Schaffensperiode entstandene Terzinenepos *Der große Traum* mehrere Beschwörungen Marys enthält. Das ganze Poem wurde wenige Wochen nach dem Tode von Frau Marie begonnen und durch eine Widmung eröffnet, die zwar der leiblichen Mutter gilt, aber auch an die gleichnamige Gattin erinnern mag. Der erste Gesang nebst Paralipomena erweitert das Bild und schildert metaphorisch die Begegnung des Dichters und seines Sohnes Ivo (hier in der Maske Satanaels) mit der teuren Entschlafenen, deren Antlitz vom Schmerz gezeichnet ist.[34] Auf die Frage, warum «die Versöhnung» nicht ihre Züge besänftige, wird ihr vergebliches Bemühen um politische Befriedigung hervorgehoben; drei Krieger wachen am Portal der Kapelle, «um der die letzte Ehre zu erweisen, die nun nicht mehr um euer Leben flehet». Marie war vormals Mitglied einer pazifistischen Confédération zur Erhaltung der Menschenrechte gewesen und vermochte das unermeßliche Leid, das der Kriegsausbruch von 1914 brachte, nicht länger zu ertragen.

Als sich Hauptmann um 1920 zu einer Fortsetzung des *Großen Traums* entschloß und nun etwa die Hälfte des gesamten Manuskripts fertigstellte, gedachte er im sechsten Gesang nochmals ausführlich der toten Gemahlin, die ihn einst eine «Verschmelzung von Eros und Psyche»[35] hatte erleben lassen. Ähnlich wie in dem Hexameterepos *Mary* erzählte er von einem späten Besuch im Hohenhaus bei Dresden und von einem halluzinatorischen Gegenwärtigwerden des Vergangenen; vom glücklichen Beisammensein mit der Geliebten in der Muschelgrotte und einem dissonanten Finale. Hart stieß er die Flehende, ergreifend Bittende am Ende zurück: «Ich schwanke nicht, mich zu verdammen!»[36] Unter der Last seiner Schuld wurde sein Dichten zu einem düsteren Totenopfer.

Mit der Darstellung von Begegnungen mit abgeschiedenen Seelen knüpfte Hauptmann bewußt an ein großes Vorbild an. Er folgte Dantes «Göttlicher Komödie», die er in Gildemeisters deutscher Übersetzung kennenlernte, nicht nur in der «Technik» und der Anwendung der Terzinenstrophe, sondern auch im Wahrheitsfanatismus und der Aufspaltung seines Wesens in eine autobiographisch angelegte Zentralfigur, deren Traumerlebnis gestaltet wird, und einen Jenseitsführer. Zeitweilig löst der geniale Florentiner und «Naturalist des Inferno»[37] sogar den Traumlotsen Satanael ab und geht vom 7. bis zum 10. Gesang eine Wegstrecke mit dem Träumenden. Insbesondere bei der Inquisitionsvision des achten Abschnitts klingen offenkundig Reminiszenzen an den furchtbaren 21. Höllengesang des Italieners an, dessen Weltgedicht aber insgesamt viel plan- und geistvoller, künstlerisch geschlossener und bedeutender anmutet als das Werk Hauptmanns, der sich kühn als «deutscher Dante»[38] sah.

Der große Traum bietet in 22 Gesängen und 12 nachgelassenen, teilweise fragmentarischen Abschnitten eines «andern Teils» eine aufgetürmte, brodelnde, meist alptraumhafte Bilderfolge, ein «bestürzendes In- und Miteinander von Vollendung und Unvollendung»[39]. Als Führer durch eine mythisch verfremdete Phantasielandschaft fungiert im wesentlichen Satanael, der in gnostischen Überlieferungen[40] als ältester, rebellischer, gestürzter Sohn Gottes und Bruder von Jesus Christus gilt. Bei Hauptmann erscheint er weniger als Höllenfürst denn als prometheischer Lichtbringer, Schöpfer der irdischen Welt, auch als «anderes Ich» und guter Dämon des Dichters, der sich nach dem freundlichen Begleiter und luziferischen Demiurgen wiederholt sehnt.

Satanael wird als ein unglaublicher Meister der Verwandlungen gezeichnet, gemäß dem Sprichwort: Als der Teufel vom Himmel fiel, verlor er seine Anmut, aber nicht die Flügel. Wie Mephistopheles kann er aus einer Wand hervorkommen und scherzen, aber bisweilen gerät er auch in eine leidvolle Heilandsrolle hinein. Schon im 11. Gesang des *Eulenspiegel*-Epos umrankten die Reben des Dionysos das Kreuz des Schmerzensmannes am Altar. Im 15. Gesang des *Großen Traums* tritt Satanael buchstäblich einen Passionsgang an, wird im folgenden Gesang in des Weingottes Gestalt von Mänaden verfolgt und wie Christus gekreuzigt. Doch so viele Tode er stirbt – stets gibt es für ihn und den träumenden Dichter ein Wiederauferstehen.

Nach diesen bogomilisch-gnostischen Vorstellungen durchwaltet der Geist Satanaels die Welt. Bereits im *Wirbel der Berufung* ist davon die Rede, daß das Luziferische wohl «ein und dasselbe wie das Prometheische»[41] und letztlich identisch mit dem Dramatischen sei. Darum trägt Satanael in der großen Traumdichtung gelegentlich Züge des Apoll, denn in ihm erkannte Hauptmann den eigentlichen Musenführer, den Fackelträger revolutionären, titanischen, ketzerischen Schöpfertums. Im 5. Gesang zählte er die «erlauchte Reihe» der wegweisenden Satanael-Nachfolger auf, nannte

Sokrates, Platon, Dante, Michelangelo, Shakespeare, Voltaire, Bach, Beethoven, denen er im 20. Gesang noch Klinger, den Bildhauer des «Töne-Zeus», hinzugesellte.

Gerhart Hauptmann selbst hat seinen *Großen Traum* außerordentlich hochgeschätzt und sich ein Exemplar davon als Grabbeigabe ausgebeten. Er meinte: «Mitteilungen wie E. Quint, Till E. und Gr. Traum sind urpersönlich und das Wesentlichste eines wesentlichen Lebens.»[42] Namentlich mit dem Terzinenepos hoffte er, «vor der Ewigkeit bestehen zu können», von all seinen Büchern werde dieses «vielleicht am längsten leben»[43]. Aus ideologischen und künstlerischen Gründen können wir seine Auffassung nicht teilen. In vieler Hinsicht gilt sein eigener Anti-George-Spruch: «Er übernahm sich an dem großen Dante – Gott sei's geklagt!»[44] Doch unbestreitbar bleibt die Bedeutung des Werkes für die Kunst- und Weltanschauung des Autors. Wie schon erwähnt, entstanden die meisten Gesänge bereits zu Beginn der zwanziger Jahre (1922 wurde der 20. Gesang abgeschlossen), zu einer Zeit also, in der der Dichter noch unter dem Einfluß der Propaganda des Kaiserreiches und der Kriegsfolgen stand. Die düsteren Nachkriegsjahre drückten ihn nieder, und gerade damals trübten nationalistische Gedankengänge seinen Blick. Nahezu alle politischen Anspielungen im ersten Teil des *Großen Traums* bleiben darum zeitbedingt und befriedigen weniger als beispielsweise die gesellschaftskritischen Bemerkungen im 1927 abgeschlossenen *Eulenspiegel*-Epos.

Zweifellos im Zusammenhang mit der Besinnung auf den 50. Jahrestag der deutschen Reichsgründung entstanden in drei Gesängen des Poems fragwürdige Lobpreisungen auf Bismarck. Im 4. Gesang sehen wir diesen Paladin, «den eine Löwin großgesäuget, Germaniens letzte Kraft und letzter Glaube» (wie es pathetisch-pomphaft heißt), gemeinsam mit dem «neuen Cäsar» eine Siegesparade am Brandenburger Tor in Berlin abnehmen, wobei stolze Gedanken nach Versailles gehen, in dessen Schloß «dem

Feind zum Hohne» das Einheitswerk vollbracht und zugleich eine Kontribution von fünf Milliarden Francs diktiert wurde, die schließlich am Ende der Vision als Goldregen herniedergeht. – Trotz des «Hohnes» empörte sich der Dichter im folgenden Gesang über die französische Revanche von 1919 und beschwor abermals den Schatten des «großen Kanzlers», zu dem er sich später mit den Worten bekannte: «Noch jetzt, wo man dein Reich in Stücke reißt, drängt jeder Atem in mir, dich zu preisen!»[45] Voll Bitternis empfängt der «Mann von Eisen» in der Unterwelt den «Reichsverteiler» Wilhelm II., der Politik nur wie einen Theaterzettel betrachtete und seine «Fratze» selbstverliebt im Preußenaar spiegelte.

Auch in einem Paralipomenon zum 20. Gesang wird Bismarck, «der Recke», in tiefster Verzweiflung über die deutsche Niederlage als Prophet angerufen, damit er von künftiger Größe des Vaterlandes künde. Heftig und im Gleichnis von Goyas gespenstischer Soplones-Radierung[46] prangerte der Dichter im 5. Gesang die Friedensräte auf dem politischen «Jahrmarkt» von Versailles an und klagte in einem dazugehörigen Ergänzungsstück: «Ein blühend Volk, es ward ein Volk von Toten.» Im 20. Gesang gab er seinem Zorn über die Ruhrbesetzung und das angebliche französische «Sanktion»-Geheul Ausdruck. An anderer Stelle entwarf er ein unheimliches Bild vom europäischen Niedergang, das man später (allerdings irrtümlich)[47] auf Hitlers Schreckensregime bezog. Es mußte die Leser der Erstausgabe von 1942 eigentümlich berühren, als sie im 13. Gesang die Verse fanden:

Du siehst dein großes Mutterland verschlicken
zum pestilenzialisch faulen Sumpf
und alles wahrhaft Edle drin ersticken ...
Dem sogenannten Tiger ist's bequem,
die Höllenaugen drüber hin zu rollen:
der Dampf der Äser ist ihm angenehm.

446

Den Thron Europens nimmt er ein, geschwollen
von Gift. Er speist mit einem blut'gen Latz
ein Hundsragout ...[48]

Wenn diese Strophen nicht nachweislich um 1920 entstanden wären, könnte man in der Tat einen Widerschein
des Faschismus darin vermuten, aber hier ist eindeutig der
französische Nationalist und Inspirator des Diktats von
Versailles, Georges Clemenceau, als Tiger gezeichnet (wie
das seinem damaligen Beinamen entsprach).

Echte Anspielungen auf die faschistische Gewaltherrschaft bietet erst der 1. Gesang des 1936 begonnenen «anderen Teils» vom *Großen Traum*. Der Dichter berichtet hier
mit Abscheu von «der neuen Erde Götterbilder», die «mit
Blut bemalt» seien und allgemein zu Besudelung und Vernichtung aufriefen: «Das Grauen aufzustören, sind dunkle
Kräfte überall beflissen.»[49] Für dieses fluchbeladene Land
findet er nur noch ein Synonym: Hades! Er hört einen
«Höllenhahn mit heiserer Kehle ... Wahnsinnsworte»
schreien (möglicherweise ist damit Hitler gemeint), während «Henkermenschen kriechend hudeln» und gepeinigte
«Tantalsvölker» vor Kreuz und Keulen zittern lassen. Etwas
später, 1938, wird die Nachtwelt des Faschismus im Rachen
der Hydra geortet:

Und auf der Erde herrschet Angst und Bangen,
auf ihrer Flur die rote Blume: Mord!

Andernorts erschaut er die «verloderte Sonne», ein
«Trümmerfeld, Ruine an Ruine», und preist den «Waffenlo-
sen» als größten Helden.[50] In keinem anderen Spätwerk hat
Hauptmann die Situation im faschistischen Deutschland so
symbolmächtig beschrieben wie in diesen Terzinen, denen
gleichsam präludierend die Vision vom «Reich der Narren»[51] mit Rutenbündel und Beil in einem Paralipomenon
zum 20. Gesang vorangeht.

Aber der Dichter brach die geheime Manifestation des

Widerstandes sogleich ab mit der Bemerkung, es sei gegenwärtig nicht gut, dem «Wachen allzu nah» zu sein. So floh er wieder in Mythos und Traum, und wo er im Hauptteil des Epos auf historische Vorgänge Bezug nahm, schlug sich stets sein tiefer Geschichtspessimismus nieder. Ähnlich wie in *Magnus Garbe* öffnete er abermals die Folterkammern der Inquisition, wobei er sich im 8. Gesang auf den berühmt-berüchtigten «Hexenhammer» bezog[52], und am Ende des nächsten Abschnitts nahm er jede optimistischfaustische Botschaft zurück mit dem Satz:

> Am Anfang, wie sich nun erwiesen hat,
> war der Verbrecher und war das Verbrechen.

Welche Verzweiflung spricht sich hier aus! Eine versifizierte Reportage vom Richtplatz der «Menschenwürde» fügte er ein, ließ sich im 18. Gesang in die finstersten Schächte der Erde, der «Höllenbombe», hinabfallen und beschrieb schließlich die bestialische Hinrichtung Damiens' nach einem mißlungenen Attentat auf den gekrönten Hurer Ludwig XV. im Jahre 1757. In tiefer Verzagtheit beleuchtete er die Grenzen der, wie ihm schien, in einem «Netz der Spinne» zappelnden Menschheit.

All die Schilderungen legten die Frage nach den Ursachen für Grauen und Greuel, Widersprüche und Webefehler im irdischen Sein nahe. Eigenartigerweise rollte Hauptmann die Problematik von einem religiösen Blickwinkel her auf und umkreiste verschiedentlich das Problem der Theodizee. Nicht nur den mittelalterlichen Kirchenvater Augustinus ließ er im 14. Gesang darüber nachgrübeln:

> Wie kann das Böse sich mit dir vertragen,
> allgütiger Gott, von dem doch alles stammt,
> auch Satanas mit allen seinen Plagen?
> Und warum wird der schwache Mensch verdammt,

sondern er variierte später in Form einer persönlichen Frage:

Wie ist das Böse in die Welt gebrochen?
Allmächtige Güte konnt es niemals wollen!
Die Schlange wie ins Paradies gekrochen,
wo doch der Reinheit klare Quellen quollen?[53]

Die Antwort bleibt aus, muß ausbleiben, weil sie jede gesellschaftliche Betrachtungsweise ausklammert. Die Wahrheitssuche und Bemühung um das, was im «Kerne» sitzt, führten den Dichter nur zu der resignierenden Einsicht: «Die wahre Weisheit fußt auf dem Verzicht.»[54] Am Ende des Poems erwählt er Christus zum Führer, vertraut sich jenem Manne an, der «waffenlos im Gewirre der Waffen» Frieden stiftet, eine neue wunderbare Speisung der Fünftausend vollzieht und das Leid heiligt. Eine Perspektive zeichnet sich nicht ab, es sei denn, man sehe in der flüchtigen Vision eines freien, urtümlichen Hirtendaseins die Andeutung eines utopischen Weges.

Zu der Begrenztheit und Ausweglosigkeit des Geschichtsbildes, die einer Erhebung von Gerhart Hauptmanns Dichtung ins wahrhaft Weltliterarische entgegenstehen, gesellen sich weitere ideelle und auch formale Unzulänglichkeiten. Mit Recht warnte Benno von Wiese davor, hinter dieser Phantastik «zu viel verborgenen Tiefsinn»[55] zu suchen, da hier mehr ein naiver Märchenerzähler am Werk sei. Zwar stellt der *Große Traum* keine leichte Lektüre dar, aber das liegt hauptsächlich an den barocken Verschlüsselungen und den autobiographischen Assoziationen, die bei der Auflösung meist enttäuschen und bei denen eine erstaunlich geringe geistige Substanz zutage kommt. Während Platon, Dante, Goethe, Thomas Mann in ihren mythisch-kosmischen Allegorien im allgemeinen eine erhabene, oft heiter-nachdenklich zum Ausdruck gebrachte Idee gestalteten, zerfließen Hauptmanns Traumgesichte vielfach ins Wesenlose, Unwesentliche, ganz und gar Subjektive und gefallen sich in bloßem Wortprunk. Darum hat der Dichter im Grunde über Gestalten wie Luther, Tolstoi oder Rathenau (als Sir Walther porträtiert) nur wenig Gültiges zu sagen, und den gnostischen Gedankengängen um Hadumoth und Angelika fehlt eine aktuelle Note. Zweifellos wird künftige Forschung (namentlich mit Hilfe von Hauptmanns Bibliothek) noch viele interessante Einzelheiten klären[56], aber insgesamt geht dieser *Große Traum* mehr in die Breite als in die Tiefe. Am geschlossensten und aufschlußreichsten wirken immer noch die persönlichen Erinnerungen an Mary und an den Bruder Carl sowie die unmittelbar zeitbezogenen Terzinen.

Überraschenderweise finden sich zahlreiche Motive und Vorstellungen aus dem Versepos in einem Prosawerk wieder, an dem Hauptmann bis in seine letzten Lebensmonate hinein arbeitete: in dem Roman *Der neue Christophorus*. Auch in ihm spielen Erörterungen über die Theodizee, über Prometheus-Christus, Augustinus, Luther und Dante und die Erlösungssehnsucht der Menschheit eine hervorragende Rolle, ja, die Handlung beginnt ganz ähnlich wie ein Paralipomenon zum 1. Gesang der Traumdichtung mit der märchenhaften Sarg-Geburt eines «Gotteskindes». Die Anregung zu dem merkwürdigen Ausgangspunkt empfing Hauptmann durch eine in L. Hearns' «Lotos»-Buch[57] mitgeteilte japanische Volkssage, und er verwandte die Vorlage erstmals um 1908 in dem dramatischen Fragment *Galahad*, das eine genaue szenische Vorstufe des ersten *Christophorus*-Kapitels enthält. Galahad gilt als erdgeborener Sohn der verstorbenen Pippa und des alten Huhn und wird von dem Weisen Wann für eine faustische Aufgabe vorbereitet. Als weitere Romanwurzeln sind die *Venezianer*-Fragmente von 1903 und das *Pippa*-Drama von 1905 zu nennen, in denen die Erzieherpersönlichkeit Wann bereits Züge des Bergpaters annimmt. Schließlich erwiesen sich die mittelalterlichen Überlieferungen von Merlin, dem vaterlos aufgewachsenen, zauberkundigen Ritter und späteren Erzieher des Königs Artus, als wichtige Kristallisationspunkte.[58]

Der *Neue Christophorus* bringt nun gegenüber allen Vorstufen und Präludien eine verblüffende, positive Wendung. Der Dichter selbst wollte diesen Roman nicht (wie seine übrigen Bücher) als «Fanal der alten Zeit», sondern als Symbol für die «ewige Neugeburt»[59] gewertet wissen. In der Vorbemerkung zu einer Ausgabe der ersten beiden Bücher betonte er: «Wäre dem Werk Vollendung beschieden, so müßte am Schluß eine Verkörperung des deutschen Menschen dastehen und darüber, gegenwärtig und in die Zukunft weisend, der neue Mensch.»[60] Obwohl ihm die konsequente Ausführung und Abrundung dieser Idee nicht mehr vergönnt war, hinterließ er uns einen Torso von bedeutenden Ausmaßen, den kühnen spätbürgerlichen Versuch einer Rettung und Erneuerung der Humanität.

Gesprächsweise bezeichnete Hauptmann sein Romanwerk als einen Versuch, «lebendige Philosophie»[61] zu bieten. Dazu fehlten ihm freilich ebenso die wissenschaftlichen Voraussetzungen wie etwa Thomas Mann. Neue Untersuchungen[62] haben ergeben, daß der intellektuelle Verfasser von «Zauberberg» und «Doktor Faustus» kaum besser fundierte philosophische Kenntnisse hatte als der «Gefühlsdenker» Hauptmann. Zu einer wirklich aktuellen, kundigen, poetischen Kunst-Wissenschaftssynthese konnten beide nur ansatzweise gelangen, weil sie sich ganz einseitig orientierten und den Daseinsdeutungen von Schopenhauer und Nietzsche einerseits, Platon und Böhme andererseits verhaftet blieben. Allerdings vermochte der Emigrant und politisch engagierte Thomas Mann seine weltanschaulichen Anliegen klarer auszusprechen als der Autor des *Neuen Christophorus*, dem keine befriedigende dialektische Verknüpfung von Wirklichkeit und Möglichkeit glückte.

Äußerlich geschieht nur wenig in den vier abgeschlossenen Büchern, von denen die letzten beiden erst seit 1965 bekannt sind. Zu Beginn wird aus der Sargkiste einer Toten, der Sage gemäß, ein Knäblein geboren, ein «Erdmann», den der weisheitsvolle Pater Christophorus durch einen reißenden Strom heimträgt. Die Anspielungen auf die Heilandsgestalt sind deutlich; in einer Legende des Jacobus de Voragine[63] setzt ein Sankt Christophorus ebenfalls das Jesuskind über ein wildes Wasser. Auch nennt der Pater Christophorus das Knäblein, als er es in eine Gebirgsbaude bringt, beziehungsvoll «Gottessohn, Allerwarteter, Allersehnter»[64]. Mirakulöses begibt sich danach: Ein Löwe läßt (vom Riesengebirge aus!) einen welterschütternden Weckruf erschallen; der Schuhmacherphilosoph Jakob Böhme, ein leuchtender Ephebe, ein Mönch und andere «sonderbare Leute» parodieren traumhaft die biblische Anbetung der Könige in Bethlehem, erwarten den Anbruch des Messias-Zeitalters, und einige Jahre darauf erinnert Erdmann bisweilen an den frühreifen, begnadeten zwölfjährigen Jesus im Tempel.

Aber der Adoptivsohn des neuen Christophorus ist kein Narr in Christo, sondern ein aufgeweckter, lebensfroher Bursche, der die Dorfjugend «kommandiert», sich tüchtig «austobt» und beim Konfirmandenunterricht den Pastor Pavel, dem er, achtjährig – im zweiten Buch –, zur Erziehung übergeben wird, durch scharfsichtige Fragen nicht selten in Verlegenheit bringt. «Wie kam die Schlange ins Paradies, Herr Pastor?» glossiert er einmal beinahe spöttisch. «Und war es dann noch ein Paradies, wenn Gott den Versucher darin versteckte? Oder tat er es nicht und gelang es dem Bösen, sich einzuschleichen, wo war dann Gottes Allwissenheit?»[65] Bei einer späteren Bergwanderung mit dem Pater Christophorus verhält er sich weniger kritisch, beweist jedoch nun eine erstaunliche Auffassungsgabe.

Während das erste Buch des Romans Erdmanns wunderbare Geburt und Episoden aus seiner im Pfarrhaus verlebten Kindheit schildert, vernehmen wir im zweiten ausgedehnte Gespräche zwischen dem Pater Christophorus, dem Pfarrer Pavel, einem Arzt Dr. Krabbe und einer Gräfin, die Tante Labda genannt wird, der Gastgeberin der geselligen Runde. Im dritten und vierten Buch folgen weitere Unterhaltungen im gleichen Personenkreis und Gespräche zwischen dem Pater und dem nunmehr elfjährigen Erdmann, die miteinander eine vierzehntägige Riesengebirgswanderung unternehmen. Gerhart Hauptmann verzichtete also weitgehend auf Handlung und ließ ein Erziehungswerk durch Gespräche in Gang setzen. Dieses Verfahren erinnert entfernt an Thomas Manns «Zauberberg», jedoch ist für den *Neuen Christophorus* ein ausgeprägter Zukunftsoptimismus bezeichnend. Es geht hier um die zentrale Frage, wie «der Mensch seine Lage auf Erden»[66] verbessern könne.

Um die Lösung dieses Problems ringt der Bergpater, und für die Erfüllung der Aufgabe hat er den jungen Erdmann ausersehen. Der alte Weise ist der Ansicht, daß eine wirkliche «Menschheitserlösung», trotz der heroischen Märtyrertaten vieler Religionsstifter, «bis heute noch nicht geschehen»[67] sei. Mehrmals entwirft er Bilder von der leidenden, sich quälenden Kreatur. Seine Magd Gargi fand er einst im tiefsten Weberelend. Voll schwerer Sorge und in mythischen Symbolen spricht er von der Entfesselung gefährlicher Titanen, vom Mißbrauch des Feuers und der Verwandlung prometheischer Segenskraft in einen Höllenfluch: «Aus dem freundlichen Feuer des menschlichen Herdes hat sich ein Weltbrand entwickelt, der, nach Menschendenken, nicht mehr zu löschen ist.» Dabei könne man die technischen Entdeckungen nur mit Beängstigung verfolgen: «Da gibt es zum Beispiel ein Uran-Atom; wenn es von einem anderen getroffen und aufgespalten wird, entwickelt es mächtige Energien. Sofern rapide Summierungen ein Uranoxydpulver zu einem Kubikmeter vereinen, entwickelt es in weniger als dem hundertsten Teil einer Sekunde Energie, die ausreicht, um ein Gewicht von einer Milliarde Tonnen siebenundzwanzig Kilometer hochzuheben. Seine Explosion könnte unserem ganzen Planeten zu einer gefährlichen Katastrophe werden.»[68]

Selbstverständlich entwickelt *ein* gespaltenes «Uranatom» (d. h. dessen Kern) keine nennenswerte Energie, falls es nicht in einer «kritischen Masse» von minimal 242 gr (bzw. 22 kg in der Bombe) wirkt und eine Kettenreaktion auslöst.[69] Dennoch gehören die zitierten Sätze zu den ersten, wenngleich wissenschaftlich nicht exakten belletristischen Ankündigungen des Atomzeitalters und seiner Schrecken. Eine zweite Romannotiz über einen im Luftschiff «fliegenden Menschen», der «aus unendlicher Höhe» eine «riesige Kugel, mit höllischem Verderben gefüllt, über die Erde ausgeschüttet»[70] habe, deutete G. Erdmann als Vision einer «Atombombenexplosion». Derartige Folgerungen läßt die kleine Textstelle, in der Kernphysikalisches nirgends erwähnt wird, auf keinen Fall zu. Die über Japan abgeworfenen nuklearen Sprengkörper waren weder «riesig» noch «kugelförmig» oder «ausschüttbar». Es handelt sich im Buche um phantastische, durchaus konventionelle Spintisiereien, wobei die Schilderung von «Tod und Verderben» an die biblische Apokalypse erinnert (Off. Joh., Kap. 8 und 16). Abwegig sind auch des Kommentators Konstruktion einer sachkundigen Überlegenheit des Schriftstellers über damalige Experten und die Behauptung, Hauptmann habe die Sorge um atomare Bedrohung «als erster in einem Dichtwerk artikuliert»[71]. Dagegen sei u. a. auf Harold Nicolsons «Public Faces» (1932, Kap. XI) und John B. Priestleys «The Doomsday Men» (1938, Kap. 9) hingewiesen.

Gemäß dem obigen Zitat aus dem zweiten Konvolut des *Christophorus* müßte der Roman in den vierziger Jahren spielen, nach der im Dezember 1938 von Hahn und Straßmann entdeckten Kernspaltung, von der Hauptmann durch eine Abhandlung Max Plancks über «Sinn und Grenzen der exakten Wissenschaft» Kunde erhielt. Er las die Publikation bereits am 27. 9. 1942 in der «Deutschen Allgemeinen Zeitung», klebte den Ausschnitt ins Tagebuch[72] und sandte dem «großen Denker und Forscher, dessen klarer Einfachheit ich so viel verdanke», mehrmals Grüße in «grenzenloser Liebe und Bewunderung»[73]. Naturwissenschaftliche Anregungen durch den Emigranten und alten Bekannten

Albert Einstein waren in der Spätzeit nicht mehr möglich. Allerdings kann auch vorher von «Freundschaft»[74] zwischen dem Dichter und dem Physiker kaum die Rede sein. Wie D. Reichinstein überlieferte, erklärte Einstein bereits 1911 über den Autor von *Fuhrmann Henschel*: «Philosophieren soll er uns überlassen, er soll aber geben eine kräftige Handlung, wie es Shakespeare macht.» Dem von Hauptmann 1914 mitunterzeichneten Manifest der Dreiundneunzig stellten Einstein und drei andere Wissenschaftler einen pazifistischen Aufruf an die Europäer entgegen. In den zwanziger Jahren trafen die beiden kulturellen Repräsentanten zwar mehrfach zusammen, wie u. a. Kessler und Herneck bezeugen, doch lehnte der Gelehrte gelegentlich eine Astrologie-Apologie des Schriftstellers «schroff ab», und insgesamt bekundete er ein Interesse für «Bücher weltanschaulichen Inhalts und im besonderen philosophische», nicht für «naive» Gegenwartsliteratur.[75] Einsteins Sekretärin Helen Dukas erklärte 1981 in einem Brief an den Verfasser mit Bestimmtheit, der «Professor» sei mit dem Dichter zwar «bekannt, aber nicht näher befreundet» gewesen. Hauptmann seinerseits äußerte sich im Diarium meistens kritisch-interessiert. 1921, nach der Lektüre von A. Moszkowskis Monographie: «Einstein – viel kindlich-Gläubiges, ein lehrreiches Buch. Es gelingt ihm nicht, von Einstein zu überzeugen.» Und 1925: «Relativität ist die Macht aller Seelen, sie geht viel weiter, als ‹Einstein› ahnt.» 1930 glaubte der Autor, in dem Gelehrten ein «Bild reinsten Kummers» zu sehen, und 1932/33 gab es einen bemerkenswerten Briefwechsel.[76] Schließlich erklärte der Dichter im Oktober 1936: «So freundlich ich Einstein empfand, er war nicht mein Mann.»[77]

Da Gerhart Hauptmann die relativistischen und kosmologischen Vorstellungen der modernen Physik ebensowenig zu erfassen vermochte wie etwa Thomas Mann, wirkten Einsteins Ideen weder auf «Doktor Faustus» noch auf den *Neuen Christophorus* ein, obwohl sie real im Handlungszeitraum dieser Romane wirksam waren. Zur Datierung lesen wir im zweiten Kapitel des dritten Buches einmal die Jahreszahl 1944 und am Ende des Fragments von dem andauernden Weltkrieg. Auch wendet sich der Pater Christophorus voll Abscheu gegen jene Mächte, die das Wunder Mensch «bekämpfen, beschmutzen und in jeder Beziehung erniedrigen», und brandmarkt die «Verfolgung von Mensch zu Mensch», das «Henkertum»[78] und seine grausamen Foltermethoden als ärgsten Feind des Fortschritts. Hier und bei Visionen von wahngetriebenen Flüchtlingszügen und dem drohenden Untergang der Erde sind deutliche Bezugnahmen auf die faschistische Realität erkennbar.

Aber daneben finden sich die widersprüchlichsten Zeitangaben. Dr. Krabbe forscht nach den Ursachen des Kindbettfiebers, die Semmelweis bereits 1847 im wesentlichen erkannt hatte. Von Pater Christophorus heißt es zu Beginn, er sei «beinahe fünfzigjährig», etwas später bezeichnet er das Jahr 1866 als sein Geburtsjahr, und bei der Wanderung mit dem elfjährigen Erdmann wird eine Altersdifferenz zwischen ihm und dem Pflegesohn von fünf Jahrzehnten erwähnt. Zu einer Verlegung der Handlung in die zwanziger Jahre würden ferner Hinweise auf einen «jüngst» geführten Krieg der Deutschen und auf das erste Auftauchen eines Luftschiffes über dem Riesengebirge stimmen sowie die Zeichnung von Tante Labdas adeliger Umwelt, die wir uns ausdrücklich «ohne eigentliche Verbindung mit der neuen Zeit»[79] denken sollen. Erst in der Centenar-Ausgabe abgedruckte Notizen zeigen, daß Hauptmann sein Buch ursprünglich als (Anti-) «Kriegsroman»[80] konzipiert hatte. Vorgesehen war ein Handlungszeitraum von etwa 1910 bis 1925, und mehrere Paralipomena verurteilen die «ungeheuren Verbrechen» des ersten Weltbrandes, die «entfesselte Ruchlosigkeit», den Mißbrauch segensreicher Energien und die «Orgien des Hasses»[81]. Es gibt grandiose Visionen der Vernichtung in den Fragmenten. Ähnlich wie Brecht (der seit der ersten «Galilei»-Niederschrift ebenfalls das «Problem der Zertrümmerung des Atoms» bedachte) erinnerte der Dichter an die Zerstörung von Imperien wie Karthago und Babylon, um den «organisierten Wahnsinn» künftiger Kriege zu verhindern. Pessimistisch äußerte sich der Autor 1938 über den «technischen Fortschritt, von dem man annahm, er werde die Menschenwelt von ihren ärgsten Übeln erlösen, dankbar, friedlich und glücklich stimmen ... Aus der glückseligen Hoffnung ist eine schwere Beängstigung und lastende Furcht geworden.»[82]

Die Widersprüche in der Datierung hängen sicher mit der langen Entstehungszeit des *Neuen Christophorus* (von 1917 bis 1945) und Hauptmanns Neigung zusammen, das Romanmanuskript in zunehmendem Maße als eine Art Ablegemappe für alle möglichen Erörterungen, als ein «Tagebuch des Alters»[83] zu benutzen. So stehen auch einige Darlegungen des Bergpaters, etwa sein Pessimismus im Hinblick auf die Erkennbarkeit der Welt, der Lobpreis des zu einem «Großdeutschland» tendierenden, wohlhabenden Bismarckreiches und sein «Magiertum», in einem gewissen Gegensatz zu dem Zukunftsoptimismus und der Grundidee des Werkes. Die «Wechselfolge von Zuversicht und Verzweiflung», die H. E. Hass[84] hervorhebt, war wohl wesentlich zeitbedingt.

Der neue Christophorus belehrt den jungen Erdmann, man befinde sich (trotz gelegentlicher barbarischer Rückfälle) stetig auf dem «Wege zum Paradies»[85]. Unübersehbar seien ja viele «Elemente des Paradieses» auf der Erde, zum Beispiel das selbstlose Bemühen der Mediziner um die «Gesundheit des Mitmenschen», die wertschaffende Tätigkeit der Handwerker und Arbeiter, das Erlebnis der Liebe und der freudespendenden Kunst. Der Bergpater selbst dient den Gebirglern und Häuslern als kundiger Berater, Arzt, karitativer Helfer, schöpft aus einem großen, in aller Welt erworbenen Erfahrungsschatz und möchte «gute zeitliche Wirkungen erstreben in Tat und Wort, um das irdische, nicht das himmlische Leben zu bereichern»[86]. Er faßt seine Berufung, das bürgerliche «Kind der Kultur» in ein neues, erahntes «Weltalter» hinüberzuretten, als «durch und durch weltlich» auf. In seinen Gedanken leben die Ideen von Sokrates, Platon, Dante, Paracelsus, Jakob Böhme, Tintoretto, Beethoven, altindische Weisheiten, antike und christliche Mythologien, die er im Dienste seiner «Arbeit für die Menschheit auf Grund einer treuen Zukunftshoffnung»[87] zu aktualisieren sucht. Auch der Gedanke an einen «deutsch-sozialen Faust» taucht auf. Eine Tagebuchnotiz vom Juli 1933 besagt: «Die Faust-Idee zuckt, zuckt überall ... Was Faust betrifft, so käme man auch diesmal nicht ohne den Teufel, den großen Widersacher, aus ... Den ungeheuren Gedanken, sich der Welt der Natur zu widersetzen, diesen großartigsten und kühnsten, der je gefaßt worden ist und der allein den Menschen zum Menschen macht – armer kleiner Nietzsche! – hat Flaubert in seiner ‹Versuchung des Heiligen Antonius› dichterisch auszudrücken versucht.»[88]

Beinahe leitmotivisch klingt in den letzten beiden Büchern des Romans immer wieder die Frage an, wie eine «Verbesserung der Menschenwelt»[89] möglich sei. Die Notwendigkeit einer Neuschöpfung des Menschenbildes kommt zur Sprache, wobei nicht zuletzt dem Humor eine bedeutende Rolle zugedacht ist. Der junge Erdmann erkennt schließlich die Aufgabe, zum «Wohle der Menschheit»[90] zu handeln und gleichsam die Missionen von Luther und Goethe, die bei seiner Geburt symbolisch Pate standen, zu vollenden.

Wie das praktisch durchgeführt werden soll, bleibt freilich offen. Im letzten Kapitel des Fragments erinnert der neue Christophorus an die einstige Weltbedeutung der deutschen sozialdemokratischen Bewegung und damit an eine «Art Weltherrschaft von den Doktrinen der Marx, Engels etc.». Und er fügt hinzu: «Alles dachte in Revolution und darüber hinaus in Evolution. Und dieses Denken müssen wir festhalten.»[91] Ob er seinen Schüler Erdmann demnach auf die Rolle eines revolutionären Volkstribunen vorzubereiten gedachte? Das lag wohl außerhalb von Gerhart Hauptmanns Intention und Gestaltungsvermögen. Der Dichter beschränkte sich auf die Andeutung, Erdmann werde «Menschenliebe, Friede, harmonische Duldung» auf die Fahne schreiben und am Ende – ein «Märtyrer»[92] sein.

So bleibt das Fragment schließlich ein großer Traum ... Aber es ist schön und tröstlich, zu wissen, daß Hauptmann in seinen letzten Lebensjahren die Vision von einer glücklicheren Menschenzukunft vorschwebte. Erstaunlich, wie es ihm in schwärzester Nacht gelang, seinen Zukunftsglauben zu festigen und, während er gleichzeitig die furchtbare Atridenwelt beschwor, von künftiger Humanität und dem «Aufbau des Menschentums» zu künden. Mag der *Christophorus*-Roman auch manche Widersprüche und gestalterische Mängel aufweisen, so möchten wir ihn doch zu den bedeutendsten Spätwerken des Dichters zählen.

Die Atriden-Tetralogie

Es ist schwer, von der überwiegend lebensbejahenden Roman-Philosophie des *Neuen Christophorus* einen Zugang zu den düsteren Tragödien der Atreus-Nachfahren zu finden; sie könnten unter dem Inferno-Motto Dantes stehen: Ihr, die ihr eingeht, laßt alle Hoffnung schwinden! Und doch sind die gewichtigsten Passagen der beiden Dichtungen nebeneinander im selben Jahrfünft entstanden. Der humanistischen Vision vom Wirken höchster Segenskräfte wurde nun das Bild von barbarischer Verfluchung und tiefster Zerrüttung aller Gesittung gegenübergestellt.

Die von Homer und Hesiod angedeutete, von Stesichoros um 600 v.u.Z. in der «Oresteia» wesentlich ausgeformte Atridensage besteht eigentlich aus einer gräßlichen Folge von Metzeleien und Bluttaten.[1] Zunächst ermordet der Tantalus-Enkel Atreus, König von Argos, dreizehn Söhne seines Bruders und Rivalen Thyestes, wird darum samt seinem ganzen Geschlecht verflucht und später durch den Neffen Aigisthos gerichtet. Die Atreus-Söhne Agamemnon und Menelaos heiraten die spartanischen Leda-Töchter Klytaimnestra und Helena, wobei aus Agamemnons Ehe die Töchter Elektra, Iphigenie und Chrysothemis und der Sohn Orestes hervorgehen. Als die Atriden nach Helenas Raub durch Paris zum Trojanischen Krieg aufbrechen, sucht der Heerführer Agamemnon die Götter durch eine Opferung Iphigenies günstig zu stimmen. Dafür wird er später von seiner Gattin Klytaimnestra ermordet, die ihrerseits nach

Jahren von der Hand des (durch Elektra unterstützten) Bluträchers Orest fällt.

Auf den ersten Blick mag es überraschen, daß diese monströsen Geschichten, die sicher auf reale Erfahrungen in einer frühen Entwicklungsstufe der Menschheit zurückgehen (Auseinandersetzung zwischen Mutterrecht und Vaterrecht), in der Weltliteratur so ungewöhnlich viele Bearbeiter fanden. Nicht nur die antiken Dramatiker Aischylos, Sophokles und Euripides gestalteten das tragische Schicksal des «Völkerhirten» Agamemnon und dessen Familie, sondern auch Autoren der neueren Zeit setzten sich mit diesem Stoff immer wieder auseinander. Offenbar enthielten die Überlieferungen, trotz aller äußeren Abscheulichkeiten, Ansatzpunkte für die Entwicklung einer grundsätzlichen menschlichen «Existenzproblematik»[2]. Es ging um die ewig aktuellen Fragen von Schuld und Sühne, Freiheit und Notwendigkeit, Schicksalsmacht und Menschenvermögen und die diffizilsten psychologischen Konflikte. Namentlich die Atreus-Enkel Orestes, Elektra und Iphigenie, schuldlos schuldig und opferbestimmt, erschienen wie zeitlose Symbolfiguren und fesselten Dichter wie Hans Sachs, Racine (1674), Bodmer (1760), J. E. Schlegel (1771), Goethe (1787). In unserer Epoche, die ohnehin eine mächtige poetische Antikerezeption brachte[3], versuchten sich unter anderen Hofmannsthal (1903), O'Neill (1931), Giraudoux (1937), Sartre (1943), I. Langner (1948) an einer Psychologisierung und Humanisierung des Atriden-Mythos.

Von Gerhart Hauptmanns tiefer Verbundenheit und Vertrautheit mit der Welt der Hellenen haben wir bereits gesprochen. Wir erinnern nochmals an sein Reisebuch *Griechischer Frühling* und das Schauspiel *Der Bogen des Odysseus*, an *Demeter*, die vielfältigen Metamorphosen des Dionysos und auch an die eingehende Lektüre der Werke von Homer, Platon, Pausanias, der klassischen Tragiker, von Bachofen, Rohde, Schliemann, Preller, Welcker. Besonders interessant sind in dem Zusammenhang seine schon erwähnten Bemühungen, die Orest-Problematik in jener von Shakespeares Hamlet wiederzuerkennen.

Es bedurfte nur eines geringen Anstoßes, um Hauptmann für eine produktive Neubeschäftigung mit dem Atridenstoff zu begeistern. Zufällig entdeckte er 1940 in einem Programmheft des Prager Deutschen Theaters[4] Auszüge aus Goethes «Italienischer Reise», und zwar ausgerechnet die berühmte Eintragung «Bologna, den 19. Oktober (1786) abends», die detaillierte Bemerkungen über eine geplante Fortsetzung des taurischen «Iphigenie»-Bühnenstücks bot, das in Delphi spielen sollte. Unter stillschweigender Verwendung der 122. Fabel des altrömischen Autors Hyginus legte Goethe das «Argument» oder Exposé der vorgesehenen Dramenhandlung dar, die in der spannungsgeladenen Begegnung zwischen der hoheitsvollen Priesterin Iphigenie und der impulsiven Elektra gipfeln sollte: «Wenn diese Szene gelingt, so ist nicht leicht etwas Größeres und Rührenderes auf dem Theater gesehen worden.»

Nachdem Gerhart Hauptmann noch einige Studien betrieben hatte, schrieb er in der zweiten Jahreshälfte 1940 seine *Iphigenie in Delphi*. (Obwohl er damit in der Goethe-Tradition stand, sagte er gelegentlich, der «Genius oder Dämon Schillers» sei ihm in jener Zeit «lieber als der Goethes»[5] gewesen.) Danach erging es ihm wie schon so manchen Künstlern (etwa Wagner beim Ring der Nibelungen oder Arnold Zweig beim Grischa-Zyklus), die immer eine Hülle nach der anderen hatten entfernen müssen, um alle Voraussetzungen des Geschehens zu klären und das «Anfängliche» zu gewinnen. So rang der Dichter vom Herbst 1940 bis zum Sommer 1943 in neun Fassungen um die Gestaltung der Jugendgeschichte seiner Heldin und ihrer geheimnisvollen Erwählung und Opferung im Feldlager zu Aulis. Zur Abrundung fügte er 1942 und 1944 die beiden einaktigen Mittelstücke *Agamemnons Tod* und *Elektra* hinzu und vollendete damit die Tetralogie von Fluch und Sühne der Atriden.

Obwohl die verschränkte Entstehungsweise beachtet werden muß, wollen wir die vier Dramen im folgenden doch gemäß ihrem chronologischen Handlungsverlauf untersuchen und uns zunächst der *Iphigenie in Aulis* zuwenden. Als stoffliche Grundlage[6] diente Hauptmann im wesentlichen ein gleichnamiges Stück von Euripides. In fünf Akten erleben wir Agamemnons Heerlager in dem ostgriechischen Hafen Aulis, die bedrückend-bedrohliche Verzögerung der Ausfahrt nach Troja infolge einer von zornigen Göttern verhängten Windstille und Dürre und den Kampf des Feldherrn mit sich selbst, seinen Konflikt zwischen Gottesgehorsam, kriegerischer Ruhmsucht und Vaterliebe. Die beleidigte Artemis hatte durch ein dampfendes Orakel kundgetan, sie wolle sich nur durch eine Opferung Iphigenies versöhnen lassen.

Den seelischen Widerstreit in der Brust des Befehlshabers hat Hauptmann gegenüber der Vorlage erheblich verstärkt und vertieft. Bei ihm schreckt Agamemnon nicht nur ein-, sondern dreimal vor der geforderten Bluttat zurück. Er will dem Göttergebot prometheisch «trotzen», nimmt einen voreiligen Opferentschluß brieflich zurück (wie bei Euripides), bekräftigt seine Weisung und Weigerung nach der unerwarteten Ankunft seiner Gattin und Tochter nochmals, verbannt die Ahnungslosen vorerst eine Tagesreise weit, widersteht der Versuchung schließlich ein drittes Mal bei der Aussprache mit den Frauen in einem (anachronistischen) Gasthof und schickt sie heim nach dem über hundert Kilometer entfernten Mykene.

Im dritten Akt beugt er sich dennoch der «Kere Spruch». Ein Gott hat ihn «berührt». Wahnwitzige Offenbarung ist ihm zuteil geworden. Mit rasenden Rennern jagt er durch sein Reich Argos, dringt halb bewußtlos und mit unsinnig gezogenem Schwert in seine eigene Burg ein, um die Tochter zu holen. Klytaimnestra kämpft wie eine Löwin um ihr Kind, aber Iphigenie selbst fällt ihr am Ende in den Arm. In der Vorlage des Euripides hat Hauptmann an dieser

Stelle den plötzlichen Umschlag von der Todesfurcht des Mädchens zu ihrer patriotischen Opferwilligkeit bemängelt[7] – wohl nicht ganz zu Recht, denn die Heldin des antiken Dramas überwindet sich durchaus glaubwürdig und verklärt ihr Vorhaben mit nationalen Motiven, um dem geliebten, geprüften Vater zu helfen.

Der moderne Dichter unterstrich dagegen Iphigenies Unerschrockenheit. In einer Frühfassung ruft sie zwar noch angstvoll: «Leben will ich nur! Nur leben!»[8], doch im abgeschlossenen Werk spricht sie schon im zweiten Akt von ihrer Vorahnung, sterben zu müssen, und als sie später über ihre Bestimmung Gewißheit erhält und Agamemnon in «göttlicher» Sendung vor ihr steht, ist sie bereit. Zu sühnen hat sie nach unerforschlichem Ratschluß einen Jagdfrevel des Vaters an einer heiligen Hinde der Artemis und, merkwürdig genug, den Ehebruch ihrer schönen Tante Helena.

Der vierte, kompositorisch etwas verunglückte Akt knüpft handlungsmäßig an den ersten an und zeigt wiederum die nach Menschenopferung schreienden Heerscharen in Aulis. Dabei spielt der homerische Heros Achilleus eine mehr als klägliche Rolle. Während er in ursprünglicher Konzeption die hilfeheischende Mutter Klytaimnestra erhörte, Errettung schwor[9], Verehelichung mit der Bedrohten forderte und fünf Szenen lang die Handlung beherrschte, verhält er sich nun völlig passiv und läßt die Schrecken geschehen. Nach triumphalem Einzug und unter dem Heil-Gebrüll der Kriegstamboure ziehen König Agamemnon und Iphigenie fast nachtwandlerisch über den Tempelplatz, und wie ein Besessener schlägt der Vater in «heiligem» Rausch auf sein Opfer ein – das geheimnisvolle Mächte in letzter Minute tanzend entführen. Wie in der alttestamentlichen Isaaksage begnügt sich die Gottheit am Ende mit der stellvertretenden Schlachtung eines Tieres … Frei ist der Weg nach Troja!

Aber warum müssen Hellas' Söhne eigentlich nach Ilion

segeln? Weil dem Menelaos von Sparta die Frau davonlief? Weil die Fürsten nach den phrygischen Schatzkammern lüstern sind? Mit Recht spricht Ulyß (der listenreiche Odysseus) von einem «sinnlos blinden Rachezug», inszeniert eine Meuterei, und der «Völkerhirte» Agamemnon erwägt in einer Anwandlung von Vernunft und Vatersorge bisweilen, «das ganze Heer der Griechen abzudanken»[10]. Das Opfergebot würde damit umgangen. Der Trojanische Krieg fände nicht statt. In einer frühen Fassung bekundet der Heerführer sogar, «keine Lust» mehr zum Kämpfen zu haben und nicht bereit zu sein, sich «zum Werkzeug» des Tempeltyrannen entwürdigen zu lassen.[11]

An diesem Punkte gewahren wir, wie die Zeitebenen unheimlich zu changieren beginnen. Es steht schlecht um die Argumente der Haudegen und Kriegsadvokaten am Aulis-Strand. Ein plausibler Grund für den Einfall in Priamos' Reich liegt nicht vor. Und dennoch zieht das Verhängnis unaufhaltsam herauf. Lastet die düstere Atmosphäre wirklich nur über dem altgriechischen Böotien des Spiels?

«O Gott, in welchem Graun sind wir gefangen!» heißt es im ersten Monolog der Tragödie, und dann erleben wir, wie Angst und Unsicherheit sich ausbreiten. Schicksalsmächte zürnen, Schuldige für die Schwierigkeiten beim «nationalen Aufbruch» werden gesucht, jeden kann jederzeit der Argwohn fanatischer Landsknechte treffen, jeder kann zur Steinigung geschleift werden wie der arme Palamedes. Die Luft ist «voll Mord». Der Oberpriester Kalchas peitscht die niedrigsten Instinkte auf, fordert die Erneuerung des verruchten Brauches der Menschenopferung (wohl auch, um sich für die Abweisung seiner einstigen Werbung um Iphigenie zu rächen), droht versteckt dem zaudernden Agamemnon. Tagebuchnotizen des Dichters erinnern an die «alten Spannungen zwischen Kaiser und Papst» und sprechen von Intrigen des «schieläugig Wahnsinnigen», Pfaffen und «Jesuiten»[12]. Der Krieg zerstört alle Gesittung, vergiftet familiäre Eintracht, macht unmögliche Greuel möglich.

Die Erde hat gebebt. Der Menschen Städte
erzittern, fürchten ihren Untergang.
Was für die Ewigkeit gemauert schien,
zerbröckelt knisternd, knirscht und wankt im Grund.
Die Sterne werfen sich aus ihren Bahnen,
die Erde fiebert und der Mensch mit ihr.
Die Götter kommen wiederum zu Ansehn,
die man im Wohlergehen fast vergaß:
sie zeigen drohend sich allüberall
dem Menschenvolk, das nun voll jähen Schrecks
allüberall auf seine Götter stößt.
Es geht nicht mehr um Wohlsein, Königin,
ein Weniger, ein Mehr davon, o nein:
es geht um alles! – Sitte, schöner Schein,
der hohe Adel köstlicher Gewöhnung
ward losgebundener Dämonen Raub.
Vertrocknet und zersprungen glüht die Erde.
Der Würger Hunger mordet Mensch und Tier,
die Pest, wie eine Wölfin, neben ihm.
Es wird der Mensch sogar des Menschen Wolf
und stillt mit seinesgleichen seinen Hunger.[13]

Immer wieder beschwört Hauptmann – wie an dieser
Stelle durch den Mund des Kritolaos – das «Chaos» der he-
katischen Zeit herauf, in der der Mensch zu «des Menschen
Wolf» entartet und weder sich selbst noch andere zu begreifen vermag. Die Entfremdung des Menschen und seine
Bedrohung durch den Wahnsinn dringen auch in die bil-
derreich-düstere Sprache ein, die jede neue Situation ratlos
fragend umkreist und keine Antworten findet.

Und dann stählt sich Agamemnon zum Führer. Auf Kly-
taimnestras Klage über sein sippenmörderisches Beginnen
entwirft er das irrsinnige Bild von der Selbstvernichtung,
die auch die trojanischen Feinde in den Abgrundstrudel
reißen werde und die notwendig sei, damit Hellas sich erheben könne «zum Herrn der Welt»[14]. Hochfahrend weist

er jeden Einwand, jede Vermittlung ab. Gott habe ihn einer Offenbarung gewürdigt, die ein schlichtes Weib oder gar ein «niederer Bauer» wie der friedfertige Thestor natürlich nicht zu begreifen vermöchten. Als Übermensch schreitet er zur Bluttat und betört die versammelten Landsknechte in Aulis. «Einst war ein Reich, man hieß es Griechenland! Es ist nicht mehr.»[15]

Die Soldaten des Agamemnon erscheinen in dem Stück wenig positiv. Willig leihen sie dem sadistischen Pfaffen Kalchas ihr Ohr und fordern in blinder Enttäuschung über den verzögerten Beutezug nicht nur die Opferung Iphigenies, sondern die kultische Abschlachtung aller Jungfrauen. Im vierten Akt wendet sich der Volkszorn allerdings vorübergehend auch gegen die wirklichen Urheber der Not. Rebellische Stimmen rufen:

> Die Fürsten sind Verräter allesamt! –
> Ja, sie belügen und betrügen uns! –
> Gewalttat, Raub und Mord ist ihr Geschäft! –
> Sie löschen ihren Durst mit unsrem Schweiß,
> mit unsrem Blut! – Was ist uns Ilion?! –
> Und dies ist Kalchas, ein goldgieriger Wicht,
> ein Seher, der verborgene Schätze stiehlt
> und in den Kellern seines Hauses auftürmt! –
> Wir wollen keinen Krieg, wir wollen Brot! –
> Der Pflug soll herrschen, blühen soll der Karst!
> Auf, auf zur Heimat! – Sind wir Fische? Nein! –
> Wir brauchen fetten Acker, nicht das Meer! –
> Tod, Tod den Fürsten! – Schlagt die Fürsten tot! –[16]

Doch beim plötzlichen Eintreffen von Agamemnon und dessen verklärter Tochter schlägt die Empörung in Enthusiasmus um und steigert sich während einer demagogischen Rede des «Völkerhirten», der reiche Schätze und hübsche Sklavinnen verspricht, zum Paroxysmus. Das Volk schreit nach Krieg. Es vollzieht sich «die Tragödie der Masse, deren Kraft von falschen Führern irregeleitet wird»[17]

Überraschend verhält sich in dem Zusammenhang der Oberpriester Kalchas. Bisher der ärgste Hetzer und eine Art «Präfaschist», erklärt er plötzlich, er habe «all das nicht gewollt», und widerruft seine Forderung nach Iphigenies Opferung. Möglicherweise hängt sein «Umfall» mit Achills «schrecklicher» Aktion und Intervention zusammen (in der Frühfassung[18]), vielleicht auch damit, daß Agamemnon während der grausigen Zeremonie die Macht im Tempelbezirk übernimmt und den Einfluß des ehrgeizigen Kirchenfürsten beschneidet, der schließlich durch Selbstmord endet. Aber im Stück selbst wird sein Verhalten nicht motiviert.

Trotz vieler offenkundiger Zeitbezogenheiten möchten wir die Atriden-Tetralogie nicht als «Widerstandsdichtung gegen die Eroberungspolitik des deutschen Faschismus»[19] deuten. Der Autor selbst verneinte die Frage, «ob die geradezu unheimliche Zeitnähe seiner Gedanken in der *Iphigenie* eigentlich aus einer bewußten Absicht zu erklären sei»[20], und er ergänzte, wenn sie «so deutlich in Erscheinung träte, so leugne er nicht die Möglichkeit hierzu, aber er sei sich ihrer nicht bewußt geworden». Sprengel erinnerte ergänzend daran, daß «die Motive der Grausamkeit, der Hinrichtung, der Hetze, ja der Massenhysterie» auch in «früheren Werken Hauptmanns auffindbar» seien, weshalb man eine «antifaschistische Lesart» als «fragwürdig» bezeichnen müsse.[21] Gewiß ist der Protest des Dichters gegen Krieg und Unmenschlichkeit unüberhörbar; gewiß spiegelt sich in Einzelheiten sein Abscheu vor dem «Hitlerreich und seinem Blutrausch»[22], doch daneben demonstriert die Handlung des Werkes gerade die Sinnlosigkeit des Widerstandes.

Mögen sich Agamemnon, Klytaimnestra, Iphigenies Amme Peitho und später Orestes zeitweilig gegen das Verhängnis auflehnen und ihre Menschenwürde zu bewahren suchen: am Ende erweist sich stets die Nutzlosigkeit jeder humanistischen Tat, die «absolute Unterlegenheit»[23] gegenüber den unberechenbaren Schicksalsmächten. Agamemnon kann es nicht wehren, daß «grauenvolle Götter» ihn zum «ohnmächtigen Spielzeug» herabwürdigen, und die widerstrebende Hadesdienerin Peitho verkündet einmal: «Der Moira Beschluß ist allen – selbst den Göttern – unabwendbar.»[24] Der furchtbare Atridenfluch behält seine Macht bis zum Schluß und fordert auch die nur aufgesparte Iphigenie ein.

Die in der Atriden-Tetralogie sich ausdrückende fatalistische Haltung, die auch – wie früher dargestellt – Hauptmanns Einstellung gegenüber dem Faschismus entsprach, bedeutete in gewisser Weise eine Vertröstung auf ein «göttliches» Wunder. Seine Iphigenie wird keine «Figur des Widerstandes» wie die Antigone Brechts. Wie tief muß die Verzweiflung des Dichters über den Niedergang seines Vaterlandes gewesen sein, als er diese unglücksvollen Szenen schrieb, in denen niemals ein Morgen tagt! Die Herrschaft der Unterwelt währte in Spiel und Realität.

Die folgenden Teile der Tetralogie entsprechen thematisch etwa Aischylos' «Orestie», halten mit erstaunlicher Konsequenz an der Einheit von Ort und Zeit fest und verzichten weitgehend auf «Aktualisierung». Während sich die meisten neueren Dichter[25] den antiken Stoffen psychologisch, parodistisch, rational-humanistisch näherten und für die Bearbeitung im allgemeinen pointierte Prosaformen wählten, zeigte Hauptmann die menschlichen Leidenschaften ganz elementar und machte mythische Gegebenheiten transparent, die oft noch vor den Gestaltungen der alten Tragiker lagen. Seine Atridendramen bieten in fünffüßigen Jamben eine künstliche, moderne Archaität, mit den Figuren können sich die Zuschauer kaum identifizieren. Anders als in der zu Kritik und Aktivität anspornenden Verfremdung des Brecht-Theaters wird man Zeuge einer mythischen Entgrenzung der in ein rätselhaftes Dasein «geworfenen» Kreatur.

Der Einakter *Agamemnons Tod* spielt zehn Jahre nach den

Geschehnissen in Aulis. Aus dem langen, durch Ulysses'
List siegreich beendeten Trojanischen Krieg kehrt Agamemnon als Schiffbrüchiger heim, trifft nachts in einem
(anachronistischen) Demetertempel bei Mykene mit seiner
Gattin Klytaimnestra zusammen und wird von ihr, die sich
in somnambulem Zustand befindet, mit einem Opferbeil
erschlagen. («Gewöhnt euch an das Fürchterliche – hat die
Welt sich längst ja doch daran gewöhnt!»[26]) Klytaimnestra
handelt dabei durchaus zwanghaft. In einem ominösen
Traum sah sie ihren Gatten blutüberströmt daliegen; wieder erwacht, sucht sie die Götter und den Schatten Iphigenies durch ein Tieropfer zu besänftigen und möchte sogar
noch fliehen, als sie Agamemnon erkannt hat. Vergeblich!
Der Kere Spruch verlangt Erfüllung. Das Blut der Tochter
ruft, wie sie meint, nach Rache.

Hier ergeben sich einige Widersprüche. Iphigenie ist ja
nicht unterm Opferbeil gefallen, sondern hat sich freiwillig
dargebracht und ist von den Göttern nur entrückt worden.
Als sich König und Königin im Kultraum feindselig gegen-
überstehen, verkündet Agamemnons Sklavin Kassandra,
die von Apoll mit Weissagekraft begabte Tochter des Pria-
mus: «Deine Tochter Iphianassa lebt. In dir tobt falscher
Rachedurst sich aus … Ein Gatte fällt durch seiner Gattin
Hand.»[27] Merkwürdigerweise achtet die bedrängte Frau
nicht darauf, und auch Agamemnon tut die Prophezeiung
als «Weibsgewäsch» ab, obwohl er Kassandra zuvor mit den
Worten «heilige Seherin» apostrophierte.

In der Tragödie des Aischylos finden sich ausführlichere
Motivierungen des Gattenmordes. Dort hat Agamemnon
außer für seine Schandtat an Iphigenie seinen Ehebruch
mit Kassandra, die sinnlose Opferung vieler Griechenjüng-
linge vor Trojas Mauern und die Schuld des Ahnen Atreus
zu büßen. Hauptmann dagegen verfuhr bei der psychologischen Begründung der Vorgänge sehr sorglos, verdichtete
die Schrecken alptraumhaft und schuf eine dramatische
Ballade, die mit dem Ruf nach dem Rächer Orest endet.

Die anschließende Tragödie des Muttermordes wurde bereits in der Antike von Aischylos in «Choëphoren» (Grabspenderinnen) und in den beiden Elektra-Dramen von Sophokles und Euripides eingehend behandelt. Da gab es für den traditionsverwurzelten Hauptmann nicht viel Spielraum, und er beschränkte sich darauf, in seiner *Elektra* gleichsam das Skelett der Vorlage herauszupräparieren. Sieben Jahre nach Agamemnons Tod kehren Orestes und dessen Freund Pylades aus der Fremde nachts an den schaurigen, inzwischen arg verwahrlosten Tatort zurück, der der Schwester Elektra als Zuflucht dient und in dem ganz zufällig Klytaimnestra und Aigisth vor einem Gewitter Schutz suchen müssen. Sie verfallen dem Gericht der versammelten «antiken zornigen jungen Menschen»[28].

Gegenüber der Überlieferung wagte der Dichter, der hier den «Zusammenbruch der menschlichen Weltordnung» symbolisieren wollte[29], zwei Neuerungen: Einmal ließ er Aigisth von der Hand des Pylades fallen, der damit in den verfluchten, sühnebedürftigen Atridenkreis eingeht; zum anderen macht er Orest gewissermaßen zu einem Geistesbruder Hamlets, der ebenso unentschlossen nach dem offenkundigen Mörder seines Vaters forscht. Ja, Orestes ringt um Versöhnung, Mutterliebe und begeht die Gewalttat an seiner Mutter als willenloses Werkzeug und in höchster Notwehr, angestachelt durch Elektra und auf ausdrückliches Gebot Apolls.

Interessant ist hier ein Blick auf Sartres etwa gleichzeitig entstandenes, die gleiche Thematik behandelndes Schauspiel «Die Fliegen» (1943). Dort kehrt Orest nicht als Bluträcher in die Heimat zurück, sondern als Befreier der Leute von Argos von eingebildeten Rachegöttern, Angstpsychose und der Tyrannei des Aigisth und der Klytaimnestra. Er selbst verzichtet danach auf die Herrschaft und wählt als freier Mensch die Unbehaustheit, ein schuldhaft-stolzes Dasein, in dem er, ein «Erlöser», dennoch unerlöst bleibt.

Für Hauptmanns Orestes gilt das Wort aus dem Harfnergesang in Goethes «Wilhelm Meister»-Roman: «Ihr laßt den Armen schuldig werden, dann überlaßt ihr ihn der Pein.»

In *Iphigenie in Delphi*, dem Schlußstück der Tetralogie, das im Anschluß an Goethes Entwurf zuerst geschrieben wurde, erfahren wir von der gnadenlosen Verfolgung des Muttermörders durch die Erinnyen und seinen bislang vergeblichen Bemühungen um Entsühnung. Trotz eines gewissen «Ablasses» in den Heiligtümern von Delphi und Athen irrt er noch immer «landflüchtig» umher und darf erst auf endgültige Vergebung hoffen, als er das Kultbild der einst beleidigten Artemis samt deren (unerkannter) Priesterin Iphigenie aus dem Taurerland am Schwarzen Meer entführt. Von der Heimkehr der Geschwister nach dem geglückten Handstreich und den sich daraus ergebenden Verwicklungen handelt Hauptmanns Drama, das rein äußerlich Goethes «Iphigenie auf Tauris» fortsetzt.

Innerlich ergeben sich freilich kaum Berührungspunkte, denn Gerhart Hauptmann veränderte das Wesen der Iphigenie entscheidend. Schon in den Priestergesprächen des ersten Aktes und den verworrenen Reden des geistumdunkelten Seefahrers Theron-Orest hören wir von einer furchtbaren Tempelherrin, die im heiligen «Schlachthaus»[30] der Hekate blutgierig herrsche und gefangene Griechen unbedenklich opfere, während ihr König Thoas mitunter sogar Mitleid empfinde. Mit dieser Version übersteigerte der Dichter die euripideische Vorstellung von einer nur widerstrebend menschenmordenden taurischen Iphigenie; Goethe hatte sie bekanntlich zu einer opferverweigernden Kulturbringerin und humanistischen Erzieherin des Barbaren Thoas umgeformt. Bei Hauptmann geht die Kunde, auch Orestes sei unter ihrem Messer verblutet, weshalb Elektra während des Triumphzuges der Rückkehrer im zweiten Akt rachedurstig und mit erhobenem Beil auf die grausame Hekatedienerin losgeht und erst im letzten Augenblick von ihrem Verlobten Pylades am (unbewußten) Schwestermord gehindert wird.

Diese Iphigenie könnte von sich sagen: Alles Menschliche ist mir fremd. Seit ihrer Entrückung am Strande von Aulis sind etwa zwei Jahrzehnte vergangen, in denen sie ihren früheren Verhältnissen völlig entwuchs. Im Kreislauf der Sphären wölbte sich ihre Geschichte ins Mythische, das Götter in Menschen und Menschen in Götter zu verwandeln vermag. Ebenso wie Agamemnon vor Zeiten als Heros und chthonische Gottheit galt, stand auch Iphigenie in altgriechischen Überlieferungen der Unterweltsgöttin nahe. Hauptmanns Schauspiel knüpft daran an und läßt in dunklen Wendungen immer wieder eine Einheit zwischen der vielgestaltigen Hekate-Selene-Persephoneia-Artemis[31] und ihrer Tempelhüterin ahnen.

Namentlich die Apollo-Priester in Delphi wagen keine Entscheidung darüber, ob die Fremde aus Tauris nicht am Ende Hekate-Artemis, die Schwester ihres Schutzpatrons, sei. Sie ist es nicht, wie sie selbst einmal bekennt. In einem Gebet sagt sie: «Ich bin nur eine Sterbliche», aber darin schwingt wohl schon ein «Ich bin noch eine Sterbliche» mit; bald wird sie sich mit der Göttin im Tode verbinden. Bei den späteren Auftritten erscheint Iphigenie «überragend», unbeteiligt und mit göttlichen Attributen gezeichnet. Am tiefsten offenbart sie sich in der unheimlichen Erkennungsszene mit Elektra im dritten Akt. Sie warnt sie davor, ihr menschlich zu nahen, wird nur vorübergehend durch Kindheitserinnerungen gerührt, umarmt zwar die «süße kleine Schwester» unter Tränen, weist aber gleich darauf alle Versuche, sie aus dem Totenreich zu lösen, eindeutig ab. Für sie gäbe es kein neues Leben mehr, kaum noch berühre ihr «eisiger Fuß die Erde»[32].

Aber warum kann sich für Iphigenie nicht alles zum Guten fügen? Ist ihr Opfertod notwendig für die Entsühnung der Geschwister und die Lösung des alten Atridenfluches? Vermag nur ihr Sturz in den Abgrund die Krise der Humanität zu beenden? Viele Interpreten[33] neigen zu dieser Ansicht, doch dem widersprechen die Vorgänge und Aussagen der Dichtung. Orest ist vom Wahn genesen, von den Griechenstämmen zum neuen Herrscher erwählt und sowohl von einer mütterlichen Traumerscheinung wie von den Dienern des delphischen Gottes entsühnt worden, bevor sich Iphigenie in die Phädriadenschlucht stürzt. Ausdrücklich heißt es, er habe die streitenden göttlichen Geschwister Artemis und Apollon durch die Überführung des Kultbildes versöhnt und damit auch den irdischen Frieden wiederhergestellt.

In einer früheren Fassung entschloß sich Hauptmann zum Happy-End. Dort wird die Priesterin aus ihrem heiligen Amt entlassen und von ihrem Bruder, zögernd zwar, dafür gewonnen, «das Herrscherhaus von Argos neu aufzubauen», sich als «neuer Mensch» zu präsentieren und vielleicht auch «das Lachen» wiederzulernen.[34]

Warum das tragische Finale im abgeschlossenen Drama? Flüchtet Iphigenie in den Tod (wie sie es Elektra gegenüber motiviert), um einem schmachvollen Gericht wegen der Opferung zahlreicher Griechensöhne zu entgehen und auch, damit Agamemnon vor dem Volke nicht postum als «Betrüger» dastehe? Nein, das sind simple, für die Fassungskraft der Schwester bestimmte Erklärungen. Während der Arbeit fragte der Dichter im Diarium: «Kann Iphigenie noch ein Mensch sein? Sie starb, wurde geopfert, entrückt und lebt. Wo lebt sie? Und als was?»[35] Im Schauspiel ließ er sie dann bereits am Ende des zweiten Aktes ihre tatsächliche Situation umschreiben mit den Worten: «Ich starb ins Göttliche hinein und mag im Sterblichen nicht wieder leben.»

Wie Käte Hamburger[36] darlegte, handelt es sich hier um die feine Variation eines Motivs bei Euripides, das nicht von Iphigenies Heimführung durch Orest, sondern von ihrer Versetzung in ein anderes Artemis-Heiligtum kündet. Sie bleibt also der Göttin unmittelbar verbunden. Bei Hauptmann sucht sie gleichsam aus Hochmut und ihrer ursprünglichen Bestimmung (der Vergöttlichung) entspre-

chend den Tod und die letzte Vereinigung mit der Unter-
weltsherrin, der ihr Leben von Anfang an aufgespart war.
In gespenstischen Wendungen redet sie von der Macht der
Nacht, in der das Licht Apolls nur ein Fünkchen bilde, von
der Allgewalt Hekates, die einen Mantel trage, in «dessen
Faltenwurf auch Phoibos sitzt»[37].

Ein weiterer Aspekt muß beachtet werden: Iphigenies
Zug nach Delphi geschieht im Zeichen einer Zeitenwende.
Schon in Aischylos' «Eumeniden» erkennt ein hoher Göt-
terrat den Vorrang des Vaterrechts an, spricht den vater-
rächenden Orest frei und besänftigt die Erinnyen. Hauptmann deutet in ähnlichem Sinne eine Humanisierung der
düsteren Hekate an, ihre Verwandlung in eine friedferti-
gere, mit dem lichten Apoll verbündete Artemis. Vor dieser
«Anpassung» schreckt Iphigenie zurück; sie möchte keiner
neuen Herrin priesterlich dienen, sondern sich selbst zum
Symbol eines anachronistischen Zeitgeistes umprägen. Damit ist sie freilich nicht für alle Zeiten entschwunden,
ebensowenig wie die Götterharmonie des Schlusses als
«ewig» angesehen werden kann. Niemand weiß, wann der
hekatische Spuk wiederkehrt und die Moiren erneut blutige Kurzweil mit den Menschen zu treiben belieben.

Sicherlich spiegelt sich in diesen Vorgängen des Dichters
Grauen vor dem Einbruch des Barbarischen während der
Hitlerära. Damals war plötzlich etwas Höllisches hervorge-
krochen und hatte die Zerbrechlichkeit einer bürgerlichen
Menschenwelt sichtbar gemacht. Man spürte, wie sich
«im Abgrund, nie ganz überwunden»[38], die zerstörenden
Mächte regten. Mochte Hauptmann am Ende auch ein gewisses Vertrauen auf die Möglichkeit einer Entsühnung
durch den Sieg gereinigter Humanitätsideen kundtun und
die schuldbeladenen Atridenenkel aufatmen lassen («Wir
schenken gläubig uns zurück ans Leben»[39]), so erschauerte
er letztlich vor dem unfaßbaren Fatum, vor dem sich seine
Gestalten beugten und das er selbst als unabänderlich an-
erkannte.

Infolge der langen und umschichtigen Arbeitsweise ergaben sich in der Tetralogie manche Widersprüche. Hauptmann selbst erklärte gelegentlich, daß dieses Werk «noch
einer gewissen Revision der Details bedürfe, da sich im
Laufe der Schöpfung einige ... Voraussetzungen verschoben haben»[40]. In einigen kurzen Bemerkungen zu dem Zwi-
schenstück *Agamemnons Tod* wiesen wir schon darauf hin.
Nun seien ein paar weitere Beispiele gegeben.[41]

Obwohl Iphigenie in Aulis freiwillig und leidenschaftlich
ihre Opferung verlangt hat, stellt sie es später in Delphi so
dar, als sei sie von dem herrschsüchtigen Agamemnon mißbraucht und dazu gedrängt worden und die Mutter die einzig Achtenswerte gewesen, die um das Leben der Tochter
rang. Elektra erfährt in dem gleichnamigen Einakter aus
dem Munde des Pylades von der bloßen Entrückung der
Schwester, redet aber dennoch vor den Priestern des Apoll
von vollzogener Opferung auf einem Holzstoß. Diese
Rachefanatikerin «irrt» ferner, wenn sie sich mit Seherkraft
begabt wähnt, weil sie ein Blutstrahl der sterbenden Kassandra getroffen habe (tatsächlich war sie bei Agamemnons
und dessen Sklavin Tod nicht zugegen). Ebenso «vergeß-
lich» verhält sich ihr Verlobter Pylades, der Aigisth er-
schlägt und sich dennoch in Delphi wieder völlig unschuldig gibt.

Schließlich fällt eine stilistische Ungleichheit in der Tetralogie auf. Gewiß verklammerte der Dichter die einzelnen Teile durch einprägsame Leitworte, durch die unabläs-
sige, mit Antithesen durchsetzte Technik des Fragens, aber
andererseits bewegte er sich auf sehr verschiedenartigen
Sprachebenen, wovon im nächsten Kapitel noch ausführlicher zu reden sein wird. Es berührt eigenartig, wenn in
die getragenen Blankverse und Archaismen immer wieder
übergangslos derbe Naturalismen und expressive Passagen
eingefügt werden. Viele Kommentatoren[42] haben von «Stil-
brüchen» gesprochen und namentlich in den zuletzt geschriebenen Stücken ein Nachlassen der künstlerischen Ge-

staltungskraft bemerkt. Man muß dem zustimmen (obwohl einige Unregelmäßigkeiten im Versbau vom Dichter mit Absicht nicht korrigiert wurden). All die erwähnten Unzulänglichkeiten und die Zeitferne des Stoffes trugen dazu bei, daß der Atriden-Tetralogie bisher eine Theaterwirksamkeit versagt blieb. Nur eine einschneidende Bearbeitung (wie sie Erwin Piscator 1962 auf seine Weise versuchte) könnte dieses Alterswerk Gerhart Hauptmanns zu einem späten Erfolg führen. Möglicherweise eignet sich dazu eine «Bühneneinrichtung» (1987) von Armin Stolper, der die vier Stücke als großes aktuelles Antikriegsdrama präsentierte; durch geschickte Raffung und Reduzierung des Textes auf die Hälfte, durch Umordnung und Veränderung von Rede-Figuren machte er es an einem Abend spielbar.

Über Schauspieltechnik,
Menschengestaltung und Sprache
des Dichters

Wir haben Gerhart Hauptmanns Schaffen bisher im wesentlichen inhaltlich interpretiert. Zwar wurde von Fall zu Fall bereits auf künstlerische Strukturprobleme und auf manche Stileigentümlichkeiten hingewiesen, doch sei nunmehr zusammenhängend und ausführlich auf Fragen der künstlerischen Gestaltung eingegangen.

Hauptmann selbst äußerte 1895 in einem Interview: «Jeder Stoff schafft bei mir eine besondere Form, und ehe nicht restlos jede stoffliche Schwierigkeit technisch überwunden ist, höre ich nicht auf, denn das ist das Geheimnis der künstlerischen Form, daß sie, die scheinbar ein Zwang ist, in Wahrheit den Stoff zur freieren Entfaltung bringt.»[1] Diese Bemerkung sagt Wesentliches über das Inhalt-Form-Problem aus. Leider vermochte der Dichter die stoffliche Fülle aber durchaus nicht immer meisterhaft zu erfassen und auszuprägen.

Zunächst stehen wir vor der Entscheidung, ob wir Hauptmanns Dichtungen als eine Einheit betrachten können. Viele Forscher[2] neigen dazu, einer naturalistisch-realistischen Werkreihe von *Vor Sonnenaufgang* über *Die Weber, Der Biberpelz, Fuhrmann Henschel, Rose Bernd, Die Ratten* bis zu *Vor Sonnenuntergang* eine mehr idealistisch-symbolische von *Hanneles Himmelfahrt* über *Die versunkene Glocke, Und Pippa tanzt, Der weiße Heiland* bis zu *Indipohdi* gegenüberzustellen. Sie unterscheiden zwischen einer naturalistischen, neuromantischen und klassizistischen Schaffensphase und möchten in der Spätzeit sogar surrealistische Elemente gewahren. Sicher gehört der widerspruchsvolle Wechsel in den Ausdrucksmöglichkeiten zu den Rätseln und Merkwürdigkeiten dieser Produktion, doch läßt sich trotzdem eine gewisse Einheitlichkeit darin erkennen.

Hauptmann bewegte sich von Anfang an in verschiedenartigen, ja gegensätzlichen stilistischen Bereichen. Mitten in den derben, mundartlichen Partien von *Vor Sonnenaufgang* findet sich beispielsweise die lyrische Liebesszene des vierten Aktes. Die Märchenträume des armen Hannele werden umrahmt von der harten Wirklichkeit des Waisenhauses. Das *Pippa*-Drama beginnt ganz realistisch mit einem lebensvollen Wirtshausbild und endet in einer symbolmächtigen Phantasie. Schon mehrmals machten wir auf die eigenartig verschränkte, sich oft über Jahrzehnte hinziehende Entstehungsweise vieler Werke des Dichters aufmerksam. Dabei handelt es sich keineswegs um ein unentschlossenes Hin- und Herpendeln, sondern um verschiedene Gestaltungen aus einer einheitlichen künstlerischen Grundhaltung heraus. Es wechselten die Proportionen der einzelnen «Stilgruppen»; doch stets folgte Hauptmann ähnlichen Bauprinzipien. Dadurch wurde es ihm möglich, jederzeit an Früheres anzuknüpfen und alte Entwürfe beinahe nahtlos fortzuführen.

Er blieb der «mimischen Gebärdenkunst seiner naturalistischen Anfänge treu»[3]. Wenn sich den Zentralgestalten seiner frühen Milieu-Dramen so oft die Sprache versagt (am auffälligsten im *Friedensfest*) und sie Zuflucht in der Pantomime und Geste suchen, so drücken die gleichzeitigen oder späteren märchenhaft-mythischen Elemente auf anderer Ebene dieselbe Ohnmacht der Sprache aus. Das Symbol tritt an die Stelle von etwas Unsagbarem. Die sprachliche Äußerung bedeutet nur Untermalung von etwas sinnlich Daseiendem, ist Bewegung, Gestikulation, Anspielung.

In einem Interview erklärte der Dichter 1898: «Ich werde

immer wieder zum Realismus zurückkehren, denn nur aus der Wirklichkeit können wir schöpfen und lernen.»[4] Die Bewahrung einer kritisch-realistischen Position blieb ihm zeitlebens ein hohes Ziel und sicherte die Einheitlichkeit seines Gesamtwerkes ebenso wie die damit zusammenhängende Bevorzugung von Stoffen mit sozialer Thematik oder aus dem Künstlermilieu. Ein Charakteristikum seines Schaffens ist auch die starke autobiographische Färbung seiner Schriften und die Zeichnung ähnlicher Frauengestalten in ähnlichen Situationen.

Obwohl Gerhart Hauptmann in allen literarischen Gattungen produktiv war, übte er seine nachhaltigste Wirkung als Dramatiker aus. Er selbst sah im Drama «wohl die größte Dichtungsform», die «menschliche Dichtungsart an sich» und bezeichnete es als die ihm eigene «Form des Denkens»[5]. Nun läßt sich etwas Erstaunliches beobachten: Derselbe Dichter, der sich weltanschaulich meist für Kompromisse aussprach und in einem mystischen, spinozistischen Monismus wurzelte, knüpfte in der dramatischen Theorie und Praxis im wesentlichen an dualistische Erwägungen an. Er bemühte sich um die Erkenntnis eines «Ur-Dramas», das er bei seiner eigenen Arbeit als vorbildlich betrachtete.

In einer Ansprache bezeichnete er das Abaelardsche «Sic et non», das Ja und Nein, als die «ersten Akteure des menschlichen Urdramas, zwei Worte, die sich dann wohl auch in das Ich und Nicht-Ich oder das Du verkleiden»[6]. Die *Dom*-Fragmente erfassen den Mythos vom aktiven, willensmächtigen Satanael-Maro und dem kontemplativen Christus als typische urdramatische Gegebenheit. Freilich war Hauptmann der Ansicht, daß jeder Mensch das Urdrama in sich trage: «Ursprung alles Dramatischen ist jedenfalls das gespaltene oder doppelte Ich ... Das primitivste nach außen zur Erscheinung gebrachte Drama war das erste laute Selbstgespräch.»[7] Jedermann lasse Gestalten der nächsten Umgebung, Familienangehörige, auch metaphysi-

sche Kräfte auf der Bühne des Bewußtseins handelnd auftreten, trage Konflikte mit sich selbst und anderen denk-
spielerisch aus: «Je differenzierter das Menschenhirn, desto
differenzierter wurde das Drama.»[8]

Zu dieser Theorie vom Urdrama ist zweierlei anzumer-
ken: Erstens entstehen ja die Konflikte im Hirn nicht
autochthon, sondern sie stellen eine komplizierte Widerspiegelung der Wirklichkeit dar. Das Subjekt nimmt die
dramatischen Energien in seiner Umwelt wahr und verdichtet sie. Das geschieht literaturgeschichtlich erst verhältnismäßig spät, auf jeden Fall nach den liedhaften und epischen Gestaltungen.

Zum anderen läßt sich die Grundsituation des gedachten
Dialogs an sich kaum als dramatisch bezeichnen. Es sind im
Grunde Selbstgespräche, und ihnen eignet durchaus etwas
Erinnerungsvolles, Assoziatives, schweifend Prosaisches.
Gerade die moderne Dramatik hat unser Ohr für den epischen Grundcharakter vieler «Szenen» geschärft. So lesen
wir etwa in Strindbergs Stationendrama «Die große Land-
straße» fließende Unterhaltungen zwischen zwei Landfah-
rern von folgender Art. «Der Jäger: Aber der Beerensaft hat
keine von den Eigenschaften des Chloroforms, / Der Wanderer: bis die Beere zerstampft und in Hefe und Maische
verfault ist, / Der Jäger: so daß der Geist des Weins von der
schmutzigen Hülle der Materie befreit wird, / Der Wanderer: und an die Oberfläche steigt wie ein Meerschaum, / Der
Jäger: aus dem Aphrodite geboren wurde, / Der Wanderer:
unbekleidet. / Der Jäger: Nicht einmal ein Weinblatt hatte
sie, um sich zu bedecken, / Der Wanderer: denn die Kleider sind nur eine Folge des Sündenfalls.»[9] – Ein ähnliches
dialogisiert-episches «Selbstgespräch» bot Hauptmann zu
Beginn von *Elektra*, wo er es auf die beiden Freunde Orest
und Pylades aufteilte.

Gemäß seiner Lehre vom Urdrama konfrontierte der
Dichter in seinen Bühnenstücken stets zwei streng voneinander abgesetzte Spielergruppen. Diese Personen stehen

im Gegensatz zueinander, noch bevor die eigentliche Handlung beginnt[10], sie vertreten grundsätzlich verschiedene Prinzipien. Dabei wird der Held selten durch einen einzigen ebenbürtigen Kontrahenten zu Fall gebracht, sondern durch mehrere robustere Figuren. Vermittlergestalten treten kaum auf. Schroff prallen die Standpunkte einer antagonistischen Welt aufeinander.

Namentlich in den frühen Dramen bediente sich Hauptmann beinahe schematisch einer bestimmten Technik. Er führte einen Fremden oder lebenserfahrenen Heimkehrer in einen labilen, meist degenerierten Gesellschaftskreis, der dadurch in Bewegung gerät und seine Geheimnisse entschleiert. Eine solche katalysatorische Wirkung beobachten wir etwa bei Alfred Loth, Ida Buchner, Anna Mahr, Moritz Jäger und später bei Odysseus, Cortez, Engelmann.

Auch in den Prosaschriften beginnt das Geschehen gewöhnlich mit der Versetzung von Personen, wie Friedrich Kammacher, Francesco Vela, Erasmus Gotter, den Verehrerinnen der Großen Mutter, in einen neuen Lebensrahmen. Dabei bemühte sich der Dichter im wesentlichen um ein tieflotendes Seelenporträt des jeweiligen Helden. Diese Eingleisigkeit der Erzählweise, die Konzentrierung auf die Zentralfigur, die gleichsam keine Nebenhandlung duldet, gehört zu den charakteristischen Zügen seiner Romane und Novellen, die einander auch in der Viewpoint-Struktur[11] ähneln. Meist schaltete er zwischen Vorgang und Leser noch die Gestalt eines Narrators ein, wie im *Quint*, im *Ketzer von Soana*, dem *Buch der Leidenschaft* und dem *Meerwunder*.

In Hauptmanns Dramen ergeben sich weitere strukturelle Übereinstimmungen aus der Schicksalskonzeption. Seine Helden verstricken sich eigentlich in keine Schuld wie jene des klassischen Dramas; sie verstoßen nicht gegen moralische oder religiöse Gebote, sondern zerbrechen am Dasein schlechthin. Schon den *Fuhrmann Henschel* verglich Thomas Mann einmal mit der «attischen Tragödie»[12], in der

die Verhängnisse unaufhaltsam ihren Lauf nehmen. Das
gilt nahezu für alle Schauspiele von *Vor Sonnenaufgang* bis
zur Atriden-Tetralogie. Es sieht immer so aus, als könnte
durchaus alles gut werden. Noch unmittelbar vor der Katastrophe finden wir häufig einen Scheinsieg der Humanität,
das Aufprangen von Verständigungswille und Liebe, doch
plötzlich bricht sich dann die Vernichtung Bahn und erwählt sich «Werkzeuge» in Menschengestalt, die geistes-
entrückt, blindlings, traumhaft-tragisch handeln und zerstören. Gegenüber dem unbarmherzigen, unfaßbaren Schicksal verhalten sich Bahnwärter Thiel, Fuhrmann Henschel,
Rose Bernd, Henriette John, Felicia Garbe, Sir Archie ganz
ähnlich wie Agamemnon, Klytaimnestra oder Orest.

Bei alledem war Gerhart Hauptmann ein ausgesprochener Vertreter des Illusions-Theaters: «Die Absicht des Dramas ist Illusion.»[13] Er strebte danach, das Publikum in einen
«Zustand des Wachtraums» zu versetzen, ins Vergessen
hinüberzuleiten und dazu zu nötigen, «Liebe zur Illusion»
aufzubringen, denn die Bühne wolle nun einmal verzau-
bern und Illusionen wecken. Die Komödianten sollten dabei «sich selbst spielen» und Verständnis und Mitleid für
die von ihnen dargestellten Personen erregen.[14] Den kritischen Aspekt bemühte sich der Dichter ebenso auszuschalten wie lehrhafte oder kämpferische Elemente.

Da er sein Hauptaugenmerk auf Beseelung und Men-
schencharakterisierung richtete, reduzierte er die äußere
Handlung im allgemeinen auf ein Minimum und zog damit
ein Axiom der antiken und klassischen Ästhetik in Zweifel.
Aristoteles hatte im 6. Kapitel seiner «Poetik» behauptet,
«ohne Handlung ist keine Tragödie möglich, aber ohne
Charaktere wäre sie wohl möglich». Hegel[15] sah im «kolli-
dierenden Handeln» und der «totalen Bewegung» das Wesen des Dramas, und Goethe definierte diese Kunstform als
ein «Gespräch in Handlungen». – Seit dem Ende des
19. Jahrhunderts experimentierten die Stückeschreiber und
Theoretiker mit anderen Formen. Strindberg, Ibsen, Mae-

terlinck, Tschechow wagten eine Verinnerlichung und Entaktivierung des Dramatischen, betonten die Passivität, De-
terminiertheit und Isoliertheit ihrer Gestalten, die aneinander vorbeireden, endlos monologisieren und reflektieren.
Der Naturalismus gelangte zum szenischen Situationsbild
und konstatierte: «Nicht Handlung ist das Gesetz des Theaters, sondern die Darstellung von Charakteren.»[16]
Von hier aus geht eine unmittelbare Linie zu Hauptmanns Feststellung: «Was man der Handlung gibt, nimmt
man den Charakteren.» Er war der Ansicht, jede äußere
Handlung geschehe «auf Kosten des Handelnden», weshalb
er gelegentlich in drastischer Weise den Totschlag aller dramatischen Handlungselemente empfahl.[17] Praktisch verwies
er die Höhepunkte und Entscheidungen des Spiels hinter
die Bühne, in die Zwischenakte, erfaßte wesentliches Geschehen in der Rückblende und verminderte durch prolog-
hafte Vorwegnahmen bewußt die Spannung (besonders
auffällig in *Die Tochter der Kathedrale*). Im einzelnen wissen
die Zuschauer bei ihm immer mehr als die Agierenden und
können sich ganz auf die psychologische Analyse der verschiedenen Beweggründe (die wichtiger seien als die Tat!)
konzentrieren.

Mit Mißtrauen begegnete der Dichter sogenannten Knall-
effekten und mechanischen Szenen (Totschlag, Duell,
kriegerischen Vorgängen), die er als «roh» empfand.[18] Sogar vor pantomimischen Übertreibungen schreckte er zurück. Als ihn ein Freund im Hinblick auf *Kollege Crampton*
daran erinnerte, das Urbild James Marshall habe stets kleine
Ampullen bei sich geführt und daraus den Schnaps wie Medizin genossen, erklärte Hauptmann, dieses Motiv sei «viel
zu grell»[19]. Für ihn war mehr die Kunst der Andeutung bezeichnend. Er liebte die Variation und bedauerte bei
der Vielzahl gestalterischer Möglichkeiten des Dramas, sich
für «eine allein entscheiden»[20] zu müssen.

Auf eine durchgängige «Exposition»[21] bis zum letzten
Wort gab er besonders acht, und obwohl er die traditionelle

Einteilung in fünf Akte meist beibehielt (von *Vor Sonnen-aufgang* über *Fuhrmann Henschel, Die Ratten, Vor Sonnenunter-gang* bis zu *Iphigenie in Aulis*), beachtete er kaum mehr die klassischen Aufbauprinzipien, die nach einer Einstimmung mit der Darlegung der Verhältnisse eine Schürzung des Knotens, den Höhepunkt (meist im 3. Akt), die Peripetie und schließlich die Auflösung des Knotens (meist als Kata-strophe) vorsahen. Er schuf im Gegensatz dazu etwa in dem fünfaktigen *Kollege Crampton* ein reines Zustandsbild, ließ in den *Webern* die Handlung episch hin und her wo-gen, schwelgte in *Indipohdi* im lyrischen Monologismus Pro-speros und arbeitete in *Iphigenie in Aulis* mit einer «Ein-schaltung» von zwei Akten, die das äußere Geschehen nicht voranbringt. Diese verschachtelte, scheinbar willkür-liche Anordnung gewahren wir in fast all seinen Fünfaktern und vielen weiteren Stücken (etwa in dem wiederholungs-reichen *Biberpelz*). – Das Fertigmachen, den Schlußakt, sah er als wenig künstlerisch und als eine «Vergewaltigung»[22] an, da ja auch das Leben weitergehe. Die offenen Schlüsse der naturalistischen Schule entsprachen durchaus seiner ei-genen Intention.

Bisweilen ging Hauptmann so weit, an «Dramen ohne Handlung»[23] zu denken, womit er freilich seinen Aussage-bereich stark eingeengt hätte, denn andernorts erklärte er, «kein großer Anhänger von Problemen im Drama»[24] zu sein. Nimmt man die Äußerung hinzu, daß es ihm «auf Konflikte nicht so sehr wie auf Komplexe»[25] ankomme, er-kennt man die Tendenzen dieser Kunstübung, die der Ge-fahr des Statischen, nur Pantomimischen nicht immer ent-ging. Seine Eigentümlichkeit besteht in der Durchführung einer «inneren» Handlung, die ihre Gipfelungen durch Va-riation und Steigerung der Motive und vor allem durch die Verstärkung der Affekte erzielt. Darin liegt die Haupttrieb-kraft seiner Schauspiele.

Durch die Entaktivierung gelangte dieser Vertreter der Illusionsbühne zu einer Episierung des Dramas und näherte sich dem ganz andere Ziele verfolgenden, betont desillusionierenden epischen Theater Brechts, dem es im Gegensatz zu Hauptmann um eine kritische Erregung der Zuschauer ging. Bertolt Brecht knüpfte in mancher Hinsicht an eine Hauptmann-Tradition[26] an, die wiederum mit dem Naturalismus und einer naturwissenschaftlich orientierten, milieubeschreibenden Poesie verquickt ist. Gerhart Hauptmann bemühte sich auf seine Weise, «immer mehr ‹Undramatisches› dramatisch zu begreifen», und hielt es für unmöglich, das «Epische und Dramatische … rein zu sondern». Er erinnerte an die «Dramatik» in Homers «Ilias» und Miltons «Verlorenem Paradies» und meinte 1930 sogar: «Prosa ist die reichste und rätselvollste aller Mitteilungsarten.»[27]

Gesprächsweise erklärte Gerhart Hauptmann einmal, er habe seine «Gegenstände immer vom Leben her ernst genommen und nie um des Theaters willen geschrieben»[28]. Gewiß bedeutete ihm das Dramatische seine «Denkform», aber dennoch galt für ihn der Satz: «Erst Menschen, hernach das Drama.»[29] Von seinen großartigen Menschengestaltungen muß vor allem die Rede sein, wenn man seinen Rang in der deutschen Literatur bestimmen will. Man kann nur immer wieder staunen über seinen Reichtum an lebensprächtigen, unverwechselbaren, alltäglich-einmaligen Typen, über die Vielfalt ihrer Äußerungen, Gesten, Temperamente, die Erfassung ihrer Leidenstiefe, Opferbereitschaft und Herzensgüte. Es sind im allgemeinen ungeborgene Menschen der spätbürgerlichen Epoche, die uns anblicken, gehetzte, verzweifelte Parias, deren Schicksale uns ergreifen. Oskar Loerke notierte 1906 in seinem Tagebuch, er kenne keinen Künstler, «der Menschen so trefflich zu bilden wüßte und bei aller Naturfülle mit solch einer Fülle von Poesie»[30]. Das gilt wohl noch heute.

Worin besteht das Einzigartige der Hauptmannschen Charakterzeichnungen? In ihrer Allseitigkeit und Lebensechtheit. Er selbst nahm für sich in Anspruch, den meisten seiner Gestalten ein «wesentlich unbestochener, womöglich liebevoller Sachwalter» gewesen zu sein; auch die «schlechten Menschen» in seinen Stücken seien «immer noch relativ gute Menschen»[31]. Idealisierung und Karikierung lagen ihm fern. Den «sogenannten Bösewicht» hielt er für ein Unding, und als er ihm dennoch einmal mit unterlief, vermerkte er im Manuskript: «Nein. Auch der muß seine volle Menschlichkeit bekommen.»[32]

Dieser Dichter hatte eine beinahe religiöse Ehrfurcht vor dem Leben. Er schuf aus der Überzeugung heraus: «Jeder Mensch, richtig erkannt, ist ein bedeutender Mensch», und andernorts fügte er hinzu, es komme darauf an, den Menschen «wichtig»[33] zu nehmen. Weil er das selbst tat, weil er schon als Knabe in der elterlichen Gastwirtschaft und später als Landwirtschaftseleve, Student und Reisender die einfachen Leute aus dem Volke beobachtete, ihre Sorgen und Anliegen «wichtig» nahm, gelang es ihm schließlich, die Alltäglichkeit zu adeln und auch proletarische Menschen ins literarisch Bedeutsame zu heben, sie mit tiefen Gedanken und Empfindungen zu begaben. Freilich gestaltete er überwiegend unglückliche Männer und Frauen, aber er entdeckte dabei eine ungebrochene, schlichte, «anziehende» Menschlichkeit. «Wer noch, im besten Sinne, gerührt oder bewegt sein kann, wird von ihm angesprochen.»[34]

Von dieser Position aus bemängelte Hauptmann einmal die geringe Volksverbundenheit der klassischen Literatur. Bei den meisten Stücken jener Zeit handle es sich um «Bildungsdramen», und auch die Schauspiele Lessings seien «bürgerlich und darum nicht eigentlich volkstümlich»[35] gewesen. Im Tagebuch schrieb der Dichter jedoch: «Wie einfach sind die Bemerkungen eines Lessing, mit wie wenig Worten begnügt er sich»[36], und auch sonst stand er dem Theoretiker der «Hamburgischen Dramaturgie» nahe. Er teilte mit ihm[37] die Hochschätzung Shakespeares, die Anerkennung des Dramas als höchster Form der Poesie, die Forderung einer natürlichen Sprache und die Ansicht über die Notwendigkeit der Gestaltung von Helden, «mit uns von gleichem Schrot und Korn». Noch Opitz hatte bekanntlich nur Standespersonen die Fähigkeit zu tragischem Erleben vorbehalten wollen, eine Meinung, die nicht nur von Lessing, sondern später von Hauptmann in den *Ratten* ad absurdum geführt wurde. In diesem Werk steht der programmatische Satz: «Wenn sich das deutsche Theater erholen will, so muß es auf den jungen Schiller, den jungen Goethe des ‹Götz› und immer wieder auf Gotthold Ephraim Lessing zurückgreifen.»[38] Andernorts ordnete sich der Autor in eine Traditionslinie ein, die er durch Namen bezeichnete wie «Shakespeare-Calderon ..., Schiller, Kleist, Goethe, Grillparzer, Hebbel»[39].

Auch in schwachen oder mißlungenen Arbeiten erweist sich der Autor als Meister der Charakterisierungskunst. Dennoch wurde behauptet, in seinen Alterswerken würden die «Wirklichkeitsbeziehungen stark eingeengt», und von dem «großen Menschengestalter Hauptmann» sei «nichts mehr zu spüren»[40]. Eine unsinnige Feststellung, denn unmöglich kann man Dramenfiguren wie Magnus Garbe, Herbert Engelmann, den «Sonnenuntergangs»-Leuten, der klagenden, kämpfenden Mutter Klytaimnestra im Atridenzyklus (um ein paar späte Beispiele zu nennen) Lebensechtheit absprechen! Doch es wandelten sich die Darstellungsmethoden des Schriftstellers. Während er in den frühen Schriften zahllose Einzelheiten und Äußerlichkeiten hervorhob und in Szenenanweisungen ausführliche Personenbeschreibungen gab, beschränkte er sich im Alter meist auf knappe, pointierte Bemerkungen. Die Kinder Scarabotas im *Ketzer von Soana* bezeichnete er etwa als «verfilzte Köpfe», oder der Theaternarr Syrowatky im *Wirbel der Berufung* heißt einfach eine «Null mit Armband». Besonders gut gelangen ihm stets Wirtshausszenen, Episoden aus Theater- und Künstlerzirkeln, die er aus intimster Erfahrung kannte. Mit Sorgfalt differenzierte er dabei jeweils die Sprechweise der

Personen, ließ den Dialog ganz spontan dahinfließen, bald hastig, erregt, bald stockend, plauderhaft oder verweilend, um wesentliche Dinge scheinbar herumredend, dennoch alles aussagend ... Jeder spricht hier seine eigene Sprache, weist dadurch Beruf, soziale Stellung, Alter, Geschlecht, Geistes- und Gemütsverfassung aus.

Die Fähigkeit des Dichters, seine Menschen sprachlich zu charakterisieren und namentlich Gefühlsnuancen zu erfassen, verdient eine Hervorhebung. Zu erinnern wäre an die ganz unsentimentale Gestaltung der Kindessehnsucht der Frau John in den *Ratten*:

«... jebn Se doch um Jotteswillen Obacht, wat ick Ihn for Vorschläge unterbreiten tu. Freilein, denn is doch uns beede jeholfen. Ihn is jeholfen und so desselbijenjleichen ooch mir. Außerdem is Pauln, wat mein Mann is, jeholfen, wo sterbensjerne een Kindeken will, weil det uns doch unser eenziget, unser Adelbertchen, an de Bräune jestorben is. Ihr Kind hat et jut wie'n eejnet Kind ... von Stund an, wo det kleene Wurm erst ma uff de Welt is – von den Augenblick an – det soll et haben, als wenn et, ick weeß nich wo – in Samt und Seide jeboren wär. Bloß jutes Zutrauen und, det Se ‹ja› sachen!»[41]

Oder denken wir an den Ausdruck eines echten Pathos und feierlichen Lyrismus in *Indipohdi*, wo der weise Prospero spricht[42]:

> ... nichts ist im Drama dieser Welt,
> worin ich mich nicht selbst erlitt und selbst
> genoß. Furchtbarer Urkampf, den ich so
> qualvoll gebar, in Lieb' und Haß. Und jetzt
> fällt diese mächtige Schöpfung von mir ab,
> und ich verlasse sie als Liebender,
> der seine wirre Schöpferhand beweint.
> Ich bin kein Magier mehr, bin losgelöst
> vom Leidenswirken, vom erwirkten Leiden.

Gerhart Hauptmann pries den sozialen Bindestoff der Sprache und sah in ihr ein «Synonym» für «Menschheit» und «Kultur», andererseits aber auch etwas «Übernatürliches, das göttliche Element der Erkenntnis»[43]. Wortschöpferischen Ehrgeiz hatte er nicht, sondern merkte gesprächsweise an, er wolle mit dem «vorhandenen Sprachgut»[44] auskommen. Im Diarium erklärte er, Sprache sei «nicht Selbstzweck, sondern unvollkommenes Ausdrucksmittel einer elementaren Gebundenheit», vor allem «Mitteilung; wo sie es nicht ist, ist sie überflüssig»[45]. Stets habe er sich von «originellen Wortbildungen zurückgehalten und eine möglichst natürliche Sprache angestrebt», eine Diktion, die «aus dem Volke heraus» empfunden sei. Seine eigene Prosa könne etwa an «gut durchgebackenes, kräftiges Brot»[46] erinnern. Er schaute dem gemeinen Mann «aufs Maul» und wählte ungekünstelte Ausdrücke, die genau das meinen, was sie sagen. Die Größe seiner schönsten Dichtungen besteht in der Schlichtheit. Gerade nach der faschistischen Sprachverwilderung wurde seine Stimme als Gradmesser betrachtet, um das «Echte vom Falschen zu scheiden»[47]. In seiner volksverbundenen Redeweise leben Gefühl und Humanität.

Problem-Prosa und hochgetriebenen formalen Experimenten stand er gleichgültig oder ablehnend gegenüber. Von sich bekannte er: «Ich suche bei einem Kunstwerk nicht sowohl einen Grundgedanken als vielmehr eine Grundstimmung», und er mahnte: «Keine zu große Tiefe»[48] – die bei ihm freilich kaum zu befürchten war. Über virtuose «moderne» Literatur äußerte er sich überwiegend negativ. So mokierte er sich über Unlogik, das «Zurückgehen auf sprachlichen Urschleim» und die «schlimmen Moluskenhaftigkeiten unserer Rilke, Däubler, Pannwitz»[49], auch über angeblichen «barocken Manierismus»[50] des Duineser Elegikers. Bei Loerke schien ihm, als habe er sich «ins Absurde»[51] verstiegen. Stefan George nannte er «leichenhaft», eine «lyrische Schlafmütze», dem er spöttisch empfahl: «Er hätte in Alabaster schreiben sollen.»[52] Kritische Bemerkungen gibt es auch über den «kleinen Rationalisten» Bernard Shaw und den «in seine Feder verliebten» Thomas Mann. Von sich selbst sagte Hauptmann freimütig: «Das Bloß-Artistische, Spielerische liegt mir nicht»[53], ja absurd-abschätzig bemerkte er: «Sprachschliff ist kalte Ausländerei.»[54]

Gerhart Hauptmanns Sprache ist überwiegend situationsbedingt. Namentlich im Frühwerk ging er bewußt vom Alltäglichen, Redensartlichen, ja Trivialen und der «Platitüde des Milieus»[55] aus. In der Schule des Naturalismus bemühte er sich um lebensgetreue, umständliche Gesprächswiedergaben und vor allem um die Erfassung der Mundart. Nun war das Schlesische, das in den Lautverhältnissen übrigens keineswegs einheitlich, sondern in viele lokale Untergruppen aufgegliedert ist, freilich schon längst literaturfähig geworden; man denke nur an Gryphius' Schauspiel «Die geliebte Dornrose», an Karl Holteis «Schlesische Gedichte», Robert Rößlers «Schläs'sche Durfgeschichten» oder Max Heinzels Plauderei «Ock ni trübetümplich». Aber während die idiomatische Einfärbung hier im wesentlichen als Kuriosum oder humoristisches Charakterisierungsmittel diente, faßte Hauptmann die schlesische Volkssprache durchaus ernst, kunstwürdig und dem Hochdeutschen ebenbürtig auf und wollte ihr ihre «Würde zurückgeben»[56].

Konsequente Dialektdichtung läuft allerdings immer Gefahr, im Provinziellen zu versinken. Die Verständigungsschwierigkeiten sind groß; den «Ur-Fuhrmann» glossierte Otto Brahm bei den Proben mit den Worten: «Sie hätten chinesisch reden können, und ich hätte nicht weniger verstanden.»[57] So näherten bereits Fritz Reuter, Jeremias Gotthelf, Ludwig Anzengruber ihre plattdeutschen oder oberdeutschen Texte behutsam dem Schriftdeutsch an. Auch Hauptmann hat nur zweimal ein strenges Gebirgsschlesisch gebraucht, nämlich in den Urfassungen von *Die Weber* («De Waber») und *Fuhrmann Henschel*, doch beide Male entschloß er sich für die Bühnenpraxis zu Überarbeitungen im Sinne einer Angleichung des Lautstandes an das Hochdeutsche. Dennoch übertrifft er, nach dem Zeugnis eines Spezialforschers, bei der klanglichen Wiedergabe der Mundart die meisten anderen «Dialektdichter an Genauigkeit»[58].

Schlesisch sprechen in seinen Werken unter anderen das Ehepaar Krause und das Gesinde in *Vor Sonnenaufgang*, Professor Cramptons Faktotum Löffler, die Weber, die Mutter Wolffen im *Biberpelz*, die Armenhäusler in *Hanneles Himmelfahrt*, der Fuhrmann Henschel, die Landstreicher Schluck und Jau, Rose Bernd und der alte Huhn im *Pippa*-Drama. Die wichtigsten lautlichen Veränderungen lassen sich an folgenden Worten des Stromers Jau erkennen: «Doa hoat ju oalles seine Richtigkeet ... Si kinn amoal harkumma ... Woas kinn Sie derfiere, wenn ich krank woar?»[59] Am auffälligsten sind hier die vokalreichen Endungen und die Pseudo-Diphthongierung des a (zu oa); weiterhin entspricht dem hochdeutschen ei – schlesisch ee (Richtigkeet), ö – i (kinn), o – u (kommen – kumma), ü – i (dafür – derfiere). Neben diese Eigentümlichkeiten treten zahlreiche weitere und auch bestimmte idiomatische Ausdrücke (etwa «asu» für ebenso).

Interessant ist, daß Hauptmann vor der Niederschrift «regelrechte dialektologische und lexikologische Studien» trieb; beispielsweise benutzte er für die *Ratten* Ostwalds «Rinnsteinsprache», H. Meyers «Der richtige Berliner», Avé-Lallemants «Das deutsche Gaunertum» u. a. Dennoch sprechen seine Gestalten oft einen «Jargon, den es überhaupt nicht gibt», wie Hess-Lüttich zeigte, der in seinem Buch einprägsame «Sprachporträts» entwarf.[60] Im späteren Schaffen wandte der Dichter kaum noch Dialekte an. Bereits im *Quint*-Roman heißt es bezeichnenderweise an einer Stelle umschreibend: «‹Hier gibt's genug Wasser zu trinken›, antwortete jener ohne Bedenken in seiner kaum verständlichen Mundart.» Zeitlebens schätzte der Dichter die Volkssprache sehr hoch. Das Schriftdeutsch gebrauchte er manchmal in abwertendem Sinne (etwa bei dem Ingenieur Hoffmann in *Vor Sonnenaufgang* oder dem Direktor Hassenreuter in den *Ratten*), oft markiert es eine soziale Höherstellung. In der Erregung fallen auch «Gebildete» bisweilen in den Dialekt zurück (wie Frau Dreißiger in den *Webern*) und verraten damit ihre soziale Herkunft.

Sicherlich brachte die Mundart etwas Elementares, Plastisches, gelegentlich aber auch Derbes und Vergröberndes in Hauptmanns Stil. Mitunter arbeitete er mit starken Kontrasten, z. B. wenn er in die Hexameterverse seines *Eulenspiegel*-Epos Vokabeln einstreute wie: Lump, Scheißkerl, Pißpott, dreckig, mamfeln, Gegump usw. oder in den Dienerreden des Requiems *Die Finsternisse* auf eine «sehr niedere Stilebene»[61] hinabstieg. Hierher gehört auch sein Bemühen, Irreales, Mystisches umgangssprachlich auszudrücken (etwa im *Großen Traum*).

Für Hauptmann war die Sprache ein Oberflächenphänomen, das Abgründiges in der Menschennatur ahnen lasse, doch nicht eigentlich auszudrücken vermöge. Entsprechend heißt es in einem Paralipomenon zu *Indipohdi*:

> Das nenne ich der Sprache bestes Teil,
> daß sie dem Schiffe gleich auf hohem Meer,
> zwar nicht die tiefverborgenen Gründe sieht,
> allein doch kann dorthin den Anker werfen.

Und der Kaiser Montezuma, der den weißen Heiland sucht, äußert über die Ohnmacht der Rede:

> Worte sind verwirrte Sprache.
> Schrei ist Klarheit. Schrei ist Wahrheit.[62]

Die Menschen der Dichtung vermögen vor Ergriffenheit oft nicht mehr zu sprechen, sie stammeln und stocken. Im letzten versagt sich dem Autor die Sprache, er stellt unentwegt Fragen, verflüchtigt sich ins Gebärdenhafte, Pantomimische, in einen Bild- und Klangrausch.

Trotz aller Erdenschwere und Gespreiztheit birgt Hauptmanns Sprache ein starkes musikalisches Element. Er selbst vertrat die Ansicht: «Ein Künstler, dem nicht das Letzte seiner Kunst Musik ist, befindet sich im Puppenstadium.» Und gesprächsweise merkte er an: «Ich höre Musik in allem.»[63] Die Musikalität enthüllt sich außer in der Lautmalerei vor allem in der Rhythmisierung seiner Dichtungen. Schon in der Frühzeit läßt sich seine Neigung zum Vers erkennen. Gedichte stehen am Beginn seiner Produktion; das Schauspiel *Germanen und Römer* ist im wesentlichen in fünffüßigen Jamben geschrieben, das *Promethidenlos* in Stanzen, und zum Verdruß der «konsequenten» Naturalisten fanden sich auch in den Milieudramen immer wieder skandierbare Passagen (etwa in den monotonen Klagen des Webers Ansorge). Arno Holz sprach abschätzig von einem «heimlichen Leierkasten»[64].

Der versteckte Vers gehört in der Tat zu den charakteristischen Zügen in den realistischen Dramen des Dichters. Fast mühelos kann man die Dialektreden der alten Wittichen in der *Versunkenen Glocke* oder Michael Kramers Betrachtungen an der Bahre des toten Sohnes strophisch absetzen. Der alte Kramer sagt beispielsweise: «Hör'n Se, Der Tód ist verléumdet worden, / das ist der ärgste Betrúg in der Wélt!! / Der Tód ist die míldeste Fórm des Lébens: / der éwigen Liebe Méisterstück.» Eindeutig treten die «Verszeilen» mit vier Hebungen hervor, und in ähnlicher Weise lassen sich nahezu alle gehobenen Partien in Hauptmanns Werken rhythmisch und metrisch «auszählen».

In seinem späteren Schaffen gebrauchte er fast sämtliche Versarten, und sie sind nun auch äußerlich klar erkennbar. Zu erinnern wäre an die Hexameterepen *Anna* und *Till Eulenspiegel*, die Terzinen des *Großen Traums*, die Blankverse in der Atriden-Tetralogie. Dabei fällt mitunter auf, daß der gewollte Vers spannungsärmer, prosaischer wirkt als der heimliche Vers. Auch erzwang der Dichter das Metrum allzuoft durch unnatürliche Wortstellung und Füllsel. Aber auf jeden Fall huldigte er der Schönheit des Ebenmaßes und bekannte sich zu dem Satz: «Im Anfang war der Rhythmus.»[65] Andererseits wandte er sich gegen ein «Gedudel von Wohllaut» bei Hofmannsthal und George.[66]

Musikalität vermag zu «entstofflichen». Dennoch paart sie sich bei Hauptmann mit Anschaulichkeit. Er hatte eine Vorliebe für die bildhaften Reden des Korans, des Buddha und Konfuzius, und außerordentlich hoch schätzte er Luthers Bibelübersetzung, in der er die «machtvollste Emanation deutscher Sprache»[67] sah. Ebenso faszinierte ihn der Gleichnisreichtum bei Jean Paul, dessen «Flegeljahre» er darum nicht zu Ende las, weil ihm der Stil «zu sehr ins Blut»[68] ging. Obwohl Hauptmann nur selten zu wirklich originellen Metaphern vorstieß, gelangen ihm bisweilen einprägsame Vergleiche. Beispielsweise heißt es, die Steine der Dorfjugend von Soana seien über dem verfemten Mädchen Agata niedergegangen wie «platzende Kastanien». Der Ozean der *Atlantis*-Welt gibt sich vor dem Sturm «still und sanft wie ein achtzigjähriger englischer Pfarrer». Oder im *Griechischen Frühling* jagt die gischtige Brandung des Meeres dahin wie «Dampf einer pfeilschnell längs der Klippen hinlaufenden Lokomotive».

Schließlich wollen wir noch auf zwei Eigentümlichkeiten im Satzbau von Hauptmann hinweisen: Die Kreuzstellung und die Antithese. Sehr oft finden wir bei ihm wortspielerische Formulierungen wie: «Im Traum ist Wahrheit, in der Wahrheit Traum» oder: «Ich sehne mich nach dem einfach Menschlichen, nach dem menschlich Einfachen.» – Vorstellungen und Formulierungen wie «Lärm des ausgesperrten Meeres und der eingesperrten Musik» (es ist vom Dampfer «Roland» die Rede) hängen zusammen mit einer grundsätzlichen Affinität Hauptmanns für das Paradoxe. Ganze Szenen stehen unter diesem Gestaltungsprinzip, so wenn die Schauspielschüler den Dachboden des Rattenhauses mit Schillerschem Pathos als «prangende Halle» apostrophieren, wenn in der Ketzer-Novelle in einem Satz Musenhain und Müllhaufen, Hunger und Sättigung zusammengestellt werden oder die Amme Peitho im ersten Atridendrama von ihrem Kinde sagt, es starb «am Leben».

Obwohl Gerhart Hauptmanns Werke im einzelnen viele Schönheiten und geglückte poetische Formulierungen enthalten, staunten auch Bewunderer seiner Kunst immer wieder über sprachliche Unzulänglichkeiten. Erich Ebermayer fand in der *Goldenen Harfe* manche Schnörkel, Aufgeblasenheiten und Stellen, bei denen man es «nicht für möglich hält, daß sie aus der Feder des größten deutschen Dramatikers unserer Zeit stammen»[69]. Oskar Loerke notierte 1937 im Tagebuch, er habe *Das Abenteuer meiner Jugend* redigiert und «von Schludrigkeiten des Diktierens, von Altersphrasen befreit. Erschreckend, wie stereotyp dieser große Dichter werden kann ... Etwa 5000 Änderungen.»[70] Ähnlich kritisch sprach Alfred Döblin (noch vor der Kontroverse) über den «freundlichen Schauspielverfasser», der in nach-naturalistischer Periode «nichts Rechtes, Selbstgeprägtes mehr produziert» habe und «im Stilistischen von außerordentlicher Lässigkeit»[71] sei. Und Thomas Mann witzelte über dessen «zu Herzen gehende Quasselei»[72].

Auch in der Sekundärliteratur gibt es zahlreiche abschätzige Bemerkungen – bis hin zu einem satirischen Artikel über den «Dichter, der kein Deutsch konnte»[73]. – Vielleicht sollte man zunächst differenzierend feststellen, daß Hauptmann als Dramatiker das «Rollenspiel» zumeist beherrschte; er schlüpfte gleichsam in seine Figuren hinein und verlieh «ihren» Gedanken und Empfindungen natürlichen, variationsreichen Ausdruck. Hingegen gebrauchte er in Prosaschriften und persönlichen Aufzeichnungen paradoxerweise häufig einen unpersönlichen «Bildungsstil».

Gelegentlich erinnerte er an den Hamlet-Polonius-Dialog: «Was leset Ihr, mein Prinz? – Worte, Worte, Worte.»[74] Das gilt leider für ihn selbst, der oftmals allzu starke Worte wählte und sich durch Bombastik und Schwulst die Wirkung verdarb. So lesen wir etwa: «Fürs erste will ich so lange wie möglich die gepfefferte, paprizierte, getrüffelte,

Albert Bassermann in der Titelrolle des Schauspiels «Kollege Crampton»,
1903

Else Lehmann als Helene Krause in der Uraufführung
des Schauspiels «Vor Sonnenaufgang» im Jahre 1889

*Agnes Sorma als Rautendelein in der Uraufführung
der «Versunkenen Glocke» im Jahre 1896*

*Hedwig Wangel als Mutter Wolffen in einer Aufführung
des «Biberpelz» im Deutschen Theater*

Henny Porten als Rose Bernd in dem gleichnamigen Stummfilm,
1919

Werner Krauß als Michael Kramer im Staatstheater Berlin, 1942

Christa Gottschalk und Willy A. Kleinau
in einer Neuinszenierung des Schauspiels «Vor Sonnenuntergang»
am 16. Oktober 1955 im Deutschen Theater

Dietrich Körner und Doris Abesser in einer Aufführung des «Florian Geyer» in der Volksbühne, Spielzeit 1962/63

mit stechenden Eisenfeilspänen untermischte, meistens übergangene, vielfach morphinisierte, kokainisierte moderne Geistesnahrung vermeiden.» Oder: «Der scheußliche Dämon des Weltverbrechens reckt sein schlangenartiges Haupt empor, speit tödlichen Haß, alles versengende Gifte aus und eine Sintflut verheerender Laven.» Ferner ist die Rede vom Abwischen der «ewigen Tafeln der Kunst mit einem in Blut getauchten Schwamm» oder von bösartigen «Parteien», die sich «über den Dichter (werfen) wie über eine Ratte»[75]. Was leset Ihr, Freunde? Worte, Worte, leere Worte ...

Mißglückte Metaphern, Wortballungen und pompöse Vokabeln fallen auch in Hauptmanns Erzähl- und Essaywerk vielfach auf. In *Atlantis* erscheint New York wie ein «Krater des Lebens», der «bellt, heult, kreischt, brummt, donnert, rauscht, summt und wimmelt ... Hier ist eine Termitensiedlung.» Die Bilder passen ebensowenig zusammen wie im *Wirbel der Berufung*, wo es heißt: «Ich zittre, einem Rennpferd am Start ähnlich, mich selber auf diese wirre und schweigende Welt rätselhaften Erlebens loszulassen ... (ich habe sie angetreten) diese verhängnisvolle Wanderung.» Aus einer Liebesszene im selben Buch: «Und drang nicht eine überweltliche Eiseskälte auf mich ein, als das gewaltsam erschlossene Mysterium sich mehr schrecklich als lustvoll enthüllt hatte?» Aus den Memoiren: «Hinter den Fenstern meiner Augen lag wieder der Knabe, der ich acht- und neunjährig war» und dem «Begriff des Kantischen Dinges an sich» nahekam.

Es würde nicht schwerfallen, weitere Beispiele solcher «schlechten Spielhagen-Prosa»[76] zu zitieren und zu karikieren. Immer wieder bemerken wir ein Schwelgen in großen Worten (Emanation, Mysterium, Eros, Magie, Dämon, Genie, Blindheit, gnadenlos, ungeheuer), verbunden mit banalen Ausdrücken. Derartige Zusammenstellungen von Pathos und Trivialität, Bombastik und starrer Formel können eigentlich nur gelingen, wenn sie in ironischer, travestierender oder humoristischer Absicht verwendet werden. Ein Parodist oder witziger Stilist war Hauptmann jedoch nicht (was er manchmal bedauert haben mag, denn im *Buch der Leidenschaft* besagt eine Randnotiz: «Philiströs, wenn ohne Ironie genommen»[77]). In der *Insel der Großen Mutter* konnte er die «geistreiche Boshaftigkeit» der Malerin Prächtel nur behaupten, nicht darstellen. Zuweilen drängt sich der Vergleich mit der Musik Richard Wagners auf, die uns ebenfalls oft schwülstig und getösehaft vorkommt.

Weiterhin sind für Hauptmanns Sprache ein oft dem Kitsch nahestehender Gefühlsüberschwang und Klingklang bezeichnend, eine Aufschwellung der Sätze durch synonymhafte Wiederholungen. Besonders viel «Poesie» bietet die *Versunkene Glocke* mit ihren Wortklitterungen («Gurgelschäumeschacht»), ihren Diminutiven und Lautspielen («Brust entschluchzt vor weher Lust»; «süßen, brünstig süßen Lockelaut»). Vokabeln des Glanzes, des Lichtes und der Farbigkeit werden maßlos gehäuft, und hier wie im folgenden (etwa im *Großen Traum*) büßen die Bilder wegen ihrer Übertreibungen und ihres Wortgepränges an Schärfe ein («Voll Liebesgötter Brust und Lippe hing, / gleich Bienen von Nektarien bewirtet»). Als Beispiele für einen trunkenen oder pathetischen Stil der Spätzeit seien der *Ketzer von Soana* und *Indipohdi* genannt. In anderen Dichtungen stören umständliche Reflexionen, Rhetorik und Klischees, die man kaum mit der ihm eigenen «sprachlichen Genügsamkeit»[78] zu entschuldigen vermag.

Obwohl Gerhart Hauptmann nicht zu den großen Sprachkünstlern gezählt werden kann, gebührt ihm dennoch ein bleibender Platz in unserer Nationalliteratur, weil er das deutsche Drama aus der Stagnation herausführte, die Krisensituation des Bürgertums in realistischen Zeitbildern und meisterhaften Menschengestaltungen einfing und von humanistischer Position aus Glanz und Elend seiner Epoche widerspiegelte.

Die letzten Jahre

1943–1946

In einem der frühen Gedichte von Gerhart Hauptmann
heißt es:

> Wo ich daheim bin, bin ich nicht daheim.
> Wer kann das Wort verstehen?
> Es ist ein schweres Wort.
> Es ist bei diesem Wort, wie wenn der Regen
> in großen, eisig kalten Tropfen fällt
> auf alle Rosen.
> Wo ich daheim bin, bin ich nicht daheim.[1]

Diese Verse lesen sich wie eine Prophetie, eine Beschreibung der späten Situation des Dichters. In ihnen scheint
die Klage über Entwurzelung und das Fremdwerden im eigenen Vaterland mitzuschwingen. Dieser Mann freundlicher Geselligkeit geriet immer mehr in die Isolation. Der
totale Krieg rollte über das geringe noch vorhandene kulturelle Leben hinweg und führte im September 1944 zur
Schließung der Theater in Deutschland. Gleichzeitig rief
der Reichsführer der SS, Himmler, die Knaben und Greise
zum Volkssturm.

Hauptmann erlitt durch alle diese Vorgänge eine starke
Depression. Hinzu kamen die Einsamkeit des Greisenal-
ters, die Verlassenheit von den Gefährten der Jugend- und
Meisterzeit, der beginnende Marasmus. Nach einer letzten
Reise an die Gestade der Ostsee im Sommer 1943 zog er
sich ganz nach Agnetendorf zurück: «Noch immer versuch'
ich dies und das, / dem Wahnsinn der Welt zu steuern. /

Aber die Welt ist vom Blute naß, / Jahrhunderte müssen es scheuern!»[2] Infolge der erschwerten Verkehrsverhältnisse sah er nur noch engste Mitarbeiter und Freunde wie Behl, Voigt, Pohl und Ebermayer häufiger bei sich, während er sich im übrigen mit den Gestalten seiner Phantasie umgab.

Sorge und Trauer über die von Deutschen herbeigeführte Katastrophe veränderten merklich sein Aussehen. Es ist erschütternd, auf Porträts die Verwandlung seiner Züge von 1942 bis 1945 zu beobachten, die Umbildung des vollen, lebhaften Gesichts in eine scharfgeschnittene, eingefallene, beinahe vogelköpfige Maske.

Unentwegt arbeitete er. *Elektra, Mignon* und vor allem *Der neue Christophorus* beschäftigten seinen Geist, der bis zuletzt schöpferisch war und an die «eigenartige Leuchtkraft morschen Holzes»[3] erinnerte. Allerdings erzwang Krankheit immer wieder längere Pausen. Schon im Frühjahr 1943 traten beunruhigende Sehstörungen auf; im Winter 1944 stürzte der Greis bei Glatteis und quälte sich zudem mit Katarrhen und Ischias. Er signalisierte «Verzweiflung, physische Qual, durchaus Neigung ... zu Schlaf und Tod»[4]. Als seine Frau im Januar 1945 eine akute Gallenentzündung überstanden hatte, entschloß sich das Ehepaar trotz der Kriegswirren dazu, im Sanatorium Weidner in Oberloschwitz bei Dresden eine Kur durchzuführen. Mit einem durch Holzgas angetriebenen Auto fuhren sie am 5. Februar dorthin.

Das Befinden des Dichters besserte sich im milden Klima des Elbtales. Bei Ausflügen erfrischte ihn das Wiedersehen mit den erinnerungsreichen Stätten der Brautzeit. So stand er vor der Johanniskirche, in der ihm vor genau sechzig Jahren Marie angetraut worden war, und auf der Brühlschen Terrasse gedachte er der Zeichenkurse in der Königlichen Akademie. Erneut begeisterte er sich für Elbflorenz und faßte den Plan, am 13. Februar ins Dresdner Zentrum zu fahren und dort zu übernachten. Zum Glück unterblieb der Ausflug.

Spätabends heulten die Sirenen. Angloamerikanische Bombengeschwader griffen die Stadt an, die von Flüchtlingen überfüllt war, und legten in kurzer Zeit über ein Drittel Dresdens in Trümmer. Hauptmann saß im Keller des Sanatoriums und hörte das infernalische Lärmen. Als er am nächsten Morgen über Schutt und Scherben schritt und die zerklüfteten Silhouetten am Horizont sah, war er völlig niedergeschmettert. «Mein Dresden, mein Kleinod!» sagte er fassungslos. Bald darauf gab es erneut Luftalarm, und während er sich noch auf das Hinabsteigen in den Keller vorbereitete, überraschte ihn der zweite Terrorangriff. Er klappte den Mantelkragen hoch, zog den Schlapphut tief ins Gesicht und erschauerte bei der Detonation von ein paar kleineren Bomben im umliegenden Park. Mörtel fiel herab, Scheiben zersprangen, Splitter flogen umher, und der alte Mann fühlte sich (nach seinen eigenen Worten) «geprügelt, geprügelt, immerfort des ‹letzten Prügels› gewärtig»[5].

Fünf Wochen später wurde er auf seinen Wunsch und unter den größten Schwierigkeiten in Begleitung seiner Frau und eines Pflegers nach Agnetendorf zurücktransportiert. Das erschütternde Erlebnis des Chaos ließ ihn nicht los. Auch die Sixtinische Madonna hielt er seit dem Phosphorregen über der Semper-Galerie für verloren. Am 29. März sendeten die deutschen Rundfunkstationen seine klagende Stellungnahme:

«Wer das Weinen verlernt hat, der lernt es wieder beim Untergang Dresdens. Dieser heitere Morgenstern der Jugend hat bisher der Welt geleuchtet. Ich weiß, daß in England und Amerika gute Geister genug vorhanden sind, denen das göttliche Licht der Sixtinischen Madonna nicht fremd war und die von dem Erlöschen dieses Sternes allertiefst schmerzlich getroffen weinen.

Und ich habe den Untergang Dresdens unter den Sodom-und-Gomorrha-Höllen der englischen und amerikanischen Flugzeuge persönlich erlebt. Wenn ich das Wort ‹erlebt› einfüge, so ist mir das jetzt noch wie ein Wunder. Ich nehme mich nicht wichtig genug, um zu glauben, das Fatum habe mir dieses Entsetzen gerade an dieser Stelle in dem fast liebsten Teil meiner Welt ausdrücklich vorbehalten. Ich stehe am Ausgangstor des Lebens und beneide alle meine toten Geisteskameraden, denen dieses Erlebnis erspart geblieben ist.»[6]

Im Diarium notierte er: «Hier trat die Nacht der furchtbaren Zerstörung Dresdens über uns mit allen erdenklichen Schrecken. Gottlob wieder im Wiesenstein.»[7] – In Agnetendorf traf er sehr veränderte Verhältnisse an. Während er im Herbst 1943 noch das Ansinnen seines Sohnes Benvenuto zur Sicherstellung wichtiger Papiere zurückgewiesen und erklärt hatte: «Die Verfrachtung nach Schweiz oder Italien lehne ich ab»[8], war das Privatarchiv nun mit seiner Zustimmung verlagert worden. Dank der Bemühungen von C. F. W. Behl und des damaligen Panzerleutnants A. Knaus gelang es Ende Februar 1945, acht Kisten mit Manuskripten, Tage- und Notizbüchern des Dichters in Ebermayers oberpfälzisches Schloß Kaibitz bei Kemnath zu bringen.[9] Fortan befand sich Hauptmann gleichsam bei sich selbst zu Gast, da er über notwendige Arbeitsmaterialien nicht mehr verfügen konnte. Eine tiefe Entmutigung ergriff ihn, den einst so Hochberühmten, derzeit aus dem Bewußtsein der Welt beinahe Verschwundenen, und bisweilen zweifelte er an allen Werten. An einem düsteren Apriltage attestierte er dem zeitlebens verehrten Goethe in grotesk unzulänglichen Versen:

> Entschuldige, Goethe,
> ich nenne nicht mehr deine Historie ein Wunder,
> sondern Plunder! …
> Ich halte dein Bändchen in der Hand,
> o du ahnungsloser Spießer:
> was ist heut ein Weltgenießer,
> wo der einzige Gedanke der Zeit
> heißt: Vergessenheit![10]

Man hat sich gegen eine allzu direkte, «schmalspurige» Interpretation des Gedichts gewandt und behauptet, gar «nicht Goethe sei der Adressat», sondern der Autor habe sich selbst und das «eigene Werk gemeint»[11]. Eine geistreiche Hypothese, die jedoch nicht zu überzeugen vermag, denn im «Umfeld» der Strophe gibt es bei Hauptmann (trotz lebenslanger Verehrung) durchaus kritische Bemerkungen über Goethe, der «eigentlich gar keine Epoche gemacht» habe und «nicht der größte deutsche Dichter» sei.[12] Es besteht keine Notwendigkeit, die ausdrückliche Anrede in Frage zu stellen.

Die letzten Kriegshandlungen und die Annäherung der Roten Armee beunruhigten den greisen Schriftsteller wenig, zumal verlautete, in Wien hätten «die Eroberer ... der deutschen Kunst wie Johann Strauss, Beethoven und Gluck mit Kränzen gehuldigt»[13]. Er war mit Recht davon überzeugt, daß ihm von dem Lande Tschechows und Gorkis keine Gefahr drohe. Am 9. Mai 1945 rückten sowjetische Truppen in Agnetendorf ein und stellten den Wiesenstein unter ihren Schutz. Hauptmann bekannte später: «Ich danke dem neuen, siegreichen Rußland, dessen Menschen mich in diesen wirren und schweren Tagen meiner Einsamkeit als erste besuchen.»[14] Sowjetische Offiziere und ein Abgesandter des polnischen Kulturministeriums organisierten das Lebensnotwendigste für ihn. – Im Sommer verschlechterte sich der Gesundheitszustand des Dichters infolge einer Lungenentzündung, eine zweite folgte.

Man muß sich hier die Situation jener ersten Nachkriegsmonate vergegenwärtigen. Nach den ungeheuren Verwüstungen ergaben sich immer wieder Schwierigkeiten bei der Versorgung der Bevölkerung mit Lebensmitteln und Brennmaterial; die Dienststellen wechselten; die Umsiedlungsbewegung und der Wiederaufbau brachten zahllose Probleme, die manchmal fast unlösbar schienen. Unter diesen Umständen drang kaum Kunde aus einem entlegenen Ort des Riesengebirges in die Welt. Erst im Herbst hörte man in Berlin von Gerhart Hauptmanns Not und Hinfälligkeit. Sofort rüstete die Redaktion der sowjetischen Zeitung «Tägliche Rundschau» eine Expedition aus, der Johannes R. Becher und der Kommissar Grigori Weiss angehörten. Die Gruppe erreichte Agnetendorf in drei Autos am Nachmittag des 3. Oktober nach anstrengender zweitägiger Fahrt. Bei der ersten Visite im Schlößchen Wiesenstein begrüßte Becher den greisen Dichter herzlich und trug ihm im Namen des Kulturbundes zur demokratischen Erneuerung Deutschlands dessen Ehrenvorsitz an. Hauptmann antwortete: «Das ist mehr, als ich erwarten konnte. Ich stehe zur Verfügung.»

Wir besitzen heute mehrere Berichte über die verschiedenen Zusammenkünfte, denn sowohl Becher, Weiss, ein Korrespondent der «Täglichen Rundschau» sowie Hauptmanns damaliger Hausfreund Gerhart Pohl veröffentlichten ihre Aufzeichnungen.[15] Danach nahm Gerhart Hauptmann an allem Neuen lebhaften Anteil. Er informierte sich über die Arbeit des Kulturbundes, freute sich über die Nachricht von der bevorstehenden Wiedereröffnung der Universitäten und sprach ausführlich über seine jahrzehntelange Verbundenheit mit dem russischen Geistesleben. «Ich kannte und kenne die russische Literatur vielleicht eindringlicher und besser als jemand anders in Deutschland», versicherte er, leitete seine «literarischen Wurzeln» auf Tolstoi zurück und ließ gelegentlich seinen Brief an Gorki aus dem Jahre 1922 und das Vorwort zu «Rußland und die Welt» verlesen.

Er wies auch einen Band seiner russischen Werkausgabe von 1902 vor und Dokumente, die von der Beschäftigung sowjetischer Menschen mit seinen Schriften erzählten.

Voller Spott erging er sich andererseits über die faschistischen «Goldfasane», fand die Nachrichten über die KZ-Greuel «unfaßbar», doch unbezweifelbar und sagte: «Gott bewahre uns vor einem zweiten Hitler.» Klar verlieh er seinem Glauben an die deutsche Wiedergeburt Ausdruck und fügte hinzu: «Aber das muß ein anderes Volk sein und nicht mehr dasselbe, das so blind seiner Katastrophe entgegenging.»

Die deutschen und sowjetischen Gäste bemühten sich unterdessen, Hauptmanns Los zu erleichtern. Sie übergaben ihm Lebensmittel und holten aus Liegnitz sogar zwanzig Flaschen Kognak, die ihm gewissermaßen als Medizin nötig waren. Auch gelang es, seine Versorgung mit Milch und Gemüse zu sichern, wie Weiss humorvoll berichtete. Und natürlich wurden Publikationen ins Auge gefaßt, um dem greisen Meister ein neues Publikum zu schaffen. Becher erhielt Einblick in den *Großen Traum*, den Roman vom *Neuen Christophorus*, die *Mignon*-Novelle, und schon ein halbes Jahr darauf lag eine Druckausgabe der *Neuen Gedichte* vor.

Als die Expedition nach vier Tagen den Wiesenstein verließ, konnte sie zwei kleine, aber bedeutende Artikel mit nach Berlin nehmen, die am 11. Oktober 1945 in der «Täglichen Rundschau» erschienen: ein Bekenntnis zur russischen Literatur und einen Aufruf an das deutsche Volk.

«Es gibt keinen Augenblick», heißt es in dem zweiten Schreiben, «in dem ich nicht Deutschlands gedenke, obgleich mein Teil leider nicht mehr die Kraft besitzt, so zu wirken, wie ich möchte … Ich weiß, daß alle guten Kräfte, ich möchte sagen, der Welt, vom gleichen Willen bewegt sind, und so hoffe ich fest, noch an der allgemeinen Wiedergeburt voll teilnehmen zu können.»[16]

In den folgenden Monaten beschäftigte sich Hauptmann häufig mit dem Gedanken, «eine Weltfriedensrede über den Rundfunk zu halten»[17], deren Hauptforderungen er später mit den Worten umschrieb: «Furchtlosigkeit, Zuversicht und – Einigkeit.»[18] Das blieb sein Vermächtnis.

Zu seiner Freude konnte er mehrmals Würdigungen aus der Feder Johannes R. Bechers lesen, und zwar nicht nur eine Schilderung des Besuches in Agnetendorf, sondern auch einen schönen «Gruß und Glückwunsch» zum dreiundachtzigsten Geburtstag, der wiederum den Satz enthielt: «Das Lebenswerk Gerhart Hauptmanns in seinen besten Teilen auferstehen zu lassen wird unserem Volke helfen, den Weg zur Humanität zu finden.»[19]

Trotz aller Fürsorge und Unterstützung konnte sich Hauptmann nicht mehr erholen. Es war ihm auch schwer verständlich, daß er in absehbarer Zeit den Wiesenstein für immer verlassen sollte, weil Agnetendorf nun zu Polen gehörte. Gewiß erwarteten ihn in Berlin, der Stadt seiner ruhmvollen Anfänge, hohe Ehren, neue Freunde, ein neues Heim mit aller persönlichen Habe, für deren Abtransport ihm ein Sonderzug zugesagt ward, doch er hatte viereinhalb Jahrzehnte in Rübezahls Reich gelebt und dachte verständlicherweise daran, wie sehr ihm die gewohnte und geliebte Atmosphäre und Umgebung fehlen würden. Mehrmals besprach er mit dem sowjetischen Oberst Sokolow, zu dem er ein ausgezeichnetes Verhältnis unterhielt, Einzelheiten der geplanten Übersiedlung. Aber dazu sollte es nicht mehr kommen.

Anfang Mai 1946 schrieb der Dichter: «Ich habe es so weit gebracht, einige Male ums Haus zu gehen – aber ich bin aus meinem Bett nicht vertrieben: das ist alles, was ich Gutes von mir sagen kann. Das, was man Freude nennt, habe ich nicht. Die Natur ist mir versauert durch das, was meistens drin geschieht.»[20] Seine Entkräftung schritt fort. Ende des Monats warf ihn die dritte Lungenentzündung seit den furchtbaren Dresdener Tagen aufs Krankenlager. Am 3. Juni fragte er aus einem Alptraum der Obdachlosigkeit heraus, ob er noch in seinem Hause sei. Dann umhüllte ihn Bewußtlosigkeit. Am Nachmittag des 6. Juni 1946 verstarb er.

Seinem Wunsch gemäß wurde er in einer Mönchskutte, die er vor Jahrzehnten in einem oberitalienischen Kloster erworben hatte, aufgebahrt. Den *Großen Traum*, ein kleines Neues Testament und den Lobgesang des Franz von Assisi tat man zu ihm in den Sarg. Der Bildhauer Ernst Rülke nahm die Totenmaske ab. Bei einer kurzen Trauerfeier sprachen der polnische Professor Górka, der sowjetische Oberst Sokolow und Gerhart Pohl Worte des Gedenkens. Erst in der zweiten Julihälfte brachte ein Sonderzug den Zinksarg und die wichtigsten Einrichtungsgegenstände des Wiesensteins nach Berlin.

Am 27. Juli erfolgte die Überführung der sterblichen Hülle nach Stralsund. Auf einer Trauerkundgebung[21] im Rathaus der Hansestadt würdigte Oberst Tulpanow im Namen der sowjetischen Militärverwaltung den großen Sohn des deutschen Volkes, dessen Schaffen die Kunst der Völker bereichert habe, und vor allem ging er auf die Beziehungen des Verstorbenen zu Rußland ein. Anschließend erwiesen ihm Repräsentanten des neuen Deutschlands die letzte Ehre. Wilhelm Pieck rief dazu auf, diese Dichtungen «zur befreienden Tat» werden und «in unserer Arbeit fortwirken» zu lassen. Johannes R. Becher bekannte in einem Nachruf: «Du bist mit deinem Werk in unserer Not einer der Berge geworden, von denen es heißt: Wir richten unsere Augen zu den Bergen, von denen Hilfe kommt.»

Ein Dampfer setzte den toten Gerhart Hauptmann nach Hiddensee über – wie so oft in früheren Jahren den lebenden. Fischer geleiteten den Schrein in das Haus Seedorn. Im Morgengrauen des nächsten Tages segnete der ihm seit langem befreundete Pfarrer Gustavs den Verstorbenen ein. Dann trugen ihn die Schriftsteller Becher, Pohl, Steinhoff und Stanietz zu Grabe. Wilhelm Pieck und der Schauspieler Otto Gebühr sprachen die Abschiedsworte.

Fünf Jahre später ermöglichte eine Sammlung von Studenten in der Deutschen Demokratischen Republik die Enthüllung eines mächtigen Odenwaldfindlings als Grabstein mit der von Emil Preetorius entworfenen Inschrift:

GERHART HAUPTMANN

Gerhart Hauptmanns Vermächtnis
und Manuskript-Nachlaß

Wenige Wochen vor seinem Tode schrieb der Dichter an Walter A. Reichart: «Es steckt Ungehobenes in meinem Werk, das der Gegenwart und zukünftigen Zeit viel, viel helfen kann.»[1] Es ist zu fragen, was uns Hauptmanns Dramen, Romane, Erzählungen und Versdichtungen heute bedeuten, und was getan wurde, um sein Andenken zu bewahren und sein geistiges, poetisches Vermächtnis fruchtbar zu machen.

An den Universitäten der DDR entstanden bereits in den fünfziger Jahren mehrere Dissertationen, die wichtige Ergebnisse zu seinen frühen naturalistischen und realistischen Schauspielen brachten (Geerdts, Münchow, Praschek), aber auch das späte Schaffen in die Diskussion einbezogen (Erdmann, Krueger, Rohmer, Rosenberg); es folgten weitere Hochschulschriften von Bernhardt, Damm und Igel. Die meisten genannten Autoren setzten sich auch publizistisch mit dem Schriftsteller auseinander und betrachteten sein Leben und Werk als Modellfall für «Größe und Grenzen des bürgerlichen Humanismus» in Deutschland.

Es ist Hauptmanns Größe, daß er die seit Hebbels Tod stagnierende deutsche Dramenkunst wieder mit prallem Leben erfüllte und auf die zeitgenössische Wirklichkeit orientierte. Mit ungewöhnlicher dichterischer Kraft und Milieu-Echtheit gestaltete er soziale Probleme seiner Epoche und das vielfältige, oftmals ergreifende Ringen der Erniedrigten und Beleidigten um Menschenwürde. Von *Vor Sonnenaufgang* bis *Vor Sonnenuntergang* zeigte er den Verfall bürgerlicher Familienbeziehungen, doppelte Moral, Ratlosigkeit, Entfremdung, die Gefährdung der Humanität. Er variierte dieses Thema in einigen Tragödien über das Scheitern und die bittere Vereinsamung des Künstlers in der kapitalistischen Gesellschaft. Vor allem aber verlieh er den Empfindungen des einfachen Volkes Ausdruck, er brachte in den *Webern* und im *Florian Geyer* erschütternde Massenszenen auf die Bühne und legte (auch in *Rose Bernd* und *Die Ratten*) durch Anschauung und wahrheitsgetreue Schilderung die Notwendigkeit gesellschaftlicher Veränderungen nahe.

In seinen besten Werken wandte sich Gerhart Hauptmann als Anwalt der Menschlichkeit entschieden gegen Junkertum, Militarismus, religiösen Fanatismus und jede Art von Unterdrückung und Verfolgung, und seine ganze Sympathie galt den liebenden und leidenden «kleinen Leuten», die er meisterhaft zu charakterisieren wußte, für die er beredt um Mitleid und Verständnis warb.

Wohl brachte der Dichter für die sozialdemokratische Bewegung der achtziger, neunziger Jahre starkes Interesse auf und stand den Gesellschaftsreformen, wie sie die utopischen Sozialisten im Sinne hatten, aufgeschlossen gegenüber. Doch er erblickte immer nur gepeinigte, duldende Individuen, allenfalls verzweifelt aufbegehrende Massen, niemals aber das zielbewußt kämpfende Volk, dem die Zukunft gehört. Die revolutionäre Position, die er ein einziges Mal in seinem Schaffen, nämlich in den *Webern*, einnahm, wurde später wieder preisgegeben. Andere bürgerliche Schriftsteller, wie Heinrich und Thomas Mann, Lion Feuchtwanger, Leonhard Frank oder Arnold Zweig, erfaßten spätestens im Exil die Bedeutung des Geist-Macht-Problems für eine nationale und soziale Wiedergeburt Deutschlands und zogen daraus Schlußfolgerungen. Thomas Mann, der gewiß nicht frei von bürgerlichen Vorbehalten war, forderte «weitgehende zeitgemäße Zugeständnisse an die sozialistische Gesellschaftsidee»[2].

Gerhart Hauptmann jedoch, der nach seinem spektakulären Debüt als Exponent der oppositionellen Kräfte des deutschen Geisteslebens gegolten hatte, verlor nach der Jahrhundertwende allmählich immer mehr den Anschluß an die zukunftbestimmenden Mächte. Nur in den neunziger Jahren, als die deutsche Sozialdemokratie unter Bebels und Wilhelm Liebknechts Führung ihren jahrelangen Kampf gegen die Sozialistengesetze des Fürsten Bismarck siegreich beendete, glaubte er zeitweilig an die Möglichkeit einer Verbindung von Geist und Macht: Für Künstler und Politiker seien gleichermaßen erstrebenswert «der freiedle harmonische Staat oder Mensch»[3].

Da Leben und Werk bei Hauptmann eine erstaunliche Einheit bilden, spiegeln sich seine persönlichen Konflikte immer wieder in seinen Geschöpfen. Der unberatene, unbehauste Mensch steht im Zentrum seines Gesamtwerks wie sonst vielleicht bei keinem anderen Repräsentanten unserer Nationalliteratur. Von Johannes Vockerat und Meister Heinrich über Fuhrmann Henschel, Rose Bernd und Michael Kramer bis zu Magnus Garbe, Cardenio und Agamemnon ließ er Gestalten auftreten, die hilflos, unentschlossen, fatumsgläubig und passiv sind und am Ende unter den Schicksalsschlägen zusammenbrechen. Um in der aus den Fugen geratenen Welt einen Halt zu finden und der Wirrnis der Zeit eine Ordnung entgegenzustellen, orientierte sich Hauptmann mehr und mehr auf den Mythos. Das bedeutete nicht selten Verzicht auf reale Erkenntnis und Ausweichen in ein Zwischenreich, das er von dunklen Schicksalsmächten regiert sah.

Gerhart Hauptmann rief durch persönliches Beispiel und dichterisches Werk zu Toleranzgesinnung, Mitleid, Menschenachtung und ethischer Bewährung auf und erkannte nicht oder zu spät, daß sich von einer «unpolitischen» Warte aus die Humanität nicht verteidigen läßt. Die tragische Begrenztheit und der Anachronismus einer zu nichts verpflichtenden O-Mensch-Pathetik offenbaren sich vor allem im faschistischen Jahrzwölft. Als Folge davon waren namentlich in Hauptmanns späten Jahren oftmals Verzweiflung und Versagen sein Teil.

Wir aber wissen – nicht zuletzt auf Grund schlimmer Erfahrungen –, daß nur durch eine Veränderung der Welt der Humanismus Realität werden kann. Aus der Beschäftigung mit Gerhart Hauptmanns Leben und Werk eine Mahnung und praktikable Weisheit zu gewinnen und diese in den Dienst der Vermenschlichung des Menschen zu stellen ist unser vordringliches Anliegen. Wesentliche Beiträge zu seiner Popularität leisten unsere Verlage mit bedeutsamen Editionen; ferner die Museen und die Schauspielhäuser mit vielen Inszenierungen. Zum Repertoire der Bühnen in der DDR gehören vor allem *Der Biberpelz* und *Rose Bernd*, auch *Die Ratten, Fuhrmann Henschel, Die Weber, Michael Kramer, Schluck und Jau* u. a. Bisweilen fällt allerdings eine gewisse Zurückhaltung auf. Während Hauptmanns Stücke am Anfang der sechziger Jahre in den Aufführungsstatistiken beider deutscher Staaten noch an fünfter Stelle standen (nach Shakespeare, Lessing, Goethe und Brecht)[4], gilt er im heutigen Theater manchmal als «Hauptmann außer Dienst»[5].

Dem glücklichen Umstand, daß mehrere Wohn- und Wirkungsorte des Schriftstellers in unserer Republik liegen, verdanken wir die Möglichkeit, die Erinnerung an ihn in anschaulicher Weise wachzuhalten. Vor allem die Gedenkstätte in Kloster auf Hiddensee stellt das einzige Domizil dar, das den «zu Lebzeiten des Dichters gegebenen Zustand noch heute ... repräsentiert»[6]. Von der Eröffnung im Juni 1956 bis in die achtziger Jahre hinein empfing «Haus Seedorn» mehr als eine Million Besucher, die bewegt und angeregt durch jene Räume schritten, in denen der Autor einst heimisch war. Hier werden im graphischen Aufriß die Stationen seines Daseins gezeigt: Fotos, Gemälde, Plastiken, Karikaturen, Dokumente; Erstausgaben seiner

Werke, Urteile namhafter Zeitgenossen über ihn, schließlich der Speiseraum und das Arbeitszimmer mit Schreibtisch, Stehpult und einer rund 1000 Exemplare umfassenden Handbibliothek.

Nach Gerhart Hauptmanns Tod gelangten die meisten Besitztümer aus Agnetendorf nach Berlin. Dort übernahm die Akademie der Künste der DDR 1957 einige Manuskripte, annähernd 3 000 Briefe und etwa 20 000 Zeitungsartikel.[7] Mobiliar und rund 6 000 Bücher wurden vom Märkischen Museum betreut. Inzwischen ist im ehemaligen Wohnhaus des Dichters zu Erkner unter Leitung von G. Erdmann ein Literaturmuseum und Forschungszentrum entstanden, in dem nunmehr nicht nur die reichhaltigen Bestände des Märkischen Museums zur Verfügung stehen (namentlich die Bibliothek mit zahllosen Benutzungsspuren), sondern auch Materialien aus dem ehemaligen Hauptmann-Archiv Radebeul und viele Neuerwerbungen.

Der Herausgabe von Hauptmanns Werken in der DDR sind leider gewisse Grenzen gesetzt, da die Verlagsrechte beim Westberliner Propyläen-Verlag liegen. Bei uns erschienen 1952 und 1956 umfassendere Sammlungen von Dramen und Prosaschriften des Dichters, und 1962 kamen diese «Ausgewählten Werke» erneut achtbändig heraus. Sie enthalten das uns Wesentliche, bieten jedoch nichts von der Lyrik und Versepik, den Reden und Essays und nur wenig aus dem späten Schaffen. So wichtige Arbeiten wie *Magnus Garbe, Herbert Engelmann, Die Insel der großen Mutter, Der große Traum* und Publizistisches blieben bei uns bisher ungedruckt. Eine Hauptmann-«Auswahl für die Jugend» (1962), «Ausgewählte Dramen» (1966) und «Gedichte» (1971), eine Edition des *Christophorus*-Romans (1976) und einige kleinere Ausgaben füllen kaum die Lücken. Vom Aufbau-Verlag Berlin wird jedoch eine stark erweiterte, kommentierte repräsentative Neuausgabe «Ausgewählter Werke» vorbereitet.

In der Bundesrepublik ergaben sich günstige Voraussetzungen, weil nahezu der gesamte Manuskript-Nachlaß dorthin verlagert worden war. Über die Geschichte und «Odyssee» des Wiesensteiner Archivs informieren mehrere, z. T. widersprüchliche Berichte.[8] Heute wissen wir, daß Benvenuto Hauptmann die «literarische Hinterlassenschaft» seines Vaters im Dezember 1945 (gegen den Widerstand der «Gralshüter» auf Ebermayers Schloß) von Kemnath zu R. Strauss nach Garmisch/Oberbayern brachte. Unterdessen bemühten sich Hülsen und der alte Freundeskreis, die Behälter mit den Handschriften wiederzuerlangen und die getreuesten Gefolgsleute auf der Insel Mainau gleichsam um einen «Schatz im Bodensee» zu versammeln. Da der alpine Verwahrungsort nun nicht mehr sicher erschien, entschloß sich Hauptmanns Sohn im Frühjahr 1949 dazu, das Archiv nach München zu schaffen und es Albrecht Knaus, einem Freund der Familie, anzuvertrauen. Jener erinnerte sich: «Während des Aufenthalts in unserer Wohnung Biedersteiner Straße 7 haben Benvenuto, Barbara, meine Frau und ich das Material der Kisten systematisch, nach Themen, Daten etc., neu geordnet.» Nach nochmaliger kurzer Zwischenlagerung in der Strauss-Villa «verschwand» es (nach dem Tode des Komponisten) im Spätsommer 1949 in der Schweiz; im Mai 1960 erfuhr man endlich den Standort Ronco im Tessin. Dort begannen bald die Vorarbeiten zur G.-Hauptmann-Centenar-Ausgabe «Sämtlicher Werke», die von 1962 bis 1974 erschien. Sie bietet in sieben Dünndruckbänden alle Texte der Werkausgabe von 1942 und in vier weiteren Bänden eine Auswahl nachgelassener Schriften. Durch die Veröffentlichung Dutzender dramatischer Fragmente, von Vorstufen und Paralipomena zu *Florian Geyer, Die Ratten, Vor Sonnenuntergang,* den *Iphigenie*-Dramen, der unvollendeten Romane *Winckelmann* und *Der neue Christophorus* und einer Fülle publizistischer Beiträge entstand Anfang der siebziger Jahre eine neue Forschungssituation. Etwa gleichzeitig eröffnete sich für Literaturwissenschaftler die Möglichkeit zur allmählichen Auswertung von Hauptmanns Manuskript-Nachlaß, der sich seit Februar 1969 in der Westberliner Staatsbibliothek befindet.

Die Beschäftigung mit den privaten Aufzeichnungen des Dichters bereitet manche Schwierigkeiten. Er selbst bemerkte: «Meine Tagebücher: das Chaos. Sie sind eine einzige Gegenwart.»[9] In der Tat liebte es der Autor, zu verschiedenen Zeiten mehrere Hefte gleichzeitig zu benutzen, weshalb sich eine chronologische Ordnung der rund 750 Konvolute als unmöglich erwies. Beispielsweise enthält die Handschrift Nr. 18 Notizen von 1912 und 1942/43; die Handschrift Nr. 82 von 1909/11 und 1944; die Handschrift Nr. 223 sogar von 1905/13, 1922/29, 1934 und 1938. Weiterhin findet man im ersten Drittel des gesamten Handschriftenbestandes in 15 Bänden Eintragungen über das Jahr 1912, in 21 Bänden über 1924 und in jeweils 17 Bänden über die Jahre 1918, 1934 und 1941. Eine informative Übersicht bot R. Ziesche 1977 in einem Katalogband, in dem er 230 Tage- und Notizbücher bibliographierte, exakt datierte und Einzelheiten hervorhob[10]; eine Beschreibung des zweiten Drittels der Manuskriptschätze (bis Hs 470) erscheint 1987. Obwohl der Bearbeiter im ersten Verzeichnis viel Unwesentliches als «hervorhebenswert» bezeichnete (z. B. zahlreiche Gedichte) und Hochwichtiges unerwähnt ließ, schuf er ein brauchbares Hilfsmittel.

Inzwischen hat M. Machatzke mehrere Texte aus dem Nachlaß ediert: «Notiz-Kalender 1889 bis 1891» (Hs 265–67), «Tagebuch 1892 bis 1894» (Hs 9), «Tagebücher 1897 bis 1905» (Hs 1 und 2), «Gerhart Hauptmann und Ida Orloff» (Tagebuch 1905/06, Hs 11 b, Teildruck), «Diarium 1917 bis 1933» (Hs 234), «Die Kunst des Dramas» (Teildrucke aus ca. 30 Konvoluten). Diese und weitere vorbereitete Publikationen ermöglichen es jedermann, in ausgewählte Originaltexte Einblick zu nehmen.

Was darf man bei der Lektüre erwarten? Vor allem zahlreiche persönliche Bemerkungen des Schriftstellers über

Zeitereignisse von den neunziger Jahren bis 1946. Im vorliegenden Buch wurde vieles zitiert und zugleich festgestellt, daß die Fülle der Fakten und Aussagen kaum auszuschöpfen ist; häufig lassen sich Zitate und Thesen der Kritiker durch andere, bisher unentdeckte Zitate widerlegen oder relativieren (etwa bei der Einschätzung des ersten Weltkrieges oder der faschistischen Ära). – Ferner erfahren wir aus den Diarien Neues über Hauptmanns Verhältnis zu Dichtern und Denkern der Vergangenheit und Gegenwart. Erst seit der Erschließung von Nachlaßmaterialien wissen wir Genaueres über seine Liebesbeziehung zu Ida Orloff, über seine kritische Beschäftigung mit Nietzsche, Spengler und Freud, seine Hochschätzung Rembrandts, Rodins, K. Kollwitz' und G. Mahlers, seine Abneigung gegenüber A. Holz, Döblin und Brecht, seine Kontakte mit Planck, Einstein, Th. Mann, Hesse, Rilke, Joyce, Galsworthy, Lagerlöf u. a.

Zur Interpretation seiner eigenen Dramen und Erzählungen vermochte der Tagebuchschreiber Gerhart Hauptmann auffällig wenig zu sagen. Gewiß fügte er wichtige Angaben über Erlebnishintergrund und Träume, Lektüre und geistige Bemühungen ein; offenbar brachte er seine Werke keineswegs naiv und improvisierend zu Papier (wie meistens angenommen), sondern nach gründlicher Vorbereitung. Entsprechend formulierte er gelegentlich den Vorsatz, «systematisch» für einen «Roman zu sammeln»[11]; doch Sinndeutungen versuchte er kaum.

Dennoch können wir nur bedingt W. A. Reicharts Feststellung zustimmen: «Alles Abstrakte, Theoretische stand ihm fern.»[12] Gerade in den Diarien fallen überraschend viele «Aufzeichnungen» und «theoretische» Abschnitte auf, von denen V. Ludwig und O. Loerke bereits im 12. Band der Hauptmann-Gesamtausgabe von 1922 Proben boten (erweitert u. d. T. «Einblicke und Ausblicke», 1942). Man könnte daran denken, den Dichter (neben Lichtenberg, Novalis, Hebbel, Nietzsche und K. Kraus) zu den bedeutenden

Aphoristikern unserer Literatur zu zählen. Aber Hauptmanns Sprüche in Prosa sind mehr sententiös als pointiert,
ihnen fehlt das Spaßig-Spritzige, Geistreich-Kurzweilige,
Spöttisch-Amüsante. Bisweilen erinnern sie an Goethes
Maximen und Reflexionen, und ähnlich wie jene enthalten
sie Betrachtungen über Kunst und Literatur, Leben und
Menschheit, Wahrheit und Irrtum, Wissen und Tun, Sitt-
lichkeit und Religion.

Um eine gewisse Vorstellung von der Vielfalt der Aussagen zu vermitteln, sei auf bevorzugte Darstellungsweisen
des Schriftstellers hingewiesen: *Definitionen* (Die beste De-
finition eines Menschen ist seine Biographie; Romantik ist
das Leben als Spiel gelebt), *Antithesen* (Bewunderung, die
man erfährt, macht klein, Geringschätzung groß), *Paradoxe*
(Ich weiß immer, was ich weiß, auch wenn ich es nicht
weiß. Wer die Wahrheit spricht, durch den braucht deshalb
die Wahrheit noch nicht zu sprechen), *Fragen ohne Antworten* (Gibt es eine Aufrichtigkeit ohne Tat? Verbarg dir Licht
nie etwas?), *Fabelartiges* (Ich bin ein sauberer Kerl, sagte der
Hahn, ich habe den Kamm immer bei mir), *Reflexionen*
(Heißsporn: ich fürchte, ich war es sehr lange, zu meinem
eigenen Ärger), *Maximen* (Wer sich der Phantasie ergibt,
muß sie beherrschen). Besonders bemerkenswert sind Sinnsprüche wie: «Du sollst Heiterkeit suchen, finden, hervor-
rufen, pflegen» oder: «Dichten heißt wachsen, gesunden,
heilen ... es heißt auch leben im wahrsten Sinne.»[13]

Abschließend noch ein Blick auf andersartige Texte. Insgesamt befinden sich im Nachlaß «etwa 60 000 größtenteils
an Hauptmann gerichtete Briefe»[14]. Hunderte wurden inzwischen publiziert[15], vor allem der schriftliche Gedankenaustausch des Dichters mit dem Maler Ludwig von Hofmann, dem Theaterkritiker und -leiter Otto Brahm und der
Schauspielerin Ida Orloff. Weiteres erschien in Sammelbän-
den oder Journalen (Marbacher Katalog; Briefe von und an
Bölsche, Brandes, Fontane, Gustavs, Müller, Rothenstein,
Seeckt, Strauss u. a.). Nach ausgedehnter Lektüre bestätigt

sich der Eindruck, den wir schon in der Erstausgabe unserer Monographie formulierten, daß Hauptmanns Korrespondenzen «nicht so kunstvoll, grundsätzlich und aktuell sind wie etwa jene von Rilke, Hofmannsthal, Thomas Mann oder Hesse».

Obwohl wir in Gerhart Hauptmanns Manuskript-Nachlaß keine spielbaren Theaterstücke oder sprachmeisterlichen Prosawerke entdecken können, obwohl seine Episteln, Tage- und Notizbücher unsäglich viel Belangloses, Einfältiges und Triviales enthalten, bietet die Masse des Überlieferten dennoch unschätzbare Informationen über biographische Einzelheiten, Personenbeziehungen, Arbeitsstadien, Schaffensprobleme, über Weltanschauliches und die geistig-poetische Welt eines repräsentativen Schriftstellers unseres Jahrhunderts. Nachdem die literaturwissenschaftliche Forschung jahrzehntelang auf der Textkenntnis von 1942 basierte und darum stagnierte, ist es heute durch die Auswertung unermeßlicher neuer Materialien möglich, in Teilbereichen ein neues Hauptmann-Bild zu gewinnen. Das vorliegende Buch möchte ein Beitrag dazu sein.

Anhang

Biographische Zeittafel

1862 15. November: Gerhart Hauptmann im Elternhaus, dem Hotel «Zur Krone» in Ober-Salzbrunn (dem heutigen Szczawno Zdrój) in Schlesien, geboren.

1868 Eintritt in die Dorfschule.

1870 14. Juli: Ausbruch des Deutsch-Französischen Krieges. Der Knabe erlebt die Kriegserklärung während eines Besuchs mit dem Vater bei Verwandten in Lohnig (dem heutigen Łagiewniki Średzkie), Kreis Striegau (Strzegom).

1874 bis 1878 Besuch der Realschule am Zwinger in Breslau (dem heutigen Wrocław); gemeinsames Pensionszimmer mit seinem vier Jahre älteren Bruder Carl (1858–1921).

1875 7. Januar: Margarete Marschalk geboren.
Erste Dichterversuche im *Quintaner-Diarium.*

1877 Infolge finanzieller Schwierigkeiten muß Hauptmanns Vater das Hotel aufgeben; er übernimmt die Bahnhofswirtschaft in Sorgau (dem heutigen Nowosielce).

1878 Der fünfzehnjährige Hauptmann wird Landwirtschaftseleve auf dem Rittergut seines Onkels in Lohnig und bald darauf in Lederose.
Auseinandersetzung mit dem Herrnhuter Pietismus.

1879 Wegen seiner angegriffenen Gesundheit muß die landwirtschaftliche Ausbildung abgebrochen werden. Private Vorbereitung auf das Einjährigen-Examen, bei dem Hauptmann jedoch scheitert.
Gründung einer «Blutsbrüderschaft» mit Carl Hauptmann, Alfred Ploetz, Ferdinand Simon in Breslau.

1880 Frühe dramatische Fragmente und *Hermann*-Epos.
Bei einem Ferienbesuch in Lederose lernt Gerhart Hauptmann die Gutselevin Anna Grundmann kennen.
6. Oktober: Eintritt in die Bildhauerklasse der Königlichen Kunst- und Gewerbeschule in Breslau.
Wirtschaftliche Not. Freundschaft mit Hugo Ernst Schmidt, Max Fleischer und Josef Block. Plastische Arbeiten.

1881 Zur Hochzeit seines Bruders Georg (1853–1899) mit Adele Thienemann auf Hohenhaus bei Dresden verfaßt Gerhart Hauptmann das
Festspiel *Liebesfrühling*, das als Privatdruck erscheint.
Verlobung mit Marie Thienemann (1860–1914).
Poesie-Album mit handschriftlichen Gedichten aus den Jahren 1875 bis
1881. Beginn der Arbeit an der dramatischen Dichtung *Germanen
und Römer.*

1882 Besuch Marie Thienemanns in Breslau. Wirtschaftliche Sicherung.
15. April: Abgang von der Kunstschule. Hauptmann studiert im Wintersemester 1882/83 Geschichte an der Universität Jena; Vorlesungen
bei Eucken, Gaedechens, Boehtlingk und Haeckel.
Entstehung der Büste des Barden Sigwin.

1883 7. April: Hauptmann beginnt von Hamburg aus eine Mittelmeerreise.
Er besucht Spanien, Marseille, Genua, Neapel, Capri, Rom.
Vom Oktober 1883 bis zum März 1884 als Bildhauer in Rom: Relief-
entwürfe, Tonmodelle, Kolossalstatuen. Besuch Marie Thienemanns. Nach schwerer Typhuserkrankung Rückkehr Gerhart Hauptmanns in die Heimat.

1884 Besuch der Zeichenklasse an der Königlichen Akademie in Dresden.
Auf der Hochzeit seines Bruders Carl mit Martha Thienemann auf
Hohenhaus am 6. Oktober spielt Gerhart Hauptmann in dem von
ihm verfaßten Festspiel *Der Hochzeitszug* die Rolle des Leichtsinns.
Herbst: Immatrikulation an der Berliner Universität; Vorlesungen
bei Ernst Curtius, Du Bois-Reymond, Treitschke.
Arbeit an der Dichtung *Promethidenlos* und am *Bunten Buch*. Reger
Theater- und Konzertbesuch (Erlebnis Ibsens). Schauspielunterricht
bei Alexander Heßler.

1885 5. Mai: Eheschließung mit Marie Thienemann; Trauung in der Johan-
neskirche in Dresden.
Erste Wohnung in Berlin-Moabit.
Reise nach Rügen. 29. Juli: Erster Besuch auf der Insel Hiddensee.
20. September: Übersiedlung nach Erkner (Villa Lassen).
Autodidaktische politische, soziologische, theologische Studien und
schöngeistige Lektüre.
Buchausgabe der Dichtung *Promethidenlos.*

1886 Sohn Ivo geboren; Aufenthalt in Putbus auf Rügen.
Fühlungnahme mit den modernen literarischen Bewegungen in
Deutschland. Plastische Arbeiten.

1887 Gerhart Hauptmann hält am 17. Juni im Berliner Dichterverein
«Durch» einen Vortrag über Georg Büchner. Bekanntschaft mit
Bruno Wille, Wilhelm Bölsche, Richard Dehmel, Otto Erich Hart-
leben, Max Kretzer, den Brüdern Hart u. a.
Vernehmung als Zeuge im Breslauer Sozialistenprozeß.

Sohn Eckart geboren.

Riesengebirgswanderung.

Entstehung der Erzählungen *Fasching* und *Bahnwärter Thiel.*

1888 Die Gedichtsammlung *Das bunte Buch* abgeschlossen, sie kann aber infolge eines Konkurses des Verlegers nicht ausgeliefert werden.

Januar bis zum Herbst: Aufenthalt in Zürich bei der Familie seines Bruders Carl. Zusammentreffen mit F. Wedekind, Ploetz, Henckell.

Psychiatrische Studien bei Prof. Forel in der Irrenanstalt Burghölzli.

Begegnung mit dem Naturapostel Guttzeit. Plan zu einem Weberdrama.

Herbst: Rückkehr nach Erkner.

1889 Freundschaftliche Zusammenarbeit mit Arno Holz und Johannes Schlaf.

5. April: Gründungsversammlung der «Freien Bühne». Arbeit an dem Schauspiel «Der Säemann» *(Vor Sonnenaufgang).*

Verkehr mit dem Friedrichshagener Kreis.

Sohn Klaus geboren.

Hauptmann lernt bei einem Besuch des Komponisten Max Marschalk dessen damals vierzehnjährige Schwester Margarete kennen.

September: Übersiedlung nach Berlin-Charlottenburg.

Bekanntschaft mit Otto Brahm, Paul Schlenther, Paul Lindau, Max Halbe.

20. Oktober: Turbulente Uraufführung des Dramas *Vor Sonnenaufgang* in einer Vorstellung des Vereins «Freie Bühne» im Lessing-Theater Berlin mit Else Lehmann, Hans Pagay, Theodor Brandt. Theodor Fontane bekennt sich mutig zu dem jungen Dichter Hauptmann.

1890 1. Juni: Uraufführung des Schauspiels *Das Friedensfest* in der «Freien Bühne» (Ostend-Theater Berlin).

Das Friedensfest als Buchausgabe bei Samuel Fischer erschienen, der fortan das Werk Gerhart Hauptmanns betreut. Erstveröffentlichung der Novelle *Der Apostel* in der Zeitschrift «Moderne Dichtung».

1891 11. Januar: Uraufführung des Schauspiels *Einsame Menschen* in der «Freien Bühne» (Residenz-Theater Berlin).

Zusammentreffen mit dem norwegischen Dramatiker Henrik Ibsen.

Zwei Reisen ins Webergebiet im Eulengebirge.

Gerhart und Carl Hauptmann beziehen gemeinsam ein 1890 erworbenes Haus in Mittel-Schreiberhau (dem heutigen Szklarska Poręba).

Reise nach Wien zur Erstaufführung der *Einsamen Menschen* am Hofburgtheater, Begegnungen mit Johannes Brahms und Richard Strauss.

Das Weber-Drama in der Dialektfassung *(De Waber)* abgeschlossen.

Idee zu *Florian Geyer.*

1892 16. Januar: Uraufführung der Komödie *Kollege Crampton* im Deutschen Theater Berlin mit Georg Engels in der Hauptrolle.

Der Polizeipräsident von Berlin verbietet die öffentliche Aufführung von *De Waber*.

Studienfahrt durch Franken, um historisches Material für *Florian Geyer* zu sammeln.

Die Weber und *Kollege Crampton* als Buchausgaben erschienen.

1893 26. Februar: Uraufführung der *Weber* (mit Rudolf Rittner) durch den Verein «Freie Bühne» im Neuen Theater Berlin.

29. Mai: Französische Uraufführung «Les Tisserands» im Théâtre Libre in Paris.

21. September: Uraufführung des *Biberpelz* im Deutschen Theater Berlin mit Else Lehmann in der Rolle der Mutter Wolffen.

14. November: Uraufführung von *Hanneles Himmelfahrt* (Musik von Max Marschalk) mit Paula Schlenther-Conrad und Matkowsky im Königlichen Schauspielhaus Berlin. Vorbereitung der französischen Erstaufführung des *Hannele*.

Nähere Bekanntschaft mit Margarete Marschalk. Beginn der Ehekrise Hauptmanns.

1894 18. Januar: Marie Hauptmann reist mit ihren drei Kindern von Hamburg zu Alfred Ploetz nach Amerika. Hauptmann folgt ihr von Paris aus über Southampton auf dem Dampfer «Elbe». Aufenthalt in der Stadt Meriden.

Arbeit an der Mythendichtung *Der Mutter Fluch*, einer Vorstudie zur *Versunkenen Glocke*.

1. Mai: Aufführung von *Hanneles Himmelfahrt* in New York.

3. Mai: Rückfahrt der Familie nach Cuxhaven.

Neueröffnung des Deutschen Theaters in Berlin unter der Leitung von Otto Brahm.

25. September: Erste öffentliche Aufführung der *Weber* im Deutschen Theater. Ein halbes Jahr später kündigt Kaiser Wilhelm II. die Hofloge.

Auflösung der ehelichen Gemeinschaft zwischen Gerhart Hauptmann und seiner Frau; Marie übersiedelt mit ihren Kindern von Schreiberhau nach Dresden, Gerhart nach Berlin-Wilmersdorf.

1895 Arbeit am *Florian Geyer* im Herbst beendet.

1896 4. Januar: Die Uraufführung des *Florian Geyer* im Deutschen Theater Berlin endet mit einem Mißerfolg.

Die Kaiserliche Akademie der Wissenschaften in Wien verleiht Hauptmann für sein Schauspiel *Hanneles Himmelfahrt* den Grillparzerpreis. Kaiser Wilhelm II. lehnt die Verleihung des Schillerpreises an den Dichter ab.

2. Dezember: Uraufführung der *Versunkenen Glocke* im Deutschen

Theater mit Agnes Sorma (Rautendelein) und Josef Kainz (Heinrich). Beginn der Freundschaft mit dem Kritiker Alfred Kerr und mit Josef Kainz.

1897 Große Italienreise Hauptmanns mit Margarete Marschalk (Januar bis Mai).

Weihnachtstreffen der Familien von Georg, Carl und Gerhart Hauptmann mit den Eltern in Schreiberhau. Streit zwischen Carl und Gerhart.

Hauptmann beginnt mit der Arbeit an den Schauspielen *Der arme Heinrich* und *Fuhrmann Henschel.*

1898 14. Februar: Gerhart Hauptmann bezieht eine neue Wohnung in Berlin-Grunewald.

März bis Mai: Reise nach Italien.

September: Tod des Vaters.

5. November: Uraufführung des Schauspiels *Fuhrmann Henschel* im Deutschen Theater mit Else Lehmann und Rudolf Rittner.

Bilder des Worpsweder Künstlers Heinrich Vogeler zur *Versunkenen Glocke.*

Berliner Ausstellung des 1895–1897 von Käthe Kollwitz geschaffenen graphischen Zyklus «Ein Weberaufstand».

Hauptmann arbeitet an verschiedenen Entwürfen späterer Dramen.

Am 20. September Theodor Fontane gestorben.

1899 Zweite Verleihung des Grillparzerpreises, diesmal für das Schauspiel *Fuhrmann Henschel.*

Georg Hauptmann gestorben.

Uraufführung der Oper «Die versunkene Glocke» von Heinrich Zöllner im Theater des Westens in Berlin.

1900 3. Februar: Uraufführung von *Schluck und Jau* im Deutschen Theater Berlin.

Am 14. Mai wird der Grundstein für Haus Wiesenstein gelegt.

Benvenuto, der Sohn Gerhart Hauptmanns und Margarete Marschalks, geboren. Beginn der Freundschaft mit Hermann Stehr.

21. Dezember: *Michael Kramer* im Deutschen Theater Berlin uraufgeführt.

1901 10. August: Gerhart Hauptmann und Margarete Marschalk beziehen ihr Heim in Agnetendorf (dem heutigen Jagniatkow).

27. November: Uraufführung der Tragikomödie *Der rote Hahn* im Deutschen Theater Berlin.

Arbeit an *Veland, Die Wiedertäufer* und *Der arme Heinrich.*

1902 Besuche namhafter Künstler und Schriftsteller auf dem Wiesenstein.

Rainer Maria Rilke widmet Hauptmann «Das Buch der Bilder».

29. November: *Der arme Heinrich* mit Josef Kainz als Heinrich von Aue im Wiener Hofburgtheater uraufgeführt.

In Moskau erscheint die erste zweibändige russische Gesamtausgabe der Werke des Dichters.

1903 Gerhart Hauptmann erhält durch die Teilnahme als Geschworener an einem Prozeß gegen einen Weber und durch einen Zeitungsbericht wichtige Anregungen zu seinem Schauspiel *Rose Bernd*.

31. Oktober: Uraufführung der *Rose Bernd* im Deutschen Theater Berlin mit Else Lehmann und Rudolf Rittner.

Längeres Krankenlager Hauptmanns in der Wohung von Otto Brahm.

1904 *Rose Bernd* wird nach wenigen Vorstellungen auf Betreiben der österreichischen Erzherzogin Marie Valerie von der Intendanz des Wiener Burgtheaters vom Spielplan abgesetzt.

Begegnung mit Hofmannsthal und Gustav Mahler.

Mehrmonatiger Aufenthalt in Italien. Erneute Erkrankung in Lugano.

Ehescheidung von Marie Hauptmann wird rechtskräftig. Hauptmann heiratet am 18. September auf dem Wiesenstein Margarete Marschalk.

22. Oktober: Die Wiederaufführung des *Florian Geyer* mit Rudolf Rittner als Hauptdarsteller wird ein großer Erfolg.

1905 Dritte Verleihung des Grillparzerpreises.

4. März: Uraufführung der *Elga* mit Irene Triesch und Rudolf Rittner im Lessing-Theater.

Besuch bei Max Klinger.

Mai/Juni: Hauptmann reist nach England, um die Ehrendoktorwürde der Universität Oxford entgegenzunehmen. Besuch der Shakespeare-Gedenkstätte in Stratford on Avon, der Kunstgalerie in Birmingham und des Britischen Museums in London. Begegnung mit G. B. Shaw.

Hauptmann arbeitet u.a. an den Schauspielen *Gabriel Schillings Flucht*, *Christiane Lawrenz*, *Und Pippa tanzt* und *Die Jungfern vom Bischofsberg*.

Hauptmann wird Ehrenmitglied des Sezessionsklubs und der Neuen Freien Volksbühne.

1906 19. Januar: Das Glashüttenmärchen *Und Pippa tanzt* mit Ida Orloff im Lessing-Theater uraufgeführt.

Kurze leidenschaftliche Romanze mit der jungen Schauspielerin, die Hauptmann erstmals auf einer Probe als Hannele gesehen hatte.

Gastspiel des Moskauer Künstlertheaters; Begegnung mit Stanislawski.

Hauptmanns Mutter Marie (geb. 1827) in Warmbrunn (dem heutigen Cieplice Sląskie Zdrój) gestorben.

Uraufführung des *Hirtenlied*-Fragments durch Schüler des Konservatoriums im Theater an der Wien.

Bei S. Fischer erscheint die erste sechsbändige deutsche Gesamtausgabe der Werke des Dichters.

1907 2. Februar: Uraufführung der *Jungfern vom Bischofsberg* im Lessing-Theater.

26. März: Hauptmann bricht von Triest aus mit Margarete, Ivo, Benvenuto, dem befreundeten Maler Ludwig von Hofmann und dessen Frau zu der seit langem geplanten Reise nach Griechenland auf. Rückfahrt über Konstantinopel. Tagebuchaufzeichnungen.

Die Schauspiele *Kaiser Karls Geisel* und *Christiane Lawrenz* werden abgeschlossen, das Reisetagebuch *Griechischer Frühling* unter dem unmittelbaren Eindruck der Begegnung mit der Antike geschrieben, *Der Bogen des Odysseus* begonnen.

1908 11. Januar: Uraufführung des Legendenspiels *Kaiser Karls Geisel* im Lessing-Theater.

Beginn der freundschaftlichen Beziehungen zu Cosima Wagner und ihrem Kreis in Santa Margherita.

Griechischer Frühling erschienen.

1909 6. März: Uraufführung der *Griselda* mit Else Lehmann und Albert Bassermann im Lessing-Theater und im Hofburgtheater Wien.

Aus Anlaß der Fünfhundertjahrfeier der Universität Leipzig erhält Gerhart Hauptmann die Promotion zum Dr. phil. h.c. – die erste offizielle Ehrung in seinem Vaterland.

Vorlesungsreise nach Berlin, Wien, Prag, Leipzig, Hamburg, München, Zürich.

Arbeit an *Emanuel Quint* und *Atlantis*.

In der Zeitschrift «Jugend» erscheint ein Fragment aus dem *Wiedertäufer*-Drama.

1910 Der Roman *Der Narr in Christo Emanuel Quint*, das bis dahin bedeutendste epische Werk des Dichters, wird in der «Neuen Rundschau» und dann auch als Buch veröffentlicht.

Peter Brauer und *Die Ratten* sind abgeschlossen.

1911 13. Januar: Uraufführung der Tragikomödie *Die Ratten* im Lessing-Theater mit Else Lehmann als Frau John.

Beginn der Arbeit an der Erzählung *Der Ketzer von Soana* (ursprünglicher Titel «Die syrische Göttin») sowie an den *Gral-Phantasien.*

Bekanntschaft mit Oskar Loerke.

1912 14. Juni: Uraufführung von *Gabriel Schillings Flucht* in Goethes Theater in Lauchstädt. Regie: Paul Schlenther; Schauspieler: Otto Gebühr, Helene Thimig, Tilla Durieux; Dekorationen: Max Liebermann.

Hauptmanns fünfzigster Geburtstag wird feierlich begangen. Festbankett im Hotel Adlon Berlin.

24. November: Aufführung des *Helios*-Fragments durch die Freie Studentenschaft in den Kammerspielen in München.

10. Dezember: Die Schwedische Akademie verleiht Gerhart Hauptmann den Nobelpreis für Literatur.

Neben einer Gesamtausgabe in sechs Bänden (Volksausgabe) werden Einzelausgaben des Romans *Atlantis* und des Schauspiels *Gabriel Schillings Flucht* veröffentlicht. In New York beginnt die Gesamtausgabe der «Dramatic Works of Gerhart Hauptmann» zu erscheinen. Hauptmann beendet das Schauspiel *Der Bogen des Odysseus* und beginnt mit der Arbeit an: «Herrn Arnes Schatz» (der späteren *Winterballade*), *Festspiel in deutschen Reimen*, *Der weiße Heiland*.

Otto Brahm, der verdienstvolle Förderer der jungen deutschen Dramatik, gestorben; Trauerrede Gerhart Hauptmanns.

1913 31. Mai: Uraufführung des *Festspiels in deutschen Reimen* in der Jahrhunderthalle zu Breslau unter der Regie von Max Reinhardt anläßlich der Hundertjahrfeier der Befreiungskriege 1813/15. Die Szenenfolge erregt einen Sturm der Entrüstung unter den nationalistischen Kreisen und wird nach der elften Aufführung auf Veranlassung des deutschen Kronprinzen vom Spielplan abgesetzt.

Hauptmann inszeniert im Deutschen Künstlertheater Berlin «Wilhelm Tell» und «Der zerbrochne Krug».

Der erste Hauptmann-Film, *Atlantis*, mit Ida Orloff und C. H. Unthan wird von der Nordisk Film AG herausgebracht.

1914 17. Januar: Uraufführung des Schauspiels *Der Bogen des Odysseus* im Deutschen Künstlertheater mit Hans Marr als Odysseus.

Bei Kriegsausbruch beendet Hauptmann eine Reise durch Deutschland und kehrt nach Agnetendorf zurück.

Veröffentlichung nationalistischer Gedichte und Zeitungsartikel; polemischer Briefwechsel mit Romain Rolland.

Am 6. Oktober stirbt Marie Hauptmann in Hamburg.

Der Dichter lebt während des Krieges abwechselnd in Berlin, Agnetendorf und Kloster auf Hiddensee.

Wilhelm II. verleiht Gerhart Hauptmann den Roten-Adler-Orden IV. Klasse.

Beginn der Arbeit an dem Terzinen-Epos *Der große Traum*.

1915 *Magnus Garbe* beendet. Weiterhin am *Großen Traum*, Hauptmanns intimster künstlerischer Auseinandersetzung mit seiner Zeit, und an dem Schauspiel *Indipohdi*.

1916 Musikdrama «Elga» von Erwin Lendvai in Mannheim uraufgeführt. Beginn der Arbeit an *Die Insel der Großen Mutter*.

1917 17. Oktober: Uraufführung der *Winterballade* nach einer Novelle von Selma Lagerlöf im Deutschen Theater. Regie: Max Reinhardt. *Der weiße Heiland* und *Der Ketzer von Soana* abgeschlossen.

1918 9. November: Ausrufung der deutschen Republik. Abdankung Kaiser Wilhelms II.

Erklärung Hauptmanns zur Kundgebung der Künstler und Dichter, die sich zum neuen Staat bekennen, im «Berliner Tageblatt».
Der Ketzer von Soana veröffentlicht, Titelzeichnung von Max Slevogt.
Arbeit am *Neuen Christophorus* – Roman (urspr. Titel «Merlin»).

1919 2. Februar: Hauptmann schreibt einen «Offenen Brief an den Kongreß der Alliierten in Paris» und warnt vor den Folgen eines ungerechten Friedensdiktats über Deutschland.
Erste Auslandsreise nach dem Krieg in die Schweiz.
Rose Bernd-Film mit Henny Porten, Emil Jannings, Werner Krauß, Paul Bildt.
Das Schauspiel *Indipohdi* endgültig abgeschlossen. Versdichtung *Anna* begonnen.

1920 28. März: *Der weiße Heiland* wird im Großen Schauspielhaus Berlin mit Alexander Moissi uraufgeführt. Teilnahme Rilkes an den Proben.
Das *Till Eulenspiegel*-Epos begonnen. Buchausgabe des Schauspiels *Der weiße Heiland*; *Indipohdi* in der «Neuen Rundschau» abgedruckt.

1921 Carl Hauptmann am 4. Februar in Schreiberhau gestorben.
25. Juli: Gerhart Hauptmann antwortet voll Anteilnahme auf Maxim Gorkis Aufruf, Sowjetrußland bei der Bekämpfung der durch Bürgerkrieg und Intervention entstandenen Hungersnot im Wolgagebiet zu unterstützen.
Der Dichter dementiert Gerüchte über seine angebliche Kandidatur für das Amt des Reichspräsidenten.
1. November: Uraufführung der Tragikomödie *Peter Brauer* mit Jacob Tiedtke im Lustspielhaus Berlin. Nach Hauptmanns *Ratten* entsteht ein Film mit Lucie Höflich in der Hauptrolle.
19. November: Promotion zum Ehrendoktor der Philosophischen Fakultät der Karls-Universität in Prag.
Buchausgabe des Schauspiels *Peter Brauer* und der Versdichtung *Anna*, die auf ein Erlebnis der Lederoser Zeit zurückgeht.

1922 23. Februar: Uraufführung des Schauspiels *Indipohdi* unter dem Titel *Das Opfer* mit Paul Wiecke und Antonia Dietrich im Staatlichen Schauspielhaus Dresden.
22. April: Festliche Uraufführung des Films *Hanneles Himmelfahrt* im Staatlichen Opernhaus Berlin.
Veröffentlichung der Schrift «Rußland und die Welt» von Fridtjof Nansen, Gerhart Hauptmann und Maxim Gorki.
24. Juni: Reichsaußenminister Walther Rathenau von Nationalisten ermordet.
11.–20. August: Gerhart-Hauptmann-Festspiele in Breslau. Aufführung von vierzehn Werken des Dichters. In der Jahrhunderthalle tritt Eugen Klöpfer als Florian Geyer auf.

Hauptmann spricht im Sommer in mehreren Städten über seine Vorstellungen von einer nationalen Erneuerung Deutschlands.

Anläßlich seines 60. Geburtstages am 15. November erhält Hauptmann vom Reichspräsidenten den Adlerschild des Deutschen Reiches. Festakte im Großen Schauspielhaus, in der Aula der Berliner Universität und im Remter des Breslauer Rathauses. Uraufführung des Films *Phantom*.

Eine große Ausgabe in zwölf Bänden erscheint. *Das Hirtenlied* mit Holzschnitten von Ludwig von Hofmann veröffentlicht.

Dezember: Reise nach Holland.

Johannes M. Avenarius malt die Halle des Wiesensteins aus.

1923 Gerhart Hauptmann und Thomas Mann verbringen im Oktober gemeinsame Urlaubswochen im Hotel «Austria» in Bozen-Gries. Entstehung der Peeperkorn-Episode des Romans «Der Zauberberg» von Thomas Mann.

Die blaue Blume entstanden.

1924 Die Akademie der bildenden Künste in Wien ernennt Hauptmann zu ihrem Ehrenmitglied. Verleihung des Ordens «Pour le mérite» (Friedensklasse).

Gemeinsamer Sommeraufenthalt mit Thomas Mann auf Hiddensee. Ansprache an junge Gewerkschafter, die nach Kloster kamen.

Der Roman *Die Insel der Großen Mutter* erschienen. Das Schauspiel *Herbert Engelmann* im wesentlichen abgeschlossen. Beschäftigung mit dem Hamlet-Problem; Vorarbeit für einen Hamlet-Roman und das Schauspiel *Hamlet in Wittenberg*.

1925 Hauptmann verbringt in den Jahren von 1925 bis 1931 jeweils die ersten Monate in Rapallo und Lugano.

7. Mai: *Festaktus zur Eröffnung des Deutschen Museums in München*.

19. September: Uraufführung des Schauspiels *Veland* im Deutschen Schauspielhaus Hamburg; Bühnenbilder von Ivo Hauptmann.

Alfred Kubins Illustrationen zur Novelle *Fasching*.

1926 August: Teilnahme an der Tagung der Platen-Gesellschaft.

30. Oktober: Vorlesung aus dem *Till Eulenspiegel* im Plenarsaal des Reichstages.

1. November: Teilnahme an der Feier von Max Reinhardts 25jährigem Bühnenjubiläum.

20. November: Ring-Uraufführung der *Dorothea Angermann* in Wien, München, Leipzig und vierzehn weiteren Städten.

In Japan erscheint eine Ausgabe mit sieben Dramen Gerhart Hauptmanns.

Veröffentlichung eines Teiles der Dichtung *Mary* im Verlagsalmanach von S. Fischer.

Hans Meids Radierungen zum *Ketzer von Soana*.

1927 17. Februar: Uraufführung der Oper *Hanneles Himmelfahrt* von Paul
Graener im Dresdener Opernhaus.
15. Mai: Uraufführung des Stummfilms *Die Weber.* Regie: Friedrich
Zelnik. Mit Dagny Servaes, Valeska Stock, Helene Wangel, Wilhelm
Dieterle, Paul Wegener.
18. November: Hamburger Uraufführung der Oper *Die versunkene
Glocke* von Ottorino Respighi.
8. Dezember: Das Staatliche Schauspielhaus Dresden führt Hauptmanns Bearbeitung des Shakespeareschen «Hamlet» auf. Regie: Gerhart Hauptmann.
Die Novelle *Die Hochzeit auf Buchenhorst* und der Roman *Wanda*
beendet.
Die blaue Blume mit Holzschnitten von Ludwig von Hofmann erschienen.
1928 Eintritt in die Sektion für Dichtkunst der Preußischen Akademie
der Künste.
22. Juli: Rede in der Aula der Universität Heidelberg: «Der Baum von
Gallowayshire». Aufführung von *Schluck und Jau* bei den Heidelberger Festspielen.
Der *Biberpelz*-Film mit Lucie Höflich und Ralph Arthur Roberts.
Wanda («Der Dämon») und die *Till Eulenspiegel*-Dichtung veröffentlicht.
Weiterarbeit am *Buch der Leidenschaft* und am *Hamlet*-Roman. *Vor
Sonnenuntergang* in Lugano begonnen.
Bibliophile Ausgabe der Hamlet-Bearbeitung in der Cranach-Presse
mit Figurinen und Holzschnitten von Edward Gordon Craig.
1929 Teilnahme an der italienischen Erstaufführung der Oper *Die versunkene Glocke* von Respighi.
3. Dezember: Uraufführung der Szenenfolge *Spuk (Die schwarze
Maske – Hexenritt)* im Wiener Burgtheater. Überreichung des Burg-
theaterrings durch die «Concordia».
Buch der Leidenschaft beendet; die Autobiographie *Das Abenteuer meiner Jugend* begonnen.
1930 25. Juni: Hauptmann erwirbt Haus Seedorn in Kloster auf Hiddensee.
21. September: Ansprache Gerhart Hauptmanns in der Berliner
Volksbühne zur Vierzigjahrfeier. Festaufführung der *Weber.*
«Haus Seedorn» wird im Winter 1930/31 durch den Architekten Arnulf
Schelcher umgebaut.
1931 Das Schauspiel *Vor Sonnenuntergang* beendet.
Die Erzählung *Die Spitzhacke* veröffentlicht.
Neuinszenierung der *Ratten* am Hessischen Landestheater Darmstadt
unter der Regie von Gerhart Hauptmann mit Franziska Kinz und
Werner Hinz als Darstellern.

1932 16. Februar: Die Uraufführung des Schauspiels *Vor Sonnenuntergang* im Deutschen Theater Berlin unter der Regie von Max Reinhardt mit Werner Krauß, Helene Thimig, Maria Koppenhöfer, Käthe Haack, Max Gülstorff und Eduard von Winterstein erringt einen bedeutenden Theatererfolg.

19. Februar: Gerhart Hauptmann begibt sich von Bremerhaven aus mit der «Europa» auf eine zweite Amerikareise. Promotion zum Doctor Literarum h. c. der Columbia-Universität; mehrfach gehaltene Goethe-Rede. Besuch in Meriden. Empfang durch Präsident Hoover im Weißen Haus, Zusammenkunft mit Theodore Dreiser, dem Dramatiker Eugene O'Neill, mit Sinclair Lewis und Helen Keller.

Aus Anlaß seines 70. Geburtstages steht Gerhart Hauptmann im Mittelpunkt wochenlanger offizieller Ehrungen in Prag, Wien, Dresden, Breslau, Hamburg, Leipzig.

28. August: Überreichung des Goethepreises der Stadt Frankfurt a. M. Rede Hauptmanns in der Paulskirche: «Der Geist der Kultur».

Wiener Erstaufführung von *Vor Sonnenuntergang* mit Emil Jannings. Erste große Gerhart-Hauptmann-Ausstellung in Breslau. Eröffnung des Gerhart-Hauptmann-Theaters in Breslau mit dem Märchenspiel *Und Pippa tanzt*. Schreiberhau und Bad Salzbrunn ernennen den Dichter zum Ehrenbürger.

15. November: Zweifache Verleihung der «Goldenen Preußischen Staatsmedaille» durch die abgesetzte legale preußische SPD-Regierung Braun und die kommissarische reaktionäre Regierung Papen. Festaufführung von *Gabriel Schillings Flucht* im Staatstheater Berlin mit Werner Krauß und Elisabeth Bergner.

10.–13. Dezember: Feier am Nationaltheater München mit der Festrede Thomas Manns.

«Das dramatische Werk» in sechs Bänden, der erste Teil einer neuen Gesamtausgabe, erschienen. Buchausgabe des Schauspiels *Vor Sonnenuntergang* und eines Bandes gesammelter Ansprachen: «Um Volk und Geist».

Das Epos *Der große Traum* wird vom Dichter vorläufig abgeschlossen.

1933 Hauptmann befindet sich bei Anbruch des «Dritten Reiches» in Rapallo. Der Dichter zieht sich aus dem öffentlichen Leben in Deutschland fast völlig zurück. Ernennung zum Korrespondierenden Mitglied der Athener Akademie.

Die Erzählung *Das Meerwunder* begonnen.

15. Oktober: Uraufführung der *Goldenen Harfe* in den Münchner Kammerspielen mit Käthe Gold unter der Regie von Otto Falckenberg.

1934 13. März: *Hanneles Himmelfahrt* als Tonfilm; Drehbuch und Regie:

Thea von Harbou, mit Inge Landgut, Käthe Haack, Theodor Loos, Ernst Legal uraufgeführt.

Gerhart Hauptmann nimmt mit seiner Frau an der Beerdigung des jüdischen Kommerzienrates Max Pinkus teil.

Hauptmanns Verleger Samuel Fischer gestorben.

Das Meerwunder mit Illustrationen von Alfred Kubin erschienen.

1935 28. August: Feier der fünfzigjährigen Verbundenheit Gerhart Hauptmanns mit der Insel Hiddensee.

19. November: Uraufführung des Schauspiels *Hamlet in Wittenberg* im Alten Theater in Leipzig gleichzeitig mit den Theatern in Osnabrück und Altona.

Das Abenteuer meiner Jugend und der Hamlet-Roman *Im Wirbel der Berufung* beendet. Beginn der Arbeit an der Mysteriendichtung *Demeter*. Weiterarbeit an der dramatischen Szenenfolge *Der Dom*.

«Das epische Werk» in sechs Bänden, der zweite Teil der Gesamtausgabe, erscheint.

1936 *Im Wirbel der Berufung* erschienen. Veröffentlichung von Auszügen aus dem Wiedertäufer-Roman im 1. Band des Gerhart-Hauptmann-Jahrbuches.

Weiterarbeit an *Ulrich von Lichtenstein* und *Die Tochter der Kathedrale*. Nachruf auf Maxim Gorki.

1937 Aufführung des UFA-Films «Der Herrscher» mit Emil Jannings, Maria Koppenhöfer, Käthe Haack, Marianne Hoppe, Max Gülstorff, Theodor Loos, Harald Paulsen nach Motiven des Schauspiels *Vor Sonnenuntergang*.

1. Juli: Freilichtbühnen-Aufführung des *Florian Geyer* auf dem Römerberg in Frankfurt a. Main.

Ehrungen zum 75. Geburtstag Gerhart Hauptmanns.

Der *Biberpelz*-Film mit Ida Wüst, Rotraut Richter, Heinrich George, Ernst Waldow, Albert Florath aufgeführt.

Die Autobiographie *Das Abenteuer meiner Jugend* erschienen.

Das Requiem *Die Finsternisse* als Totenehrung für Max Pinkus entstanden.

1938 Das Schauspiel *Die Tochter der Kathedrale,* die Meditationen *Sonnen* und Tintoretto-Essay beendet. Fortführung der Lebenserinnerungen: *Zweites Vierteljahrhundert.* Die Novelle *Mignon* und *Siri* begonnen.

1939 21. Januar: Martha Hauptmann, Carl Hauptmanns erste Frau, in Mittel-Schreiberhau gestorben.

1. September: Ausbruch des zweiten Weltkrieges mit dem faschistischen Überfall auf Polen.

3. Oktober: Uraufführung der *Tochter der Kathedrale* im Staatlichen Schauspielhaus Berlin unter der Regie von Wolfgang Liebeneiner.

11. November: Uraufführung der Komödie *Ulrich von Lichtenstein* im Burgtheater Wien in einer Inszenierung von Lothar Müthel mit Käthe Dorsch, Ewald Balser, Raoul Aslan.

Gedichtsammlung *Ährenlese* erschienen.

Arbeit an der Novelle *Winckelmanns letzte Jahre*.

1940 Max Marschalk und Hermann Stehr gestorben.

Gerhart Hauptmann arbeitet an der Tragödie *Iphigenie in Delphi*, an der Winckelmann-Novelle und an *Mignon*.

1941 Vorbereitung einer Gesamtausgabe letzter Hand.

15. November: Uraufführung der *Iphigenie in Delphi* im Staatlichen Schauspielhaus Berlin mit Maria Koppenhöfer, Hermine Körner, Bernhard Minetti, Friedrich Kayßler, Gustav Knuth unter der Regie von Jürgen Fehling.

Das Märchen entstanden. Weiterarbeit an *Iphigenie in Aulis*.

Buchausgabe der Novelle *Der Schuß im Park*.

1942 13. Februar: Teilnahme an der Wiener Erstaufführung der *Iphigenie in Delphi* im Burgtheater. Begegnung mit Richard Strauss.

Briefwechsel zwischen Alfred Rosenberg und Goebbels über die bei Hauptmanns 80. Geburtstag anzuwendende politische Taktik.

Zentrale Ehrungen Gerhart Hauptmanns in Breslau und Wien mit Festaufführungen der Schauspiele *Der Biberpelz*, *Michael Kramer*, *Und Pippa tanzt*, *Die Tochter der Kathedrale*, *Florian Geyer*, *Griselda*, *Die Jungfern vom Bischofsberg*, *Rose Bernd*.

Zum 80. Geburtstag des Dichters erscheint bei S. Fischer «Das gesammelte Werk. Ausgabe letzter Hand», 17 Bände (u. a. mit *Magnus Garbe* und 22 Gesängen des Terzinen-Epos *Der große Traum*). Sonderausgabe des Insel-Verlages von *Der große Traum*. Bibliophilendruck des Fragments *Der Dom*.

8. Fassung der *Iphigenie in Aulis* beendet. Arbeit am *Neuen Christophorus*.

1943 28. Mai: Premiere des Films *Die Jungfern vom Bischofsberg* mit Sonja Ziemann, Lina Carstens, Max Gülstorff, Hans Brausewetter.

Hauptarbeit an dem Fragment *Die Hohe Lilie*.

23. Juni–4. Juli: Gerhart Hauptmann zum letzten Mal in Bad Salzbrunn.

Max Reinhardt im Exil in New York gestorben.

15. November: Uraufführung der *Iphigenie in Aulis* im Wiener Burgtheater mit Ewald Balser und Käthe Dorsch. Regie: Lothar Müthel.

Letzte Begegnung mit Richard Strauss.

Zwei Hauptstücke des Romans *Der neue Christophorus* werden von der Gesellschaft der Bibliophilen in Weimar veröffentlicht.

1944 Gerhart Hauptmann verbringt vereinsamt seine letzten Lebensjahre auf dem Wiesenstein, umgeben von seinen Freunden C. F. W. Behl,

Gerhart Pohl, Felix A. Voigt und Erich Ebermayer. Vorarbeiten für den zweiten Teil der Großen Ausgabe letzter Hand.

Buchausgabe der Tragödie *Iphigenie in Aulis* erschienen.

1945 5. Februar: Reise nach Dresden. Behandlung Margarete Hauptmanns im Sanatorium Weidner in Oberloschwitz.

Der wertvollste Teil des Archivs von Gerhart Hauptmann mit den unveröffentlichten Texten und Tagebüchern wird nach Schloß Kaibitz in der Nähe von Bayreuth verlagert.

13. Februar: Der Dichter wird Zeuge der Vernichtung Dresdens durch anglo-amerikanische Bombenangriffe.

21. März: Rückkehr nach Agnetendorf.

29. März: Hauptmann beklagt den Untergang der Elbestadt: «Ich stehe am Ausgangstor des Lebens und beneide alle meine toten Geisteskameraden, denen dieses Erlebnis erspart geblieben ist.»

9. Mai: Sowjetische Truppen besetzen Agnetendorf.

Der Wiesenstein erhält einen Schutzbrief des polnischen Kulturministers Prof. Lorenz.

Zwei Lungenentzündungen G. Hauptmanns.

Herbst: Besuch von Oberst Sokolow und Johannes R. Becher in Agnetendorf. Hauptmann richtet über den Rundfunk eine Botschaft an das deutsche Volk.

Ludwig von Hofmann gestorben.

1946 Der Aufbau-Verlag veröffentlicht im Frühjahr *Neue Gedichte*.

Am 6. Juni um 15.10 Uhr stirbt Gerhart Hauptmann in Agnetendorf.

9. Juni: Trauerfeier am Sarge im Arbeitszimmer des Dichters.

21. Juli: Eintreffen des Sonderzuges mit der sterblichen Hülle des Dichters in Berlin.

27. Juli: Aufbahrung und Trauerfeier im Rathaus von Stralsund; Ansprachen von Oberst Tulpanow und Johannes R. Becher. Entsprechend seinem Wunsch wird Gerhart Hauptmann am 28. Juli 1946 bei Sonnenaufgang auf dem Friedhof von Kloster auf Hiddensee beigesetzt. Ansprachen von Wilhelm Pieck und Peter A. Steininger.

Quellennachweise

Genaue bibliographische Angaben zu mehrfach zitierten Autoren finden sich im Literaturverzeichnis.

Abkürzungen

GH = Gerhart Hauptmann

CA = GH: Sämtliche Werke. Centenar-Ausgabe, Band I–XI, Frankfurt a. M., Berlin (West) 1962–1974

AW = GH: Ausgewählte Werke, Band 1–8, Berlin 1962

Hs = Handschrift aus dem Manuskriptnachlaß GHs in der Staatsbibliothek – Preußischer Kulturbesitz, Berlin (West)

BN = Briefnachlaß GHs in der Staatsbibliothek – Preußischer Kulturbesitz, Berlin (West)

LA = Texte im Literaturarchiv der Akademie der Künste der DDR

AK = Ausstellungskatalog. GH. Leben und Werk (hg. von B. Zeller), Stuttgart 1962

Begegnung mit einer Persönlichkeit
(Seite 5–13)

1 Th. Mann II,805
2 Th. Mann XI,554
3 Th. Mann XII,308f.
4 Hofmannsthal, in: Hülsen (6), S. 59
5 Rilke, in: AK, S. 131
6 Zuckmayer, in: AK, S. 344
7 Musil, S. 206
8 Gustavs, S. 35
9 Zum Tageslauf: Behl (2), Hülsen (5), Gustavs
10 Hülsen (5), S. 181
11 Hülsen (1), S. 15

12 Über Sekretäre vgl. Ziesche, S. 30 f., und W. Requardt, in: Schlesien, Nürnberg, Heft II/1986, S. 78 ff.

13 Hülsen (5), S. 80

14 AK, S. 375

15 AK, S. 204

16 Th. Mann XII,312

17 Vgl. Ziesche: Der Manuskriptnachlaß GHs

Das Abenteuer seiner Jugend
(Seite 14–30)

1 Goethe am 25. 3. 1816 an Cotta

2 Vgl. Allgemeines Lexikon der bildenden Künstler (hg. von H. Vollmer), Bd. 27, Leipzig 1933

3 GH. Zum 80. Geburtstage, Breslau 1942, S. 159 ff., und Voigt (2)

4 CA VII,467; AW 7,17

5 CA VII,474; AW 7,24

6 F. Engels: Die Rolle der Gewalt, Berlin 1952, S. 19

7 K. Marx: Zweite Adresse des Generalrats, in: Marx/Engels/Lenin/Stalin, Zur deutschen Geschichte, Bd. II, 2, Berlin 1954, S. 894

8 CA VII,764 und 541; AW 7,308 und 90

9 CA VII,471 und 673; AW 7,21 und 219

10 Daiber, S. 260

11 CA VII,936; AW 7,474

12 Behl (2), S. 260 f.; Laotse: Taoteking, Leipzig 1970, Abs. 14

13 GH/Hofmann, Briefwechsel, S. 212

14 Behl (2), S. 227

15 CA VIII,373

16 N. Oellers, in: Teilnahme und Spiegelung (hg. von B. Allemann), Berlin, New York 1975, S. 397 f.

17 CA XI,538

18 CA XI,592; vgl. Tschörtner (1), S. 205 ff.

19 R. Musil, Gesammelte Werke, Bd. 7, Reinbek 1978, S. 858

20 CA VII,481; AW 7,31

21 CA XI,92

22 CA VI,755 f.

23 AK, S. 22

24 CA VII,705; AW 7,250

25 Schlenther, S. 12

26 CA IV,454

27 CA VII,1069; AW 7,604

28 Arbeiter-Zeitung, Wien, 12. 11. 1922

29 CA VII,819; AW 7,358

30 CA IV,140

31 CA IX,75

32 CA IX,264

33 Muller, S. 9 ff.

Mary und die Reise zu Michelangelo
(Seite 31–50)

1 CA VI,874

2 CA VII,691; AW 7,237

3 CA VII,788; AW 7,328

4 GH/Hofmann, Briefwechsel, S. 196

5 CA VII,807; AW 7,346

6 Heynen, S. 12

7 CA VI,818

8 Heynen, S. 74 ff.

9 CA VII,939; AW 7,476; Heuser, S. 28

10 Heynen, S. 71

11 Behl (2), S. 178

12 Vgl. Gregor, S. 167

13 H. Weiß, S. 12

14 CA VII,843; AW 7,382

15 Gustavs, S. 19

16 CA VII,846; AW 7,385

17 CA IV,932

18 Jofen, S. 105

19 CA XI,603 ff.

20 CA VII,874/876; AW 7,412/415

21 Vgl. Dokumentation der Jenaer Studienzeit in der 3. Aufl. dieses Buches, S. 540, Anm. 23

22 Heuser, S. 16 und 20

23 Vgl. AK, S. 33 f.

24 CA VII,921; AW 7,459

25 Goethe, Italienische Reise, 22. 11. 1786 und 23. 8. 1787

26 CA VII,953; AW 7,490

27 Chapiro, S. 27

28 CA IX,394

29 CA VII,979; AW 7,515

30 GH, Italienische Reise, S. 55 ff.

31 GH/Hofmann, Briefwechsel, S. 36

32 BN, GH von Rilke, 19. 4. und 8. 5. 1906; Hs 223,81; vgl. Sprengel (1), S. 62

33 CA XI,571 ff. und Hs 1,251

34 Hülsen (5), S. 176; BN, GH an F. Klimsch, 16. 2. 1932 und GH an Yorck von Wartenburg, 1. 4. 1941

35 Hs 223,238

36 Behl (2), S. 191

37 AK, S. 93

38 Vgl. Kukla, Ausstellungskatalog 1987

39 CA VI, 771; GH, Diarium 1917–1933, S. 98; vgl. auch Hs 19,81

40 Hs 127,28

41 GH, Diarium 1917–1933, S. 16

42 Hs 235,42

43 CA VI,965

44 CA VI,896

In traditionellen Bahnen
(Seite 51–67)

1 G. Ch. Lichtenberg, Aphorismen und Briefe, Berlin 1953, S. 87

2 CA XI,682

3 Vgl. Behl (1), S. 86 ff.

4 CA VIII,195 und 203

5 CA VIII,212 ff. bietet die dramat. Fragmente

6 CA VIII,210 f.

7 CA XI,609 ff.

8 CA VII,883; AW 7,422

9 Voigt (1), S. 27; Heuser, S. 196 ff.

10 H. v. Kleist, Gesammelte Werke, Bd. 4, Berlin 1955, S. 349

11 CA VIII,171

12 Ebenda, S. 172

13 Gregor, S. 437

14 CA VII,843; AW 7,382

15 Krogmann, S. 27

16 CA IV,399

17 Heuser, S. 94

18 GH an Brandes, in: Jahrbuch der Deutschen Schillergesellschaft, Stuttgart 1979, S. 59

19 CA IV,56

20 Marx/Engels, S. 478

21 CA VI,77

22 Goethes Werke, Bd. 9, Weimar 1957, S. 550

23 CA VI,61 und 51

24 A. v. Droste-Hülshoff, Sämtliche Werke, München 1955, S. 1055 und 1043

25 AK, S. 43
26 Behl (2), S. 79; Hs 182,44
27 Marx/Engels, S. 466
28 Vgl. GH, Früheste Dichtungen, Frankfurt a. M., Berlin 1962, S. 158
29 CA IV,222
30 Hs 117,33
31 CA IV,293
32 CA VI,742
33 Vgl. E. Stein, Wege zum Gedicht, Halle 1963, S. 62
34 Machatzke, in CA XI,1314
35 CA XI,738
36 CA IV,21
37 CA XI,705

Kurs auf den Naturalismus
(Seite 68–93)

 1 A. Wirth, Deutsche Geschichte von 1870 bis zur Gegenwart, Leipzig
   1926, S. 49
 2 Berg, in: Ruprecht (2), S. 170
 3 Vgl. Dissert. von Wegner
 4 Münchow (2), S. 63
 5 Ruprecht (2), S. 34
 6 Mehring, S. 131
 7 H. Neef, Zur Gesch. d. deutschen Arbeiterbewegung, Berlin 1962,
   S. 202 ff.
 8 Vgl. K. A. Hellfaier, Die deutsche Sozialdemokratie während des Sozialistengesetzes, Berlin 1958
 9 Th. Mann, Reden und Aufsätze, Frankfurt a. M. 1965, Bd. I, S. 285
10 Liebknecht, in: Brauneck, S. 111
11 Mehring, S. 135
12 Zum Naturalismus vgl. Bernhardt, Claus, Hamann/Hermand, Mahal,
   Münchow, Praschek, Rothe
13 Ruprecht (2), S. 4
14 Moe, S. 119
15 Hamann/Hermand, S. 257
16 Bernhardt, S. 451 f.
17 GH. Studien zum Werk und zur Persönlichkeit, Breslau 1942, S. 109
18 Behl (1), S. 63
19 Dokumentation der Berliner Studienzeit in der 3. Aufl. dieses Buches,
   S. 545, Anm. 15
20 CA VII,1013; AW 7,548
21 GH, Tagebuch 1892–1894, S. 230

22 Requardt/Machatzke, S. 239
23 CA VII,1043; AW 7,578
24 GH, Notiz-Kalender 1889–1891, S. 349. Original-Exemplare der zwei-
   bänd. «Kapital»-Ausg. (1883/85) in der GH-Gedenkstätte Erkner
25 Ruprecht (2), S. 46
26 CA VII,1049; AW 7,584
27 Vgl. Heynen, S. 65
28 Manuskriptkopie verdanke ich Peter-Paul Schneider vom Deutschen
   Literaturarchiv Marbach
29 CA VI,1033; AK, S. 41
30 Liepe, 29. 4. 1887; Hanstein (2), S. 68 ff.
31 AK, S. 42
32 Scheuer, S. 85 und 136
33 GH, Notiz-Kalender 1889–1891, S. 11
34 Hülsen (2), S. 48
35 AK, S. 52
36 GH, Die Kunst des Dramas, S. 197
37 CA XI,495
38 GH, Notiz-Kalender 1889–1891, S. 283
39 Requardt/Machatzke, S. 48; vgl. Hs 410,47 f.
40 CA VII,1045; AW 7,581
41 CA VII,1067; AW 7,602
42 CA VII,1057; AW 7,591
43 F. Wedekind, Die Tagebücher, Frankfurt a. M. 1986, S. 36 ff.
44 F. Wedekind, Die junge Welt, München 1907, S. 162 ff.
45 Vgl. Notiz-Kalender 1889–1891
46 Ruprecht (2), S. 210
47 CA VI,896
48 Behl (2), S. 149; GH, Notiz-Kalender 1889–1891, S. 278
49 CA XI,760
50 Cowen (1), S. 44
51 Requardt/Machatzke, S. 74
52 Ebenda, S. 102
53 Hs 1,215 und GH, Die Kunst des Dramas, S. 196
54 Martini, S. 62
55 CA VII,1061; AW 7,596
56 Requardt/Machatzke, S. 116
57 A. Zweig, Essays, Berlin 1959, Bd. I, S. 185 ff.
58 CA VI,47; AW 8,39
59 CA VII,1072 f; AW 7,607 f.
60 Cowen (2), S. 52
61 CA VI,75; AW 8,67

Drei Familientragödien
(Seite 94–110)

1 GH, Notiz-Kalender 1889–1891, S. 383 ff.
2 Fontane, S. 963 f.
3 Holz, in: GH, Notiz-Kalender 1889–1891, S. 92
4 Requardt/Machatzke, S. 413 (Anm.)
5 Sprengel, in: Brahm/GH, Briefwechsel 1889–1912, S. 11
6 Hanstein (2), S. 170 f.
7 CA VI,800
8 Hülsen (5), S. 171 und 99
9 Kersten, S. 39
10 CA XI,495
11 Vgl. R. Bernhardt, in: Weimarer Beiträge, Berlin und Weimar, Heft 6/1984, S. 978 f.
12 GH an Brandes, in: Jahrbuch der Deutschen Schillergesellschaft, Stuttgart 1979, S. 62
13 CA I,47 f.; AW 1,61 f.
14 R. Rolland, Johann Christof, Kinder- und Jugendjahre, Frankfurt a. M. 1922, S. 580 f. (fehlt in Ausg. 1951)
15 Hs 7,140
16 H. Mann, Essays, Bd. I, Berlin 1954, S. 390
17 AK, S. 63
18 Behl (2), S. 188
19 CA XI,513 ff.
20 CA VI,1009
21 GH, Notiz-Kalender 1889–1891, S. 274
22 Marcuse (2), S. 17
23 CA XI,548 f.
24 Ebenda, S. 512
25 GH, Die Kunst des Dramas, S. 196
26 Zander, S. 75 und 28; dagegen N. Oellers, in: Teilnahme und Spiegelung (hg. von B. Allemann), Berlin, New York 1975, S. 411 f.
27 Hs 13,7
28 CA VI,697; vgl. auch GH, Notiz-Kalender 1889–1891, S. 333
29 Hs 1,250
30 CA I,237; AW 1,266

Gerhart Hauptmann und die Seinen
(Seite 111–119)

1 CA XI,35
2 Goldstein, S. 68
3 CA VII,832; AW 7,371

4 CA IX,423; vgl. auch Hs 1,115
5 Guthmann, S. 424
6 CA XI,188 und 520
7 CA XI,527; Praschek (2), S. 98 ff.
8 Voigt (2), S. 37
9 GH, Notiz-Kalender 1889–1891, S. 153
10 CA XI,548
11 Vgl. Monographien von Goldstein, Minden, Razinger, Stroka, H. Weiß
12 F. Blei, S. 266
13 Stroka, S. 32, 112 und 117
14 Vgl. M. Sinden, in: Monatshefte, Madison/Wisconsin, Nr. 6/1962, S. 313 ff.
15 Carl Hauptmann, S. 270
16 Ebenda, S. 324 f.
17 Ebenda, S. 111
18 Hs 91,24
19 CA XI,558
20 Carl Hauptmann, S. 80

Die Weber
(Seite 120–143)

1 Th. Mann XII,464
2 Behl (2), S. 134
3 Vgl. Geerdts, S. 133
4 CA I,321; AW 1,361
5 Praschek (2), S. 267; H. H. Houben, Verbotene Literatur, Berlin 1924, S. 337 ff.
6 CA VII,1078; AW 7,613
7 Münchow (2), S. 55
8 Praschek (2), S. 271
9 Vgl. B. Gloger, Als Rübezahl schlief, Berlin 1961, S. 46 f.
10 W. Steinitz, Deutsche Volkslieder, Bd. I, Berlin 1954, S. 232
11 Gloger, a. a. O., S. 61
12 Marx/Engels, S. 243 f.
13 Gloger, a. a. O., S. 104
14 CA I,344 und 396; AW 1,374 und 402
15 GH, Notiz-Kalender 1889–1891, S. 68 ff. und 325 ff.
16 Brauneck, S. 81
17 Vgl. Röhr, S. 70 f.
18 Vgl. Geerdts, S. 101 ff.
19 F. Spielhagen, Neue Beiträge zur Theorie und Technik der Epik und Dramatik, Leipzig 1898, S. 280

20 GH, Notiz-Kalender 1889–1891, S. 392
21 GH folgte Zimmermann; vgl. Schwab-Felisch, S. 115ff.
22 CA I,403; AW 1,405
23 Guthke/Wolff, S. 71
24 Fontane, S. 212f.
25 Damm, S. 35
26 Geerdts, S. 79
27 O. Wilde, Letzte Briefe, Berlin 1935, S. 104
28 Rabl, S. 38ff.
29 Heuser, S. 43
30 CA XI,527ff.
31 Praschek (2), S. 254f.
32 Brauneck, S. 53f.
33 Mehring, S. 283f.
34 Guthke, S. 83
35 Praschek (2), S. 185
36 Vgl. Praschek und Ergänzendes bei Brauneck und Schumann
37 H. Mann, Im Schlaraffenland, 8. Kapitel
38 Praschek (2), S. 197
39 Brauneck, S. 72
40 Dreifuss, S. 119
41 GH, Tagebuch 1892–1894, S. 248
42 Zeitschrift für Slawistik, Berlin, I/1967, S. 9
43 Neue Berliner Illustrierte, Nr. 46/1962, S. 21
44 Marcuse (2), S. 163
45 Schumann, S. 34 und 67
46 K. Kollwitz, Tagebuchblätter und Briefe, Berlin 1948, S. 41
47 BN, GH von K. Kollwitz, 16. 4. 1894
48 Vgl. W. Timm, S. 13; F. Schmalenbach, S. 7
49 BN, GH von K. Kollwitz, 19. 11. 1918; vgl. CA XI,898f.
50 Hs 6,76
51 CA VI,941f.
52 Hilscher (Hg.), in: Neue Deutsche Hefte, Berlin, Nr. 2/1987, S. 277–301

Zwischen Humor und Satire
(Seite 144–168)

1 Vgl. M. Machatzke, in: Schlesien, Nürnberg, Heft IV/1984, S. 216f.
2 CA VI,792
3 Ludwig/Pinkus, S. 42
4 CA VII,47
5 Marx/Engels, S. 107

6 CA XI,562
7 Behl (2), S. 39
8 Behl/Voigt, S. 35
9 CA VII,1003; AW 7,538
10 CA I,270 f./281; AW 1,303 f./316
11 Heise, Bd. 4, S. 14
12 CA II,716
13 CA IX,1147 f.
14 CA II,689
15 CA VI,930
16 CA XI,823
17 GH, Die Kunst des Dramas, S. 220
18 CA I,483; AW 2,6
19 CA VII,1044; AW 7,579
20 AK, S. 345
21 Vgl. Requardt/Machatzke, S. 201
22 Vgl. Schrimpf, in: Brecht-Jahrbuch, Frankfurt a. M. 1975, S. 47
23 Damm, S. 17
24 CA I,507/517; AW 2,33/43
25 Mahal, S. 27
26 Vgl. Damm, S. 10, und Schrimpf (2), S. 289 ff.
27 Schrimpf, in: Brecht-Jahrbuch, Frankfurt a. M. 1975, S. 55; ähnlich Sprengel (1), S. 178
28 G. Baum, Humor und Satire, Berlin 1959, S. 64
29 CA XI,1157
30 J. Borew, Über das Komische, Berlin 1960, S. 194 f.
31 AK, S. 86
32 Requardt/Machatzke, S. 188 und 205
33 E. Eckersberg, in: AK, S. 89 f.
34 Langer, S. 44
35 Mehring, S. 298
36 Heise, Bd. 4, S. 27
37 Hoefert (1), S. 22
38 CA IX,964
39 Requardt/Machatzke, S. 218
40 Tank, in: Propyläen-Textausgabe 1959, S. 75 ff.
41 Brecht (3), S. 612
42 Theaterarbeit. Sechs Auff. d. Berl. Ensembles, Berlin 1961, S. 213
43 Vgl. Schrimpf (1), S. 260 ff.; G. Fischer, in: Monatshefte, Madison/Wisconsin, 1975, S. 224 ff.
44 Brecht (1), S. 123; vgl. Materialsammlg. von Tschörtner (1), S. 267 ff.
45 Brecht (1), S. 27, 33 und 156
46 Brecht (2), S. 150

47 Brecht (3), S. 122
48 Standort in GH-Gedenkstätte Erkner
49 Hs 21,85; Hs 7,97 und 91
50 Hs 17,102
51 Brecht (3), S. 142
52 R. Grimm, B. Brecht, Stuttgart 1971, S. 20

Traum und Verklärung der Hannele Mattern
(Seite 169–177)

1 Mehring, S. 302
2 Fontane, S. 366
3 Hs 1,197
4 AK, S. 91
5 Heuser, S. 44
6 Hs 1,125
7 Feuchtwanger, Centum opuscula, Rudolstadt 1956, S. 160
8 Brecht (3), S. 633
9 Machatzke, in: Schlesien, Nürnberg, Heft IV/1984, S. 217 ff.
10 Feuchtwanger, a. a. O., S. 159
11 Voigt (1), S. 87
12 CA IX,763
13 Vgl. Oberembt, in: Sprengel/Mellen, S. 69
14 Gregor, S. 279 und 282
15 CA VII,771; AW 7,315
16 Heynen, S. 130
17 B. Brecht, Werke in 5 Bänden, Berlin 1973, Bd. 5, S. 241
18 Berliner Tageblatt, 11. 6. 1898
19 GH, Tagebuch 1892–1894, S. 105 ff.
20 Sprengel (1), S. 100
21 Hs 51,91 und Hs 235,20

Verwirrung der Gefühle
(Seite 178–204)

1 Requardt/Machatzke, S. 232 f.
2 W. Leistikow, Auf der Schwelle, Berlin 1896, S. 45 ff.
3 Gustavs, S. 23
4 GH, Tagebuch 1892–1894, S. 102
5 Blei, S. 255
6 CA VII,196
7 LA, A 65,3, S. 464 und 491

8 CA VI,916

9 GH/Hofmann, Briefwechsel, S. 64; vgl. auch LA, A 65,3, S. 650

10 H. Frentz, Über den Zeiten, Freiburg 1931, S. 194

11 CA VII,1011; AW 7,547

12 GH, Ital. Reise, S. 90 f.

13 Hs 7,65; Hs 91,80

14 Grünfeld, S. 148; vgl. auch G. Erdmann, Neue Zeit, Berlin, 26. 6. 1971

15 CA VI,900 und 1029

16 AK, S. 123

17 Musil, S. 327

18 CA VII,132

19 Hülsen (3), S. 33

20 Vgl. CA VII,149 ff.

21 Heuser, S. 98; Heynen, S. 139

22 CA V,509; AW 6,105 f.

23 GH, Tagebuch 1892–1894, S. 83 und 101

24 CA VII,205

25 GH/Hofmann, Briefwechsel, S. 1

26 Heuser, S. 47

27 Ivo Hauptmann, S. 11 und 17

28 Germanica Wratislaviensia VII, Wrocław, 1962, S. 56

29 CA XI,240 und 251

30 GH, Tagebuch 1892–1894, S. 108

31 Ludwig/Pinkus, S. 44

32 Behl/Voigt, S. 42

33 Vgl. Hülsen (3), S. 61

34 CA VII,295

35 CA VI,969

36 CA VII,305 und CA XI,774

37 GH, Italienische Reise, S. 76

38 Vgl. Sprengel (1), S. 361

39 L. Corinth, Das Leben Walter Leistikows, Berlin 1910, S. 104

40 Ivo Hauptmann, S. 17

41 Gustavs, S. 20

42 CA VI,1006

43 CA VII,126

44 Italiaander, S. 7

45 Gustavs, S. 24

46 Garten, in: Schrimpf (2), S. 471

47 GH und Ida Orloff, S. 107; vgl. auch Leppmann, S. 237 ff.

48 GH und Ida Orloff, S. 24

49 Vgl. Sprengel (1), S. 242 ff.

50 GH und Ida Orloff, S. 21 und 102

51 O. Brahm/GH, Briefwechsel, S. 205

52 Hs 230,22

53 Heuser, S. 150; in Hs 413 nicht enthalten

54 GH und Ida Orloff, S. 76 ff.

55 Hs 58,10–15

56 GH und Ida Orloff, S. 37 und 58

57 Satter, S. 64

58 CA X,398

59 Vgl. S. Hoefert, in: Studia Historica Slavo-Germanica, Poznań, 1979, Bd. 8, S. 97 ff.

60 K. S. Stanislawski, Mein Leben in der Kunst, Berlin 1951, S. 495 ff.

61 Hs 262a,41

62 LA, B 1961 und 1778

63 CA VII,1078; AW 7,612

Szenen aus der Zeit der Reformation und Gegenreformation
(Seite 205–223)

1 W. Zimmermann, Der große deutsche Bauernkrieg, Berlin 1952, S. 374

2 Vgl. F. A. Voigt, Zeitschrift für Deutsche Philologie, Berlin, Bielefeld, 1944/45, S. 194 ff., und Hildebrandt (1)

3 Vgl. GH, Tagebuch 1892–1894, S. 172

4 Melchior, S. 142; ähnlich Sprengel (2), S. 105 und 110

5 Vgl. Voigt, a. a. O., S. 157

6 Hülsen (3), S. 57; Hs 1,108

7 CA I,622; AW 1,490

8 Vgl. H. Schötzki, Florian Geyer, Berlin 1955

9 Vgl. A. Meusel, Thomas Münzer, Berlin 1952, S. 249 ff.

10 Marx/Engels, S. 111

11 Melchior, S. 35 und 61

12 Widmungsexemplar in GH-Gedenkstätte Erkner

13 CA IX,868 f. und CA I,629

14 R. Bernhardt, in: Wissenschaftliche Zeitschrift der Martin-Luther-Universität Halle, Heft 5/1983, S. 21

15 Goethe, Götz von Berlichingen, Berlin 1958, S. 223

16 Melchior, S. 68; Schlenther, S. 241

17 L. Feuchtwanger, Das Haus der Desdemona, Rudolstadt 1961, S. 153

18 A. Zweig, in: GH, Sonderheft der Schlesischen Heimat-Blätter, Hirschberg, Dez. 1909, S. 16; Kritisches bei Hilscher, in: Kulturbund der DDR, 1987

19 A. Zweig, in: Neue Deutsche Literatur, Berlin, Heft 11/1967, S. 38 f.

20 Blei, S. 262

21 BN, GH von A. Zweig, 15. 7. 1930 und 26. 2. 1931
22 A. Zweig, Jahresringe, Berlin 1964, S. 147 ff.
23 Heynen, S. 135
24 Hs 223,118–125
25 GH, Tagebuch 1892–1894, S. 120 f.
26 W. Zimmermann, Der große deutsche Bauernkrieg, Berlin 1952, S. 235
27 CA IX,889
28 CA IX,840
29 Hauptszenar, in: CA IX,792 ff.
30 CA IX,842, 766 und 839
31 Bungies, S. 195
32 CA X,193 und 211
33 Hs 230,122
34 CA VIII,1052 f.
35 Ebenda, S. 1055
36 GH, Diarium 1917–1933, S. 64
37 F. A. Voigt, Nachwort zu GH, Das Hirtenlied, Breslau 1935
38 CA IV,584

Symbolische Dichtungen, Märchen- und Legendenspiele
(Seite 224–243)

1 Guthmann, S. 408
2 Fontane, S. 368
3 Fontane Blätter, Potsdam, VI/1972, S. 393
4 Vgl. Machatzke, in: Schlesien, Nürnberg, Heft IV/1984, S. 213
5 Krogmann, in: Zeitschrift für Deutsche Philologie, Stuttgart, 1960/61, S. 164
6 Vgl. Metken, S. 33 ff.
7 CA I,861
8 Schreiber, S. 120
9 Voigt/Reichart, S. 27 ff., und Sprengel/Mellen, S. 178 f.
10 Sprengel/Mellen, ebenda, S. 187; CA I,1089; AW 2,344
11 CA VI,792
12 Voigt (4), I, S. 77
13 Ebenda, S. 80
14 CA II,118
15 CA VI,792
16 CA IX,1015 ff.; vgl. S. Hoefert, in: Schlesien, Nürnberg, Heft I/1977, S. 27
17 Sprengel (2), S. 170
18 Th. Mann XI,549
19 Th. Mann, Frage und Antwort, Hamburg 1983, S. 195

20 L. Feuchtwanger, Das Haus der Desdemona, Rudolstadt 1961, S. 100
21 BN, GH von Rilke, 22. 1. 1903
22 CA IX,219 und 192
23 GH und Ida Orloff, S. 87
24 Hortenbach, S. 169
25 Vgl. Wedel-Parlow
26 Chapiro, S. 168; Röhr, S. 217
27 Hülsen (3), S. 85
28 Kästner (1), S. 142
29 CA IX,1073 und 1082
30 CA XI,1149 f.
31 CA II,275; AW 3,101
32 Mühlher, S. 309; vgl. auch Schön
33 Sprengel (2), S. 177
34 Rasch, in: Wiese (3), S. 186
35 CA VIII,955; vgl. Cowen (1), S. 139 f.

Warum so viele Leiden
(Seite 244–255)

 1 GH, Italienische Reise, S. 133
 2 Th. Mann XI,547; vgl. auch Glaß
 3 Th. Mann, Frage und Antwort, Hamburg 1983, S. 196
 4 CA I,993; AW 2,256
 5 Marcuse (2), S. 107
 6 CA VII,474 ff.; AW 7,24 ff.
 7 Behl (1), S. 107
 8 CA I,1172; AW 2,429
 9 P. Sprengel, in: Neue Deutsche Hefte, Berlin, Nr. 1/1986, S. 17
10 Kerr (1), S. 583 f. und 45
11 A. Polgar, Auswahl, Hamburg 1968, S. 289
12 Rilke und Rußland (hg. von A. Asadowski), Berlin 1986, S. 226;
   Th. Mann XI,547 f.
13 Vgl. Sinden, S. 120
14 Ludwig/Pinkus, S. 46
15 CA VII,299 ff.; Sprengel (2), S. 227
16 Cowen (1), S. 152
17 Hs 72,21. Einsichtnahme in dieses Notizbuch zwingt zur Korrektur
   von S. 256 der 3. Aufl. meiner Monographie
18 Kerr (1), S. 568
19 Vgl. Sprengel (1), S. 284
20 Brecht (1), S. 28 und 37; Einschränkung S. 167 f.

Im Lande des goldelfenbeinernen Zeus
(Seite 256–266)

1 Hülsen (3), S. 90
2 F. A. Voigt, in: Neue Rundschau, Berlin, 1937, S. 479
3 J. Hofmiller, Zeitgenossen, München 1910, S. 71
4 CA VII,44
5 CA VII,47
6 Nitzsche, S. 36; Fechter, S. 124
7 Brahm/GH, Briefwechsel, S. 208
8 Ivo Hauptmann, S. 37
9 Vgl. GH/Hofmann, Briefwechsel, S. 70
10 CA VII,68
11 CA II,999
12 W. Pater, Griechische Studien, Jena, Leipzig 1904, S. 41 (Exempl. in GH-Gedenkstätte Erkner)
13 CA VII,80
14 Voigt (3), S. 64
15 AK, S. 197
16 Voigt (3), S. 65
17 Sprengel (1), S. 274 ff.; CA II,932
18 CA II,868
19 Michaelis, S. 61 und 65
20 CA II,898
21 CA VI,922

Die Ketzer von Giersdorf und Soana
(Seite 267–283)

1 Brahm/GH, Briefwechsel, S. 210 und 213
2 Sprengel, ebenda, S. 66 (Einleitung)
3 Vgl. A. Kutschers Wedekind-Biographie, München 1931, Bd. 3, S. 26, und Fechter, S. 29
4 Hs 1,227
5 GH, Italienische Reise, S. 93 f.; Hs 91,68
6 Hs 262 a,48; Hs 152,83; Hs 1,135
7 Hs 235,52; vgl. auch Hs 117,65
8 Hs 11 a,27; Hs 7,264
9 CA VII,1058
10 CA X,26 und 93 f.
11 CA VII,757; AW 7,301
12 Stirk, S. 12
13 Lektüre-Beleg CA XI,493
14 Brahm/GH, Briefwechsel, S. 103; Requardt/Machatzke, S. 63 ff.

15 F. M. Dostojewski, Die Brüder Karamasow, 2. Teil, 5. Buch
16 Lauterbach, Bd. 2, S. 429
17 CA V,75/363; AW 5,74/370
18 H. Ehmsen, 30 Radierungen zu GHs Emanuel Quint, Berlin 1961
19 CA V,167; AW 5,168
20 Vgl. Ziolkowski, S. 114, und Lowatschek
21 CA VI,915
22 CA V,84; AW 5,82
23 Sprengel (2), S. 203 f.
24 CA XI,300 f.
25 Th. Mann, Reden und Aufsätze, Frankfurt a. M. 1965, Bd. I, S. 255
26 GH, Italienische Reise, S. 140 f. und 149
27 Usinger, S. 76

Gewitterwolken am Horizont
(Seite 284–301)

 1 Vgl. S. Fischer Verlag (Ausstellungskatalog), Marbach 1985, S. 112
 2 CA VI,703
 3 Th. Mann XII,311
 4 Vgl. Kaufmann, S. 58 f., und Hess-Lüttich, S. 250
 5 CA II,824; AW 3,257 f.
 6 Voigt (2), S. 67
 7 Vgl. CA VII,1046; AW 7,581; zur Interpretation vgl. Berger und Hess-Lüttich
 8 CA XI,27 ff.; Requardt/Machatzke, S. 112 ff.
 9 H. v. Brescius, Programmheft zu «Ratten», Berlin 1977
10 CA XI,1174 und 1199
11 Wiese, in: Schrimpf (2), S. 310
12 CA IX,1156 ff.
13 Cowen (1), S. 169
14 Hs 223,154–56
15 CA V,490/493; AW 6,86/88
16 CA VI,1008
17 Lauterbach, Bd. 3, S. 386
18 Vgl. Heuser, S. 58 ff.
19 Ludwig/Pinkus, S. 44
20 H.-E. Hass, in: Propyläen-Textausg. des Festspiels (1963), S. 91
21 CA IX,1223
22 CA IX,1228 und 1237
23 CA II,1003
24 BN, GH von B. v. Suttner, 19. 9. 1913
25 GH/Hofmann, Briefwechsel, S. 93

26 Vgl. Behl (5), S.155; Marcuse (2), S.197ff.; J.Bab, in: Voigt (5), S.147ff.
27 Vgl. Vossische Zeitung, Berlin, 17. 9. 1913, und Frankfurter Zeitung, 18. 9. 1913
28 Berliner Tageblatt, 3. 10. 1913
29 Hs 110,5
30 Vgl. Behl (5), S. 156
31 AK, S. 89 und 179

Die bitterste Tragödie der Menschheit
(Seite 302–320)

 1 CA XI,663
 2 Ebenda, S. 660; vgl. Sternburg, Lion Feuchtwanger, Königstein 1984, S. 101
 3 CA IV,187
 4 Berliner Tageblatt, 4. 10. 1914
 5 CA XI,843ff.
 6 Ebenda, S. 851
 7 Ebenda, S. 847
 8 Ebenda, S. 848
 9 Ebenda, S. 867
10 A. Mahler-Werfel, Mein Leben, Frankfurt a.M. 1960, S. 73
11 Ivo Hauptmann, S. 51. Über alle GH-Söhne standen persönliche briefliche Auskünfte zur Verfügung
12 Italiaander, S. 7
13 Vgl. In memoriam Benvenuto Hauptmann (Privatdruck)
14 Behl (2), S. 184
15 K. Kraus, Ausgewählte Werke, München 1971, Bd. 3, S. 428
16 CA XI,862 und 864
17 Ebenda, S. 881
18 Ebenda, S. 869
19 Ebenda, S. 1002
20 Brescius, S. 68
21 Hs 4,13
22 Hs 4,16
23 Hs 4,19 und 24
24 CA IX,527
25 CA XI,554
26 Ebenda, S. 1060
27 CA X,338 und 358
28 CA XI,884
29 Hs 4,82/148/103 und 235

30 Espey, S. 15
31 AK, S. 315
32 Vgl. Monographie von E. Weisz, Jan Gossaert, Parchim 1913
33 Erdmann (1), S. 24
34 Michaelis, S. 77
35 Jofen, S. 271
36 Hs 207,30
37 Hildebrandt (1), S. 117
38 Hs 207,32
39 Hs 207,30
40 Vgl. H. D. Disselhoff, Cortés in Mexiko, München 1957
41 Voigt/Reichart, S. 35
42 Erdmann (1), S. 98; vgl. auch Sprengel (1), S. 194
43 Behl (2), S. 216 f.
44 CA VI,874

Gerhart Hauptmanns Weltanschauung
(Seite 321–347)

1 Tank, S. 42
2 GH, Tagebuch 1892–1894, S. 27
3 CA V, 493; AW 6,88
4 Verse in LA, A 56; CA VI,1023
5 CA VI,718 f.
6 Heuser, S. 43; vgl. auch Hess-Lüttich, S. 388 ff.
7 Vgl. Stirk, S. 56
8 GH, Tagebuch 1892–1894, S. 55
9 Hs 7,337
10 Hs 6,157
11 Hs 14,161
12 CA VI,1034
13 Hs 3,83
14 CA VI,1019; weiteres zum religiösen Fragenkomplex in der 3. Aufl. dieses Buches, S. 327 f., und bei Langner
15 Behl (2), S. 85
16 Chapiro, S. 47 und 52
17 Behl (2), S. 134; Chapiro, S. 114; CA VI,918
18 Goethe am 22.3.1831 an Boisserée
19 Guthke, S. 41; Sprengel/Mellen, S. 45
20 Post, S. 116 f.; dagegen auch Sprengel (2), S. 192
21 CA VII,68
22 F. Nietzsche, Werke (Kröner-Ausg.), Leipzig 1922, Bd. 6, S. 3 und 15

23 CA VI,1026
24 CA X,768
25 Ebenda, S. 1046
26 Hs 3,21
27 CA VI,694 und 929
28 Hs 6,9 und Hs 11c,37; vgl. E. H. Lemper, J. Böhme, Berlin 1976
29 CA X,708 und 782
30 Hs 18,98; Hs 18,110 und 86; vgl. auch Sprengel/Mellen, S. 112, 114 und 123
31 Ausgaben in GH-Gedenkstätte Erkner
32 GH, in: Leipziger Neueste Nachrichten, 29. 12. 1912
33 Chapiro, S. 37
34 CA IX,1384; BN, GH an St. Zweig, 30. 7. 1934
35 Hs 197,123 und Hs 82,186
36 Chapiro, S. 155; vgl. auch Erdmann (3), S. 454 ff.
37 CA II,365 und CA VI,336
38 CA XI,907 f.
39 Behl (2), S. 94
40 G. W. F. Hegel, Ästhetik, Berlin und Weimar 1965, Bd. 2, S. 512
41 H. Heine, Zur Geschichte der Religion und Philosophie (3. Buch)
42 Hs 14,137
43 Behl (2), S. 142
44 CA V,477; AW 6,71
45 H. Razinger, 400 Jahre Gymnasium Linz (1952), S. 101
46 Hs 58,21 und 26
47 Texte in LA, D 12
48 CA VI,927 f. und 1003
49 Hs 11a,133 und Hs 229,29
50 Behl (2), S. 249
51 Voigt/Reichart, S. 137; vgl. auch CA VII,1075
52 Brandes an GH, in: Jahrbuch der Deutschen Schillergesellschaft, Stuttgart 1979, S. 61
53 GH, Notiz-Kalender 1889–1891, S. 188, dazu Machatzkes Anmerkung S. 402 f.
54 Hs 1,139
55 Hs 1,129/131/168/188 und 205
56 CA VI,829; vgl. auch Nückel
57 Hs 15,49
58 Hs 11a,117
59 GH, Diarium 1917–1933, S. 55 und 72 f.; BN, GH an Rathenau, 18. 11. 1920
60 Hs 15,161 und 136
61 Hs 35,119
62 A. Zweig, in: Nietzsche und die deutsche Literatur, Tübingen 1978, Bd. 1, S. 239

63 CA XI,546

64 Hs 137,96 und Hs 189,103

65 Hs 235,8

66 Hs 52,321

67 Vgl. Machatzke, S. 152; P. Sprengel, in: Neue Deutsche Hefte, Berlin, Nr. 1/1986, S. 18

68 Schmidt, S. 8

69 Hanstein (2), S. 8

70 CA VI,728

71 GH, Tagebuch 1892–1894, S. 251

72 Ebenda, S. 117

73 Chapiro, S. 141 und 70

74 CA VI,1010, 918 und 769

75 Chapiro, S. 60 und 40

76 Behl (2), S. 162

77 CA VI,750

78 Behl (2), S. 161

79 Hs 6,1

80 CA VIII,1051

81 CA V,1105; AW 6,312

82 Hs 262a,83

83 CA VI,855

84 CA VI,732

85 CA VII,205

86 CA VI,1023

87 Hülsen (5), S. 162

88 CA VI,1013

89 Chapiro, S. 133 f.

90 CA VI,1024

91 CA VI,767

92 CA VI,722/714

93 CA XI,931/858/1042 und 980

94 CA VI,992

95 CA VI,721

96 AK, S. 353 und 211

97 Th. Mann XII,492

98 H. Mann, Essays, Bd. 1, Berlin 1954, S. 389

99 Becher, S. 862

100 Vgl. S. 202 dieser Monographie

101 Marcuse (2), S. 163

102 CA V,829 f.; vgl. auch Machatzke, in: GH, Diarium 1917–1933, S. 294 f.

103 Hülsen (5), S. 25 ff.; Hs 6,92

104 CA XI,963

105 BN, GH an Rathenau, 19.7.1921
106 Marcuse (2), S.107
107 Neue Berliner Illustrierte, 3.11.1962; vgl. G.Weiss, S.134f.
108 CA XI,1147
109 Behl (2), S.38

Strandgut des Krieges
(Seite 348–361)

 1 Erdmann (1), S.20
 2 GH, Diarium 1917–1933, S.79 und 247
 3 CA VIII,352
 4 Behl (2), S.67
 5 Vgl. Metken, S.164
 6 BN, GH an Zuckmayer, 1929
 7 Hs 7,327; BN, GH an Zuckmayer, 3.3.1931
 8 Zuckmayer (2), S.354ff.
 9 H.H.Borcherdt, Deutsche Literatur im 20.Jh., Heidelberg 1961, S.319
10 CA IV,861
11 Behl (2), S.136; vgl. auch Voigt (3), Enking, Schwager
12 Vgl. K.W.Jonas, in: Jahrbuch der Schlesischen Friedrich-Wilhelm-Universität zu Breslau, Würzburg, 1983, S.299ff.
13 CA IV,619/605 und 712
14 Hs 137,124 und 148
15 CA IV,776; vgl. auch H.H.Müller, Der Krieg und die Schriftsteller, Stuttgart 1986
16 Ebenda, S.637
17 Ebenda, S.668
18 CA XI,1054; vgl. auch K.Hildebrandt, in: Neue Deutsche Hefte, Berlin, Nr.2/1986, S.305ff.
19 Sprengel (2), S.237
20 CA IV,829
21 BN, GH an E.Ludwig, 20.6.1927
22 Gregor, S.558
23 CA IV,814
24 Voigt (3), S.107
25 Hs 189,85
26 Lauterbach, Bd.4, S.465; Sprengel (2), S.238
27 GH, Diarium 1917–1933, S.139

1 GH/Hofmann, Briefwechsel, S. 34; Hs 412,630
2 Voigt (4), S. 97
3 CA X,352
4 Th. Mann, Briefe 1889–1936, Berlin und Weimar 1965, 29. 10. 1903
5 BN, GH von Th. Mann, 16. 11. 1912
6 Th. Mann, Briefe 1937–1947, Berlin und Weimar 1965, 3. 2. 1943
7 F. Hollaender, S. 8
8 Widmungsexemplar in GH-Gedenkstätte Erkner
9 Guthmann, S. 411 ff.
10 Th. Mann, Briefe 1889–1936, Berlin und Weimar 1965, 11. 4. 1925
11 Vgl. Erdmann (2), S. 36 ff.
12 Herzog, S. 182
13 Gustavs, S. 158; Hülsen (1), S. 35
14 Th. Mann XI,553 und XII,309; Katia Mann, Meine ungeschriebenen Memoiren, Berlin 1974, S. 45
15 Gustavs, S. 49; vgl. CA XI,1022 f.
16 Hülsen am 28. 7. 65 an Verf.
17 P. de Mendelssohn, S. Fischer und sein Verlag, Frankfurt a. M. 1970, S. 967
18 Guthmann, S. 417
19 GH, Notiz-Kalender 1889–1891, S. 279
20 H. v. Brescius, in: Neue Deutsche Hefte, Berlin, Nr. 1/1974, S. 34 ff.
21 Hs 137,21 und 23
22 Hs 137,31
23 Hs 6,162 f.
24 Hs 137,41
25 Hs 137,42/48 und 88
26 S. Fischer Verlag (Ausstellungskatalog), Marbach 1985, S. 251 f.
27 GH, Diarium 1917–1933, S. 99
28 Th. Mann, Briefe 1889–1936, Berlin und Weimar 1965, 11. 4. 1925
29 BN, GH an Th. Mann, Ende April 1925; angekündigter Brief im Th. Mann-Archiv Zürich nicht vorhanden
30 CA XI,1031
31 K. Mann, Der Wendepunkt, Frankfurt a. M. 1953, S. 92
32 AK, S. 235; vgl. auch BN, Liebermann an GH, 29. 11. 1927
33 Th. Mann XI,413
34 Th. Mann XII,312
35 Th. Mann, Briefe 1889–1936, Berlin und Weimar 1965, 15. 10. 1929
36 GH, Diarium 1917–1933, S. 69
37 Brieftext in LA

38 Hs 15,30; vgl. auch BN, GH von Hesse, 28. 1. 1917
39 Vossische Zeitung, Berlin, 13. 11. 1929
40 Mitteilung von Hülsen an Verfasser
41 Hs 169,30; GH, Diarium 1917–1933, S. 143
42 Th. Mann XII,312
43 Th. Mann, Reden und Aufsätze, Frankfurt a. M. 1965, Bd. I, S. 243 und 249
44 CA XI,696 und 1138
45 Th. Mann, Tagebücher 1937–1939, Frankfurt a. M. 1980, S. 43; vgl. auch Katia Mann, Meine ungeschriebenen Memoiren, Berlin 1974, S. 49
46 Hs 13,75
47 Vgl. The German Quarterly, Appleton/Wisconsin, Nov. 1965, S. 717
48 CA V,824
49 Th. Mann X,5
50 CA V,824
51 CA XI,354
52 Behl (2), S. III und 84
53 E. Weiß, Kunst des Erzählens, Frankfurt a. M. 1982, S. 245
54 Behl (2), S. 84
55 CA XI,371 ff.
56 Lauterbach, Bd. 5, S. 418 f.; vgl. auch Cowen (2), S. 112
57 Vgl. BN, GH von L. Alma-Tadema, 1894–1906
58 CA V,892

Vor Sonnenuntergang
(Seite 386–402)

1 Marcuse (1), S. 59
2 CA VI,777
3 Sprengel (2), S. 18
4 CA III,167 f.; AW 3,421
5 CA III,373; AW 3,581
6 Ihering, Bd. 3, S. 238
7 CA IX,1334 und 1354
8 Hs 24,III
9 Vgl. W. A. Reichart, in: Schrimpf (2), S. 130 f.
10 Vgl. Hoefert (1), S. 61; Cowen (1), S. 219; Leppmann, S. 355; auch in früheren Aufl. dieses Buches
11 Machatzke, in: GH, Diarium 1917–1933, S. 305
12 Muller, S. 9 ff.
13 Exemplar in LA, C 59
14 Kessler, S. 522; Hs 125,7
15 CA XI,1032 f.
16 GH, Notiz-Kalender 1889–1891, S. 195

17 GH, Italienische Reise, S. 21
18 Hs 1,126/142 und 164
19 Exemplar in LA, A 65/3, S. 615
20 CA VI,796
21 CA VI,879
22 Vgl. Behl/Voigt, S. 105 ff.
23 CA XI,1110
24 E. Weinert, Zwischenspiel, Berlin 1950, S. 632
25 Haas, S. 273
26 U. Lauterbach, in: Sprengel/Mellen, S. 331
27 K. S. Guthke, in: Schweizer Monatshefte, Zürich, Nr. 10/1981, S. 795
28 GH, Italienische Reise, S. 102
29 CA VI,789
30 CA XI,822
31 Hs 52,224 f.; vgl. auch Hs 152,62
32 Hs 230,104
33 Hs 11c,8; vgl. AK, S. 302
34 Vgl. H. Ruf
35 Behl (2), S. 105

Faschistische Finsternisse
(Seite 403–430)

1 Viktor Mann, Wir waren fünf, Berlin 1975, S. 574
2 K. S. Guthke, in: Schweizer Monatshefte, Zürich, Nr. 10/1981, S. 787
3 Daiber, S. 265
4 Brescius, S. 222
5 Nach eigenen Archivstudien ergaben sich beim Vergleich der Exzerpte manche Entsprechungen zu Brescius. Bereits von ihm ausführlich Zitiertes wird im folgenden durch «Z» kenntlich gemacht; z. T. abweichende Seitenangaben erklären sich aus neuerer Paginierung durch Bearbeiter.
6 CA XI,506; GH, Diarium 1917–1933, S. 101
7 Hs 10,99
8 Hs 230,42; vgl. Goethes Briefe, Berlin und Weimar 1970, Bd. 3, S. 380 (Brief vom 21. 5. 1830). Für den Quellennachweis danke ich Sigrid Heine, Goethe-Gesellschaft in Weimar.
9 Der Tag, Berlin, 9. 3. 1926
10 Vgl. GH, Diarium 1917–1933, S. 260 ff.
11 Hs 7,162; Z 187
12 Hs 7,194; LA, B 1686,1
13 Hs 7,253/244
14 BN, GH von Th. Mann, 23. und 18. 10. 1930; vgl. auch Hülsen (5), S. 143

15 BN, GH von und an J. Galsworthy, Juli und 4.8.1931
16 CA XI,1097
17 J. Bab, in: New Yorker Staatszeitung und Herold, 2.9.1945; R. Katz, in: Neue Zürcher Zeitung, 1. und 4.2.1958
18 Hs 14,102 und Hs 24,119; Z 208/193
19 Nach R. Schickele, Werke, Köln/Berlin 1959, Bd. III, S. 1044
20 GH, Diarium 1917–1933, S. 222/226; GH/Hofmann, Briefwechsel, S. 180
21 Hs 15,51
22 Hs 35,135
23 Hs 15,52 und 59
24 C. F. W. Behl, in: Berliner Hefte, Nr. 7/1947, S. 490
25 Behl (3), S. 96
26 R. Katz, in: Neue Zürcher Zeitung, 1.2.1958
27 Voigt, in: Schrimpf (2), S. 116
28 BN, GH an Bab, 18.2.1935
29 BN, GH an Sauerbruch, 21.10.1935
30 BN, GH an Björnson, 16.1.1936
31 Körmendy, in: Die Welt, 10.11.1962
32 Hs 127,271; Hs 15,9
33 Hs 11a,10; Hs 15,137
34 Hs 15,65/88; vgl. Z 230/232 ff.
35 LA, B 1664; vgl. Z 248
36 CA XI,1133 f.
37 Irrtümer bei Brescius, S. 253, Daiber, S. 248; Erdmann (2), S. 8; Leppmann, S. 374; AK, S. 293
38 Kerr (2), S. 296 und 300
39 Th. Mann, Briefe 1889–1936, Berlin und Weimar 1965, 12.6.1933; Th. Mann, Tagebücher 1933–1934, Frankfurt a. M. 1977, S. 252
40 Olden, Paradiese des Teufels, Berlin 1977, S. 382 und 337
41 F. v. Unruh, in: Der Tagesspiegel, Berlin, 19.5.1963
42 A. Kuh, Luftlinien, Berlin 1981, S. 491
43 BN, GH an Blunck, 4.12.1933
44 K. S. G. Guthke, in: Monatshefte, Madison/Wisconsin, 11/1962, S. 274
45 Vgl. Hs 15 und CA XI,692 f.; Zitate meistens bei Brescius, S. 253 ff.
46 Marcuse (1), S. 188; vgl. auch Kessler, S. 729, und Grundmann, S. 41
47 Hs 15,197
48 BN, GH an Fam. Hindenburg, 2.8.1934
49 Th. Mann, Tagebücher 1933–1934, Frankfurt a. M. 1977, S. 496
50 CA XI,1136 f.
51 Ebermayer (1), S. 263 f.
52 Hs 15,95; Z 228
53 BN, GH an Blunck, 31.1.1934
54 Hs 191,171; Hs 52,36

55 Hs 15,180 (Beethoven an Wegeler, 16. II. 1801)

56 Hs 52,225

57 Hs 20,4

58 LA, C 34 (Chapiro)

59 CA XI,1137; Hs IIc,17

60 Hs 52,99; BN, GH an Liebermann, Mai 1933

61 Hs 35,129

62 Hs 230,20; vgl. Schrimpf (2), S. 132

63 GH von und an Bab, 28. II. und 29. 12. 1934

64 Hs 117,36; Hs 104,100; Hs 13,73; vgl. auch CA XI,541 ff.

65 Hs 142,5

66 Hs 14,87

67 BN, GH von Döblin, April 1922, 2. 2. und 5. 3. 1927; GH an Döblin,
    10. 2. 1927

68 Hs 21,38; Hs 7,79 und 87 f.; vgl. auch Z 162 ff.

69 Hs 176,174

70 Hs 262a,75; Z 327

71 Hs IIc,29

72 Hs 182,91; Hs 176,73; Hs 52,337

73 Hs 104,20

74 CA XI,1145

75 Hs 23,43, vgl. Z 288; Hs 20,48

76 CA XI,1159

77 Hs 176,147 und 88

78 Hoefert (1), S. 71; Brescius, S. 269; Sprengel (2), S. 232; Daiber, S. 245 f.

79 AK, S. 288; vgl. A. Speer, Erinnerungen, Berlin, Frankfurt a. M. 1976,
    S. 110

80 Ebermayer (2), S. 120; BN, GH an Goebbels, 29. 10. 1937

81 Max Pinkus (hg. von C. F. W. Behl und W. A. Reichart), München 1957,
    S. 45 ff.

82 Voigt, in: Schrimpf (2), S. 120

83 Brescius, S. 264

84 Drewniak, S. 191

85 Behl (3), S. 63

86 Voigt, a. a. O., S. 121; Brescius, S. 266; ähnlich Daiber, S. 265; Schumann,
    S. 339, und Leppmann, S. 367 ff.

87 BN, GH von Blunck, Johst und Goebbels, 15. II. 1937

88 8-Uhr-Blatt, Berlin, 15. II. 1937; Berliner Illustrierte Nachtausgabe,
    13. II. 1937; in den genannten Zeitungen erschienen zwischen dem 13.
    und 18. II. 1937 insgesamt zwei Dutzend Artikel über GH

89 Dokumente bei Drewniak, S. 197 f.; G. Weiss, S. 145, Autor folgt in sei-
    nem GH-Kap. (S. 140 ff.) weitgehend der Erstausgabe unserer Darstel-
    lung (1969, S. 414 ff.), ohne das kenntlich zu machen!

90 Berliner Illustrierte Nachtausgabe und Völkischer Beobachter, Berlin, 14. II. 1942
91 Berliner Morgenpost, 17. II. 1942; vgl. auch Schlesische Zeitung, Breslau, 16. II. 1942
92 Hülsen am 12. 2. 1963 an Verfasser
93 CA XI,1196; Abusch, S. 100f.
94 Hs 235,78; Hs 262a,7; Hs 3,70; Hs 13,42; vgl. Brescius, S. 296ff.
95 Hs 82,207; Z 338
96 Hs IIc,1; Hs 3,17; Hs 235,78; Hs IIc,38; vgl. teilweise Z 301f.
97 Hs IIc,32; vgl. auch BN, GH an Klimsch, 8. II. 36, über dessen «vorzügliche Hitler-Büste»; ferner an Breker, 1943/44
98 Hs 152,1
99 Hs 235,46; vgl. Z 299
100 BN, GH an E. Eckersberg, 1942/44; Hs 82,163
101 Th. Mann XI,551 und 555
102 Vgl. die entspr. Briefnachlässe (BN)
103 CA VI,400; AW 8,405
104 CA VI,399; AW 8,403
105 CA VI,382; AW 8,385
106 Gregor, S. 620; vgl. auch Usinger und Goedtke
107 Münchow (1), S. 99
108 Vgl. Reichart, in: Schrimpf (2), S. 124ff.; ferner Kleinholz und Fiedler
109 H. E. Hass im Nachwort zur Ausgabe 1963, S. 134
110 Th. Mann XII,311

«Mein Leben ward Magie»
(Seite 431–459)

1 CA VI,496; AW 8,499
2 CA II,1351; AW 4,179
3 Vgl. Cowen (1), S. 237ff.
4 Vgl. Machatzke, S. 18
5 Hs 156,29; vgl. auch Hs 100,27
6 Vgl. Lauterbach, Bd. 9, S. 438f.
7 Hs 156,62
8 Machatzke, S. 38
9 H. Razinger, in: Festschrift 400 Jahre Gymnasium Linz (1952)
10 AK, S. 235
11 Hs 223,220
12 CA XI,1141
13 CA VI,946f. und 955
14 K. L. Tank, in: Tutzinger Texte 14, München 1977, S. 102

15 Voigt/Reichart, S. 67

16 K. Brunner, Shakespeare, Tübingen 1957, S. 27

17 M. Lüthi, Shakespeares Dramen, Berlin 1957, S. 417

18 L. L. Schücking, Vom Sinn des Hamlet, Leipzig 1935, S. 40

19 Lüthi, a. a. O., S. 42 ff.; K. Jaspers, Philosophische Logik, München 1947, Bd. 1, S. 915 ff.

20 Hs 23,5; vgl. auch GH, Diarium 1917–1933, S. 152

21 W. A. Berendsohn, Die humanistische Front, Zürich 1946, S. 30

22 CA V,1135 f.; AW 6,346

23 G. W. F. Hegel, Ästhetik, Berlin und Weimar 1965, Bd. 1, S. 228

24 Hs 235,2

25 H. Ruf, S. 31

26 Vgl. Muller und Rohmer

27 Olden, Paradiese des Teufels, Berlin 1977, S. 337

28 Lauterbach, Bd. 9, S. 428

29 Vgl. auch Reis, S. 3 und 9

30 G. Erdmann, in: Greifswald-Stralsunder Jahrbuch 1965, S. 221 ff., und Reis, S. 29 und 33

31 CA V,1269/1308/1238; AW 6,490/531/456

32 Behl (2), S. 119

33 CA V,1210 f.; AW 6,426 f.

34 Zum Autobiogr. vgl. Sprengel (1), S. 359 ff.

35 C. Zuckmayer, in: Die großen Deutschen, Berlin 1957, Bd. 4, S. 235

36 CA IV,992

37 GH zu Behl (2), S. 103

38 CA IV,1163

39 Th. Mann XI,449

40 Vgl. A. Borst, Die Katharer, Stuttgart 1953; H. Leisegang, Die Gnosis, Leipzig 1924; I. Döllinger, Geschichte der gnostisch-manichäischen Sekten, München 1890

41 CA V,,1230; AW 6,448

42 Hs 229,39

43 Voigt (3), S. 114; Voigt (5), S. 134

44 CA XI,654

45 CA IV,1110

46 CA IV,983; vgl. Behl (2), S. 170

47 Abusch, S. 101

48 CA IV,1038 f.

49 Ebenda, S. 1189 f.

50 Ebenda, S. 1222; 1242 und 1244

51 Ebenda, S. 1172

52 Ebenda, S. 1008; vgl. Sprengel (1), S. 267

53 Ebenda, S. 1215

54 Ebenda, S. 1044

55 Wiese (1), S. 209

56 Vgl. Reishofer und Hoefert (1), S. 81

57 L. Hearn, Lotos, Frankfurt a. M. 1906, S. 160 f.; Nachdruck bei Erdmann (3), S. 446

58 Vgl. H.-E. Hass, in BRD-Ausg. (1965), S. 229 ff.

59 Behl (2), S. 276

60 CA X,1105

61 Behl (2), S. 195

62 E. Hilscher, Poetische Weltbilder, 3. Aufl. Berlin 1983, S. 73 ff.

63 Legenda aurea des Jacobus, Berlin 1965, S. 540

64 CA X,692

65 Ebenda, S. 725

66 Ebenda, S. 820

67 Ebenda, S. 747

68 Ebenda, S. 782 f.

69 Vgl. H. Lindner, Atom- und Kernphysik, Leipzig 1972, S. 154/159; B. Ramm/B. Lochner, Strahlung, Frankfurt a. M., Berlin 1983, S. 32

70 CA X,1020; vgl. Erdmann (3), S. 470

71 Erdmann (3), S. 472 und 465

72 Hs 230,123

73 BN, GH an Planck, 22. 4. 1943 und 31. 1. 1946; vgl. auch Erdmann (3), S. 469 ff.

74 A. Gustavs, in: Greifswald-Stralsunder Jahrbuch 1966, S. 275, und Erdmann (3), S. 467

75 Vgl. D. Reichinstein, Einstein, Berlin 1932, S. 25; Kessler, S. 520/697; F. Herneck, Einstein privat, Berlin 1978, S. 70/161; ferner: F. v. Unruh, in: Der Tagesspiegel, Berlin, 19. 5. 1963

76 Hs 6,79/168; Hs 7,203; BN, GH von und an Einstein, 16. 11. 1932 und 19. 1. 1933; vgl. Erdmann (2), S. 44

77 Hs 52,251

78 CA X,805 und 820 f.

79 Ebenda, S. 733

80 Ebenda, S. 1076

81 Ebenda, S. 970, 972 und 1041

82 Hs 230,82

83 Behl (2), S. 248; vgl. auch Ruf und Lindner

84 H.-E. Hass, in der BRD-Ausg. (1965), S. 252

85 CA X,802

86 Ebenda, S. 770

87 Ebenda, S. 824

88 Hs 230,3

89 CA X,826

90 Ebenda, S. 846
91 Ebenda, S. 877 und 879
92 Ebenda, S. 886

Die Atriden-Tetralogie
(Seite 460–477)

 1 Vgl. G. Thomson, Aischylos und Athen, Berlin 1957, S. 259 f.
 2 Hamburger, S. 16
 3 Vgl. R. Bernhardt, Odysseus Tod – Prometheus Leben, Halle, Leipzig 1983; V. Riedel, Antikerezeption in der Literatur der DDR, Berlin 1984
 4 AK, S. 299
 5 Ebenda, S. 302
 6 Vgl. Voigt (3), S. 138; Cowen (1), S. 247; ferner Burk und Rosenberg
 7 Behl (2), S. 49; vgl. Hamburger, S. 100
 8 CA IX,1572
 9 Ebenda, S. 1547
10 CA III,847/853; AW 4,273/279
11 CA IX,1495/97
12 Hs 11c,16
13 CA III,890 f.; AW 4,318
14 CA III,907; AW 4,335
15 CA III,920; AW 4,348
16 CA III,922 f.; AW 4,351
17 Rosenberg, S. 177
18 CA IX,1562
19 Mayer, in: AW 4,558; auch E. Piscator, in: Schrimpf (2), S. 320; Erdmann (2), S. 16 u. a.
20 Grundmann, S. 97
21 Sprengel (2), S. 262; vgl. auch Leppmann, S. 271
22 Hülsen brieflich an Verfasser
23 Rosenberg, S. 164
24 CA III,874; AW 4,301; ähnlich CA IX,1510
25 Hamburger, S. 62 ff.
26 CA III,986; AW 4,415
27 CA III,976; AW 4,404 f.
28 Alexander, S. 121
29 Hs 82,221
30 CA III,1049; AW 4,477
31 Vgl. Kästner (2), S. 111
32 CA III,1085; AW 4,513
33 Voigt (3), S. 169; Krueger, S. 170 ff.; Muller, S. 59

34 CA IX,1479f.

35 Hs 156,14

36 Hamburger, S. 101; vgl. auch Hamburger, in: Schrimpf (2), S. 174f.

37 CA III,1081; AW 4,509

38 CA III,889; AW 4,316

39 CA III,1088; AW 4,517

40 Behl (2), S. 263

41 Vgl. auch Fiedler, S. 124f.

42 Rosenberg, S. 2, 106 und 148; Metken, S. 245 ff.

Über Schauspieltechnik, Menschengestaltung und Sprache
(Seite 478–498)

1 Vgl. Zeitschrift für Deutsche Philologie, Berlin, Bielefeld, 1944/45, S. 169

2 Vgl. Merker, in: GH, Studien zum Werk und zur Persönlichkeit, Breslau 1942, S. 35f.

3 Alexander, S. 31; Böckmann, in: Schrimpf (2), S. 235f.

4 Berliner Tageblatt, 11. 6. 1898

5 CA VI,1036; CA XI,820; GH, Die Kunst des Dramas, S. 199

6 CA VI,845

7 Ebenda, S. 932

8 Ebenda, S. 1036; CA VII,67

9 A. Strindberg, Werke, München 1920, 3. Abt., Bd. 10, S. 179f.; zum Theoretischen vgl. Kesting, Petsch, Szondi

10 Alexander, S. 75 und 42

11 M. W. Stickelmann, View-Point und Zeitstruktur, Dissert., Bonn 1955

12 Th. Mann XI,547

13 Hs 223,185

14 CA XI,784/756; Chapiro, S. 170

15 G. W. F. Hegel, Ästhetik, Berlin und Weimar 1965, Bd. 2, S. 521

16 A. Holz, Das Werk, Berlin 1924, Bd. 10, S. 225

17 CA VI,1043/1041; Chapiro, S. 165

18 CA VI,1045/1043

19 Behl (2), S. 39

20 CA VI,1030

21 Ebenda, S. 1037

22 Chapiro, S. 162; vgl. auch Schrimpf (2), S. XX (Einleitung)

23 GH, Die Kunst des Dramas, S. 203

24 Chapiro, S. 166

25 AK, S. 163

26 Brecht (1), S. 132 und 248

27 CA VI,1040/917; Hs 51,100 und Hs 19,74

28 Behl (2), S. 98

29 Ebenda, S. 105

30 Loerke, S. 33

31 CA VI,777; GH, Notiz-Kalender 1889–1891, S. 171

32 Zuckmayer (1), S. 29

33 CA VI,997/835

34 Seyppel, S. 11

35 CA XI,1279; CA VI,789

36 Hs 17,72

37 Vgl. G. E. Lessing, Hamburgische Dramaturgie, Stücke 32, 38 und 14

38 CA II,778; AW 3,207

39 GH an Bölsche, 27.1.1933, in: Weimarer Beiträge, Berlin und Weimar, Heft 4/1965, S. 602

40 Damm, S. 10 f.

41 CA II,737/739; AW 3,159/161

42 CA II,1429 f.; AW 4,260

43 CA VI,1028/510; CA XI,819

44 Hülsen (5), S. 82

45 Hs 10,126; Hs 262a,29

46 Behl (2), S. 186, 92 und 84

47 J. R. Becher, Tägliche Rundschau, Berlin, 15.11.1945

48 Hs 1,151; Hs 18,32

49 Hs 189,90

50 Behl (2), S. 89

51 CA XI,589

52 Hs 4,179; Hs 13,26; Hs 1,239; vgl. auch Sprengel (1), S. 174 ff.

53 Behl (2), S. 98

54 Hs 21,84

55 Will, S. 219

56 CA VII,1079; AW 7,613

57 Vgl. E. v. Winterstein, in: Tägliche Rundschau, Berlin, 15.11.1945

58 K. Wagner, Schlesiens mundartliche Dichtung, Breslau 1917, S. 63

59 CA I,1066; AW 2,319 f.; vgl. W. v. Unwerth, Schlesische Mundart, Breslau 1908

60 Hess-Lüttich, S. 91, 333 und 222

61 Kleinholz, S. 117

62 CA II,1297; AW 4,128

63 CA VI,1029; Chapiro, S. 86

64 Vgl. Petsch, S. 439

65 CA VI,1027

66 Hs 10,126

67 CA VI,1034

68 Gustavs, S. 43
69 Ebermayer (1), S. 228
70 Loerke, S. 335
71 A. Döblin, Griffe ins Leben, Theaterfeuilletons, Berlin 1978, S. 194/28
72 Th. Mann, Briefe 1889–1936, Berlin und Weimar 1965, 7.5.1925
73 W. Ross, in: Merkur, Stuttgart, Heft 224/1966; Kritisches auch in Erstausg. unserer Biogr. und bei Böckmann, Martini, Fiedler, Daiber, Oellers
74 Shakespeare, Hamlet II,2; GH, Diarium 1917–1933, S. 55
75 GH, ebenda, S. 117, 37 f., 95, 101
76 Olden, Paradiese des Teufels, Berlin 1977, S. 337
77 Hs 410,125
78 R. G. Binding, in: Frankfurter Zeitung, 13. 11. 1937

Die letzten Jahre
(Seite 499–507)

1 CA XI,647
2 Ebenda, S. 724
3 Pohl, S. 28
4 Hs 230,153
5 Guthmann, S. 442
6 CA XI,1205 f.
7 Hs 11c,55
8 Hs 156,24
9 Vgl. Behl (3), S. 105 f.; A. Knaus, in: Süddeutsche Zeitung, München, 4. 1. 1975
10 CA XI,749
11 Lauterbach, in: Sprengel/Mellen, S. 350, 337 f. und 343
12 Hs 11c,53; Hs 18,109
13 Hs 11c,57
14 G. Weiss, S. 134; abweichende Gesprächsüberlieferung in: Neue Berliner Illustrierte, Nr. 46/1962
15 Becher, S. 861 f.; G. Weiss, S. 133 ff.; Pohl, S. 61 ff.; vgl. auch Brescius, S. 345 ff.
16 CA XI,1206
17 Lindner, S. 171
18 Pohl, S. 95
19 J. R. Becher, in: Tägliche Rundschau, Berlin, 15. 11. 1945; vgl. auch Horst Görsch, in: Kulturbund der DDR, 1987
20 AK, S. 332
21 Vgl. dazu: Tägliche Rundschau, Berlin, 30. 7. 1946

Gerhart Hauptmanns Vermächtnis und Manuskript-Nachlaß
(Seite 508–517)

1 AK, S. 331
2 Th. Mann XI,714
3 CA VI,1027
4 Michaelis, S. 7
5 H. Weigel, Nach wie vor Wörter, Graz 1985, S. 73; vgl. auch R. Rohmer, in: Kulka, Ausstellungskatalog 1978
6 Erdmann (2), S. 41
7 Graßnick, Findbuch
8 Benvenuto Hauptmann und C. F. W. Behl, in: Frankfurter Allgemeine Zeitung, 16. 11. und 28. 12. 1959; Der Spiegel, Hamburg, 27. 10. 1949; Ziesche, S. 17; persönl. Mitteilungen von A. Knaus vom 26. 8. 1986
9 Hs 10,55
10 Vgl. Ziesche, S. 33 ff.
11 GH, Diarium 1917–1933, S. 81
12 W. A. Reichart, in: Publications of the Modern Language Association of America, New York, Nr. 1/1967, S. 143
13 Hs 137,32; Hs 1,110; vgl. auch Machatzke, in: Schlesien, Nürnberg, Heft IV/1986, S. 213 f.
14 Ziesche, S. 20
15 Vgl. Hoefert (2), S. 285–295 und K. W. Jonas, in: Börsenblatt f. d. Deutschen Buchhandel, Frankfurt a. M., 1. 7. 1969 und 28. 7. 1970

Literaturverzeichnis

(Nur Buchveröffentlichungen
und Dissertationen)

Gerhart Hauptmanns Werke

Ausgewählte Werke in acht Bänden. Berlin: Aufbau-Verlag 1962
Sämtliche Werke. Centenar-Ausgabe. Bd. I–XI. Frankfurt a. M., Berlin: Propyläen-Verlag 1962–1974
Diarium 1917 bis 1933 (hg. von M. Machatzke). Frankfurt a. M., Berlin 1980
Die Kunst des Dramas. Über Schauspiel und Theater (hg. von M. Machatzke). Frankfurt a. M., Berlin, Wien 1963
Gerhart Hauptmann und Ida Orloff. Dokumentation einer dichterischen Leidenschaft. Frankfurt a. M., Berlin 1969
Gerhart Hauptmann/Ludwig von Hofmann: Briefwechsel 1894 bis 1944 (hg. von H. Hesse-Frielinghaus). Bonn 1983
Italienische Reise 1897. Tagebuchaufzeichnungen (hg. von M. Machatzke). Frankfurt a. M., Berlin 1976
Notiz-Kalender 1889 bis 1891 (hg. von M. Machatzke). Frankfurt a. M., Berlin 1982
Otto Brahm/Gerhart Hauptmann: Briefwechsel 1889 bis 1912 (hg. von P. Sprengel). Tübingen 1985
Tagebuch 1892 bis 1894 (hg. von M. Machatzke). Frankfurt a. M., Berlin 1985
Tagebücher 1887 bis 1905 (hg. von M. Machatzke). Frankfurt a. M., Berlin 1987

Literatur über Gerhart Hauptmann und seine Zeit

Alexander Abusch: Humanismus und Realismus in der Literatur. Leipzig 1966
Neville E. Alexander: Studien zum Stilwandel im dramatischen Werk GHs. Stuttgart 1964
Jean Améry: GH. Der ewige Deutsche. Mühlacker 1963
Hermann Barnstorff: Die soziale, politische und wirtschaftliche Zeitkritik im Werk GHs. Jena 1938

571

Johannes R. Becher: Über Literatur und Kunst. Berlin 1962

Carl Friedrich Wilhelm Behl (1): Wege zu GH. Goslar 1948

C. F. W. Behl (2): Zwiesprache mit GH. München 1949

C. F. W. Behl (3): Aufsätze, Briefe, Tagebuchnotizen. München 1981

C. F. W. Behl (4, Hg.): GH. Zu seinem 50. Geburtstag. Berlin 1912

C. F. W. Behl (5, Hg.): GH. Zum 70. Geburtstag. Breslau 1932

C. F. W. Behl/Felix A. Voigt: Chronik von GHs Leben und Schaffen. München 1957

Paul Berger: GHs «Ratten». Winterthur 1961

Marianne Berletti: GH. Hauptprobleme seiner Dramen. Dissert. Innsbruck 1945

Rüdiger Bernhardt: Die Herausbildung des naturalistischen deutschen Dramas bis 1890 und der Einfluß Ibsens. Dissert. Halle/Saale 1968

Franz Blei: Erzählung eines Lebens. Leipzig 1930

Erich Hans Bleich: Der Bote aus der Fremde als formbedingter Kompositionsfaktor im Drama des deutschen Naturalismus. Dissert. Greifswald 1936

Hans Heinrich Borcherdt (Hg.): Carl Hauptmann. Er und über ihn. München, Leipzig 1911

Manfred Brauneck: Literatur und Öffentlichkeit im ausgehenden 19. Jahrhundert. Stuttgart 1974

Bertolt Brecht (1): Schriften zum Theater. Band 1. Berlin und Weimar 1964

B. Brecht (2): Tagebücher 1920–1922. Berlin und Weimar 1976

B. Brecht (3): Briefe 1913–1956. Berlin und Weimar 1983

Hans von Brescius: GH. Zeitgeschehen und Bewußtsein in unbekannten Selbstzeugnissen. Bonn 1976

Wolfgang Bungies: GHs nachgelassenes dramatisches Fragment «Die Wiedertäufer». Bonn 1971

Franz Josef Burk: Antike Quellen und Vorbilder von GHs Atriden-Tetralogie. Dissert. Marburg 1953

Joseph Chapiro: Gespräche mit GH. Berlin 1932

Jan Chodera: Das Weltbild in den naturalistischen Dramen GHs. Poznań 1962

Horst Claus: Studien zur Geschichte des deutschen Frühnaturalismus. Dissert. Greifswald 1933

Roy C. Cowen (1): GH-Kommentar zum dramatischen Werk. München 1980

R. C. Cowen (2): GH-Kommentar zum nichtdramatischen Werk. München 1981

Hans Daiber: GH oder Der letzte Klassiker. Wien, München 1971

Sigrid Damm: Probleme der Menschengestaltung im Drama Hauptmanns, Hofmannsthals und Wedekinds. Dissert. Jena 1969

Alfred Dreifuß: Deutsches Theater Berlin Schumannstraße 13a. Berlin 1983

Bogusław Drewniak: Das Theater im NS-Staat. Düsseldorf 1983

Erich Ebermayer (1): Denn heute gehört uns Deutschland. Hamburg, Wien 1959

E. Ebermayer (2): GH. Eine Bildbiographie. München 1962

Horst Engert: GHs Sucherdramen. Leipzig, Berlin 1922

Ottomar Enking: GHs «Till Eulenspiegel». Berlin 1929

Gustav Erdmann (1): GH. Erlebte Welt und gestaltetes Werk. Dissert. Greifswald 1957

G. Erdmann (2): Die GH-Gedenkstätte Kloster auf Hiddensee. 6. Aufl. Putbus 1983

G. Erdmann (3, Hg.): GH: Der neue Christophorus. Berlin 1976

Albert Espey: GH und wir Deutschen. Berlin 1916

Paul Fechter: GH. Dresden 1922

Ralph Fiedler: Die späten Dramen GHs. München 1954

Gottfried Fischer: Erzählformen in den Werken GHs. Bonn 1957

Theodor Fontane: Schriften zur Literatur. Berlin 1960

Hugh F. Garten: GH. Cambridge 1954

Kurt Gebauer: GHs Romane und Novellen. Dissert. Innsbruck 1950

Hans Jürgen Geerdts: GH «Die Weber». Dissert., Jena 1952

Emil Glaß: Psychologie und Weltanschauung in GHs «Fuhrmann Henschel». Dissert. Erlangen 1933

Ulrich Goedtke: GHs Erzählungen. Dissert. Göttingen 1955

Walter Goldstein: Carl Hauptmann. Schweidnitz 1931

Renate Graßnick: Vorläufiges Findbuch des literarischen Nachlasses von GH. Berlin 1966

Joseph Gregor: GH. Das Werk in unserer Zeit. Wien 1951

Heinrich Grünfeld: In Dur und Moll. Leipzig, Zürich 1923

Günther Grundmann: Begegnungen eines Schlesiers mit GH. Hamburg 1953

Arnold Gustavs: GH und Hiddensee. Schwerin 1962

Karl S. Guthke: GH. Weltbild im Werk. 2. Aufl. München 1980

Karl S. Guthke/Hans M. Wolff: Das Leid im Werke GHs. Berkeley, Los Angeles 1958

Johannes Guthmann: Goldene Frucht. Tübingen 1955

Helmut Gutknecht: Studien zum Traumproblem bei GH. Zürich 1954

Willy Haas: Die literarische Welt. Erinnerungen. München 1958

Richard Hamann/Jost Hermand: Naturalismus. Berlin 1959

Käte Hamburger: Von Sophokles zu Sartre. Stuttgart 1962

Adalbert von Hanstein (1): GH. Leipzig 1898

A. v. Hanstein (2): Das jüngste Deutschland. Leipzig 1901

Carl Hauptmann: Leben mit Freunden. Berlin 1928

Ivo Hauptmann: Bilder und Erinnerungen. Hamburg 1976

Wilhelm Heise: GH. Leipzig (1923) Bd. 1–4

Karl Hemmerich: GHs «Veland». Dissert. Würzburg 1935

Christian Herrmann: Die Weltanschauung GHs in seinen Werken. Berlin, Leipzig 1926

Wilhelm Herzog: Menschen, denen ich begegnete. München 1959

Ernest W. B. Hess-Lüttich: Soziale Interaktion und literarischer Dialog. Zeichen und Schichten in Drama und Theater: GHs «Ratten». Berlin 1985

Frederick W. Heuser: GH. Tübingen 1961

Walter Heynen (Hg.): Mit GH. Erinnerungen und Bekenntnisse aus seinem Freundeskreis. Berlin 1922

Klaus Hildebrandt (1): GH und die Geschichte. München 1968

K. Hildebrandt (2): Naturalistische Dramen GHs. München 1983

Sigfrid Hoefert (1): GH. 2. Aufl. Stuttgart 1982

S. Hoefert (2): Internationale Bibliographie zum Werk GHs. Berlin 1986 (Bd. 1), 1988 (Bd. 2)

Felix Hollaender (Hg.): Festschrift der Genossenschaft Deutscher Bühnenangehöriger. Berlin 1922

Jenny C. Hortenbach: Freiheitsstreben und Destruktivität. Frauen in den Dramen August Strindbergs und GHs. Oslo 1965

Hans von Hülsen (1): Tage mit GH. Dresden 1925

H. v. Hülsen (2): GH. Leipzig 1927

H. v. Hülsen (3): GH. Siebzig Jahre seines Lebens. Berlin 1932

H. v. Hülsen (4): GH. Umriß seiner Gestalt. Wien, Leipzig 1942

H. v. Hülsen (5): Freundschaft mit einem Genius. Erinnerungen an GH. München 1947

H. v. Hülsen (6, Hg.): GH. Sieben Reden, gehalten zu seinem Gedächtnis. Goslar 1947

Bernhard Igel: Der Beitrag GHs zur Entwicklung des kritisch-realistischen Romans in Deutschland. Dissert. Leipzig 1972

Herbert Ihering: Von Reinhardt bis Brecht. 3 Bände. Berlin 1958/1961

Rolf Italiaander (Hg.): Ivo Hauptmann. Zum 70. Geburtstag. Hamburg 1957

Wilhelm Jacobs: GHs Verhältnis zur Bühne. Dissert. Hamburg 1950

Jean Jofen: Das letzte Geheimnis. Eine psychologische Studie über die Brüder Gerhart und Carl Hauptmann. Bern 1972

Erhart Kästner (1): Zeltbuch von Tumilad. Wiesbaden 1949

E. Kästner (2): Die Lerchenschule. Frankfurt a. M. 1964

Hans Kaufmann: Krisen und Wandlungen der deutschen Literatur. Berlin und Weimar 1966

Alfred Kerr (1): Mit Schleuder und Harfe. Theaterkritiken. Berlin 1981

A. Kerr (2): Sätze meines Lebens. Berlin 1978

Gerhard Kersten: GH und Lev Nikolajevič Tolstoij. Wiesbaden 1966

Harry Graf Kessler: Tagebücher 1918–1937. Frankfurt a. M. 1961

Marianne Kesting: Das epische Theater. Stuttgart 1959

Hartwig Kleinholz: GHs szenisches Requiem «Die Finsternisse». Dissert. Köln 1962

Eva Krause: GHs frühe Dramen im Spiegel der Kritik. Dissert. Erlangen 1952

Willy Krogmann: GH Hamburgensis. Hamburg 1947

Joachim Krueger: Wandlungen des Tragischen. Dissert. Greifswald 1954

Gabriele Kukla (Hg.): GH. Werk und Gestaltung in der bildenden Kunst. (Ausstellungskatalog) Frankfurt/O. 1987

Kulturbund der DDR (Hg.): GH – Werk und Wirkung. Berlin 1987

Ludwig Kunz (Hg.): GH und das junge Deutschland. Breslau 1932

Lotte Langer: Komik und Humor bei GH. Dissert. Kiel 1932

Erwin Langner: Die Religion GHs. Tübingen 1928

Ulrich Lauterbach (Hg.): Nachworte zu GH: Das erzählerische Werk. Band 1–10. Frankfurt a. M., Berlin 1981–1983

Wolfgang Leppmann: GH. Leben, Werk und Zeit. Bern und München 1986

Wolfgang Liepe (Hg.): Verein Durch. Faksimile der Protokolle 1887. Kiel 1932

Margarete Limauscheg: GHs Romane. Dissert. Wien 1936

Adolf Lindner: Das Alterswerk GHs. Dissert. Wien 1949

Oskar Loerke: Tagebücher 1903–1939. Heidelberg, Darmstadt 1955

Wilhelmine Lowatschek: GHs Roman «Der Narr in Christo Emanuel Quint». Dissert. Wien 1940

Viktor Ludwig/Max Pinkus: GH. Werke von ihm und über ihn. 2. Aufl. Neustadt i. Schl. 1932

Martin Machatzke: GHs nachgelassenes Erzählfragment «Winckelmann». Dissert. Berlin 1968

Günther Mahal: Naturalismus. München 1975

Thomas Mann: Gesammelte Werke in zwölf Bänden. Berlin 1955

Ludwig Marcuse (1): Mein zwanzigstes Jahrhundert. München 1960

L. Marcuse (2, Hg.): GH und sein Werk. Berlin, Leipzig 1922

Fritz Martini: Das Wagnis der Sprache. Stuttgart 1954

Karl Marx/Friedrich Engels: Über Kunst und Literatur (hg. von M. Lifschitz). Berlin 1950

Franz Mehring: Gesammelte Schriften, Bd. 11. Berlin 1961

Andrea Melchior: GHs «Florian Geyer». Dissert. Zürich 1979

Günter Metken: Studien zum Sprachgestus im dramatischen Werk GHs. Dissert. München 1954

Rolf Michaelis: Der schwarze Zeus. GHs zweiter Weg. Berlin 1962

Werner Milch: GH. Breslau 1932

Heinrich Minden: Carl Hauptmann als Bühnendichter. Dissert. Köln 1957

Vera Ingunn Moe: Deutscher Naturalismus und ausländische Literatur. Dissert. Aachen 1981

Robert Mühlher: Dichtung der Krise. Wien 1951

Irmgard Müller: GH und Frankreich. Breslau 1939

Siegfried H. Muller: GH und Goethe. Goslar 1950

Ursula Münchow (1): Das Bild des Künstlers im Drama GHs. Dissert. Berlin 1956

U. Münchow (2): Deutscher Naturalismus. Berlin 1968

Robert Musil: Tagebücher, Aphorismen, Essays und Reden. Hamburg 1955

Eberhard Nitzsche: GHs Griechentum und Humanismus. Dissert. Berlin 1953

Ferdinande Nückel: GH und Nietzsche. Dissert. München 1923

Robert Petsch: Wesen und Formen des Dramas. Halle 1945

Gerhart Pohl: Bin ich noch in meinem Haus? Die letzten Tage GHs. Berlin 1954

Klaus D. Post (Hg.): GHs «Bahnwärter Thiel». München 1979

Helmut Praschek (1): Das Verhältnis von Kunsttheorie und Kunstschaffen im Bereich der deutschen naturalistischen Dramatik. Dissert. Greifswald 1957

H. Praschek: (2, Hg.): GHs «Weber». Eine Dokumentation. Berlin 1981

Hans Rabl: Die dramatische Handlung in GHs «Webern». Halle 1928

Hubert Razinger: Carl Hauptmann. Krummhübel 1928

Walter A. Reichart: GH-Bibliographie. Bad Homburg, Berlin 1969

Ilse H. Reis: GHs Hamlet-Interpretation. Bonn 1969

Christiane Reishofer: GHs «Großer Traum». Dissert. Wien 1948

Walter Requardt: GH. Bibliographie. 3 Bände. Berlin 1931

Walter Requardt/Martin Machatzke: GH und Erkner. Berlin 1980

Rolf Rohmer: Die Romane GHs. Dissert., Leipzig 1958

Rolf Rohmer/Alexander Münch: GH. Sein Leben in Bildern. 4. Aufl. Leipzig 1978

Julius Röhr: GHs dramatisches Schaffen. Dresden, Leipzig 1912

Rainer Rosenberg: Die Struktur von GHs Atridentetralogie. Dissert., Jena 1959

Norbert Rothe (Hg.): Naturalismus-Debatte 1891–1896. Dokumente zur Literaturtheorie und Literaturkritik der revolutionären deutschen Sozialdemokratie. Berlin 1986

Heiner Ruf: Die Kunst der Erzählung in den letzten Prosawerken GHs. Dissert. München 1956

Erich Ruprecht (1): GH als Dichter der Menschlichkeit. Freiburg 1947

E. Ruprecht (2, Hg.): Literarische Manifeste des Naturalismus 1880–1892. Stuttgart 1962

Heinrich Satter: Weder Engel noch Teufel. Ida Orloff. München, Bern, Wien 1967

Helmut Scheuer: Arno Holz im literarischen Leben. München 1971

Paul Schlenther: GH. 3. Aufl. Berlin 1898

Günter Schmidt: Die literarische Rezeption des Darwinismus. Berlin 1974

Friederike Schön: GHs Glashüttenmärchen «Und Pippa tanzt!». Dissert. Wien 1940

Wilhelm Scholz: Das Drama. Tübingen 1956

Hermann Schreiber: GH und das Irrationale. Aichkirchen, Wien, Leipzig 1946

Hans Joachim Schrimpf (1): Der Schriftsteller als öffentliche Person. Berlin 1977

H. J. Schrimpf (2, Hg.): GH. Wege der Forschung. Darmstadt 1976

Barbara Schumann: Untersuchungen zur Inszenierungs- und Wirkungsgeschichte von GHs Schauspiel «Die Weber». Dissert. Köln 1982

Hans Schwab-Felisch: GH. «Die Weber». Dichtung und Wirklichkeit. Berlin, Frankfurt a. M. 1981

Lothar Helmut Schwager: GHs «Till Eulenspiegel». Dissert. Leipzig 1930

Joachim Seyppel: GH. Berlin 1962

Leroy R. Shaw: Witness of Deceit. GH as Critic of Society. Berkeley, Los Angeles 1958

Margaret Sinden: GH. The Prose-Plays. Toronto 1957

Peter Sprengel (1): Die Wirklichkeit der Mythen. Untersuchungen zum Werk GHs. Berlin 1982

P. Sprengel (2): GH. Epoche–Werk–Wirkung. München 1984

Peter Sprengel/Philip Mellen (Hg.): Hauptmann-Forschung. Neue Beiträge. Frankfurt a. M., Bern, New York 1986

Kurt Sternberg: Die Geburt der Kultur aus dem Geiste der Religion. Berlin 1925

S. D. Stirk: GHs «Jesusstudien». Breslau 1937

Anna Stroka: Carl Hauptmann. Werdegang als Denker und Dichter. Wrocław 1965

Wilhelm Sulser: GHs «Narr in Christo Emanuel Quint». Bern 1925

Peter Szondi: Theorie des modernen Dramas. Frankfurt a. M. 1956

Kurt Lothar Tank: GH in Selbstzeugnissen und Bilddokumenten. 8. Aufl. Hamburg 1968

Joachim Tettenborn: Das Tragische bei GH. Dissert. Jena 1950

Heinz-Dieter Tschörtner (1): Ungeheures erhofft. Zu GHs Werk und Wirkung. Berlin 1986

H. D. Tschörtner (2): GH-Bibliographie. Berlin 1971

Fritz Usinger: Welt ohne Klassik. Darmstadt 1960

Felix A. Voigt (1): GH-Studien. Breslau 1936

F. A. Voigt (2): GH, der Schlesier. Goslar 1947

F. A. Voigt (3): GH und die Antike (hg. von W. Studt). Berlin 1965

F. A. Voigt (4, Hg.): GH-Jahrbuch I, Breslau 1936; II, Breslau 1937

F. A. Voigt (5, Hg.): GH-Jahrbuch 1948. Goslar 1948

F. A. Voigt/Walter A. Reichart: GH und Shakespeare. 2. Aufl. Goslar 1947

Franz Vollmers-Schulte: GH und die soziale Frage. Dortmund 1923

Ludolf Wedel-Parlow: «Die Jüdin von Toledo» und «Kaiser Karls Geisel». Dissert. Würzburg 1927

Peter-Christian Wegner: GHs Griechendramen. Dissert. Kiel 1968

Grigorij Weiss: Am Morgen nach dem Kriege. Berlin 1981

Hansgerhard Weiß: Die Schwestern vom Hohenhaus. Berlin 1938

Manfred Wekwerth: Wir arbeiten an GHs Komödie «Der Biberpelz». Halle 1953

Benno von Wiese (1): Zwischen Utopie und Wirklichkeit. Düsseldorf 1963

B. v. Wiese (2): Deutsche Dichter der Moderne. Berlin 1965

B. v. Wiese (3, Hg.): Das deutsche Drama vom Barock bis zur Gegenwart. Bd. 2, Düsseldorf 1958

Wilfried van der Will: Voraussetzungen und Möglichkeiten einer Symbolsprache im Werk GHs. Dissert. Köln 1962

Erich Wulffen: GHs Dramen. Kriminalpsychologische und pathologische Studien. 2. Aufl. Berlin 1911

Rosemarie Zander: Der junge GH und Henrik Ibsen. Dissert. Frankfurt a. M. 1947

Bernhard Zeller (Hg.): GH. Leben und Werk (Ausstellungskatalog). Stuttgart 1962

Werner Ziegenfuß: GH. Dichtung und Gesellschaftsidee der bürgerlichen Humanität. Berlin 1948

Rudolf Ziesche: Der Manuskriptnachlaß GHs. Wiesbaden 1977 (Teil 1), 1987 (Teil 2)

Theodore Ziolkowski: Fictional Transfigurations of Jesus. Princeton 1978

Carl Zuckmayer (1): Ein voller Erdentag. Zu GHs 100. Geburtstag. Frankfurt a. M. 1962

C. Zuckmayer (2): Als wär's ein Stück von mir. Horen der Freundschaft. Frankfurt a. M. 1966

Werkregister

Personenregister

Verzeichnis der Abbildungen

im Text

597

des Schauspiels «Vor Sonnenuntergang» am 16. Oktober 1955 im Deutschen Theater

(90) Dietrich Körner und Doris Abesser in einer Aufführung des «Florian Geyer» in der Volksbühne, Spielzeit 1962/63

Quellenangaben

Akademie der Künste der DDR, Berlin 11, 26, 27, 30, 54, 71, 77

Deutsche Staatsbibliothek, Berlin 47, 59, 65

Deutsches Theater, Berlin 89

Gerhart-Hauptmann-Gedenkstätte, Erkner 4, 24, 29, 44, 46, 53, 58, 68, 73, 88

Kindler-Verlag, München 57

Märkisches Museum, Berlin 10, 20, 25, 35, 36, 37, 45, 69, 70, 76, 79, 80, 85, 86

Staatliche Museen zu Berlin 16, 50, 66

Thomas-Mann-Archiv, Zürich 81

Ullsteinbilder, Berlin (West) 64

Folgende Künstler und Nachlaßverwalter stellten uns freundlicherweise Arbeiten zur Verfügung:

Lis Bertram-Ehmsen 55; Prof. Gunter Böhmer 18; Dr. Gustav Erdmann, Berlin 63; Barbara Hauptmann (Archiv Dr. Benvenuto Hauptmann), Ronco/Schweiz 17, 19, 22, 48, 75, 78, 87; Ingeborg Hauptmann, Wiesbaden 42, 82; Karger-Decker, Berlin 23, 56, 68, 83; Nina Lehmann-Slevogt 14; Ingeborg Schultz, Berlin 43; A. Paul Weber 28

Alle übrigen Abbildungen wurden aus Büchern reproduziert.

Inhalt